Iny Lorentz

Dezembersturm

Roman

KNAUR

Besuchen Sie uns im Internet:
www.knaur.de

Originalausgabe Oktober 2009

Redaktion: Regine Weisbrod
Covergestaltung: ZERO Werbeagentur, München
Coverabbildung: © Fine Art Photographic Library /
CORBIS Richard Jenkins
Satz: Adobe InDesign im Verlag
Druck und Bindung: CPI books GmbH, Leck
ISBN 978-3-426-50405-5

14 15 13

Erster Teil

Das Unglück

Im Knaur Taschenbuch Verlag sind bereits folgende Bücher der Autorin erschienen:

Die Wanderhure
Die Kastellanin
Das Vermächtnis der Wanderhure
Die Goldhändlerin
Die Kastratin
Die Tatarin
Die Löwin
Die Pilgerin
Die Feuerbraut
Die Tochter der Wanderhure
Aprilgewitter
Juliregen
Das goldene Ufer
Die Ketzerbraut
Die Rache der Wanderhure
Die Rose von Asturien
Töchter der Sünde

Über die Autorin:

Hinter dem Namen Iny Lorentz verbirgt sich ein Münchner Autorenpaar, dessen erster historischer Roman *Die Kastratin* die Leser auf Anhieb begeisterte. *Die Wanderhure* wurde zu einem Millionenerfolg.
Seither folgt Bestseller auf Bestseller, die Iny Lorentz zur erfolgreichsten deutschen Autorin im Bereich historische Unterhaltung machten und in zahlreiche Länder verkauft wurden.
Besuchen Sie die Autorin auf ihrer Website www.iny-lorentz.de

I.

Die Finger ihres Großvaters bohrten sich in Lores Schulter. Sie stöhnte vor Schmerz auf, hob den Kopf und sah sein bleiches, zornverzerrtes Gesicht über sich. Erschrocken fragte sie sich, womit sie den alten Herrn so sehr verärgert haben mochte. Dann erst bemerkte sie, dass er angestrengt durch das Fenster blickte. Dort teilte ein schnurgerader, scheinbar endlos langer Karrenweg den vom Licht der tiefstehenden Abendsonne beschienenen Forst. In einer halben Stunde würde die Dämmerung den Wald in Schatten tauchen, aber noch war es hell genug, um die stattliche Kutsche des Freiherrn von Trettin auf Trettin zu erkennen, die sich, von vier Pferden gezogen, dem alten Jagdhaus näherte.

Der alte Herr ließ Lores Schulter ebenso überraschend los, wie er sie gepackt hatte, drehte sich um und eilte in sein Zimmer. Beklommen folgte sie ihm und sah, wie er den Gewehrschrank öffnete, eine Doppelflinte herausnahm und sie mit zitternden Händen lud.

»Großvater, tu's bitte nicht!«, flehte sie und vergaß in ihrer Angst ganz, dass sie ihn mit »Euch« hätte anreden müssen. Zu jeder anderen Zeit wäre sie scharf gerügt worden, doch nun starrte der alte Herr auf die Waffe und stellte sie mit einer bedauernden Geste zurück in den Schrank.

»Du hast recht, Lore! Eine Ratte erschlägt man, aber man vergeudet keine Patrone an sie.« Er kehrte zum Fenster zurück und blickte der näher kommenden Kutsche entgegen. Dabei erschien eine scharfe Kerbe über seiner Nase, und er stieß eine leise Verwünschung aus. »Der Kerl will sich wohl mit eigenen Augen überzeugen, ob ich bereits ganz am Boden liege. Aber diesem ehrlosen Lumpen werde ich heimleuchten!«

Wolfhard Nikolaus von Trettin legte sich bereits die Worte zurecht, die er seinem Neffen an den Kopf werfen wollte, als sein Blick auf Lore fiel. »Ich glaube, es ist besser, du gehst nach Hause. Ottokars Konversation war noch nie amüsant und ist auch nicht für Kinderohren geeignet.«

Lore wollte den alten Herrn schon daran erinnern, dass sie vor vier Wochen ihren fünfzehnten Geburtstag gefeiert hatte und in diesem Alter sich andere Mädchen bereits ihr eigenes Brot verdienen mussten, doch nach einem Blick in sein versteinert wirkendes Gesicht besann sie sich eines Besseren und versuchte ihn auf einem anderen Weg umzustimmen.

»Es ist schon spät, Herr Großvater, und ich werde nicht vor Einbruch der Nacht zu Hause ankommen.«

Der alte Herr schnaubte verärgert. »Hat Elsie dir wieder Schauergeschichten erzählt und dir Angst vor Waldgeistern gemacht? Aber die gibt es nur in der Phantasie dieser dummen Pute.«

»Nein, Herr Großvater«, versicherte Lore. »Das ist es gewiss nicht!«

Ungeduldig versetzte er ihr einen leichten Stoß. »Mach jetzt, dass du verschwindest! Ottokars Kutsche hält bereits vor der Tür, und ich will nicht, dass er dich hier sieht.«

Lore meinte zwar, sie könne sich ebenso gut auf dem Dachboden oder im Keller verstecken, damit der neue Freiherr auf Trettin sie nicht bemerkte, doch kannte sie ihren Großvater gut genug, um ihm nicht zu widersprechen. Daher knickste sie und verschwand im selben Moment durch die Hintertür, in dem der Besucher von vorne ins Haus kam und breitbeinig in das Zimmer ihres Großvaters trat.

Ottokar Freiherr von Trettin hatte keine Ähnlichkeit mit seinem hochgewachsenen, trotz seines Alters noch stattlichen Onkel. Das, was ihm an Körpergröße fehlte, machte er an Umfang wett und wirkte daher fast so breit wie hoch. Sein rundes Gesicht war von gesunder Farbe, die kleinen Augen standen eng zusammen, und die Nase glich einer Kartoffel. Seine schwindende braune Haartracht wurde von einem Zylinder aus geschorenem Biberpelz bedeckt, und auch die anderen körperlichen Mängel suchte er durch übertrieben elegante Kleidung wettzumachen: Sein Rock und seine Hose stammten gewiss aus einem hochmodischen Schneidersalon. So ausstaffiert wirkte er neben seinem in einen schlichten Lodenanzug gekleideten Onkel wie ein gutgemästeter Pfau.

Auf dem hageren Gesicht des alten Herrn wechselten Ekel, Hass und Zorn in rascher Folge, doch das schien den Besucher wenig zu stören.

Ottokar von Trettin trat auf den Hausherrn zu und hielt ihm den vergoldeten Knauf seines Gehstocks unter die Nase, als wollte er ihm Schläge androhen. »Ich habe mit dir zu reden, Oheim!«

Obwohl er gedämpft sprach, verriet seine Stimme, dass nicht nur Lores Großvater seine Wut im Zaum halten musste.

»Was willst du denn noch von mir? Du hast mir mit Hilfe deiner guten Freunde bereits alles außer dieser erbärmlichen Hütte hier weggenommen. Oder sind die Kerle zur Einsicht gekommen und haben dir Gut Trettin wieder abgesprochen?«

»Das Gut gehört mir! Es war mein Recht, es dir abzufordern. Die Hausgesetze schreiben vor, dass Grundbesitz und Vermögen der Familie ungeschmälert als Majorat weitergegeben werden müssen. Statt dich danach zu richten, hast du alles verlottern lassen und damit mich, deinen Erben, um das bringen wollen, was mir von Rechts wegen zustand!« Ottokar von Trettins Stimme überschlug sich vor Erregung.

Zwar hatte er seinen Onkel vor zwei Monaten durch einen Gerichtsbeschluss von Gut Trettin vertrieben und den Besitz selbst übernommen, doch für ihn galt es noch einige Dinge zu klären.

Das Gesicht des alten Herrn verdüsterte sich, und er trat einen

Schritt auf den Gewehrschrank zu, in dem die geladene Flinte steckte. Doch dann ließ er die ausgestreckte Hand wieder sinken. Ottokars Tod konnte an der Situation nichts mehr ändern. Nach dessen Ableben würde das Gut Trettin nicht an ihn zurückfallen, sondern an dessen Frau und die ungezogenen Bengel übergehen. Außerdem wollte er seinen Namen nicht durch den Skandal beschmutzen, von der Polizei verhaftet und nach Königsberg oder gar nach Berlin geschleppt zu werden.
Da sein Onkel nicht antwortete, stieß Ottokar von Trettin seinen Stock auf den Boden. »Ich habe inzwischen die Bücher durchgesehen und entdeckt, dass deine Ausgaben in einem eklatanten Missverhältnis zu den eingetragenen Einnahmen stehen. Zudem ist das Gut massiv mit Hypotheken belastet. Es war tatsächlich höchste Zeit, dir die Verfügungsgewalt zu nehmen.«
»Gestohlen hast du es mir! Es war mein Eigentum und hätte es bis zu meinem Tod bleiben müssen«, brüllte Wolfhard von Trettin und gab sich keine Mühe, seine Abscheu gegen diese vollgefressene Kröte zu verbergen, die er den Majoratsregeln zufolge als seinen Erben ertragen musste.
Ottokar ballte die freie Hand zu Faust. »Ich glaube, du hast mich nicht verstanden, Onkel. Ich will wissen, wo das Geld hingekommen ist, das du eingenommen hast. Wenn Trettin richtig geführt wird, ist es eine Goldgrube!«
Der alte Freiherr machte eine wegwerfende Handbewegung. »Ich war nie ein Bauer, der die Ähren auf seinem Feld zählt, so wie du es anscheinend machst, und da mir ein Sohn versagt geblieben ist, hatte ich keinen Grund, jeden Taler herumzudrehen.«
Ottokar knirschte mit den Zähnen. »Du hast das Geld für deine Tochter und ihren lumpigen Ehemann beiseitegeschafft. Gib es doch zu! Doch es gehört zum Gut, und ich werde es mir zurückholen!«
»Viel Glück«, spottete der Alte. »Aber du darfst es mir schon

glauben: Ich habe stets auf großem Fuß gelebt und mir keinen Genuss versagt.«

Das konnte Ottokar nicht abstreiten. Der exzentrische Lebenswandel seines Onkels war seit Jahren in aller Munde, und nicht wenige der heimischen Honoratioren hatten ihre Erleichterung geäußert, dass die Lotterwirtschaft auf Trettin endlich ein Ende nehmen würde. Aber trotz aller Kapriolen des alten Herrn hätte nach seinem Dafürhalten deutlich mehr Geld auf den Konten des Gutes vorhanden sein müssen.

»Wenn das fehlende Geld nicht innerhalb dieses Monats an das Gut zurückfließt, werde ich dich verklagen, Onkel. Deine Tochter und ihre Bälger haben kein Anrecht darauf.«

»Du hast es doch nur auf das Jagdhaus und das Stückchen Wald abgesehen, das ich noch besitze! Aber selbst mit Hilfe deiner guten Freunde vom Gericht wird es dir nicht gelingen, es mir abzunehmen. Diesen Besitz hat mir mein Schwiegervater vererbt, also zählt er nicht zum Majorat.«

Obwohl er einen Stock in der Hand hielt, wich Ottokar von Trettin zurück, aus Angst, sein Onkel könne handgreiflich werden. Als dieser sich jedoch nicht rührte, schob er angriffslustig das Kinn nach vorne. »Du missverstehst mich absichtlich. Ich sprach nicht von dieser halbverfallenen Hütte und den paar Morgen Wald, die sich, mit Verlaub, in einem entsetzlichen Zustand befinden. Mir geht es um das Geld, das du heimlich beiseitegeschafft hast, um es deiner Tochter zuzustecken. Sie wird keinen Taler davon bekommen, das schwöre ich!«

»Du bist ein Narr, Ottokar, genauso wie dein Vater einer war. Um Geld zur Seite legen zu können, habe ich viel zu flott gelebt.« Wolfhard von Trettin war ruhig geworden und lachte seinem Neffen nun ins Gesicht. Dieser mahlte mit den Kiefern wie eine wiederkäuende Kuh und stieß dann einen gotteslästerlichen Fluch aus.

»Dann sehen wir uns vor Gericht wieder! Beklage dich aber nicht, wenn dir der Richter auch noch das letzte Hemd nimmt. Schließlich hätte deine Tochter es auch anders haben können. Doch sie musste ja diesen lächerlichen Lehrer mir vorziehen. Der Kerl ist ein Hungerleider, der niemals auf einen grünen Zweig kommen wird!«

Sein Onkel erinnerte sich mit Grausen an die Zeit, in der Ottokar seine Leonore in einer Weise bedrängt hatte, dass er mehrmals hatte eingreifen müssen. Bis heute wusste er nicht, ob seine Tochter den Dorfschullehrer Claus Huppach wirklich geliebt oder sich ihm nur deswegen zugewandt hatte, um vor weiteren Nachstellungen ihres Vetters sicher zu sein. Leonore hatte sich dieses gutmütige Schaf von einem Mann ausgesucht und ihm weisgemacht, ihr ganzes Lebensglück hinge von dieser Verbindung ab. Da zu Wolfhards Verwunderung außer Ottokar kein Freier aus seinen Kreisen an ihn herangetreten war, hatte er schweren Herzens seine Zustimmung zu dieser Heirat gegeben.

Inzwischen hatte er sich mit seinem Schwiegersohn abgefunden und freute sich an der munteren Rasselbande, die im Lehrerhaus aufwuchs, auch wenn die Kinder in seiner Gegenwart so still wie Mäuschen wurden. Da von vorneherein klar gewesen war, dass Gut Trettin als Majorat an seinen widerwärtigen Neffen gehen würde, hatte er getan, was noch möglich gewesen war, um Leonore und seinen Enkelkindern auch nach seinem Tod ein gutes Leben zu bieten. Davon würde er sich auch durch Ottokars Drohungen nicht abhalten lassen.

Daher sah er mit einem spöttischen Lächeln auf seinen Neffen hinab. »Tu, was du nicht lassen kannst. Allerdings bezweifle ich, dass du Erfolg haben wirst.«

Ottokar stieß wütend die Luft aus der Lunge. »Ich weiß, dass du Geld hast! Immerhin hast du im letzten Jahr zweitausend Taler zum Fenster hinausgeworfen, um Fridolin vor dem Schuldgefängnis zu bewahren.«

»Es war das letzte Bargeld, über das ich verfügen konnte, und ich habe es lieber für Fridolin ausgegeben, als es irgendwann einmal dir zu überlassen.«
Der Spott in Wolfhard von Trettins Stimme ließ Ottokars Gesicht hochrot anlaufen. Er wollte dem Alten seine Wut ins Gesicht schreien, kannte seinen Onkel aber gut genug, um zu wissen, dass dieser nur darauf lauerte, ihm weitere boshafte Antworten zu geben. Daher bezähmte er sich, holte ein paarmal tief Luft und versuchte, dem Alten ruhig ins Gewissen zu reden.
»Du hättest die Scheine besser ins Feuer gesteckt, als sie für Fridolin zu vergeuden. Der Kerl ist bis ins Mark verderbt! Trotz seiner Jugend spielt er, säuft und treibt sich mit zweifelhaften Frauenzimmern herum. Er ist eine Schande für unsere Familie, und jeder Taler, den du für ihn ausgegeben hast, müsste dir in der Seele weh tun.«
»Ha! Ich habe in meiner Jugend ebenfalls gespielt, gesoffen und mich mit Weibern herumgetrieben. Und ich bereue das bis heute nicht.« Bei diesen Worten lachte Wolfhard von Trettin seinem Neffen ins Gesicht.
Ottokar wurde klar, dass er weder mit guten Worten noch mit Drohungen etwas erreichen konnte, und so schüttelte er wutschäumend seinen Stock gegen den alten Mann. »Du wirst noch von mir hören!«, brüllte er und verließ ohne ein Wort des Abschieds das Haus.
Wolfhard von Trettin schloss die Tür hinter ihm und sagte sich, dass es wirklich klüger gewesen war, Lore nach Hause zu schicken. Das Mädchen hätte sich wegen des Streites geängstigt und ihren Eltern davon erzählt. Doch es gab Dinge, die auch seine Tochter nicht zu wissen brauchte.

II.

Ottokar von Trettin bestieg schwungvoll seine Kutsche, ließ sich in die Polster fallen und klopfte mit dem Stock gegen das Dach. »Fahr los, Florin, und spare nicht mit der Peitsche. Ich will bald zu Hause sein.«
Während der Kutscher die Pferde antrieb und der Wagen Geschwindigkeit aufnahm, ließ Ottokar das Gespräch mit seinem Onkel Revue passieren und erkannte zu seinem Ärger, dass er gegen den alten Herrn erneut den Kürzeren gezogen hatte.
»Der soll mich kennenlernen! Vor Gericht werde ich ihm zeigen, wer hier das Sagen hat«, schwor er sich und drohte mit der Faust in die Richtung, in der das alte Jagdhaus stand.
Doch es war bereits außer Sicht, denn die Kutsche schoss, von den schnellen Pferden gezogen, über den von dichten Tannen gesäumten Forstweg, als sei dieser eine breite, gepflasterte Allee, und legte die halbe deutsche Meile bis zu der Straße nach Bladiau in kürzester Zeit zurück. Wenig später bog der Wagen bei dem Dorf Trettin zum gleichnamigen Gutshof ab. Inzwischen war es dunkel geworden, und der Kutscher wagte es nicht mehr, die Pferde zu sehr anzutreiben. Es mochten Äste oder andere Gegenstände auf der Straße liegen, über die ein Gaul stolpern und zu Schaden kommen konnte. Stieß den Tieren etwas zu, war er schuld, und es setzte ein Donnerwetter.
Kurz hinter dem Dorf kamen die schattenhaften Umrisse eines Hauses in Sicht. Ottokar starrte durch das offene Kutschenfenster auf das tief heruntergezogene Reetdach und knirschte mit den Zähnen. Es war das Lehrerhaus, in dem seine Base mit ihrer Familie lebte. Hinter den Fenstern war kein Funken Licht mehr zu erkennen. Die Bewohner waren wohl bereits zu Bett gegangen.
»Halt an!«, befahl Ottokar dem Kutscher, denn es würde ihm Ge-

nugtuung bereiten, Leonore Huppach und ihren vertrottelten Mann zu wecken und ihnen zu sagen, dass er seinen Onkel lieber im Gefängnis sehen wollte, als auf das ihm zustehende Vermögen zu verzichten. Vielleicht konnte er die beiden so einschüchtern, dass sie freiwillig bekannten, wo der Alte das unterschlagene Geld versteckt hielt. Wenn er sie ebenfalls vor Gericht zerrte und sie als Diebe verurteilen ließ, würden sie das Wohnrecht im Lehrerhaus verlieren und auf der Straße stehen, und das gebührte diesem Pack.

»Herr, die Kutsche steht«, meldete Florin missmutig, als sein Herr sich nicht rührte. Warum musste er ausgerechnet vor dem Lehrerhaus anhalten, in dem ohnehin keiner mehr wach war? In der Gutsküche wartete eine deftige Abendmahlzeit auf ihn, und die Pferde sehnten sich nach ihrer Futterkrippe im Stall.

Zu Florins Bedauern öffnete Ottokar von Trettin schließlich den Schlag und stieg aus. Er atmete ein paarmal tief durch, trat einige Schritte auf das reetgedeckte Haus zu und hob den Knauf seines Stockes, um gegen die Tür zu schlagen. Dabei überlegte er sich, was er sagen sollte, und zögerte. Würde er das Gesindel da drinnen zur Rede stellen, warnte er sie nur und gab ihnen die Möglichkeit, das Geld, das sein Onkel dem Gut entnommen hatte, verschwinden zu lassen. Nachdenklich schlenderte er bis zu dem kleinen Ziegenstall, der an das Wohnhaus angebaut war, und zog sein Zigarrenetui heraus. Während er sich eine Zigarre auswählte und sie anzündete, wuchs sein Ärger, weil an diesem Tag rein gar nichts so lief, wie er es gerne gesehen hätte.

Als das Schwefelhölzchen flatternd zu Boden fiel und erst nach ein paar Augenblicken erlosch, verzog Ottokar von Trettin seine Lippen zu einem zufriedenen Grinsen. Ganz ungestraft wollte er Leonore Huppach nicht davonkommen lassen. Daher ging er zum Heuschober hinüber, der nur wenige Schritte vom Wohnhaus entfernt stand, und öffnete die Tür. Der würzige Duft des Heus schlug ihm entgegen, und er erinnerte sich, seine Cousine im letzten Herbst bei der Mahd beobachtet zu haben. Diese hatte genug Heu eingelagert, so dass ihre Ziegen bei den in diesem Landstrich unvermeidlichen Kälteeinbrüchen nicht auf die Weide getrieben und dort von den Kindern gehütet werden mussten. Den Vorteil würde er seiner Cousine in diesem Jahr versalzen, sagte er sich und lachte hämisch. Er blies auf die Zigarre, bis sie hell aufglühte, und warf sie in den Heuschober.

Noch während er sich umdrehte, um zu seiner Kutsche zurückzukehren, entzündete sich das trockene Heu in einer Stichflamme, und Sekunden später brannte der Schober lichterloh. Ottokar von Trettin wurde von der Wucht des Feuers überrascht und bekam es plötzlich mit der Angst zu tun. So rasch, wie man es ihm bei seiner Körperfülle niemals zugetraut hätte, sprang er in die Kutsche und befahl dem Mann auf dem Bock, sofort weiterzufahren.

Florin gehorchte und ließ die Pferde antraben. Sein Herr steckte unterdessen den Kopf aus dem Kutschenfenster und starrte auf das Feuer, dessen Flammen jetzt schon höher schlugen als das Reetdach des Wohnhauses. Ein kühler Windstoß fegte über das Land und trieb die Funken des brennenden Heuschobers auf das Haus zu. Das Reetdach entzündete sich sofort, und die immer rascher hereinbrechenden Böen fachten das Feuer an, bis das ganze Haus einer hell lodernden Fackel glich.

Ein Teil seines Verstands sagte Ottokar von Trettin, dass er anhalten und seine Base wecken musste, damit sie und ihre Familie noch rechtzeitig aus dem brennenden Haus kamen. Er klopfte gegen das Kutschendach, um den entsprechenden Befehl zu geben, hörte sich stattdessen aber rufen: »Peitsche die Pferde, Florin! Ich will so schnell wie möglich nach Hause.«

III.

Lore stolperte durch den Wald und schimpfte mit sich selbst, weil sie die Abkürzung genommen hatte anstatt den längeren, aber in der Dunkelheit besser zu bewältigenden Forstweg. Zweimal war sie nun schon über eine Wurzel gestolpert, die sie in der Dunkelheit nicht gesehen hatte, und nun hatte sie sich auch noch den Saum ihres Kleides aufgerissen. Dabei handelte es sich um eines ihrer beiden guten Kleider, die sie nur dann anzog, wenn sie zu ihrem Großvater ging.

Früher hatte sie den alten Herrn regelmäßig im Gutshaus besucht, und auch nachdem er in das kleine, ganz aus Holz gebaute und schon etwas schäbige Jagdhaus gezogen war, das ihm als einzige von all seinen Liegenschaften noch gehörte, hatte sie mit dieser Gewohnheit nicht gebrochen. Allerdings lag es mitten in einem ausgedehnten Waldgebiet, das fast bis an das Dorf Trettin reichte und nur zu einem kleinen Teil zum Gutsbesitz gehörte. Ihre feinen Kleider waren dort ein wenig fehl am Platz, doch ihr Großvater bestand darauf, dass sie sich wie eine Dame von Stand kleidete und auch so benahm. Nun tat es ihr leid um das beschädigte Kleid, und sie hoffte, es so nähen zu können, dass man den Schaden nicht sah.

Für einen Augenblick dachte sie an die Frau des früheren Pastors, bei der sie nähen und sticken gelernt hatte. Bedauerlicherweise war die alte Frau nach dem Tod ihres Mannes nach Königsberg zu Tochter und Schwiegersohn gezogen. Den Kontakt zur Familie des neuen Pastors hatte der Großvater ihr verboten, weil der Geistliche vor dem neuen Gutsherrn auf Trettin liebedienerisch den Nacken beugte.

Ein weiterer Fehltritt und ein stechender Schmerz im Knöchel rissen Lore aus ihrem Sinnieren, und sie humpelte weiter. Wenn sie nicht achtgab, verirrte sie sich noch in dem ausgedehnten Forst, der an manchen Stellen in Moor überging. Zudem gab es noch ganz andere, reale Gefahren für ein Mädchen ihres Alters. An die Waldgeister, mit denen das Dienstmädchen ihres Großvaters ihr Angst einjagen wollte, glaubte sie jedoch nicht.

Als Lore den Stumpf einer im letzten Sommer vom Blitz getroffenen Buche entdeckte, atmete sie erleichtert auf. Sie war noch auf dem richtigen Weg. Kurz darauf wurde das Kronendach lichter, und sie konnte wieder den Boden zu ihren Füßen erkennen. Sie beschleunigte ihre Schritte trotz des schmerzenden Knöchels, denn sie hoffte, zu Hause könne noch jemand wach sein. Wahrscheinlicher war es, dass ihre Eltern und Geschwister bereits im Bett lagen. Sie hatte mehrere Tage bei ihrem Großvater bleiben sollen, und daher wartete niemand auf sie. Wieder einmal ärgerte sie sich, dass sie als Älteste von vier Geschwistern keinen Schlüssel besaß, so würde ihr nichts anderes übrigbleiben, als ihre Eltern zu wecken. Doch wie sollte sie ihnen ihr nächtliches Erscheinen erklären?, fragte sie sich. Ottokars Besuch bei dem alten Herrn musste sie verschweigen, um ihre Angehörigen nicht aufzuregen, und sie wollte auch nicht den Anschein erwecken, ihr Großvater hätte sie im Zorn nach Hause geschickt.

Noch während sie darüber nachsann, entdeckte sie vor sich einen hellen Lichtschein über dem Horizont und vernahm laute, panikerfüllte Stimmen. Angst drohte ihr die Luft abzuschnüren, und sie begann zu rennen. Nach kurzer Zeit traf sie auf die Straße und sah ihr Elternhaus vor sich – hell auflodernd wie ein riesiger Scheiterhaufen.

Menschen liefen gestikulierend hin und her oder schleppten Eimer, die sie am nahe gelegenen Bach füllten, um den Brand zu löschen. Doch die Hitze der hoch aufzüngelnden Flammen war so groß, dass das meiste Wasser verdampfte, bevor es das Dach oder die Fenster erreichte.

Lore taumelte näher und hielt nach ihren Eltern und ihren Geschwistern Ausschau, sah aber nur Dorfnachbarn um sich, die zum Lehrerhaus geeilt waren und nicht weniger verzweifelt wirkten als sie.
Eine Frau entdeckte sie und kreischte auf, als sähe sie ein Gespenst vor sich. Dann aber blickte sie zum Wald hinüber, in dem, ein gutes Stück entfernt, das Jagdhaus des alten Trettin lag. »Du warst wohl wieder bei deinem Großvater.«
Das Mädchen nickte und deutete auf das Haus, dessen Dach nun in einer Wolke aufstiebender Funken einbrach. »Mama und Papa! Wo sind sie? Und wo …?« Das Gesicht der Frau aus dem Kolonialwarenladen verriet ihr genug.
Ein Mann kam auf sie zu, fasste sie um die Schultern und drückte sie an sich. Lore blickte auf und erkannte den alten Kord, den ehemaligen Vorarbeiter auf Gut Trettin, der von dem neuen Herrn wegen seiner Treue zu ihrem Großvater entlassen worden war. Die hoch auflodernden Flammen beleuchteten ein vor Entsetzen verzerrtes Gesicht.
»Bete zu Gott, mein Kind! Das ist das Einzige, was du noch tun kannst. Es ist keinem von deinen Angehörigen gelungen, das Haus zu verlassen.«
»Nein! Nein! O Gott! So grausam kannst du doch nicht sein!« Lore riss sich los und stolperte auf das brennende Gebäude zu. Sofort packten einige Leute sie und zerrten sie zurück.
»Du kannst ihnen nicht mehr helfen, Kind!«, beschwor Kord sie.
»Danke Gott, denn er hat an dir ein Wunder getan, Lore!«, sagte die Ladenbesitzerin. »Zwar nahm er dir deine Eltern und Geschwister, aber er ließ dich am Leben.«
»Ich wollte, ich wäre tot!«, brach es aus Lore heraus.
Die alte Miene, deren Kate dem Lehrerhaus am nächsten lag, murmelte etwas vor sich hin. Zwar verstand Kord nur ein paar Wortfetzen, doch es riss ihn wie ein Peitschenschlag herum.

»Sag das noch einmal, Miene!«
»Die Tochter des alten Trettin und ihre Familie könnten noch leben. Als das Feuer aufloderte, habe ich zum Fenster hinausgeschaut und gesehen, wie der neue Gutsherr am Lehrerhaus vorbeigefahren ist. Er hätte nur anhalten und rufen müssen, dann wären sie gerettet worden. Ich bin zwar noch zum Lehrerhaus gelaufen und habe geschrien, so laut ich konnte, aber es war zu spät.«
»Das ist doch dummes Geschwätz! Behaupte so etwas nicht noch einmal, du alte Hexe!«, klang eine harte Stimme auf.
Die Leute drehten sich erschrocken um, sahen den Pastor auf die Brandstelle zukommen und wichen zurück. Niemand von ihnen mochte den Mann. Sein Vorgänger war von echtem Schrot und Korn gewesen und hatte mit den Menschen geredet, wie ihm der Schnabel gewachsen war. Der neue Pfarrer hingegen sprach nur Schriftdeutsch und versuchte nicht einmal, auf den Dialekt der Landbevölkerung einzugehen. Außerdem war er gut Freund mit dem neuen Herrn auf Trettin, und der hatte sich in den zwei Monaten, in denen er das Gut besaß, wie Kaiser Wilhelm persönlich aufgeführt und sich bei fast allen von ihm abhängigen Bauern und Dienstboten verhasst gemacht.
Der Anblick niederbrechender Balken und der aufstiebenden Funken erinnerte den Pastor daran, dass es hier mehr zu tun gab, als den neuen Gutsherrn zu verteidigen.
»Was ist geschehen?«, fragte er Kord.
Der alte Mann wies mit der rechten Hand auf das Feuer. »Gebrannt hat es, und die Leute vom Lehrerhaus sind bis auf die Lore mausetot.«
Der Blick des Pastors wanderte über die Menschen, bis er auf dem Mädchen haftenblieb. Dann trat er auf sie zu und zitierte einen frommen Spruch. Die Worte rauschten an Lore vorbei, die wie zur Salzsäule erstarrt dastand, und die Umstehenden machten hinter dem Rücken des Pastors verächtliche Gesten. Zu sagen wagte je-

doch niemand etwas, denn neben dem Gutsherrn war der Pastor der mächtigste Mann im Kirchspiel, und sie hatten bereits bitterlich erfahren, dass er unbedachte Aussprüche an Ottokar von Trettin weitertrug.

Auch die alte Miene zog jetzt den Kopf ein. Wenn der Pastor dem Gutsherrn steckte, was sie vorhin gesagt hatte, würde dieser sie aus ihrer Kate jagen lassen. Dann blieb ihr nur noch das Armenhaus, und in das ging keiner freiwillig.

Als die Dorfbewohner sahen, dass sie nichts mehr retten konnten, wandten sie den Resten des niedergebrannten Hauses den Rücken zu und schlurften zu ihren Hütten zurück. Kord blieb noch stehen, weil er nicht wusste, was mit Lore geschehen sollte. In diesem Zustand konnte das Mädchen unmöglich allein zum alten Jagdhaus laufen.

Der Pastor nahm ihm die Entscheidung ab, indem er Lore zu sich winkte. »Du bleibst diese Nacht bei mir, und morgen bringe ich dich dann zum Gutshof.«

Lore, der erst nach und nach bewusst wurde, was sie in dieser Nacht verloren hatte, nahm unter der Wucht der Verzweiflung und ihres Schmerzes, die sie innerlich auffraßen, kaum etwas von ihrer Umgebung wahr. Das Wort Gutshof aber drang in ihr Bewusstsein, und sie riss abwehrend die Hände hoch. »Dorthin gehe ich nicht! Mit dem neuen Herrn auf Trettin habe ich nichts zu tun.«

»Da hat das Mädchen recht, Herr Pastor«, stimmte Kord ihr zu. »Wenn es nach dem Tod der Eltern jemanden gibt, der sich um Lore kümmert, dann ist es ihr Großvater.«

Dagegen konnte auch der Pastor nichts einwenden. »Also gut, dann werde ich Lore morgen früh zum alten Herrn von Trettin bringen«, erklärte er, obwohl es ihn nicht gerade danach drängte, dem ehemaligen Gutsherrn zu begegnen. Dieser nahm im Gespräch mit ihm kein Blatt vor den Mund und warf ihm dieselben rüden Flüche an den Kopf wie einem Stallknecht.

Kord überlegte derweil, ob er seinen alten Herrn aufsuchen und ihm von dem Unglück berichten sollte. Doch schon nach wenigen Schritten blieb er stehen. Dieser Aufgabe fühlte er sich wahrlich nicht gewachsen, und er sagte sich, dass der Pastor als studierter Mann sicher bessere Worte finden würde als er.

IV.

Die Nacht verbrachte Lore in einem Gästezimmer des Pastorenhauses, doch sie hätte am nächsten Morgen nicht zu sagen vermocht, ob sie nun geschlafen hatte oder nicht. Von der Frau des Pastors hatte sie ein viel zu weites Nachthemd erhalten, das wie ein Sack an ihr herabhing und am Boden schleifte. Am Morgen brachte ihr das Dienstmädchen Waschwasser und ihr ausgebürstetes Kleid, dessen Riss mit ein paar groben Stichen zusammengeheftet worden war.

»Du solltest dich beeilen, denn der Herr Pastor will gleich mit dir zu deinem Großvater fahren. Das Frühstück steht bereits auf dem Tisch«, drängte die junge Frau.

Frühstück war etwas, das für Lore zu einem anderen Leben zu gehören schien. Ihr Magen lag wie ein harter Klumpen in ihrem Bauch, und sie verspürte weder Hunger noch Durst. Vor ihren Augen sah sie nur die Flammenhölle, die einst ihr Heim gewesen war, und sie fragte sich wieder und wieder, wieso es ihren Eltern und Geschwistern nicht gelungen war, vor dem Feuer ins Freie zu fliehen.

Dabei kam ihr der Ausspruch der alten Miene in den Sinn, der neue Herr auf Trettin hätte ihre Familie vor dem Schlimmsten bewahren können. Warum war er einfach vorbeigefahren? Das schien unbegreiflich. Auch wenn er mit ihrem Großvater verfeindet war, hätte die Menschlichkeit es doch verlangt, anzuhalten und die Bewohner vor dem Feuer zu warnen. Vielleicht, sagte sie sich, hatte Ottokar nach seinem Besuch bei ihrem Großvater vor Ärger nicht auf seine Umgebung geachtet und daher das brennende Haus übersehen. Doch so richtig mochte sie daran nicht glauben. Zumindest Florin auf dem Kutschbock hätte das Feuer bemerken und seinen Herrn darauf aufmerksam machen müssen. Also war ihr Verwandter absichtlich weitergefahren.

»Lore! Trödle nicht, sondern komm endlich zu Tisch«, hörte sie die Stimme der Pastorin ins Zimmer schallen, als sei sie kein Gast, sondern eine faule Magd.

Sie krümmte sich unter dem Tonfall wie unter einem Hieb, wusch sich mit dem kalten Wasser rasch Hände und Gesicht, flocht ihre aufgelösten Zöpfe neu und schlüpfte in ihr Kleid. Als sie wenig später das Speisezimmer betrat, stand der Pastor bereits an der Tür und sprach mit seinem Kutscher. Bei Lores Anblick drehte er sich herum.

»Iss rasch etwas! Ich will gleich losfahren.«

Lore schüttelte schaudernd den Kopf. »Ich kann nichts essen, Herr Pastor.«

Die Pastorin, die noch am Tisch saß und dem Dienstmädchen zusah, das ihre beiden Kinder fütterte, krauste die Stirn. »Unsinn! Essen hält Leib und Seele zusammen und vertreibt den Schmerz.«

So fett, wie du aussiehst, hast du schon viele Schmerzen vertrieben, fuhr es Lore durch den Kopf. Bereits in der Nacht hatte die Frau keinen Hehl daraus gemacht, dass sie den Brand des Lehrerhauses als ein Zeichen Gottes ansah, der die Feinde des neuen Gutsherrn mit seinem Zorn strafe. Daher war ihre Beileidsbekundung arg knapp und ohne jedes Mitgefühl ausgefallen. Lore biss sich auf die Lippen, um der Frau nicht ins Gesicht zu schreien, was sie von ihr hielt, und warf einen kurzen Blick auf das opulente

Frühstück, das aus hellem Brot, goldgelb glänzender Butter, einem großen Stück Käse und einer fettigen Leberwurst bestand, und fühlte, wie es in ihrer Kehle würgte.
Rasch wandte sie dem Tisch den Rücken zu und sah den Pastor an. »Ich möchte zu meinem Großvater.«
Der Pastor brummte etwas, das so klang, als wolle er sie überreden, sich doch ins Gutshaus bringen zu lassen. Aber nach einem Blick auf ihre Miene nickte er nur. »Gut. Fahren wir!«
Er winkte ihr, ihm zu folgen, und verließ das Haus. Es war wie alle anderen im Ort mit Reet gedeckt, aber größer als das Lehrerhaus und sehr viel besser eingerichtet. Hier konnte jeder sofort erkennen, dass der Pastor an Wichtigkeit gleich nach dem Gutsherrn kam, und der Mann trat entsprechend selbstbewusst auf. Als der Kutscher den Landauer durch das Dorf lenkte, nahmen die einfachen Knechte und Arbeiter die Mützen vom Kopf, und die meisten Frauen knicksten. Der Blick des Pastors glitt jedoch über die Leute hinweg, und seine Mundwinkel zogen sich verächtlich herab.
Obwohl der Schmerz um ihre Familie in ihr tobte, ärgerte Lore sich über die Gutsherrenallüren des Seelsorgers. Sein Vorgänger hatte für jedermann ein gutes Wort gehabt und offene Ohren für die Sorgen der Leute. Der neue Geistliche aber schien die Arbeiter und Knechte nicht einmal als Menschen anzusehen. Auch für sie hatte er kein Wort des Trostes gefunden, sondern sie nur wiederholt aufgefordert, sich doch besser in die Obhut Ottokar von Trettins und Malwines zu begeben, als zu ihrem Großvater zu gehen. Daher war sie froh, als das Gefährt auf den Forstweg zwischen den hohen Tannen einbog und der Brandgeruch, der immer noch in der Luft zu liegen schien, dem Duft des Harzes wich. Doch in Sicherheit fühlte sie sich erst, als sie das Jagdhaus vor sich auftauchen sah.
Wolfhard Nikolaus von Trettin hörte den näher kommenden Wa-

gen, trat vor die Tür und runzelte beim Anblick des ihm verhassten Pastors die Stirn. Noch mehr wunderte er sich jedoch, seine Enkelin auf dessen Wagen zu sehen. Das Mädchen war bleich wie ein Leinentuch, und ihr Blick erinnerte ihn an eine sterbende Hirschkuh. Sofort war ihm klar, dass etwas Schreckliches geschehen sein musste.

Der Pastor ließ seinen Kutscher anhalten und stieg aus, ohne sich um Lore zu kümmern. »Gott zum Gruß, Herr von Trettin!«

»Guten Tag, Pastor«, antwortete dieser mit der ganzen Arroganz eines ostpreußischen Junkers und verschränkte die Arme vor der Brust.

Der Pastor beschloss, die Unhöflichkeit des alten Mannes zu übergehen, und setzte eine wohlwollende Miene auf. »Mein lieber Trettin, ich bedaure sehr, heute hier stehen und Ihnen eine schlechte Nachricht überbringen zu müssen. Es hat Gott, dem Allmächtigen, gefallen, Ihre Tochter, Ihren Schwiegersohn und alle Enkel bis auf dieses Mädchen hier zu sich zu nehmen.«

Lores Großvater stand einen Augenblick lang wie erstarrt, dann packte er den Pastor mit einem harten Griff. »Was sagst du da, du Kretin?«

»Mama, Papa, Wolfi, Willi und Ännchen sind tot! Es gab ein Feuer, und sie sind …« Lores Stimme klang dünn und versagte ihr schon bald den Dienst.

Wolfhard von Trettin stieß einen Schrei aus, der nichts Menschliches an sich hatte. »Mein Kind, meine Enkel tot? Und dieser Pfaffe sagt auch noch, es hat Gott so gefallen?«

»Versündigen Sie sich nicht!«, rief der Pastor mahnend. »Gottes Ratschluss ist unergründlich und kann von uns Menschen nicht begriffen werden. Wer weiß, welche Sünden Ihres Geschlechts durch dieses Feuer gesühnt wurden.«

Der Blick, mit dem er Lores Großvater maß, ließ keinen Zweifel daran, wem der Pastor diese Sünden zuschrieb.

Der alte Freiherr spürte, wie die Wut auf den Kirchenmann ihm das Blut in den Kopf steigen ließ und für den Augenblick selbst die Trauer um Tochter, Schwiegersohn und Enkel verdrängte. »Was ist das für ein Gott, von dem du sprichst? Ein gerechter Gott lässt nicht unschuldige Frauen und Kinder für die Sünden anderer im Feuer umkommen! Keiner meiner Enkel hat je eine größere Untat begangen, als zu Weihnachten heimlich ein Plätzchen zu essen! Warum also hätte Gott sie zu sich nehmen sollen? Es gibt genug arge Sünder im Land, die ein behagliches Leben führen, obwohl sie den Schlund der Hölle verdient hätten!« Wolfhard von Trettins Blick glitt dabei in die Richtung, in der sein verlorener Gutshof lag.

Der Pastor legte ihm besänftigend die Hand auf die Schulter. »Nehmen Sie es als Mahnung des Himmels, Herr von Trettin, und reichen Sie Ihrem Erben die Hand zur Versöhnung. Dann wird Gott es Ihnen danken.«

Der Alte fuhr wie von der Tarantel gestochen herum und starrte den Pastor an, als habe dieser den Verstand verloren. »Was soll ich? Den Räuber meines Eigentums an mein Herz drücken? Das kann nicht einmal Gott von mir verlangen!«

»Der neue Herr auf Trettin hätte alle retten können. Aber er ist an dem brennenden Haus vorbeigefahren, ohne sie zu wecken und zu warnen.« Erst als das Gesicht ihres Großvaters auf einen Schlag schneeweiß wurde, begriff Lore, dass sie ihre Gedanken laut ausgesprochen hatte.

Der Pastor warf ihr einen verächtlichen Blick zu. »Hören Sie nicht auf das dumme Mädchen, Herr von Trettin! Ihre Enkelin wiederholt nur das haltlose Geschwätz einer verrückten alten Frau. Wäre der Gutsherr tatsächlich am Lehrerhaus vorbeigekommen, hätte er selbstverständlich angehalten und die Leute herausgerufen.«

Wolfhard von Trettin dachte an den Besuch seines Neffen, der am Vorabend bei Anbruch der Dunkelheit vom Jagdhaus weggefahren war. Dann warf er einen traurigen Blick auf Lore, die zu Fuß unterwegs gewesen war und das Lehrerhaus erst erreicht haben konnte, als es bereits in Flammen stand, und lachte mit einem Mal grässlich auf.

»Du bist kein Pfarrer, sondern ein Diener dieses Teufels, der sich auf meinem Gut eingeschlichen und es mir weggenommen hat! Das Kind sagt die Wahrheit! Mein Neffe ist letzte Nacht am Haus meiner Tochter vorbeigefahren, ohne sie zu warnen, und damit ist er an ihrem Tod und dem der anderen ebenso schuld, als hätte er sie eigenhändig ermordet.«

Der Pastor bedachte den alten Herrn mit einem missbilligenden Blick. »Jetzt mäßigen Sie sich! Es ist eine Sünde, einen geachteten Mann so zu beschuldigen.«

Mit einem wüsten Fluch ballte Wolfhard von Trettin die Fäuste und ging auf den Pastor los. Dieser wich zurück und sprang fluchtartig in seinen Wagen.

»Fahr los!«, herrschte er den Kutscher an. Der Mann schien den Zorn des alten Freiherrn ebenso zu fürchten wie sein Herr, denn er trieb die Pferde so stark an, dass der Wagen wie ein Ball über den unebenen Platz vor der Jagdhütte hüpfte. Gekränkt hockte der Pastor auf der gepolsterten Bank im Fond und drehte sich nicht mehr nach dem alten Herrn um. Hinter ihm erscholl noch ein zornerfüllter Fluch, der mitten im Wort erstarb und einer Stille Platz machte, die nur vom Rauschen des Windes in den Zweigen durchbrochen wurde.

V.

Lore sah ihren Großvater noch ein paar Schritte hinter dem Wagen des Pastors herrennen. Plötzlich aber blieb er stehen, wandte sich erschrocken um und griff sich mit der Rechten an die Stirn. Gleichzeitig wurde sein Gesicht so dunkel wie schwerer Burgunderwein. Er versuchte, noch etwas zu sagen, brachte aber nur noch gurgelnde Laute heraus. Dann fiel er wie ein leerer Jutesack in sich zusammen und stürzte zu Boden.

»Herr Großvater, was ist mit Euch?« Lore eilte an seine Seite und beugte sich über ihn. Voller Angst blickte sie in seine verdrehten Augen, in denen nur noch das Weiße zu sehen war, und vernahm rasselnde Atemzüge. Als der alte Herr nicht auf ihre verzweifelten Worte reagierte, rief sie laut nach dem Dienstmädchen.

»Elsie! Komm schnell! Hilf mir! Mein Großvater ist gestürzt.« Einige bange Augenblicke starrte sie auf die Tür des Hauses. Doch es rührte sich nichts. Sie erinnerte sich daran, dass Elsie bei Verwandten im Dorf schlief und schon öfter zu spät zum Jagdhaus gekommen war. Doch um diese Zeit hätte sie eigentlich schon bei der Arbeit sein müssen.

»Elsie, wo bist du?«, schrie Lore so laut, wie ihre Kehle es zuließ.

»Was ist denn los?«, scholl es verärgert zurück. Es vergingen noch einige Minuten, die sich für Lores Gefühl schier zu Jahren dehnten, bis die dralle Magd zwischen den Bäumen auftauchte.

Elsie biss gerade von einem Apfel ab, der vom letzten Jahr übrig geblieben war, als sie Lore neben dem Herrn von Trettin knien sah. »Ist er tot?«, fragte sie erschrocken.

Lore schüttelte heftig den Kopf. »Nein, aber er ist nicht mehr bei Bewusstsein. Ich habe solche Angst! Hilf mir! Wir müssen ihn ins Haus tragen und dann Doktor Mütze rufen.«

Doch anstatt näher zu kommen, wich Elsie mit bleichem Gesicht

zurück. »Ich lange ihn nicht an, sonst wird er uns unter den Händen sterben.«
Lore begriff, dass sie von der Dienstmagd keine Hilfe zu erwarten hatte, und stand auf. »Dann bleib wenigstens hier und achte auf ihn, während ich zum Arzt laufe. Wie du weißt, bin ich schneller als du.«
Dazu war Elsie ebenfalls nicht bereit. »Bleiben Sie bei ihm, Fräulein! Ich hole den Arzt.«
Ehe Lore etwas sagen konnte, hatte sie sich umgedreht und rannte los. Das Mädchen sah sie zwischen den Bäumen verschwinden und biss vor Schmerz die Zähne zusammen.
Da Doktor Mütze in Heiligenbeil wohnte, das fast zwei deutsche Meilen entfernt lag, vergingen Stunden, in denen Lore neben ihrem Großvater saß und sich nicht zu rühren wagte. Sollte Gott wirklich so grausam sein, dass sie nun auch noch den letzten Menschen verlor, dem etwas an ihr lag? Hatte sie ihr Maß an Leid nicht bereits in der Nacht bis zur Neige ausschöpfen müssen? Sie weinte und wünschte sich, alles wäre nur ein schlimmer Traum, aus dem sie bald erwachen würde. Doch der bewusstlose Mann und der harte Boden, auf dem sie kniete, zeugten überdeutlich davon, dass dies alles Wirklichkeit war.
Als sie bereits nicht mehr daran glaubte, dass Hilfe käme, hörte sie den Hufschlag rasch trabender Pferde und die Stimme des Arztes, der seinen Knecht aufforderte, die Gäule schneller laufen zu lassen. Kurz darauf bog der Landauer auf den Platz vor dem Jagdhaus ein, und sie sah Schaumfetzen von den Mäulern der Tiere stieben.
Doktor Mütze sprang ab, eilte zu dem Kranken und untersuchte ihn. Als er aufblickte, war sein schmales Gesicht außerordentlich ernst. »Es tut mir leid, mein Kind, aber es sieht nicht gut aus. Dein Großvater hat einen Schlaganfall erlitten, und wir müssen mit dem Schlimmsten rechnen.«

Der Arzt hätte Lore gerne einen anderen Bescheid gegeben, aber das Mädchen hatte innerhalb eines Tages so viel Leid erlebt, dass er ihr keine Hoffnungen machen wollte, die sich höchstwahrscheinlich in Luft auflösen würden.
»Binde die Pferde irgendwo fest und hilf mir, den alten Gutsherrn ins Haus zu tragen«, befahl er seinem Kutscher. Der Mann war gewöhnt, seinem Herrn zur Hand zu gehen, und trat sogleich an seine Seite. Gemeinsam schleppten sie den Bewusstlosen in das Schlafzimmer und legten ihn auf das Bett.
»Bring uns ein frisches Nachthemd und warte dann vor der Tür«, wies Doktor Mütze Lore an.
Sie eilte zum Wäscheschrank, legte eines der mit der Freiherrenkrone bestickten Nachtgewänder heraus und lief dann in die Küche, in der Elsie bleich am Tisch hockte und jammerte.
»Wenn der Herr stirbt, weiß ich nicht, was ich tun soll!«, schluchzte sie. »Auf dem Gut gibt man mir gewiss keine Arbeit, das hat die neue Herrin bereits gesagt. Ich werde in die Stadt gehen müssen und ...« Sie brach ab und starrte Lore so vorwurfsvoll an, als sei diese an allem schuld.
»Großvater wird nicht sterben!«, fuhr Lore auf.
Das Dienstmädchen machte eine verächtliche Handbewegung und stimmte eine weitere Jeremiade an.
Es dauerte, bis der Arzt aus dem Schlafzimmer des Alten kam. Kopfschüttelnd, als könne er nicht glauben, was er gesehen hatte, wandte er sich an Lore. »Dein Großvater ist zäher als eine Katze und scheint mindestens neun Leben zu haben. Vorhin hätte ich keinen Heller mehr auf ihn verwettet, doch jetzt ist er wieder bei Bewusstsein und droht mir, weil ich ihm eine Spritze geben will.«
»Großvater ist wieder gesund?« Lore wollte aufspringen und zu dem alten Herrn eilen, doch Doktor Mütze fasste sie am Arm und hielt sie zurück.
»Ich sagte, er ist wach. Gesund wird er wahrscheinlich nie mehr

werden, obwohl mich das bei ihm auch nicht wundern würde.«
Noch immer verblüfft über das Erwachen seines Patienten aus der tiefen Bewusstlosigkeit, bat er Lore um warmes Wasser zum Händewaschen und ein Handtuch.
»Kann ich zu ihm?«, fragte das Mädchen.
Der Arzt verneinte. »Es ist besser, du wartest, bis ich mit ihm fertig bin. Versuche bitte, ruhig zu bleiben! Ihn hat der Schlag getroffen, und er wird wahrscheinlich nie mehr laufen können. Seine linke Körperseite ist gelähmt. Erschrick also nicht, wenn dir sein Gesicht wie eine groteske Maske vorkommt.«
Dann legte er ihr die Hand auf die Schulter und lächelte traurig. »Es tut mir leid um deine Familie, Lore. Wir haben vorhin das niedergebrannte Haus durchsucht und ihre sterblichen Überreste gefunden. Meine Hoffnung, jemand hätte sich noch rechtzeitig ins Freie retten können und würde im Schock durch den Wald irren, hat sich leider nicht erfüllt.«
Lore schlug die Hände vor das Gesicht und versuchte, die Tränen zurückzuhalten. Tief in ihrem Inneren hatte sie gewusst, dass alle tot waren. Gleichzeitig spürte sie, wie der Schmerz über den Verlust ihrer Eltern und Geschwister von der Angst um ihren Großvater in den Hintergrund gedrängt wurde. Sie durfte sich nicht verkriechen und ihrer Trauer hingeben, sondern musste sich nun Tag und Nacht um ihn kümmern. Wenn er starb, gab es keinen Menschen mehr auf der Welt, dem sie etwas bedeutete und der sie vor ihren Verwandten auf dem Gutshof schützte.
»Kopf hoch, Kind! Auch für dich wird irgendwann wieder ein Licht leuchten«, sagte Doktor Mütze, klopfte ihr aufmunternd auf den Rücken und kehrte zu seinem Patienten zurück.
Wolfhard von Trettin hatte die rechte Hand um einen hölzernen Zapfen an der Rückseite der Bettwand gekrallt und versuchte sich aufzurichten, obwohl ihm die linke Körperseite den Dienst versagte.

»Lass diesen Unsinn, Nikas! Oder willst du unbedingt noch heute in die Grube fahren?«, fuhr der Arzt ihn an.
Der alte Trettin, den seine Freunde nach seinem zweiten Namen Nikolaus Nikas nannten, schüttelte mühsam den Kopf. »Ich darf nicht sterben, nicht jetzt!«
Die Worte klangen zwar verwaschen, doch zu seinem Erstaunen konnte der Arzt sie verstehen. Er begriff durchaus, was seinen Patienten bewegte, wollte aber keine Diskussion mit ihm beginnen, sondern half ihm, sich so hinzulegen, wie es am bequemsten war.
»Ich werde dir jetzt eine Spritze geben. Danach wirst du schlafen und, so Gott will, in einem besseren Zustand wieder aufwachen als jetzt«, sagte er, während er die Spritze aus seinem Koffer holte und aufzog.
Trettin streckte die Rechte, die ihm noch gehorchte, nach dem Arzt aus. Da dieser jedoch links neben ihm stand, konnte er ihn zunächst nicht erreichen. Mit einer schier übermenschlichen Anstrengung gelang es ihm dann doch, seine Finger in den Ärmel seines Freundes zu krallen.
»Ich muss mit dir reden, alter Knochenflicker! Danach kannst du mich meinetwegen betäuben. Aber zuerst hörst du mir zu.«
Es klang so drängend, dass Doktor Mütze in seinen Vorbereitungen innehielt. »Also gut, Nikas, ich gebe dir ein paar Minuten. Aber danach bist du ein braver Bursche und lässt dich ohne einen Mucks von mir piksen.«
»Versprochen!« Wolfhard von Trettin nickte und zog dann den Arzt näher zu sich heran. »Das mit meiner Tochter und ihrer Familie war nicht nur ein übler Traum, nicht wahr?«
Der Arzt senkte betroffen den Kopf. »Leider nein! Wir haben heute Morgen alle fünf gefunden. Der Pastor kümmert sich jetzt darum, dass sie ordnungsgemäß eingesargt und begraben werden.«
»Der Pastor, sagst du?« Die gesunde Gesichtshälfte des alten Trettin wurde zu einer Grimasse des Zorns. »Der Kerl ist schuld

daran, dass ich hier so liege! Wagte er mir doch ins Gesicht zu sagen, der Tod meiner Tochter wäre die Strafe für meine Sünden und ich solle mich mit Ottokar versöhnen, obwohl dieser die Toten auf dem Gewissen hat.«
»Ich habe das Gerücht gehört, er sei am Lehrerhaus vorbeigefahren, ohne anzuhalten. Der Pastor hat allen verboten, noch einmal davon zu sprechen. Seinen Worten zufolge sei der Gutsherr nach Königsberg gefahren und könne daher gar nicht im Dorf gewesen sein.« Doktor Mütze wollte noch mehr sagen, doch der Kranke unterbrach ihn mit einem zornigen Laut.
»Ottokar ist durch das Dorf gefahren, denn er kam von mir. Wir haben uns gestritten, wie immer, und aus Rache hat er keine Hand gerührt, um meine Tochter zu retten.«
Der Arzt starrte seinen Freund erschrocken an. »Das wäre … das ist ja ungeheuerlich!«
»Ebenso ungeheuerlich wie die Worte des Pastors, der sich zu seinem Handlanger macht! Ich will nicht, dass der Kerl meine Toten begräbt«, stieß der Kranke erregt hervor.
»Daran wirst du ihn nicht hindern können. Bei Gott, du darfst froh sein, wenn du in ein paar Wochen in einem Rollstuhl sitzen und von der Terrasse des Jagdhauses aus den Sonnenuntergang beobachten kannst.« Der Arzt legte dem alten Freiherrn die linke Hand auf die Schulter und nahm mit der rechten die Spritze.
Wolfhard von Trettin schloss das gesunde Auge und stöhnte gequält auf. »Meine Tochter wird er vielleicht noch begraben können, aber mich wird er nicht unter die Erde bringen, das schwöre ich dir. Eher gebe ich die Religion auf.«
»Das kannst du nicht tun! Du musst auch an Lore denken. Was wäre das für ein Leben für sie – ohne Gott?«
»Du hast recht! Ich muss an Lore denken. Gott, gib mir nur die Zeit, das zu tun, was notwendig ist. Du wirst mir dabei helfen müssen, verstehst du? Sie darf nicht unter die Vormundschaft Ot-

tokars geraten. Dessen Angetraute würde sie zu ihrer Magd erniedrigen. Aber sie ist meine Enkelin und hat das Anrecht, als solche behandelt zu werden. Versprich mir, dass du mir hilfst!«
»Ich helfe dir«, versprach der Arzt und setzte die Spritze an. Noch während er den Kolben langsam nach vorne drückte, huschte der Anschein eines grimmigen Lächelns über die gesunde Gesichtshälfte seines Patienten.
»Wir werden Ottokar schon ein Schnippchen schlagen, alter Freund! Er soll nicht auch noch für den Tod meiner Tochter und Lores Geschwister belohnt werden. Das schwöre ich!« Dann musterte Trettin den Arzt nachdenklich, und während das betäubende Mittel bereits zu wirken begann, äußerte er eine letzte Bitte.
»Es darf aber niemand etwas von meinen Plänen erfahren, verstehst du?«
»Ich werde schweigen«, antwortete der Arzt, verwundert über die Lebenskraft, die der Kranke aufbrachte. Dabei wusste er, dass er alles tun musste, um weitere Aufregung von ihm fernzuhalten.

VI.

Ottokar von Trettin hatte das Gut noch in der Unglücksnacht verlassen, um, wie er sagte, an einer Versammlung des Gutsbesitzerverbandes in Königsberg teilzunehmen. Doch das, was geschehen war, ließ ihn nicht zur Ruhe kommen. Als er nach mehr als zwei Wochen nach Trettin zurückkehrte, wirkte sein Teint fahl, und sein Blick wanderte unstet umher.
Seine Frau Malwine, eine mittelgroße, schlanke Erscheinung mit früher recht hübschen, nun aber scharf geschnittenen Zügen, betrachtete ihn spöttisch. »Du siehst aus wie das leibhaftige schlech-

te Gewissen, mein lieber Ottokar. Hast du in Königsberg Dinge getrieben, die ich besser nicht wissen sollte?«
»Natürlich nicht!«, fuhr der Gutsherr sie an. »Es geht um meinen Onkel. Standesgenossen, mit denen ich mich in Königsberg getroffen habe, haben mir sehr deutlich zu verstehen gegeben, dass sie mir einen weiteren Prozess gegen den Alten verargen würden. Der arme Mann wäre durch den Verlust seines Gutes und den Tod seiner Tochter bereits genug gestraft, meinen sie.«
»Du vergisst den Schlaganfall, der ihn am Tag deiner Abreise niedergeworfen hat«, antwortete seine Frau mit einem zufriedenen Lächeln.
Ottokar starrte sie überrascht an. »Dann stimmt es also! Ich habe zwar davon gehört, es aber für bloßes Gerede gehalten.«
»Es ist Tatsache, dass dein Onkel im Krankenbett liegt und es wohl kaum noch lebend verlassen wird.«
Während Frau Malwines Stimme beinahe vergnügt klang, hieb ihr Mann ärgerlich mit der Faust durch die Luft. »Wenn er so schwer krank ist, wie du behauptest, kann ich ihn sowieso nicht mehr verklagen, ohne endgültig in unseren Kreisen scheel angesehen zu werden. Außerdem wissen wir nicht einmal, ob der alte Bock das vom Gut abgezweigte Geld überhaupt noch besitzt. Es kann genauso gut mit allem anderen im Haus seiner Tochter verbrannt sein.«
Malwine maß ihn mit einem schiefen Blick, als zweifele sie an seinem Verstand. »Du solltest deinen Onkel besser kennen. Der gibt doch keinen Taler her, bevor ihn der Teufel geholt hat. Zudem hat ein so altmodischer Mensch wie er sein Vermögen sicher nicht in Aktien oder Renten angelegt, sondern in Gold. Im Schutt des niedergebrannten Lehrerhauses hat man jedoch nichts gefunden.«
Ottokar von Trettin atmete auf. »Dann gibt es ja noch Hoffnung, ihm das unrechtmäßig an sich gebrachte Vermögen entreißen zu können. Dieser alte Lump muss im Lauf der Jahre Tausende von

Talern auf die Seite geschafft haben. Mich packt die Wut, wenn ich bloß daran denke.«

»Und mich packt die Wut, wenn ich sehe, wie kleinmütig du bist!«, schalt seine Frau. »Wärst du nicht so überstürzt abgereist, aus Angst, man könne dich mit dem Brand in Verbindung bringen, hättest du bei den Behörden durchsetzen können, als Lores Vormund eingesetzt zu werden.«

»Was soll ich mit dem Balg?«, fragte Ottokar missmutig.

Für einen Augenblick verzerrte sich das Gesicht seiner Frau zu einer entnervten Grimasse. »Du bist ja noch dümmer, als ich dachte! Nach dem Tod ihrer Mutter und ihrer Geschwister ist Lore die einzige Erbin, die der alte Wolfhard noch hat. Daher wird er ihr das unterschlagene Geld zukommen lassen wollen.«

Bei diesen Worten atmete Ottokar von Trettin erleichtert auf. »Du hast recht, meine Liebe! Dieses bedauerliche Unglück hat die Situation zu unseren Gunsten gewandelt. Jetzt müssen wir nur noch auf Lore achten.«

»War es wirklich ein Unglück? Dein Kutscher machte letztens Andeutungen, die besser nicht unter die Leute kommen sollten«, sagte Malwine, die ihn lauernd beobachtete.

»Florin ist ein Narr! Es war ein Unglück«, antwortete Ottokar mit viel zu schriller Stimme.

Seine Frau nahm es mit einem Schulterzucken zur Kenntnis. »Dann sorge dafür, dass der Kerl den Mund hält und du nicht in ein schlechtes Licht gerätst.«

Ihr Mann nickte und fragte sich, womit er seinen Kutscher eher zum Schweigen bringen mochte, mit Drohungen oder dem Angebot einer gewissen Summe.

Seine Frau hing ganz anderen Überlegungen nach. »Du hast dich doch vor Gericht verpflichten müssen, deinem Onkel vierteljährlich eine gewisse Summe für seinen Lebensunterhalt zur Verfügung zu stellen. Wenn du diese Zahlungen einstellst, wird der

Alte gezwungen sein, auf seine Reserven zurückzugreifen, und wir haben genug Freunde, die uns Bescheid geben werden, wenn er Rentenpapiere bei der Bank verkauft oder Goldbarren einlöst.«
»Und wenn er wegen des Geldes vor Gericht geht?«, fragte Ottokar.
Seine Frau seufzte, als verliere sie langsam die Geduld. »In seinem Zustand kann dein Onkel niemanden mehr verklagen!«

VII.

Die Pflege ihres Großvaters ließ Lore nur wenig Zeit, um ihre Eltern und Geschwister zu trauern. Der alte Mann haderte mit seinem Schicksal und verfluchte Gott für das Unglück, das über ihn hereingebrochen war. Manchmal lag er stundenlang stumm in seinem Bett und starrte die hölzerne Decke des Zimmers an, dann wiederum hetzte er seine Enkelin und das Dienstmädchen mit widersprüchlichen Anweisungen umher, so dass sie kaum zum Luftholen kamen.
An diesem Tag war es besonders schlimm, daher stahl Elsie sich fort, nachdem sie das Mittagessen im Stehen verschlungen hatte, und ließ die ihr übertragene Arbeit einfach liegen. Kurz darauf sah Lore durch das Fenster, dass sich ein Fußgänger vom Dorf her dem Jagdhaus näherte, und fragte sich, wer es sein mochte. Doktor Mütze kam stets mit dem Wagen, und Kord, der seinen alten Dienstherrn regelmäßig besuchte, hätte sie von weitem erkannt. Doch da der Weg hier am Jagdhaus endete, musste es das Ziel des Fremden sein.
»Herr Großvater, Ihr erhaltet gleich Besuch!«, rief sie dem Kranken zu.

»Wenn es der Pastor ist, so sage ihm, er soll sich zum Teufel scheren!«, bellte der Alte.
Lore zog den Kopf zwischen die Schultern und wagte nicht, eine Antwort zu geben.
»Jetzt geh schon und schau nach, wer es ist«, setzte ihr Großvater grimmig hinzu.
Gehorsam lief Lore zur Haustür und sah hinaus. Der Wanderer war nun so nahe, dass sie ihn wiedererkannte.
»Onkel Fridolin! Welch eine Überraschung.« Sie eilte dem jungen Mann entgegen und ergriff seine Hände.
Fridolin von Trettin blieb stehen und blickte sie erstaunt an. In seiner Erinnerung war Lore noch ein spindeldürres, flinkes Ding mit langen, blonden Zöpfen. Zöpfe trug sie zwar immer noch, aber ihr Haar leuchtete jetzt wie ein erntereifes Weizenfeld. Sie wirkte auch noch recht schlank, doch lag das mehr an ihrer Größe. Immerhin reichte sie ihm jetzt bis zur Nasenspitze, dabei war er nicht gerade klein. Sanfte Rundungen verrieten ihre erwachende Weiblichkeit, und ihr Gesicht erschien ihm trotz der Trauer in den großen, braunen Augen gleichermaßen lieblich und schön. Die Mädchen aus Hedes Etablissement würden sie um ihr Aussehen und ihre natürliche Eleganz sicher beneiden, fuhr ihm unziemlicherweise durch den Kopf.
»Sag bloß, du bist die Lore? Bei Gott, wie die Zeit vergeht! Du bist ja direkt eine junge Dame geworden.«
»Ich bin schon fünfzehn«, antwortete Lore und musterte ihren mit ausgesuchter Eleganz gekleideten Verwandten.
Fridolin trug einen leichten hellgrauen Rock, eine Hose aus demselben Stoff und einen gleichfarbigen Zylinder. Sein rüschenbesetztes Hemd glänzte im Licht der Sonne, und in seiner gefällig gebundenen Krawatte steckte eine goldene Nadel.
Er nahm ihren bewundernden Blick wahr und lächelte traurig. »Eigentlich hätte ich in Schwarz kommen sollen, aber ich besitze

keinen geeigneten Anzug – und mein Schneider wollte mir keinen Kredit geben.«
Er lachte, als hätte er eben einen guten Witz erzählt, wurde aber rasch wieder ernst und legte Lore die Rechte auf die Schulter. »Mein Beileid, Kleines! Es muss schrecklich für dich gewesen sein, auf diese Weise deine Familie zu verlieren. Und dann ist auch noch der Onkel krank geworden! Wie geht es ihm denn?«
»Besser, als der Arzt es ihm prophezeit hat! Aber er ist gelähmt und kann das Bett nicht mehr verlassen«, antwortete Lore kummervoll.
»Und wer pflegt ihn?«, hakte Fridolin nach.
»Elsie und ich. Das heißt, meistens ich.«
»Elsie? Hieß nicht so das Dienstmädchen, das mir bei meinem letzten Besuch auf Trettin die Manschetten versaut hat?« Fridolin schüttelte sich bei dieser Erinnerung und bat Lore anschließend darum, ihn zu seinem Onkel zu führen.
Lore ging voran, öffnete ihm die Tür zum Krankenzimmer und eilte selbst in die Küche, um einen kleinen Imbiss für den Gast vorzubereiten.
Wolfhard von Trettin wartete bereits ungeduldig auf den Besucher und lächelte, als er den Sohn seines jüngsten Bruders eintreten sah. »Bei Gott, Fridolin! Welcher Wind weht dich hierher nach Ostpreußen?«
»Zuerst einmal einen guten Tag, lieber Onkel. Doch um auf Eure Frage zurückzukommen: Ich wäre wohl ein arg aus der Art geschlagener Verwandter, wenn ich nicht auf die Nachricht von Leonores Tod und Eurer Erkrankung hierhergekommen wäre.«
Fridolin rückte einen Stuhl aus der Zimmerecke neben das Bett und setzte sich. Während er den alten Herrn betrachtete, konnte er sein Erschrecken nicht verbergen. Sein Onkel, der bei seinem letzten Besuch noch der Gutsherr auf Trettin gewesen war und so gesund und kräftig gewirkt hatte wie eine Eiche, glich nun dem Schatten seines früheren Selbst.

Spontan fasste der junge Mann die Hände des Alten. »Soll ich Ottokar zum Duell fordern und ein Loch in seine Brust stanzen, Onkel?«
Wolfhard von Trettin lachte zum ersten Mal seit Wochen herzhaft auf. »Das würdest du fertigbringen, Fridolin, nicht wahr? Aber es würde mir nichts nützen, denn Ottokars Frau, die sich ach so vornehm gibt und doch nur eine geborene Lanitzki ohne edle Abstammung ist, würde dann immer noch mit ihrer Brut auf dem Gut sitzen. Bei Gott, warum konntest du nicht der Sohn meines nächstgeborenen Bruders sein? Dann wäre es nie so weit gekommen.«
»In dem Fall hätte ich Euch nur noch öfter um einen Zuschuss angebettelt«, spottete der junge Mann.
Der Alte keuchte, da ihm das Lachen schwerfiel. »Ich hätte dir schon die Ohren langgezogen und dich dazu gebracht, deinen Lebenswandel zu ändern. Aber sag, wie geht es dir so?«
Über Fridolins Gesicht huschte ein Schatten. »Wie Ihr an meinem Anzug ersehen könnt, der in einem Trauerhaus völlig unpassend ist, bin ich wieder einmal blank. Die Fahrt hierher hat meine letzten Taler gefressen. Deswegen musste ich den Weg von Heiligenbeil bis Bladiau auf dem Gemüsekarren eines Bauern zurücklegen und auf dem letzten Stück bis hierher meine eigenen Beine bemühen.«
»Ich wollte, ich könnte dir wenigstens ein paar Taler geben. Doch Ottokar hat die Zahlungen eingestellt, die er mir laut Gerichtsurteil leisten müsste. Wie es aussieht, will der Kerl mich so rasch wie möglich unter der Erde sehen.« Wolfhard von Trettin warf einen düsteren Blick in die Richtung, in der sein einstiger Gutshof lag, und ballte die Faust.
Seine Laune besserte sich jedoch rasch wieder, und er zwinkerte seinem Neffen mit dem rechten Auge zu. »So leicht gebe ich nicht auf! Ich habe noch ein Problem zu lösen, dann kann ich abtreten.

Lore darf nicht in Ottokars Hände und in die seiner Malwine geraten. Die beiden würden ihr die paar Pfennige abnehmen, die ich ihr hinterlassen kann, und sie dann als kostenlosen Dienstboten benutzen.«

»Ich würde Euch gerne dabei helfen, aber ich weiß nicht einmal, ob ich noch ein Dach über dem Kopf habe, wenn ich nach Berlin zurückkomme, oder ob mir meine Hauswirtin bereits den Koffer vor die Tür gestellt hat.« Fridolin zuckte mit den Schultern und verdrängte den unangenehmen Gedanken, während sein Onkel ihn mit einem gewissen Spott musterte.

»Wie wäre es, wenn du versuchst, einen passenden Broterwerb zu finden?«

Fridolin hob in einer komisch verzweifelten Geste die Hände. »Das würde ich ja gerne, doch ich eigne mich nun einmal nicht zum Offizier. Zudem habe ich nicht das Geld, in ein passendes Regiment einzutreten. Und um Landwirt zu werden, fehlen mir sowohl die eigene Scholle wie auch die Lust, tagelang im Sattel zu sitzen und schwitzende Knechte und Mägde zu schikanieren. Für das Einzige, das mir gefallen könnte, besitze ich weder die notwendigen Verbindungen noch die passenden Empfehlungsschreiben.«

»Und was wäre das?«, fragte der alte Herr.

»Geld! Ihr werdet es wahrscheinlich nicht glauben, aber ich kann gut mit Geld umgehen, solange es nicht mein eigenes ist. Ich habe letztens für eine Bekannte, der die Behörden wegen angeblicher Steuerhinterziehung im Nacken saßen, die Bücher in Ordnung gebracht und ihr dabei einen Gewinn von fast tausend Talern erwirtschaftet.«

Der Alte sah ihn erstaunt an. »Und warum tust du das nicht weiterhin?«

»Meine Bekannte führt, um es vorsichtig auszudrücken, kein besonders ehrenwertes Haus. Es würde mich meine letzte Reputation kosten, offen für sie zu arbeiten.« Fridolin hielt seufzend inne und schüttelte den Kopf. »Onkel, Ihr wisst gar nicht, in welche Fesseln der Name von Trettin einen Mann schlägt. Mein Stand erlaubt mir, Geld in einem Bordell auszugeben, aber nicht, welches darin zu verdienen. Da mir auch die meisten bürgerlichen Berufe versperrt sind, habe ich mir schon überlegt, ob ich nicht besser nach Amerika auswandern und dort ein neues Leben beginnen soll. Doch ich besitze nicht einmal das Geld für eine Zwischendeckpassage, geschweige denn genug, um dort einen neuen Anfang wagen zu können.«

Wolfhard von Trettin winkte ärgerlich ab. »Was willst du denn in Amerika? Dich von den Wilden dort umbringen lassen?«

Sein Neffe schüttelte energisch den Kopf. »Die Zeiten sind längst vorbei! An der Ostküste Amerikas, aber auch im Inneren des Kontinents gibt es Städte, die sich nicht hinter Königsberg oder Berlin verstecken müssen. Viele haben dort ihr Glück gemacht! Doch als ein von Trettin wurde ich nicht dazu erzogen, mich vom Tellerwäscher an hochzuarbeiten.«

»Amerika? Was für ein Schwachsinn!« Der Alte schnaubte und sah seinen Neffen missbilligend an. »Du hast einer Puffmutter die Bücher geführt? Bei Gott, du bist ja noch schlimmer als ich, und mich nannten sie in deinem Alter bereits den wilden Nikas.« Für einen Augenblick verlor er sich in Erinnerungen an diese Zeit und berichtete einige Anekdoten, über die er und sein Gast herzhaft lachten. Schließlich wurde er wieder ernst und legte dem Jüngeren die Rechte auf den Arm.

»Du könntest mir einen Gefallen tun, Fridolin.«

»Jeden, sofern es kein Geld ist«, antwortete sein Neffe fröhlich.

»Ich will nicht von dem lutherischen Pfaffen, der sich nicht zu schade war, Ottokars Einzug auf Gut Trettin zu segnen, unter die Erde gebracht werden. Aber um Lores willen kann ich der christlichen Religion nicht vollständig entsagen. Daher möchte ich, dass

du den nächsten katholischen Schwarzkittel aufsuchst, der dir über den Weg läuft, und ihn zu mir schickst.«
Fridolin fuhr hoch und starrte seinen Onkel entsetzt an. »Ihr wollt katholisch werden – und das in dieser Zeit?«
»Von Wollen kann keine Rede sein! Ich muss! Außerdem will ich von oben – oder auch aus der Hölle, das ist mir gleich! – das Gesicht des hiesigen Pastors sehen können, wenn der ehemalige Gutsherr auf Trettin von seiner Konkurrenz unter die Erde gebracht wird.«
»Ottokar wird platzen, wenn er das erfährt. Da etliche ihm den Streit mit Euch übelnehmen, der Pastor aber auf seiner Seite steht, werden viele seiner Bekannten Euren Abfall ihm ankreiden.« Fridolin stieß einen erstickten Laut aus, der jedoch vom Gelächter des Alten übertönt wurde.
»Allein das ist schon Grund genug, es zu tun. Und jetzt noch etwas anderes: Kannst du mir das dicke Buch in dem rissigen Schweinsledereinband dort auf dem Schrank reichen?«
»Gerne!« Fridolin trat an den Schrank und musste sich strecken, um den dicken Wälzer fassen zu können. Neugierig schlug er ihn auf und starrte auf eine unleserliche Handschrift.
»Was ist das?«, fragte er erstaunt.
»Die Familiengesetze derer von Trettin. Da Gott mir in seiner Güte, wie der Pastor sagen würde, die Zeit dazu gibt, will ich diese auch ausnützen, um in dem Buch nach einer Möglichkeit zu suchen, wie ich Ottokar doch noch einen Streich spielen kann.« Der Alte hieß seinen Neffen, das Buch auf die kleine Anrichte aus dunklem Holz zu legen, die er mit der Rechten erreichen konnte, und rief dann nach Lore.
»Mädchen, hast du nicht daran gedacht, dass unser Gast hungrig sein könnte?«
Lore schoss zur Tür herein und nickte. »Doch, Herr Großvater. Es steht alles für Herrn Fridolin bereit.«

»Herr Fridolin? Früher hast du mich Frido genannt, Fratz«, wies der junge Mann sie lächelnd zurecht.
Der Alte wedelte mit seiner Rechten, als wolle er Fliegen verscheuchen. »Führe Fridolin in die Küche, Lore. Ein Speisezimmer besitzen wir ja leider nicht mehr.«
Das Mädchen knickste und wandte sich dann an Fridolin. »Wenn du mir bitte folgen willst, Frido.«
»Aber ja! Der Marsch hierher hat mir wirklich Hunger gemacht.«
Während Lore und Fridolin in die Küche eilten, nahm der alte Trettin das Familienbuch und schlug es auf. Da er sich kaum zu rühren vermochte, fiel ihm das Lesen nicht leicht. Mit eiserner Energie fuhr er fort, denn er sah die Gefahr, die seiner Enkelin von Gut Trettin aus drohte, und wollte alles tun, um sie davor zu bewahren.

VIII.

Lore schämte sich wegen der mageren Kost, die sie Fridolin auftischen musste, und entschuldigte sich wortreich. »Onkel Ottokar zahlt Großvater kein Geld mehr, und er hat zudem der Krämerin im Dorf verboten, uns etwas auf Kredit zu geben.«
»Ich sollte ihn wirklich zum Duell fordern«, sagte Fridolin, obwohl er wusste, dass sich dadurch die Situation der Bewohner des Jagdhauses in keiner Weise ändern würde. Da er großen Hunger hatte, aß er das Schwarzbrot und die Schweinesülze mit gutem Appetit und lobte Lore dafür. »Besser hat es auf dem Gut früher auch nicht geschmeckt.«
Lore senkte den Kopf. »Das sagst du doch nur so.«

»Nein, gewiss nicht! Sülze gehört zu meinen Lieblingsspeisen, und so eine gute wie diese hier habe ich selten gegessen. Hast du sie gemacht?«
Lore nickte verschämt. »Ja, es gibt einige Dinge, die ich Elsie lieber nicht tun lasse.«
»Das dürfte auch besser sein!«, antwortete Fridolin und steckte sich genussvoll den nächsten Bissen in den Mund. Eine Weile versandete das Gespräch, doch als der Teller leer war, legte Fridolin das Besteck zur Seite und musterte Lore ernsthaft.
»Es geht dir nicht besonders gut, nicht wahr? Damit meine ich nicht nur das Geld, sondern auch deine Familie. Ich habe deine Eltern sehr gemocht, und natürlich auch die Kinder. Man könnte direkt an Gott und der Welt zweifeln, dass es so enden musste!«
Das Mädchen rang die Hände. »Es ist wirklich schlimm. Vor lauter Sorgen bleibt mir kaum die Kraft, um meine Lieben zu trauern. Doch ich muss zusehen, wie wir durchkommen. Wenn Doktor Mütze Großvater nicht umsonst behandeln und auch noch die Medikamente bezahlen würde, sähe es noch schlimmer aus.«
»Ich kenne den Arzt. Er ist ein guter Freund meines Onkels und wird den paar Talern, die er deswegen verliert, gewiss nicht nachweinen. Aber was ist mit dir? Das Kleid, das du derzeit trägst, sieht einfach unmöglich aus.«
Lore musste an sich halten, um bei Fridolins Worten nicht in Tränen auszubrechen. »Meine Kleider sind bis auf das, welches ich damals anhatte, in meinem Elternhaus verbrannt. Ein helles Kleid mit Spitzen darf ich jedoch nicht in der Trauerzeit tragen – und auch nicht für die Hausarbeit! Deswegen hat Kord mir ein Kleid seiner verstorbenen Frau geschenkt. Ich habe es auseinandergenommen, den Stoff gewendet und es für mich zurechtgeschnitten. Das, finde ich, ist mir gelungen!«
Fridolin sah sich das Kleid jetzt genauer an und nickte. »Für ein abgelegtes, auf deine Größe umgeändertes Kleid sieht es wirklich

nicht übel aus. Ich habe es für neu gehalten. Du hast anscheinend das Nähtalent deiner Mutter geerbt. Was meinst du, wie oft sie mir meine Hosen und Jacken flicken musste, wenn ich als Kind mit meinen Eltern auf Trettin zu Besuch war!« Für einige Augenblicke verlor Fridolin sich in Gedanken an eine Zeit, in der das Leben sowohl für den alten Herrn wie auch für ihn um vieles leichter gewesen war, kehrte aber bald wieder in die düstere Gegenwart zurück.

Die im Jagdhaus herrschende Armut erschütterte ihn, und er verfluchte wieder einmal seinen Vetter, der jetzt so stolz auf Trettin saß und dem es ein Leichtes gewesen wäre, Lores Los und das seines Onkels zu erleichtern. Vor allem für das Mädchen musste es jetzt, nach dem Tod der Eltern, schrecklich sein, unter so erbärmlichen Umständen leben zu müssen. Von einem Impuls getrieben, zog er seine Geldbörse hervor und entnahm ihr einen wie neu glänzenden Kuranttaler, der ihm seit mehr als fünf Jahren als Glücksbringer diente. Bislang hatte er es nicht über sich gebracht, diese Münze auszugeben, doch jetzt legte er sie Lore in die Hand. »Hier, die ist für dich! Du musst mir aber versprechen, dass du sie nur für dich selbst ausgibst, verstanden?«

Lore starrte mit großen Augen auf das Geldstück. So viel hatte sie in ihrem ganzen Leben nicht besessen, und sie hatte Angst, es anzunehmen. »Aber Frido, du brauchst es doch gewiss selbst«, wandte sie ein.

Obwohl sie damit die Wahrheit sagte, winkte Fridolin lachend ab. »So schlimm steht es um mich nun auch wieder nicht.« Er würde auf dem Rückweg in Heiligenbeil oder Elbing seine Krawattennadel versetzen müssen, um nicht bis Berlin hungern zu müssen, und doch schien ihm dieser kleine Akt der Barmherzigkeit beschämend gering.

IX.

Fridolin blieb drei Tage im Jagdhaus. Auch wenn sein Besuch dem alten Herrn sichtlich guttat, stellte er Lore vor das Problem, was sie auf den Tisch bringen sollte. Außerdem nörgelte Elsie ständig, weil sie am Monatsanfang schon zum zweiten Mal keinen Lohn erhalten hatte. Lore war schließlich so weit, dass sie dem jammernden Dienstmädchen riet, es solle doch den Dienst aufsagen und verschwinden. Dann würde zwar noch mehr Arbeit auf ihr lasten, aber sie hätte auch weitaus weniger Ärger. Zu ihrem Leidwesen blieb Elsie jedoch, maulend und noch fauler als früher. Weil sie sich davon die eine oder andere Münze versprach, machte sie Fridolin schöne Augen und zeigte ihm unmissverständlich, dass sie nichts dagegen einzuwenden hätte, ihn auf einem Spaziergang in einen stillen Winkel des Waldes zu begleiten.
Fridolin war jedoch durch die dankbare Bordellbesitzerin in Berlin und deren Mädchen ausreichend belohnt worden und zeigte daher nicht nur wegen seiner leeren Börse kein Interesse an dem Landtrampel.
Am frühen Morgen seines Abreisetages nahm er ein frugales Frühstück aus Rübenkaffee, Schwarzbrot und Quittengelee zu sich und trat dann in das Zimmer des alten Herrn, um sich von ihm zu verabschieden.
Wolfhard von Trettin musterte seinen Neffen mit einem gewissen Stolz und bedauerte es, dass seine Lebensumstände es ihm nicht ermöglichten, mehr für den jungen Mann zu tun. Um Ottokar von Gut Trettin zu verjagen, hatte er sogar Lores Heirat mit Fridolin ins Auge gefasst. Das Mädchen würde im April des nächsten Jahres sechzehn und damit heiratsmündig werden. Doch obwohl die Erbregeln derer zu Trettin teilweise recht eigenartige Klauseln enthielten, so erlaubten sie es einem Majoratsherrn nicht, den

nächsten Erben durch die Heirat einer Enkelin mit einem nachrangigen Verwandten zu übergehen.
Ungern ließ er seinen Neffen ziehen. Entsprechend schlechtgelaunt blaffte er ihn an. »Und? Wirst du auch Ottokar aufsuchen?«
Fridolin schüttelte lachend den Kopf. »Sicher nicht, Oheim. Malwine würde mich nicht einmal über die Schwelle lassen, denn sie hält mich für einen Sohn des Satans und hat Angst, ich könnte ihre Kinder und womöglich auch noch meinen langweiligen Vetter mit meiner Verderbtheit anstecken.«
Die Antwort war so richtig nach Wolfhard von Trettins Sinn. Seine griesgrämige Miene hellte sich auf, und er klopfte Fridolin auf die Schulter. »Du hast recht, Trettin zu meiden. Es ist kein Ort mehr für einen lebensfrohen Burschen wie dich. Aber nun will ich dich nicht länger aufhalten. Der Weg ins Dorf ist weit, und du darfst die Bauern nicht versäumen, die ihr Gemüse nach Heiligenbeil bringen. Sonst musst du zu Fuß zum Bahnhof gehen.«
»Das werde ich zu verhindern wissen«, antwortete Fridolin fröhlich. Er reichte dem alten Herrn die Hand, der sie unerwartet fest drückte.
»Wer weiß, ob wir uns noch einmal wiedersehen, Fridolin. Vergiss nicht den Auftrag, den ich dir gegeben habe. Denn sollte ich wirklich eine Beute des hiesigen Pastors werden, werde ich dich noch aus der Hölle verfluchen.«
»Es ist Euch also ernst mit dem Glaubenswechsel?«
Der Alte nickte grimmig. »So ernst wie selten zuvor in meinem Leben! Es ist vielleicht der letzte Streich, den ich Ottokar spielen kann. Doch nun Gott befohlen!«
»Auf Wiedersehen, Onkel.« Fridolin verließ das Zimmer, in dem er an diesem Tag die Nähe des Todes gespürt zu haben glaubte, verabschiedete sich dann herzlich von Lore und wanderte Richtung Dorf.
Lore blickte ihrem Verwandten noch lange nach und haderte mit

Gott, weil dieser Ottokar zum Erben ihres Großvaters gemacht hatte und nicht den fröhlichen, liebenswerten Fridolin. Sie hatte jedoch nicht lange Zeit, darüber nachzudenken, denn in dem Augenblick scholl die Stimme ihres Großvaters laut und ärgerlich zum offenen Fenster heraus.

»Lore, wo bleibst du? Das Kissen drückt.«

Sie eilte ins Schlafzimmer und schüttelte das Kissen zurecht. Plötzlich fasste der alte Mann ihr Handgelenk. »Wollte heute nicht Doktor Mütze kommen? Es ist doch Donnerstag.«

Lore wiegte den Kopf. »Gewiss ist heute Donnerstag, Herr Großvater. Doch heute kann Doktor Mütze nicht kommen. Er sagte doch letztens, er würde seine Praxis diese Woche schließen und seinen Sohn in Berlin besuchen.«

»Jetzt erinnere ich mich. Nach Berlin ist er also. Das ist eine Stadt, sage ich dir, so voller Elan und Leben. Wie gerne wäre ich jetzt dort.« Wolfhard von Trettin brach ab und dachte an den Auftrag, den er seinem Freund erteilt hatte. Auch wenn er nicht, wie sein Neffe Ottokar und dessen Frau annahmen, den größten Teil seines Vermögens beiseitegeschafft hatte, so besaß er doch ein hübsches Sümmchen, das einmal seiner Tochter hätte zugutekommen sollen und das nun für Lore bestimmt war. Doch tief in seinem Innern spürte der Alte, dass der Himmel ihm nicht genug Zeit lassen würde, dem Mädchen eine lebenswerte Zukunft zu verschaffen.

Ein anderer Ruf, der draußen vor dem Haus erscholl, jagte Lore wieder nach draußen. Dort traf sie Kord an, der auch an diesem Tag wieder seinen guten Rock angezogen hatte, da es sich seiner Ansicht nach nicht gehörte, seinem ehemaligen Herrn in Alltagskleidung gegenüberzutreten. Auf dem Rücken trug er einen Jutesack, in dem sich zu Lores Verblüffung etwas regte.

Der alte Knecht zwinkerte ihr verschwörerisch zu. »Das sind ein paar Kaninchen, die ich gestern von einem alten Freund erhalten habe. Als ich sie sah, dachte ich, dass sie gewiss eine gute Mahlzeit

für deinen Großvater abgeben werden.« Er öffnete den Sack und ließ Lore hineinschauen.
Sie entdeckte vier kleine, schwarz-weiß gemusterte Kaninchen darin und sah Kord entsetzt an. »Du willst diese lieben Tierchen schlachten?«
Der Knecht schüttelte lachend den Kopf. »Natürlich noch nicht jetzt! Die werden schon noch größer. In ein paar Wochen aber geben sie einen ausgezeichneten Braten ab.«
»Aber ich weiß nicht, wo ich sie hintun soll!« Lore hob in einer verzweifelten Geste die Arme.
Kord wusste auch hier Rat. »Ich werde einen Stall für die Kaninchen bauen. Kannst du mir sagen, wo ich Werkzeug finde?«
Lore nickte und führte ihn zu dem Anbau, in dem einst der Förster ihres Großvaters Sägen, Hämmer und anderes Werkzeug aufbewahrt hatte. Kord suchte sich das Passende aus und machte sich ans Werk. Als nach kurzer Zeit die ersten Hammerschläge ins Haus drangen, hörte Lore ihren Großvater rufen und eilte zu ihm.
»Was ist das für ein Lärm draußen?«, fragte Wolfhard von Trettin verärgert.
»Kord hat ein paar Kaninchen gebracht und fertigt nun einen Stall für sie an. Er meint, sie gäben einen guten Braten ab, aber ich denke gerade darüber nach, ob wir damit nicht eine Zucht beginnen und die Jungen auf dem Markt in der Kreisstadt verkaufen sollten. Wir bekämen sicher genug Geld zusammen, um uns bei der Krämerin oder, wenn sie sich wegen Ottokar nicht traut, in einem Laden in Heiligenbeil die notwendigsten Lebensmittel einkaufen zu können.« Erwartungsvoll sah sie ihren Großvater an.
Der alte Trettin machte jedoch eine abschätzige Handbewegung. »Das wäre ja noch schöner, wenn meine Enkelin sich wie ein Hökerweib auf den Markt setzen und ihre Waren anpreisen müsste. Eher soll Kord die Kaninchen erschlagen und in den nächsten Bach werfen!«

Es klang so endgültig, dass Lore kein Widerwort wagte. Sie verabschiedete sich von der Vision, die Haushaltskasse mit einer Kaninchenzucht aufzubessern, und tröstete sich damit, dass das Fleisch der Tiere dazu beitragen würde, ihren Großvater zu kräftigen. Ihr war bewusst, dass sie nach dessen Tod unter Ottokars Vormundschaft geraten und auf Trettin als missachtete Dienstbotin leben würde. Dann musste sie froh sein, wenn sie als Lohn einmal im Jahr einen billigen Fetzen Stoff für ein Kleid erhielt. Gegen dieses Schicksal, das ihr immer wieder Alpträume bescherte, würde sie sich mit aller Kraft stemmen, auch wenn sie nicht wusste, auf welche Weise sie dem Zugriff ihrer ungeliebten Verwandten entkommen konnte.
Ihr Großvater ließ ihr nicht die Zeit, darüber nachzudenken. »Du sagst, Kord hämmert einen Kaninchenstall zusammen? Wenn er damit fertig ist, soll er zu mir hereinkommen. Du begibst dich unterdessen in den Wald, um Pilze zu suchen. Ich habe Appetit auf ein herzhaftes Pilzragout.«
Lore wollte schon vorschlagen, Elsie zu schicken. Dann erinnerte sie sich jedoch an deren letzte bescheidene Ausbeute, die nicht einmal für den alten Herrn ausgereicht hatte, und nickte. »Das tue ich, Herr Großvater. Ich freue mich, dass Ihr heute Appetit verspürt.«
Das war zwar nicht der Fall, denn Wolfhard von Trettin interessierte es wie stets seit seinem Schlaganfall auch heute nicht, was auf den Tisch kam. Er schickte sie fort, weil er ungestört mit Kord reden wollte. Da fiel ihm ein, dass er auch Elsie loswerden musste, und befahl Lore, dem Dienstmädchen für den Rest des Tages freizugeben.
Lore seufzte, denn damit blieb auch an diesem Tag wieder alle Arbeit an ihr hängen, und sie hätte am liebsten protestiert. Doch ihre Erziehung verlangte von ihr, dem Familienoberhaupt widerspruchslos zu gehorchen. Das tat sie auch und blickte kurze Zeit später hinter Elsie her, die munter wie ein Reh den Weg zum Dorf

hinunterlief, in der Hoffnung, sich dort ein paar Pfennige verdienen zu können. Lore hielt das allerdings für wenig wahrscheinlich, denn die Magd war im Dorf aus ihr unbekannten Gründen nicht gerade beliebt. Ihr aber blieb nichts anderes übrig, als ein Messer in ihren Korb zu legen und in den Wald zu gehen.

Nachdem Kord mit dem Kaninchenstall fertig war, wischte er sich die Hände an seiner Hose ab und betrat mit der Mütze in der Hand das Jagdhaus. Als er vorsichtig an die Tür des alten Herrn klopfte, erscholl ein brummiges »Hereinkommen!«.

Kord öffnete die Tür und blickte dann mit heimlichem Grausen auf den Mann, den er so lange Jahre hoch zu Ross an sich hatte vorbeireiten sehen. Seit jenem schrecklichen Tag schien den früheren Gutsherrn alle Kraft verlassen zu haben. Doch als er nun in die Augen des alten Mannes blickte, begriff er, dass zwar der Körper des Freiherrn gebrochen war, nicht aber sein Geist.

Wolfhard von Trettin ließ die Musterung seines einstigen Vorarbeiters mit einem grimmigen Lächeln über sich ergehen und hob dann gebieterisch die Hand. »Ich habe einen Auftrag für dich, Kord! Es darf aber niemand etwas davon erfahren, am wenigsten mein verfluchter Neffe auf Trettin. Hast du mich verstanden?«

Kord nickte und trat näher, um die Anweisungen seines ehemaligen Herrn entgegenzunehmen.

X.

Ein paar Tage später war die alte Lederbörse leer, in der Lore ihr Haushaltsgeld aufbewahrt hatte, und sie entschloss sich, Fridolins Taler hineinzulegen. Zwar hatte sie ihrem jüngeren Onkel versprechen müssen, dieses Geld nur für sich auszugeben, doch die

Not zwang sie zu diesem Schritt. In dem Moment rief ihr Großvater sie mit zorniger Stimme in sein Zimmer. Nicht zum ersten Mal fragte sie sich, ob der alte Herr durch Wände blicken konnte, und lief so eilig hinüber, dass sie Börse und Münze noch in der Hand hielt.

Wolfhard von Trettin wusste trotz Lores Bemühen, ihn mit diesen schlechten Nachrichten zu verschonen, wie es um ihre Finanzen stand, und beäugte die Münze mit scheelem Blick. »Wo hast du die her?«

Lore senkte bedrückt den Kopf. »Onkel Fridolin hat sie mir gegeben. Er meinte, ich sollte mir etwas dafür kaufen, aber ich brauche das Geld dringend für Lebensmittel.«

»Wenn der Taler dir gehört, dann behältst du ihn auch. Es wäre ja noch schöner, wenn ein Freiherr von Trettin sich von seiner eigenen Enkelin aushalten lassen müsste. Gib es her, ich bewahre es für dich auf.« Bevor Lore reagieren konnte, griff er mit der gesunden Rechten zu und wand ihr die Münze aus der Hand.

»Aber Großvater, unsere Vorräte gehen zu Ende. Ich brauche das Geld, um einkaufen zu gehen.« Lore rannen die Tränen aus den Augen, doch der alte Herr blieb unerbittlich. »Wenn wir nichts mehr haben, dann such im Wald Pilze und Beeren. Die gibt es umsonst.«

Lore wollte entgegnen, dass sie ohne Eier und Butter kein Pilzomelette zubereiten konnte, doch sein Blick ängstigte sie zu sehr, als dass sie zu widersprechen wagte. Daher schlich sie mit hängendem Kopf aus dem Zimmer und suchte ihren Korb. Eigentlich hätte Elsie Holz für den Winter hacken sollen, doch das Dienstmädchen war wieder einmal verschwunden. Lore blickte auf den noch recht bescheidenen Holzstapel an der Wand und seufzte. Hier in der Nähe des Frischen Haffs wehten im Winter Eiswinde über das flache Land. Daher benötigten sie dringend Brennmaterial, und wenn Elsie die Arbeit nicht tat, würde sie auch diese selbst erledi-

gen müssen. Von diesem Gedanken angetrieben, eilte sie in den Wald und suchte eilig nach essbaren Pilzen und Beeren.
Als sie zum Jagdhaus zurückkehrte, war Elsie noch immer nicht wieder aufgetaucht. Niedergeschlagen stellte sie ihre Ausbeute in der Küche ab und begann, die von Kord zurechtgeschnittenen Holzklötze mit der schweren Axt zu spalten. Während dieser Arbeit rief der Großvater mehrmals nach ihr. Einmal war ihm das Kissen zu hart, und beim zweiten Mal musste sie ihm die Bettpfanne unterschieben.
An diesem Tag sank sie todmüde ins Bett und schlief so tief, dass selbst ein Kanonenschuss sie nicht hätte wecken können, und am nächsten Morgen stand sie wie erschlagen auf. Nun spürte sie deutlich, dass es so nicht weitergehen konnte. Als Elsie wie immer viel zu spät beim Jagdhaus erschien, befahl sie ihr, sich um den alten Herrn zu kümmern, und machte sich auf den Weg zum Gutshof. Dabei ekelte sie sich vor sich selbst. Nichts hätte sie lieber getan, als Ottokar von Trettin ihre Verachtung ins Gesicht zu schleudern. Stattdessen würde sie ihn anflehen müssen, wenigstens einen Teil des Geldes zu zahlen, zu dem er im Gerichtsurteil verpflichtet worden war. Im Vergleich zu den Einnahmen des Gutes stellte die Summe nur einen Bettel dar, aber ihr würde schon ein kleiner Teil helfen, ihren Großvater mit kräftiger Kost zu versorgen.
Der Gutshof Trettin lag etwa eine Viertelstunde zu Fuß vom gleichnamigen Dorf entfernt auf einer kleinen Anhöhe und wirkte mit seinem großen, zweistöckigen Hauptgebäude und den wuchtigen Ställen und Scheuern sehr imposant. In jenen Zeiten, in denen ihr Großvater noch als unumschränkter Herr auf dem Gut regiert hatte, war Lore hier regelmäßig aus und ein gegangen, und damals hatte sie das Portal benützen können. Das wagte sie jedoch nicht mehr. Sie ging um das Haus herum zu dem Lieferanteneingang, einer Nebenpforte in der Nähe der Gutsküche, und klopfte

zaghaft. Eine Magd, die ihr früher oft kleine Leckerbissen zugesteckt hatte, öffnete und musterte sie mit einem so verächtlichen Blick, als wäre sie eine schmutzige Bettlerin.

Lore raffte ihren ganzen Mut zusammen und blickte der Frau ins Gesicht. »Ich muss mit Herrn Ottokar sprechen.«

»Der Herr ist abwesend«, antwortete die Magd und wollte Lore die Tür vor der Nase zuschlagen. Da tauchte Malwine von Trettin auf und scheuchte die Frau fort.

Als die Schritte der Magd verhallt waren, stemmte Malwine die Arme in die Seiten und blickte Lore von oben herab an. »Was hast du hier zu suchen? Dein Platz ist doch bei dem alten Krüppel in der Forsthütte.«

Lore musste sich zusammennehmen, um nicht umzudrehen und einfach davonzulaufen. Doch ohne einen einzigen Groschen in der Tasche konnte sie weder Lebensmittel kaufen noch Elsie bezahlen. Daher raffte sie allen Mut zusammen. »Ich bin gekommen, um das Geld zu holen, das meinem Großvater zusteht. Der Gutsherr schuldet ihm die Zahlungen für das letzte Vierteljahr.«

Frau Malwine lachte schallend auf. »Hat der Alte dich geschickt? Du kannst ihm sagen, er erhält keinen einzigen Taler mehr von uns. Er hat dem Gut genug Geld gestohlen! Soll er doch davon leben.« Dann schlug sie die Tür zu und kehrte händereibend in ihr Zimmer zurück. Nun würde der alte Trettin wissen, woran er war, und an seine geheimen Geldvorräte gehen müssen. Es konnte nicht lange dauern, und sie würden endlich an das Vermögen kommen, das ihnen zustand.

Lore schauderte unter dem hasserfüllten Blick der Gutsherrin und schüttelte sich wie ein nasser Hund. Wie kann ein Mensch nur so niederträchtig sein, einem Kranken die Unterstützung zu verweigern?, fragte sie sich. Sie glaubte keinen Augenblick daran, ihr Großvater besäße irgendwo Geld, und nahm sich vor, ihm nichts von dieser Anschuldigung zu berichten.

Es tat ihr bitter weh, auf diese Weise von der Schwelle des Hauses gejagt worden zu sein, in dem ihre Mutter aufgewachsen und sie früher von allen verhätschelt worden war. Unterwegs kam sie an dem Kolonialwarenladen vorbei, wie das kleine Geschäft sich stolz nannte, und überlegte, ob sie die Krämerin nicht doch bitten sollte, ihr wenigstens die notwendigsten Lebensmittel auf Kredit zu überlassen. Aber die Frau würde das Geld niemals bekommen, denn ihr Großvater besaß keinen blanken Taler mehr, und Ottokar würde sich weigern, die Schulden seines Onkels zu begleichen.

Daher schlich sie mit hängendem Kopf an dem Häuschen vorbei, das sich bis auf seine Aufschrift kaum von den anderen Gebäuden im Dorf unterschied. Gerade als sie den Waldrand erreicht hatte, erwies es sich, dass nicht alle Menschen so herzlos waren wie der neue Herr auf Trettin und dessen Frau.

Die alte Miene trat hinter einem Gebüsch hervor, als habe sie auf Lore gewartet, und reichte dem Mädchen ein großes Paket. »Für dich und den alten Herrn. Möge Gott mit euch sein!«

Lore nahm es verblüfft entgegen, doch ehe sie etwas sagen konnte, huschte die frühere Magd davon, als hätte sie Angst. Lore sah ihr nach und fühlte sich hin- und hergerissen. Am liebsten wäre sie Miene hinterhergelaufen, um ihr das Geschenk zurückzugeben, denn die Frau zählte zu den Ärmsten im Dorf und wusste oft selbst nicht, wovon sie am nächsten Tag leben sollte. Der Duft, der ihr aus dem Paket entgegenstieg, war jedoch zu verführerisch. Daher fasste sie es so, wie sie es am besten tragen konnte, dankte im Stillen Miene und all den anderen Menschen, die den Inhalt gespendet haben mussten, und eilte nach Hause. Unterwegs fragte sie sich, wie sie ihrem Großvater beibringen sollte, dass er nun auf Kosten seiner einstigen Tagelöhner lebte.

XI.

Lores Befürchtungen, der alte Herr werde sich wegen der Lebensmittel aufregen, bewahrheiteten sich nicht. Als sie ihm beichtete, dass Miene ihr etwas zu essen zugesteckt hatte, brummte er zwar ungehalten, aber es interessierte ihn nicht weiter.

Für Lore aber enthielt das Geschenk etwas, das mindestens ebenso wertvoll war wie die Dinge, mit denen sie den Magen füllen konnte. Die Lebensmittel waren einzeln in Zeitungspapier eingeschlagen, das nur an wenigen Stellen unleserlich geworden war. Daher stach ihr beim Auspacken eine Anzeige in die Augen. Eine Madame de Lepin beehrte sich darin, die Eröffnung ihres Modesalons in Heiligenbeil anzukündigen, und suchte eine Seite weiter in einer weitaus kleineren Anzeige nach einer geschickten Näherin. Lore war überzeugt, recht gut mit Nadel und Faden umgehen zu können, und überlegte, ob sie die Dame aufsuchen sollte. Vielleicht war es die Gelegenheit, doch ein wenig Geld zu verdienen. So wie bisher konnte es jedenfalls nicht weitergehen.

Am nächsten Tag beauftragte sie Elsie, sich um den alten Herrn zu kümmern, und machte sich auf den Weg. In einer alten Tasche steckte eine Bluse aus hellem Stoff, an der sie noch vor dem Unglück gearbeitet hatte, wenn ihr Großvater Mittagsschlaf hielt. Damals war es nur eine Beschäftigung gewesen, mit der sie sich in stillen Stunden die Langeweile vertrieben hatte, aber nun war sie froh, dieses Teil noch zu besitzen, auch wenn sie es während der Trauerzeit nicht tragen durfte. Sie hoffte, mit diesem Beispiel ihrer Fingerfertigkeit Madame de Lepin dazu bewegen zu können, ihr Aufträge zu erteilen. Allerdings würde sie nicht im Modesalon, sondern nur zu Hause nähen können. Da viele Modegeschäfte die Dienste von Heimarbeiterinnen in Anspruch nahmen, ging sie davon aus, dass Madame de Lepin es ähnlich halten würde.

Im Dorf fand sie niemanden, der mit seinem Fuhrwerk in die Stadt oder wenigstens bis Bladiau fahren wollte und sie hätte mitnehmen können, und so ging sie zu Fuß weiter. Zu ihrem Glück bog nach wenigen Kilometern ein Gemüsekarren von einer Seitenstraße auf die Landstraße ein. Der Lenker sah sie und zügelte die Pferde.

»Na, Jungfer, willst du mitfahren?«, fragte er und rückte ein wenig zur Seite, damit sie Platz fand.

»Danke! Das wäre mir sehr recht.« Erleichtert kletterte Lore auf den Karren und sah sich sofort der Neugier des Mannes ausgesetzt. Er hatte gesehen, dass sie aus Richtung Trettin kam, und fragte sie nach dem neuen Gutsherrn aus. Die Art und Weise, in der er selbst über Ottokar sprach, zeigte Lore, dass es dem Neffen ihres Großvaters gelungen war, sich bei den Gutsbesitzern ringsum lieb Kind zu machen. Außerdem schien ihr Onkel den alten Herrn überall verleumdet zu haben, denn ihr Begleiter schimpfte über den alten Freiherrn und behauptete, dieser sei noch schlimmer als der Düwel. Obwohl sich der Dialektausdruck gemütlicher anhörte als das schriftdeutsche Teufel, kochte Lore innerlich. Ihr Großvater hatte wahrlich nicht verdient, derart geschmäht zu werden.

»Ich glaube, dieser Ausdruck trifft eher auf den neuen Herrn auf Trettin zu! Immerhin hat dieser sich nicht gescheut, seinem Onkel mit Hilfe von Winkeladvokaten das Gut wegzunehmen«, fuhr sie dem Mann in die Parade.

Der aber winkte ab. »Der alte Trettin hat das Gut ja verlottern lassen, dass es zum Erbarmen war, und dann auch noch Geld auf die Seite geschafft, das eigentlich seinem Neffen gehörte.«

Nur die Tatsache, dass sie den restlichen Weg würde zu Fuß gehen müssen, wenn sie sich mit dem Mann stritt, ließ Lore ihre Zunge im Zaum halten. Daher hüllte sie sich für den Rest der Fahrt in Schweigen. Als sie am Marktplatz von Heiligenbeil abstieg, fiel ihr

Dankeschön knapp und kühl aus, denn sie war froh, diesen unangenehmen Kerl losgeworden zu sein. Nachdem sie vor Ärger ein paar Minuten ziellos herumgelaufen war, fragte sie Passanten nach dem Salon der Madame de Lepin.

Eine ältere Frau wies ihr den Weg zur Mauerstraße, in der sich die Schneiderin eingerichtet hatte, und so stand sie kurze Zeit später vor einem düsteren Gebäude mit kleinen Fenstern, bei dem nur ein Schild neben dem Eingang darauf hinwies, dass hier ein Modesalon heimisch war. Lore schluckte, um ihren vor Aufregung trockenen Gaumen zu befeuchten, und trat mit starkem Herzklopfen in den Flur. Eine knarzende Holztreppe führte in den ersten Stock, in dem Madame de Lepins Geschäft zu finden war. Der Eingang wurde durch ein kleines Flurfenster erhellt, und sie sah erneut die Aufschrift des Modesalons vor sich. Mit zitternden Fingern klopfte sie an. Etliche Sekunden tat sich nichts, und sie überlegte schon, noch einmal und diesmal kräftiger zu klopfen. Da hörte sie drinnen Schritte. Die Tür schwang auf, und eine magere Frau in einem gutgeschnittenen Kleid aus geblümtem Stoff blickte heraus. Sie schätzte Lore mit einem ebenso raschen wie scharfen Blick ab und kam innerhalb weniger Herzschläge zu der Überzeugung, keine neue Kundin vor sich zu sehen. Ihre zunächst devote Miene verschwand, und sie blickte das Mädchen hochmütig an.

»Was willst du?«

»Ich will mit Madame de Lepin sprechen, denn …«

»Ich bin Madame de Lepin.«

»Es ist so … Ich kann gut nähen, und da wollte ich fragen, ob ich für Sie arbeiten kann.« Lore sprudelte es ohne Punkt und Komma heraus, denn sie wusste, dass sie kein zweites Mal mehr den Mut dazu aufbringen würde. Um Madame de Lepin davon zu überzeugen, dass sie nähen konnte, öffnete sie die Tasche und zeigte ihr die Bluse.

Die Schneiderin hatte Lore des schlichten schwarzen Kleides wegen für einen einfachen Landtrampel gehalten, der gerade mal gut genug war, mit einer großen Nadel einen groben Kittel auszubessern. Doch als sie den feinen Stoff der Bluse unter ihren Fingern spürte und die zierlichen Nähte sah, wandelte sich ihre Miene. Der arrogante Ausdruck verschwand und machte einer geschäftsmäßigen Freundlichkeit Platz. »Komm herein!«, forderte sie Lore auf und führte sie in ihre Geschäftsräume. Sie durchquerte den Empfangssalon, in dem sie ihre Kundinnen begrüßte, und schob Lore in das kleinere Nähzimmer.
Die beiden jungen Frauen, die dort, über ihre Arbeit gebeugt, saßen, blickten nur kurz auf und widmeten sich sofort wieder Stoff und Nadel. Ohne sie zu beachten, trat Madame de Lepin ans Fenster und kontrollierte Lores Bluse sorgfältig bei Tageslicht. Als sie fertig war, nickte sie zufrieden. Das Kleidungsstück war von kundiger Hand genäht worden, und das war wichtig in einer Zeit, in der gewöhnliche Kleidung mehr und mehr mit Nähmaschinen gefertigt wurde. Die höheren Damen der Gesellschaft aber legten Wert auf kunstvolle Nähte.
Sie wandte sich zu Lore um. »Zieh die Bluse an. Ich will sehen, wie sie dir steht.«
Lore gehorchte, obwohl sie dafür ihr Kleid ausziehen musste und im Unterrock vor der Frau stand. Diese ging um sie herum und prüfte den Sitz der Bluse.
»Wie es aussieht, bringst du wirklich etwas zustande. Ich kann dich derzeit aber nur ein paar Stunden am Tag beschäftigen, denn ich will deinetwegen keine meiner bewährten Kräfte entlassen.«
Lore begriff, dass die Schneiderin glaubte, sie wolle als richtige Näherin in ihre Dienste treten, und schüttelte den Kopf. »Verzeihen Sie, Madame, aber ich kann nicht in der Stadt arbeiten. Haben Sie denn nichts, was ich zu Hause nähen kann?«
Madames Augen leuchteten erfreut auf. Eine Heimarbeiterin er-

hielt weniger Lohn als eine angestellte Näherin, und sie konnte sie von einem Tag zum anderen wegschicken. »Möglich wäre es. Aber bevor ich mich entscheide, will ich selbst sehen, was du kannst. Luise, hole das Kleid für die Frau Kreisdirektor.«
Eine der beiden Näherinnen legte ihre Arbeit zur Seite, verschwand in der Kammer und kehrte mit einem fast fertigen Kleid zurück, an dem nur noch der Kragen fehlte. Madame de Lepin nahm es entgegen und hielt es Lore hin.
»Traust du dir zu, den Kragen anzunähen?«
Lore starrte auf das hübsche Kleid und kämpfte mit der Angst, etwas falsch zu machen. Wenn sie jedoch ablehnte, konnte sie sofort wieder gehen, und dafür hatte sie nicht den weiten Weg zurückgelegt. Daher nickte sie mit verbissener Miene, zog wieder ihr Kleid an und setzte sich auf den Stuhl, den Madame ihr wies. Beim ersten Stich zitterten ihre Hände noch ein wenig. Doch schon bald nahm die Arbeit sie ganz in Anspruch. Die Angst kehrte erst wieder zurück, als sie Madame das fertige Kleid reichte.
Die Schneiderin musterte die Arbeit kritisch und fand, dass sich keine ihrer Angestellten mit diesem Mädchen messen konnte. Nach einigen für Lore qualvollen Augenblicken nickte sie und reichte Luise das Kleid mit dem Befehl, es wieder in den Nebenraum zu bringen. Dann blickte sie Lore so hochmütig an, dass diese das Gefühl bekam, hässlich und klein zu sein. »Ich werde es mit dir versuchen. Du kommst einmal in der Woche zu mir, bringst die fertigen Sachen und nimmst neue Arbeit mit. Dafür zahle ich dir einen Kuranttaler im Monat. Bist du damit einverstanden?«
Die beiden Näherinnen kicherten, weil ihnen die Summe zu gering gewesen wäre, doch in Lores Ohren hörte sich ein Taler nach sehr viel an. »Liebend gerne, Madame.«
Froh, eine Spitzenkraft zu so einem geringen Preis angeworben zu haben, wies die Geschäftsinhaberin Luise an, einige weniger dringende Sachen einzupacken und Lore mitzugeben. Danach forderte

sie Lore auf, ihr Namen und Adresse zu nennen, und schickte sie dann fort, ohne ihr auch nur ein Glas Wasser angeboten zu haben.
Lore löschte ihren Durst am Marktbrunnen und sah sich dann nach einer Mitfahrgelegenheit um. Der Mann, der sie auf dem Herweg mitgenommen hatte, wandte ihr, als sie an ihm vorbeiging, den Rücken zu. Dafür winkte ein früherer Nachbar ihres Großvaters sie zu sich und bot ihr einen Platz in seinem Landauer an. Froh, dass sie auf diese Weise bis über Bladiau hinaus würde mitfahren können, stieg Lore auf und barg das große Paket, das Madame de Lepin ihr mitgegeben hatte, auf dem Schoß.
»Wie geht es denn deinem Großvater?«, fragte ihr Begleiter, nachdem er die Pferde angetrieben hatte.
»Den Umständen entsprechend gut, sagt Doktor Mütze«, antwortete Lore und war froh, dass der Mann lieber sich selbst reden hörte.
»Das war eine hässliche Angelegenheit, wie dieser Hundsfott Ottokar deinem Großvater das Gut abgeluchst hat. Ich sage, es gibt keinen Glauben und keine Gerechtigkeit mehr unter den Menschen! In meiner Jugend, da galt ein Handschlag mehr als unterschriebene Papiere, und wenn so ein Kerl wie Ottokar es gewagt hätte, die Hand nach dem Gut seines Onkels auszustrecken, hätte dieser ihn mit der Reitpeitsche vom Hof gejagt. Aber aus den heutigen Gesetzen weiß jeder Rechtsverdreher seinen Vorteil zu ziehen, und ein ehrlicher Mann muss sich jedes Wort überlegen, das er ausspricht. Dieser elende Köter Ottokar hat es doch tatsächlich gewagt, mir mit dem Gericht zu drohen, wenn ich weiterhin erklären würde, er habe deinem Großvater das Gut zu Unrecht abgenommen. So einem Kerl sollte man eigentlich mit Ohrfeigen heimleuchten. Aber diese studierten Assessoren, Professoren und Amtsdirektoren im Land legen einem sofort den Strick um den Hals, wenn man auch nur einen Mucks wagt. Früher war das ganz anders, sage ich dir …«

Lore war schließlich froh, als ihr Begleiter die Abzweigung zu seinem Gutshof erreichte, denn er hatte den ganzen Weg über die heutigen Verhältnisse geklagt und die Zeiten zurückgewünscht, in denen man einem unliebsamen Mitmenschen noch eins mit der Peitsche hatte überziehen können, ohne dass der es gewagt hätte, zum Amtsrichter zu laufen.

»Herzlichen Dank fürs Mitnehmen, Graf Elchberg!«, sagte Lore, als der Mann ihr Madame de Lepins Paket herunterreichte.

»Richte deinem Großvater einen schönen Gruß von mir aus!«, rief er ihr noch zu und trieb seine Pferde an.

Lore rief ihm nach, dass sie dies tun würde, und sah sich dann um, ob kein anderes Gefährt in ihre Richtung unterwegs war. Vor ihr lag noch gut ein Drittel des Weges, und da niemand kam, schritt sie kräftig aus. Sie war dem Klang einer Kirchturmuhr nach zu urteilen gerade mal eine Viertelstunde unterwegs, da schloss sie zu einem älteren, in eine schwarze Soutane gekleideten Mann auf, der immer wieder stehen blieb und den Waldessaum musterte, als suche er nach einer Abzweigung. Schließlich bemerkte er sie, drehte sich zu ihr um, nahm die Brille ab und wischte sich den Schweiß von der Stirn.

»Du bist wohl aus der Gegend, mein Kind?«, fragte er und blinzelte sie aus kurzsichtigen Augen an.

»Das bin ich!«, antwortete Lore.

»Dann kannst du mir gewiss den Weg zum Herrn von Trettin weisen.«

»Das Gut ist nicht zu verfehlen. Sie müssen nur diese Straße weitergehen und beim Dorf nach links abbiegen«, antwortete Lore schroffer als beabsichtigt.

»Ich will nicht zum Gut, sondern zum Freiherrn Wolfhard von Trettin, der in der Försterei leben soll.«

Lore starrte den Mann überrascht an. Es handelte sich unzweifelhaft um einen katholischen Geistlichen, und sie fragte sich, was so einer von ihrem Großvater wollte. Sie besann sich jedoch rasch genug auf die gebotene Höflichkeit. »Herr Wolfhard von Trettin ist mein Großvater. Aber es ist noch ein hübsches Stück Weg dorthin.«

Der Priester setzte seine Brille wieder auf und sah sie mit einem verständnisvollen Lächeln an. »Ich bin das Gehen gewöhnt, mein Kind, denn in diesem Land hält selten jemand an, um einen Mann meiner Profession mitzunehmen.«

Damit hat er wohl recht, dachte Lore. In diesem Teil Ostpreußens waren Katholiken seltener als faustgroße Bernsteinklumpen am Strand, und wenn es welche gab, waren es zumeist Polen, die sich gegen die protestantische Übermacht ihrer deutschen Nachbarn zu behaupten suchten. Dieser Priester war jedoch kein Pole, denn er stellte sich ihr als Hieronymus Starzig vor und erklärte, aus Heiligenbeil zu kommen.

»Ein Amtsbruder aus Berlin schrieb mir, dass Herr Wolfhard von Trettin meinen Besuch wünsche«, erklärte er in einem Ton, der wenig Zweifel daran ließ, dass er sich über diese Aufforderung wunderte.

Lore war verblüfft. Was mochte ihr Großvater von einem katholischen Priester wollen? Aber da es sich nicht gehörte, einen geistlichen Herrn auszufragen, schritt sie still neben dem Priester her, der nun trotz seines fortgeschrittenen Alters ein strammes Tempo vorlegte. Sie hätte ihn beinahe gebeten, langsamer zu gehen, doch da tauchte bereits das Jagdhaus vor ihnen auf.

Lore fand die Tür unversperrt, konnte aber Elsie nirgends finden. Rasch verstaute sie Madame de Lepins Paket in ihrer Kammer und eilte in das Zimmer ihres Großvaters. Zu ihrer Erleichterung fand sie ihn munter und lebhafter als am Morgen. Bei ihrem Anblick runzelte er die Stirn und wollte schon etwas sagen, als er durch die offene Tür die schwarzgekleidete Gestalt des Priesters entdeckte.

»Bitte den Herrn herein und bereite ihm dann einen Imbiss«, forderte er Lore auf und versuchte, sich ein wenig aufzurichten. Das Mädchen half ihm hoch und stopfte ihm mehrere Kissen in den Rücken.
Unterdessen trat Hochwürden Starzig ein und schlug das Kreuz. »Grüß Sie Gott, Herr von Trettin.«
Er schien sich nicht zu wundern, einen Schwerkranken vor sich zu sehen, sondern trat neben dessen Bett und reichte ihm die Hand. Der Alte ergriff sie und drückte kräftig zu. »Guten Tag, Herr Pfarrer. Auch wenn mir die linke Hand nicht mehr gehorchen will, so ist in meiner Rechten doch noch ein wenig Kraft«, antwortete er mit dröhnender Stimme. Dann suchte sein Blick Lore. »Du bist ja immer noch da. Ich sagte doch, du sollst in die Küche gehen!«
Lore gehorchte erschrocken und hörte noch, wie ihr Großvater den Priester aufforderte, die Tür hinter ihr zu schließen. Danach drang von Zeit zu Zeit noch ein lauter Ton bis in die Küche, doch was die beiden Männer besprachen, konnte sie nicht verstehen.

XII.

Wolfhard von Trettin musterte den katholischen Geistlichen zufrieden. »Also hat Fridolin sein Wort gehalten und Sie zu mir geschickt.«
Der Priester wirkte etwas verwundert. »Ich kenne keinen Herrn Fridolin. Mein Berliner Amtsbruder Nießen schrieb mir, dass ich zu Ihnen kommen soll.«
»Der weiß es von Fridolin. Mein Neffe wohnt nämlich in Berlin. Ich freue mich, dass Sie so rasch gekommen sind, Herr Pfarrer, denn ich weiß nicht, wie lange mich der Herrgott noch auf dieser

Welt lassen wird. Dieser evangelische Lump, der sich hier Pastor nennt, soll mich nicht unter die Erde bringen! Das habe ich mir geschworen.« Der Alte ballte die Faust und reckte sie in die Richtung, in der er das Dorf und damit das Haus des Pastors wusste.
»Was kann ich für Sie tun, Herr von Trettin?«, fragte Starzig, der nichts mit den Worten des Kranken anzufangen wusste.
»Mich katholisch machen, was sonst? Und mich begraben, wenn es so weit ist«, antwortete der alte Mann grollend.
Der Priester räusperte sich, als habe er sich verschluckt. »Habe ich Sie richtig verstanden, Herr von Trettin? Sie wollen den katholischen Glauben annehmen?«
»Freilich! Oder verstehen Sie kein Deutsch mehr?« Der alte Herr funkelte ihn ärgerlich an.
Starzig beeilte sich, ihm zu versichern, dass er sehr wohl Deutsch verstehe. »Es ist nur so, dass ich etwas verwundert bin, weil ein Herr wie Sie sich ausgerechnet in der heutigen Zeit unserem Glauben anschließen will. Seit dieser schreckliche Bismarck uns Katholiken mit seinem Hass verfolgt und unsere Geistlichen und Ordensleute aus Schulen, Krankenhäusern und Erziehungsanstalten verjagen lässt, haben wir einen schweren Stand im Reich. Viele unserer jungen Priester und Nonnen sind gezwungen, die Orte, an denen sie und ihre Vorgänger so segensreich wirkten, zu verlassen und bis nach Amerika auszuwandern, um wieder Gutes tun zu können.«
Wolfhard von Trettin ging über die Schmähung des von ihm heiß verehrten Reichskanzlers hinweg und fasste den Priester am Arm. »Gar bis nach Amerika, sagen Sie? Das ist aber weit weg.«
»Gott wird die Unseren beschützen«, antwortete Starzig und faltete die Hände zum Gebet. Der alte Herr ließ ihm jedoch keine Zeit, das Paternoster anzustimmen.
»Erzählen Sie mir über Ihre Leute, die nach Amerika gehen! Ist es denn so leicht, dort aufgenommen zu werden?«

Der Priester nickte eifrig. »Amerika ist die Heimstatt der Beladenen und Geknechteten geworden, die der Verfolgung durch die Knute der Gutsherren und die Stöcke der Polizei entkommen wollen.«

In seinem Eifer vergaß er ganz, dass er mit Wolfhard von Trettin einen der von ihm geschmähten Gutsherren vor sich hatte. Der alte Herr reagierte jedoch nicht auf den Fauxpas, sondern krallte seine Rechte in den Ärmel des Geistlichen. »Was wissen Sie über Amerika?«

Eigentlich hatte Starzig angenommen, er solle dem alten Edelmann die wichtigsten Grundzüge des katholischen Glaubens nahebringen, aber er erfüllte den Wunsch des Kranken und erzählte dabei auch, dass beinahe in jedem Monat katholische Geistliche und Nonnen das Deutsche Reich verließen, um mit dem Schiff in die Vereinigten Staaten zu fahren. Wolfhard von Trettin wusste zwar, dass es dieses Land jenseits des Atlantiks gab, hatte aber geglaubt, es sei von blutrünstigen Wilden bevölkert, zwischen denen sich ein paar abenteuerlustige Europäer herumtrieben. Doch nun hörte er nach Fridolins Erzählungen zum zweiten Mal, dass es in Amerika große Städte geben sollte, die den Vergleich mit Berlin nicht zu scheuen brauchten.

Als Starzig begann, sich zu wiederholen, unterbrach er ihn und kam auf sein eigentliches Anliegen zu sprechen. »Sie werden mich katholisch machen und meine Enkelin auch.«

Der Geistliche versuchte ihm zu erklären, dass dies nicht so einfach sei, aber die Äußerung des alten Herrn, sich eher ohne Gott als durch den protestantischen Pastor begraben zu lassen, ließ ihn seinen Widerstand aufgeben. Er sprach dem Alten ein lateinisches Gebet vor, das dieser ohne Mühe nachsprechen konnte, und sagte ihm zu, den Glaubenswechsel ohne die eigentlich dafür nötigen Unterweisungen zu beurkunden. Er ließ sich auch davon überzeugen, dass Lore mit ihren fast sechzehn Jahren bereits zu alt sei, um noch die heilige Kommunion und die Firmung zu empfangen, und es am besten sei, sie wie eine Erwachsene zum katholischen Glauben übertreten zu lassen. Er bestand jedoch darauf, dass zumindest das Mädchen einige Stunden Unterricht in den Lehren des katholischen Glaubens erhalten müsse.

Zu seiner Verwunderung gab Wolfhard von Trettin sofort nach. »Wegen mir soll sie es tun. Lore, komm in mein Zimmer!« Der letzte Satz war laut genug, um selbst einen Toten aufzuwecken. Lore schoss nur Sekunden später durch die Tür herein und sah ihren Großvater fragend an.

»Du wirst katholisch werden!«, befahl er ihr. »Der Priester hier wird dich einweisen. Aus diesem Grund wirst du in den nächsten Monaten einmal in der Woche nach Heiligenbeil fahren.«

Lore sah ihn verständnislos an. »Ich soll katholisch werden? Aber warum?«

»Weil ich es auch werde und will, dass du hinter meinem Sarg hergehen kannst, wenn ich einmal auf den Gottesacker komme.«

Diese Erklärung genügte Lore. Sie erinnerte sich noch gut daran, dass die katholische Ehefrau des Inspektors eines Nachbarguts nicht an der Beerdigung ihrer Schwiegermutter hatte teilnehmen dürfen, weil der neue Pastor es verboten hatte, und nahm an, die Katholiken besäßen ähnliche Regeln. Da sie wusste, dass ihr Großvater diesen Pastor womöglich noch mehr hasste als den neuen Herrn auf Trettin, verzichtete sie auf Widerspruch. Es hätte den alten Herrn nur unnötig aufgeregt und seinen Zustand verschlimmert. Sie hing ohnehin nicht an dem Glauben, mit dem sie aufgewachsen war, denn sie konnte den neuen Pastor nach den schlimmen Erfahrungen ebenfalls nicht als Gottesmann ansehen. Dieser hatte ihr noch mehrmals erklärt, dass der Tod ihrer Eltern und ihrer Geschwister eine Strafe für die Sünden des alten Herrn sei, und im Gegenzug hatte er Ottokar und dessen Frau als wahre Christenmenschen hingestellt. Der Gipfel aber war seine Forderung gewesen, sie solle ihrem Großvater ins Gewissen reden, sich mit dem neuen Gutsherrn zu vertragen und dessen Autorität anzuerkennen.

»Muss ich dann jede Woche in die Stadt fahren, um zu lernen, wie man katholisch wird, Herr Großvater?« Lores Stimme klang ein wenig lauernd. Wenn der alte Herr darauf bestand, sie zum Unterricht zu schicken, würde es ihr ohne Probleme möglich sein, wie versprochen Madame de Lepin aufzusuchen. Sie hatte sich schon den Kopf zerbrochen, mit welchen Ausreden sie ihrem Großvater ihre regelmäßigen Fahrten nach Heiligenbeil erklären sollte. Wenn er erfuhr, dass seine Enkelin gegen Entgelt für eine Schneiderin arbeiten wollte, würde er toben vor Zorn.

Obwohl man Lore das schlechte Gewissen von der Stirn ablesen konnte, wurde er nicht argwöhnisch. »Genau das wirst du tun, und zwar donnerstags. An dem Tag kommt Doktor Mütze zu mir und kann dich von dort mitnehmen. Du musst nur auf dem Hinweg schauen, ob dich jemand mitfahren lässt. Übrigens: Wie steht es um deine Englischkenntnisse?«

Diese Frage überraschte Lore beinahe noch mehr als der verlangte Religionswechsel. »Nun, ich … Vater hat mir ein wenig Unterricht erteilt, aber seit seinem Tod …« Sie brach ab und sah sich mit einem Tadel des alten Herrn konfrontiert.

»Du solltest dich bemühen, in ganzen Sätzen zu sprechen! Sonst nehmen die Leute an, du kämest aus einer Tagelöhnerkate. Außerdem wirst du deine Englischstudien wieder aufnehmen. Sie beherrschen die Sprache nicht zufällig, Herr Pfarrer?«

Starzig schüttelte bedauernd den Kopf. »Leider nein. Ich könnte nur mit Latein dienen.«

»Das ist bedauerlich, aber nicht zu ändern«, fand der Alte und forderte Lore auf, den Priester in die Küche zu führen und ihm etwas zu essen vorzusetzen. Dann krauste er nachdenklich die Stirn. »Heute ist doch auch Donnerstag. Mütze müsste bald kom-

men. Wenn er wieder fährt, kann er den Pfarrer mit nach Heiligenbeil nehmen.«
Hochwürden Starzig atmete auf, denn zu Fuß würde er die Stadt erst nach Einbruch der Dunkelheit erreichen.
»Das wäre sehr fürsorglich von Ihnen, Herr von Trettin. Damit bliebe mir genügend Zeit, eines meiner Schäfchen in dieser Gegend zu besuchen und ihm Trost zu spenden.«
»Tun Sie das! Der gute Mütze wird Sie dann bei der Einmündung des Weges in die Landstraße aufnehmen.« Wolfhard von Trettin scheuchte den Priester und Lore aus seinem Zimmer und wartete dann wie auf glühenden Kohlen sitzend auf seinen alten Freund.
Auch an diesem Tag konnte er beinahe die Uhr nach ihm stellen, so pünktlich hielt Doktor Mützes Landauer vor dem Jagdhaus. Während Lore sich dem Problem ausgeliefert sah, neben dem Priester auch noch dem Kutscher des Arztes einen Imbiss auftischen zu müssen, trat Doktor Mütze in das Zimmer des alten Herrn. Sofort fielen ihm das rötliche Gesicht des Kranken und der erschöpfte Ausdruck in dessen Augen auf. Er ließ sich seine Besorgnis jedoch nicht anmerken, sondern grüßte Wolfhard von Trettin freundlich und begann, ihn zu untersuchen.
Der alte Herr ließ es schweigend über sich ergehen und fasste dann nach dessen Hand. »Jetzt sag mir freiheraus, wie es um mich steht, alter Knochenflicker.«
Doktor Mütze senkte bedrückt den Kopf. »Ich würde dir gerne eine bessere Auskunft geben, Nikas, aber es sieht nicht gut aus. Ich fürchte, du wirst den nächsten Frühling nicht mehr erleben.«
»Das dachte ich mir schon! Ich spüre selbst, wie ich von Tag zu Tag nachlasse. Es kostet mich immer mehr Kraft, es vor Lore zu verbergen. Bei Gott, dabei hätte ich so gerne gelebt, bis sie erwachsen ist und Ottokar und dessen Frau eine lange Nase drehen kann.«
In der Miene des alten Herrn stand sein ganzes Elend zu lesen, und für einen Augenblick befürchtete der Arzt schon, seine scho-

nungslose Diagnose könnte den Lebensfunken seines alten Freundes noch an diesem Tag ausblasen.
Doch so schnell gab Wolfhard von Trettin sich nicht geschlagen. Er lachte, auch wenn es ein wenig zittrig klang, und zwinkerte dem Arzt zu. »Es bleibt dabei. Du hilfst mir, so gut du kannst.«
»Ich tue alles für dich, was in meiner Macht steht, mein Freund. Aber ich werde Lore nicht vor dem Gesindel im Herrenhaus bewahren können.«
Trettin lachte erneut, und diesmal hörte es sich kräftiger an. »Gesindel! Das ist die richtige Bezeichnung für Ottokar, seine Frau und seine ungezogenen Rangen. Aber wir beide werden ihnen eine sehr lange Nase drehen, mein Freund.«
Doktor Mütze sah ihm an, dass er etwas ausbrütete, doch als er nachfragte, konnte er dem alten Herrn kein einziges Wort entlocken. Stattdessen stellte Wolfhard von Trettin eine überraschende Frage. »Hast du noch immer Interesse, mein Jagdhaus und das Stück Wald zu kaufen, das mir gehört?«
Der Arzt nickte nachdrücklich. »Das sagte ich doch schon letztens. Mich interessiert das Jagdrecht, das auf dem Haus liegt und das ich mit deiner Erlaubnis in den letzten Wochen bereits ausüben durfte. Mein Sohn ist ebenfalls ein begeisterter Waidmann. Er will sich von Berlin in unser schönes Ostpreußen versetzen lassen und eine Amtmannsstelle in Braunsberg übernehmen. Ihm würde das Jagen hier sehr gefallen.«
»Das will ich hoffen.« Wolfhard von Trettins Stimme klang dabei so volltönend, als hätte der Arzt ihm die baldige Genesung und nicht den nahen Tod verkündet. Er wurde sich seiner Lage jedoch rasch wieder bewusst und forderte seinen Freund auf, ihm Papier und Schreibzeug zu bringen.
»Es gibt einiges zu tun, mein Guter, und wie du vorhin richtig gesagt hast, darf ich meine Zeit nicht verschwenden. Übrigens noch etwas anderes: Du kannst ein paar Taler von dem vereinbarten

Kaufpreis für das Jagdhaus und den Wald abziehen und mir dafür Lebensmittel mitbringen, wenn du mich besuchst. Lore braucht kräftigere Kost.«
Doktor Mützes Blick ruhte mit einem tadelnden Ausdruck auf dem alten Herrn. »Wenn ich gewusst hätte, dass ihr hungern müsst, hätte ich euch längst etwas mitgebracht. Aber du bist nun einmal ein ostpreußischer Sturkopf, der lieber zugrunde geht, als seinen besten Freund um etwas zu bitten.«
»Ich wusste doch selbst nicht, wie schlecht es tatsächlich um unsere Vorratskammer steht. Lore glaubt ja, alles, was mich aufregen könnte, von mir fernhalten zu müssen«, antwortete Wolfhard von Trettin nicht ganz wahrheitsgemäß und richtete sein Augenmerk auf die Briefe, die er schreiben wollte. Das fiel ihm schwer genug, da er nur noch eine Hand zur Verfügung hatte. Seine Linke ließ sich trotz allen Bemühens nicht mehr benutzen. Doktor Mütze half ihm, die Blätter zurechtzulegen, und störte ihn dann nicht mehr, auch wenn er sich über die Wahl der Adressaten wunderte. Als er die Briefe entgegennahm, versprach er seinem Freund noch einmal, diese schnell weiterzuleiten.
»Dennoch habe ich wenig Hoffnung, dass es dir gelingt, Lore vor dem Pack auf dem Gut zu bewahren«, sagte er, als er sich nach einer Weile verabschiedete.
Ein seltsames Funkeln tanzte in den Augen des alten Herrn. »Lass mich nur machen, du Knochenflicker. Mein lieber Neffe Ottokar hält mich für einen hilflosen Krüppel, und das ist gut so. Bis er begreift, wie sehr er sich in mir geirrt hat, wird es zu spät für ihn sein.«
Der Arzt klopfte dem alten Herrn zum Abschied auf die Schulter und verließ kopfschüttelnd den Raum. Als er nach Lore sehen wollte, fand er sie in ihrem Kämmerchen, dessen Tür offen stand, damit sie jederzeit ihren Großvater rufen hören konnte. Sie saß über eine Näharbeit gebückt und führte die Nadel mit einem Ge-

schick, um das sie die meisten Frauen beneiden mochten. Um sie nicht zu erschrecken, klopfte er leise gegen den Türrahmen.
Das Mädchen hielt inne und drehte sich zu ihm um.
»Ich fahre jetzt wieder. Gott befohlen, Lore, und pass auf deinen Großvater auf. Der macht sonst noch mehr Dummheiten als ein Junger.«
»Es geht ihm also wieder besser.« Lores kummervolle Miene hellte sich auf.
Gerade das aber machte dem Arzt das Herz schwer. Er wollte sie nicht betrüben, sagte sich aber, dass sie die Wahrheit erfahren musste, um nicht vom Schicksal überrollt zu werden.
»Leider nicht, Lore. Um es geradeheraus zu sagen: Es sieht gar nicht gut aus. Sorge dafür, dass dein Großvater sich nicht aufregt, und wenn du Ottokar mit der Flinte in der Hand davon abhalten müsstest, eure Schwelle zu überschreiten.«
Die letzten Worte waren mehr als bitterer Scherz gedacht, doch Lores Blick flog sofort zu der Wand, hinter der sie den Gewehrschrank des alten Herrn wusste.
»Der neue Gutsherr wird meinem Großvater kein weiteres Leid zufügen.« Es klang so kriegerisch, dass Doktor Mütze sich fragte, ob es ein Fehler gewesen war, das Mädchen auf die Waffe hinzuweisen. Ein Blick in Lores blasses, aber beherrschtes Gesicht machte ihm jedoch wieder Mut. Die Enkelin war gewiss vernünftiger als der Großvater und würde keine Dummheiten begehen. Er lächelte ihr zu und wollte schon gehen.
Da fiel Lore der katholische Priester ein. »Verzeihen Sie, Herr Doktor. Hat mein Großvater Ihnen von dem Pfarrer erzählt, den Sie seinem Willen zufolge in die Kreisstadt mitnehmen sollen?«
»Nein, davon hat er nichts gesagt.« Doktor Mütze sah Lore interessiert an und ließ sich von ihr berichten, wo er den Mann finden konnte. Sie setzte jedoch hinzu, dass er nicht böse sein solle, weil es sich um keinen protestantischen Pastor handele.

»Bei Gott, einen Patienten frage ich ja auch nicht nach seiner Religion.« Der Arzt lachte zunächst, wurde dann aber wieder ernst. »Will dein Großvater etwa seinen Glauben wechseln?«
Lore nickte unglücklich. »Genau das will er, Herr Doktor. Und ich soll es auch tun. Er verlangt sogar, dass ich jede Woche in die Stadt gehe, um zu lernen, katholisch zu werden. Das soll ich donnerstags tun, damit ich mit Ihnen nach Hause fahren kann. Aber nur, wenn es Ihnen recht ist, Herr Doktor.«
Der Arzt versetzte ihr einen leichten Nasenstüber. »Natürlich ist es mir recht, Mädchen. Bräuchte ich meinen Wagen nicht, um zu meinen Patienten zu fahren, würde ich ihn dir schicken, damit du zu deinem Religionsunterricht in die Stadt kommst, ohne fremde Leute um eine Mitfahrgelegenheit bitten zu müssen. Das ist nicht ganz ungefährlich, denn man weiß nie, an wen man dabei gerät. Versprich mir, dass du vorsichtig bist.«
Obwohl er nicht näher darauf einging, wusste Lore, was er meinte. Schon manche Magd, die um eine Mitfahrgelegenheit gebeten hatte, war vom Fahrer oder Besitzer des Wagens in die Büsche gezerrt und vergewaltigt worden. Was das genau hieß, hatte Elsie ihr in sehr unzarten Worten erklärt und ihr auch die Schmerzen ausgemalt, die ein Mädchen wie sie dabei empfinden würde. Lore ließ sich von dieser Sorge nicht abschrecken, sondern beschloss, nur mit Menschen mitzufahren, die sie kannte. Außerdem war sie für ihr Alter recht groß und kräftig. Also würde man sie gewiss nicht so leicht in den Wald schleppen können.
Mit einem Zug um den Mund, der Doktor Mütze an einen störrischen Esel erinnerte, verabschiedete sie sich von dem Arzt und sah dann noch einmal nach ihrem Großvater. Da dieser im Moment nichts benötigte, kehrte sie zu ihrer Näharbeit zurück und überlegte sich, was sie von dem ersten Geld, das sie damit verdiente, einkaufen sollte.

Zweiter Teil

Die Flucht

I.

Die Tage kamen und gingen, reihten sich zu Wochen und zu Monaten. Fast unmerklich schwand der Sommer aus Ostpreußen und machte dem Herbst mit seinen unzähligen Farben Platz, bis schließlich der erste kalte Wind vom Osten her den nahenden Winter ankündete. Auf den Feldern des Gutes Trettin hatte das Gesinde zusammen mit den Tagelöhnern längst das Getreide und das Heu eingebracht und ihrem Herrn damit einen guten Verdienst verschafft.

Dennoch starrte Ottokar von Trettin immer wieder zu dem Forst hinüber, der keinen Kilometer entfernt begann und sich dunkel und geheimnisvoll nach Osten hinzog. Ein Teil des Waldes zählte zum Gut, ein anderer zu den Liegenschaften seiner Nachbarn. Dies verdross ihn nicht, aber das Stück Forst, das seinem Onkel gehörte und auf eine weite Strecke an sein Land grenzte, empfand er als Dorn in seinem Fleisch.

Im Jagdhaus hatte sich die Situation nicht geändert. Wolfhard von Trettin lag seinen eigenen Worten zufolge wie ein mürbes Stück Holz im Bett und kämpfte gegen die Schatten des Todes an. Lore gegenüber versuchte er seinen Zustand zu verbergen und gab sich kräftiger, als ihm zumute war. Dabei erteilte er ihr Befehle, die sie oft für unsinnig hielt, aber dennoch getreulich erfüllte, um ihn um Gottes willen nicht aufzuregen. Für sie war es eine harte Zeit, denn sie musste nicht nur zu jeder Tages- und Nachtstunde für den Kranken bereitstehen, sondern auch für Madame de Lepin nähen und jene religiösen Texte lesen, die Hochwürden Starzig ihr donnerstags aufgab.

Da ihr Großvater jedes Mal verlangte, dass sie ihm die Geschichten der Heiligen und der Wunder der katholischen Kirche vor-

trug, blieb ihr nichts anderes übrig, als bis tief in die Nacht hinein im Schein einer Petroleumlampe zu lernen.
Der alte Herr schickte sie jeden Donnerstag in die Stadt, ohne zu ahnen, welchen Gefallen er ihr damit tat. Auf diese Weise konnte Lore Woche für Woche Kleidungsstücke von Madame de Lepin mitnehmen und ihr die fertiggenähten zurückbringen. Sie erhielt nur wenig Lohn, aber das Geld reichte für die notwendigsten Lebensmittel. Daher konnte sie für die Taler, die Doktor Mütze ihr bei seinen Besuchen zusteckte, Leckerbissen für ihren Großvater kaufen. Auch wenn Ottokar ihn zum Bettler gemacht hatte, so wollte sie nicht, dass er sich zu viel versagen musste.
Sie konnte auch Elsie wieder bezahlen. Fleißiger oder gar zuverlässiger wurde das Dienstmädchen trotzdem nicht, aber die geringe Hilfe entlastete Lore, die die Arbeit im Haus nicht allein bewältigen konnte. Allerdings vertraute sie Elsie die Pflege ihres Großvaters nicht mehr an, nachdem sie eines Donnerstags in Doktor Mützes Begleitung nach Hause gekommen war und ihren Großvater in seinem Schmutz liegend vorgefunden hatte. Von ihm hatte sie erfahren, dass Elsie bereits am Mittag das Haus verlassen hatte.
Seitdem bat Lore jedes Mal den alten Kord, sich während ihrer Abwesenheit um ihren Großvater zu kümmern. Beide schienen mit dieser Lösung zufrieden zu sein, denn der Knecht hing an seinem früheren Herrn, der im Gegensatz zu seinem Nachfolger zu allen Leuten gerecht gewesen war. Was Wolfhard von Trettin und Kord miteinander zu besprechen hatten, erfuhr Lore nicht. Sie bemerkte nur, dass die beiden sie immer wieder nachdenklich musterten. Oft erschien es ihr, als würde Kord Anweisungen des alten Herrn am liebsten widersprechen. Aber jedes Mal nickte er schließlich ergeben und erklärte, dass er alles tun werde, was der Kranke von ihm verlange.
Als Lore an diesem Tag Kords Kate betrat, die nur aus einem ein-

zigen Raum bestand, nähte dieser an einem festen Segeltuchmantel, wie ihn die ärmeren Schiffer auf dem Haff trugen. Bei ihrem Anblick schoss er hoch und nahm die Mütze ab. »Einen schönen guten Morgen, Fräulein Lore. Ich hoffe, dem Herrn geht es diesmal besser als beim letzten Mal.«

Lore schüttelte den Kopf. »Leider nicht! Er will es sich nicht anmerken lassen, aber ich kann es an seinen Augen erkennen. Daher wäre es mir lieb, wenn du auch heute nach ihm sehen könntest.«

»Freilich mache ich das! Ich bin auch gleich mit meiner Arbeit fertig, die er mir aufgetragen hat.« Kord zeigte auf den Mantel und wollte noch mehr sagen, schlug sich dann aber mit einer erschrockenen Geste auf den Mund und blickte das Mädchen an wie ein Hund, der etwas ausgefressen hat und die Rute seines Besitzers fürchtet.

»Verraten Sie mich bitte nicht an den Herrn, Fräulein Lore, denn es soll ja keiner etwas davon wissen.«

»Auch ich nicht?«

Kord hob beschwörend den rechten Zeigefinger. »Keiner!, hat der Herr gesagt, und von mir wird niemand was erfahren. Aber beeilen Sie sich lieber, Fräulein Lore, denn ich habe vorhin einen Wagen des Fuhrunternehmers Wagner zum Gut fahren sehen. Wenn der Kutscher zurückkommt, wird er Sie gewiss in die Stadt mitnehmen.«

»Danke, Kord, und auf Wiedersehen!« Erleichtert, diesmal nicht lange auf eine Mitfahrgelegenheit warten zu müssen, verließ Lore die Kate und eilte zur Straße.

Kord sah ihr einen Augenblick nach, dann beugte er sich wieder über den Segeltuchmantel und nähte mit verbissener Miene weiter. Dabei schüttelte er mehrmals den Kopf und fragte sich, wie das alles noch enden sollte.

II.

Nach wenigen Minuten hörte Lore Hufschläge hinter sich und das Geräusch eisenbereifter Wagenräder. Kurz darauf schloss ein großer Wagen mit festen Bordwänden zu ihr auf. Der Kutscher blickte auf sie herab und zügelte seine beiden schwergebauten Kaltblüter.

»Brrr, Hannes und Lothar! Wir wollen das Fräulein doch nicht zu Fuß laufen lassen.« Obwohl der Novemberwind recht scharf wehte, zog er die Mütze vor Lore und bot ihr den Platz an seiner Seite an. Mit seinem gutmütigen, roten Gesicht und seinem dicken Mantel sah er vertrauenerweckend aus. Daher bedankte sich Lore höflich und stieg auf. Der Mann war kein Schwätzer, denn außer dem »Hüh!«, mit dem er sein Gespann wieder antrieb, vernahm sie auf dem weiteren Weg keinen Laut von ihm.

Das gab ihr Zeit, den eigenen Gedanken nachzuhängen. Zum ersten Mal seit Monaten hatte Lore das Gefühl, das Leben könne doch noch einen kleinen, freundlichen Winkel für sie bereithalten. In der Kiepe, die sie bei sich trug und die sie wie ein gewöhnliches Bauernmädchen aussehen ließ, lag sorgfältig verpackt ein Festkleid, das sie in langer, mühsamer Arbeit genäht hatte. Madame de Lepin hatte ihr einen Taler extra versprochen, wenn dieses Kleid zur Zufriedenheit der Kundin ausfallen würde.

Diesen Taler wollte sie anders als den, den Fridolin ihr gegeben und Großvater ihr weggenommen hatte, für ihre Zukunft sparen. Es war nur ein Anfang, denn um ihr Leben später in die eigene Hand nehmen zu können, musste sie mindestens zwanzig preußische Taler besitzen. Dafür würde sie noch viele hundert Stunden mit mühsamer Stichelei verbringen müssen. Doch mit dem Optimismus der Jugend war Lore überzeugt, dass sie es schaffen würde.

Da Doktor Mütze jedes Mal, wenn er zum Jagdhaus kam, einen

großen Korb voller Lebensmittel mitbrachte, hatte sie schon ein wenig von ihrem selbstverdienten Geld beiseitelegen können. Sie wollte es zwar in erster Linie für ihren Großvater verwenden, doch wenn ein wenig für sie übrig blieb, würde es ihr eine große Hilfe sein.

Am liebsten hätte sie sich den Lohn für Elsie gespart. Das Dienstmädchen kam immer unregelmäßiger und tat höchstens die Hälfte dessen, was ihr aufgetragen wurde.

Da Lore jedoch nähen und dazu auch noch lernen musste, blieb ihr nichts anderes übrig, als das schlampige Ding zur Arbeit zu treiben. Aber ohne die Hilfe des alten Kord, der zuverlässig die Reparaturen im und am Haus erledigte, wären sie trotzdem nicht über die Runden gekommen.

Lore hatte dem Knecht für all das, was er tat, wenigstens etwas Geld geben wollen, aber er hatte sie harsch abgewiesen. Er sei von seinem Herrn immer gut behandelt worden, hatte er ihr erklärt, und es sei eine Schande, wie sein Neffe den alten Freiherrn um das Gut gebracht habe. Außerdem würde er für die kleinen Dienste, die er leistete, im Wald seines Herrn Feuerholz für sich und die alte Miene holen.

Nicht zum ersten Mal stiegen Lore bei der Erinnerung an die Worte dieses treuen Mannes Tränen in die Augen. Solange es Menschen gab, die ihr und ihrem Großvater beistanden, sah die Zukunft nicht allzu düster aus. Dennoch musste sie ihr weiteres Schicksal selbst in die Hand nehmen. Wenn es ihr nicht gelang, so viel Geld zu sparen, dass sie von einem Tag auf den anderen von hier weggehen und auf eigenen Füßen stehen konnte, würde sie unter die Knute ihrer adeligen Verwandtschaft auf Trettin geraten.

Der Gedanke, später als unbezahlte Dienstbotin unter Malwines Knute auf dem Gut leben und arbeiten zu müssen, erfüllte sie mit Grausen. Seit sie wusste, dass Ottokar von Trettin an ihrem bren-

nenden Elternhaus vorbeigefahren war, ohne ihre Familie zu wecken, hasste sie diesen Mann mit einer Inbrunst, die sie manchmal erschreckte. Natürlich hatte niemand es gewagt, den größten Grundherrn weit und breit offiziell der unterlassenen Hilfeleistung zu beschuldigen. Doch Lore hatte inzwischen hinter vorgehaltener Hand auch von anderen Dorfbewohnern gesagt bekommen, dass man in der Unglücksnacht vom Knallen der Peitsche und dem Hufschlag der vier Wagenpferde geweckt worden sei.
Also würde der Mann, der ihre Angehörigen beinahe genauso auf dem Gewissen hatte, als wenn er sie selbst umgebracht hätte, ihr Vormund werden, wenn ihr Großvater starb. Die Frauen im Dorf, die selbst nichts anderes kannten als Armut und die harte Arbeit auf den Feldern, bedauerten sie bereits jetzt und prophezeiten ihr ein Sklavenleben unter der Fuchtel der hochmütigen Frau des Majoratsherrn.
Aber wenn sie diesem gottverlassenen Teil Ostpreußens, in dem die Zeit, wie der alte Herr behauptete, seit Jahrhunderten stehengeblieben war, den Rücken kehren wollte, benötigte sie genug Geld, um nach Berlin fahren und sich bei einem Modegeschäft als Lehrling einkaufen zu können.
Von Luise, einer der Näherinnen bei Madame de Lepin, hatte sie erfahren, dass allein das Lehrgeld zwölf Taler betrug, und da sie dazu noch ihren Lebensunterhalt bestreiten musste, würden zwanzig Taler gerade eben ausreichen. Luise hatte ihr auch die Gefahren der großen Stadt vor Augen geführt und sie eindringlich davor gewarnt, dorthin zu reisen.
Aber auch ohne die Schreckensbilder der Näherin hatte Lore Angst, sich ganz allein in der Hauptstadt Preußens und des neuen Deutschen Reiches durchschlagen zu müssen. Gleichzeitig war sie bereit, schwer zu arbeiten und notfalls auch zu hungern, um den Krallen der Sippschaft auf Trettin zu entkommen.
Mit diesem schon oft wiederholten Entschluss und der Hoffnung,

dass Madame de Lepin nichts an ihrer Arbeit auszusetzen fände, verabschiedete sie sich in der Stadt von dem schweigsamen Fuhrmann und betrat das Haus der Schneiderin über die Hintertreppe, wie es sich für Lieferanten und Dienstboten geziemte.

III.

Als Lore das Atelier betrat, wirkte Madame de Lepin nervös. »Liebes Mädchen, was bin ich froh, dass du pünktlich kommst. Freifrau von Trettin will ihr neues Kleid nämlich heute noch abholen. Du hast doch hoffentlich sehr sorgfältig gearbeitet! Die Dame ist äußerst anspruchsvoll, musst du wissen, und wenn sie unzufrieden ist, kann sie mir meinen Ruf als Couturière ruinieren! Oh, hoffentlich passt es! Du musst hierbleiben und mir beim Abnähen helfen. Keine Sorge, ich gebe dir dafür ein Aufgeld.«
»Das Kleid ist für Frau von Trettin? Das haben Sie mir gar nicht gesagt!« Lore war empört, denn für die Ehefrau ihres Feindes Ottokar hätte sie nicht bis tief in die Nacht hinein genäht. Dann aber dachte sie an den Taler, der ihr dafür versprochen worden war, und sagte sich, dass sie sich keine Empfindlichkeiten leisten konnte. Deswegen würde sie bleiben und warten, ob Madame de Lepin sie noch brauchte, auch wenn sie dadurch zu spät zum Religionsunterricht kam, den Hochwürden Starzig für sie und einige jüngere Mädchen abhielt.
Die Schneiderin wunderte sich über Lores Verärgerung und versuchte, sie zu beschwichtigen. »Habe ich wirklich vergessen zu sagen, dass dieses Kleid für Frau von Trettin ist? Die Freifrau ist meine wichtigste Kundin! Wenn die anderen Damen sehen, dass sie meine Kleider trägt, werden sie alle zu mir kommen, und ich

kann höhere Preise verlangen! Das musst du noch lernen, wenn du eine gute Couturière werden willst, mein Kind. Nur wenn es dir gelingt, die tonangebenden Damen des Ortes für dich zu gewinnen, hast du auch Aussicht auf Erfolg. Sonst schuftest du dich für nichts und wieder nichts zu Tode und kommst doch auf keinen grünen Zweig. Ich glaube, ich höre die Dame kommen! Ja, schau, ihr Zweispänner biegt bereits in die Straße ein.«
Während Madame de Lepin vor Nervosität gar nicht mehr zu reden aufhörte, spürte Lore den schier unwiderstehlichen Drang, davonzulaufen, nur um Malwine nicht begegnen zu müssen. Da sie jedoch kein Geld verlieren wollte, straffte sie die Schultern und half Madame de Lepin, das Kleid über eine Schneiderpuppe zu drapieren.

IV.

Kurze Zeit später rauschte Malwine von Trettin in das Atelier, ohne die Verkäuferin zu beachten, die sie noch ein paar Minuten im Vorraum hätte aufhalten sollen. Bei Lores Anblick stieß sie einen spitzen Schrei aus und wandte sich mit einem anklagenden Blick der Schneiderin zu.
»Frau Lepin! Sie haben doch nicht etwa diesen schmutzigen Dorftrampel da an mein Kleid gelassen! Wenn der Stoff verdorben ist, mache ich Sie haftbar! Sie werden mir jede Elle ersetzen, und dann werde ich mich nach einer neuen Schneiderin umsehen, das kann ich Ihnen flüstern!«
Malwine war jedoch weit davon entfernt, zu flüstern, sondern bediente sich einer wenig damenhaften Lautstärke, so dass die Kundinnen draußen im Verkaufsraum jedes Wort hörten. Die

Schneiderin krümmte sich unter ihren Worten, doch anstatt Lores Mitarbeit kurzerhand abzustreiten, begann sie, deren Talent zu preisen. Das hielt Malwine von Trettin nicht davon ab, jede Handbreit Stoff gründlich zu kontrollieren und die Arbeit in Grund und Boden zu kritisieren.
Lore entging nicht das Glitzern in den Augen ihrer angeheirateten Tante. Obwohl die Arbeit fehlerlos war, handelte Malwine den Preis des Kleides herunter wie eine Krämerin und verlangte eine völlig überflüssige Änderung. Dann bedachte sie Lore mit einem ebenso boshaften wie triumphierenden Blick und stemmte die Arme in die Seiten. »Damit eines klar ist, Frau Lepin: Sie werden diesen Trampel hier nicht weiter beschäftigen. Höre ich, dass Sie es heimlich tun, werde ich all meinen Freundinnen empfehlen, mit mir gemeinsam zu einem anderen Modesalon zu wechseln!«
Während die Schneiderin wie erschlagen vor der streitbaren Freifrau stand und kein Wort herausbrachte, begriff Lore, dass Malwine jeden ihrer Pläne, auf eigenen Beinen zu stehen, zu durchkreuzen suchen würde. Ihre angeheiratete Tante setzte alles daran, ihre Fähigkeiten umsonst und ganz exklusiv für sich allein zu bekommen.
Die Freifrau ließ das Kleid einpacken, nörgelte aber auch dabei herum, bis Madame de Lepin Kleid und Papier aus den Händen ihrer verängstigen Angestellten nahm und es selbst erledigte.
»Hier, gnädige Frau! Ich bin sicher, Sie werden mit dem Kleid zufrieden sein«, erklärte sie zuletzt, nachdem sie Luise aufgetragen hatte, das Paket zu Malwines Wagen zu bringen.
»Zufrieden werde ich erst dann sein, wenn Sie das tun, was ich Ihnen aufgetragen habe. Also beherzigen Sie meine Warnung und werfen Sie diesen Dorftrampel endlich zur Tür hinaus!« Mit diesem Abschiedsgruß drehte Malwine sich um, ohne ihre schadenfrohe Miene zu verbergen, und ließ Lore wütend und die Schneiderin niedergeschmettert zurück.

Madame de Lepin hatte nicht nur einen herben finanziellen Verlust erlitten, sondern sah sich dazu noch gezwungen, auf eine so geschickte Näherin wie Lore zu verzichten. Mit einem tiefen Seufzer blickte sie das Mädchen an. »Es tut mir leid, aber du hast gehört, was die Freifrau gesagt hat. Ich darf dir keine weitere Arbeit geben. Dabei könnte ich dich und deine flinken Finger so gut brauchen! Zu Weihnachten wollen die meisten Damen neue Kleider, und jetzt werde ich einige von ihnen abweisen müssen.«

»Ich kann doch heimlich für Sie nähen, Madame«, flüsterte Lore, damit die anderen Näherinnen es nicht hören sollten. Wenn sie Malwines Kuratel entkommen wollte, benötigte sie diesen Verdienst.

Doch die Schneiderin schüttelte traurig den Kopf. »Das wage ich nicht. Freifrau von Trettin ist die tonangebende Dame in diesem Landkreis. Wenn sie mich schneidet, muss ich mein Geschäft aufgeben und als Näherin in die Dienste einer erfolgreicheren Couturière treten. Da kann ich gleich ins Wasser gehen!«

Da Lore schon öfter miterlebt hatte, wie Madame ihre Angestellten hetzte und sich auch nicht scheute, die Frauen mit einem Stock aus spanischem Rohr zu bestrafen, wenn diese Fehler machten, verstand sie, wovor die Schneiderin Angst hatte. Doch während sie selbst mit dieser Arbeit auch ihre Hoffnung auf ein eigenes Leben verloren hatte, würden die Damen der Gesellschaft auch weiterhin bei Madame arbeiten lassen, so dass diese sich trotz allem keine Sorge um ihr tägliches Brot machen musste.

Auf dem Weg zum katholischen Pfarrhaus schwor sie sich, niemals das Herrenhaus zu betreten, selbst wenn sie bei einem Bauern als Magd einstehen oder gar ins Armenhaus musste. In ihrem Innern wusste sie jedoch genau, dass die Behörden sie nach dem Tod ihres Großvaters unnachsichtig ins Gutshaus schleppen würden, da Ottokar von Trettin nun einmal als ihr nächster Verwandter galt.

Wie sie befürchtet hatte, kam sie zu spät zum Unterricht und musste unter den tadelnden Blicken des Priesters und dem Gekicher ihrer jüngeren Mitschülerinnen auf ihrem Stuhl Platz nehmen. Hochwürden Starzig sprach an diesem Tag wieder einmal über Heilige und ihr frommes Wirken. Seine Worte strömten an Lore vorbei, während sie verzweifelt darüber nachdachte, wie sie in den nächsten Monaten das Geld auftreiben konnte, das sie so dringend benötigte.

Nach dem Unterricht war sie froh, dem nach Weihrauch riechenden Pfarramt zu entkommen, und eilte zu Doktor Mützes Praxis. Sonst hatte dessen Frau ihr immer einen Imbiss vorgesetzt, bevor der Arzt sie nach Hause fuhr.

Doch an diesem Tag schien der Arzt es eilig zu haben, denn die Pferde waren bereits eingespannt, und er lief vor dem Haus hin und her, als brenne der Boden unter seinen Füßen. Bei ihrem Anblick verzog er das Gesicht zu einer kurzen, fast ein wenig abweisenden Grimasse. Doch seine Züge glätteten sich sofort wieder.

»Gut, dass du da bist, Mädchen. Dein Großvater sagte beim letzten Mal, dass wir heute früher kommen sollen.« Dann sah er, dass Lores Kiepe im Gegensatz zu den früheren Malen leer war, und hob verwundert die Augenbrauen. Fast schien es, als wolle er sie fragen, was dies zu bedeuten habe. Dann aber winkte er mit einer heftigen Handbewegung ab und half ihr auf den Wagen.

»Meine Frau hat dir von der Köchin ein paar Butterbrote bereiten lassen«, sagte er und drückte ihr ein Päckchen in die Hand, aus dem es verführerisch duftete.

Durch den Zusammenstoß mit der Freifrau von Trettin war Lore der Hunger vergangen. Da sie Doktor Mütze jedoch nicht kränken wollte, kaute sie mühsam auf den Broten herum und schluckte den letzten Bissen, als der Wagen bereits auf dem Forstweg zum Jagdhaus rumpelte.

Elsie erwartete sie bleich an der Haustür. »Wo bleiben Sie denn, Fräulein Lore? Sie sollen sofort zum gnädigen Herrn kommen! Beeilen Sie sich, er ist schon sehr ungeduldig!«
Erschrocken eilte Lore in das Zimmer ihres Großvaters. Der Arzt und Elsie folgten ihr auf dem Fuß. Wolfhard von Trettin lag in seinem besten Anzug auf dem Bett. Offensichtlich hatte er sich von Kord und Elsie ankleiden lassen. Die Fenstervorhänge waren geschlossen, und der alte Herr leistete sich den unerhörten Luxus von Kerzen und einem Glas Wein. Er lächelte sogar, was er schon seit Monaten kaum noch getan hatte.
Doktor Mütze machte ein besorgtes Gesicht, als der Kranke das Weinglas an seine unnatürlich roten Lippen führte und es in einem Zug austrank.
»Das solltest du bleiben lassen, Nikas. Das Zeug kann dein Tod sein!«
Lores Großvater lachte mit volltönender Stimme auf. Bevor er jedoch etwas sagen konnte, trat Lore zum Nachttisch und gab das vom Arzt verschriebene Stärkungsmittel in ein Glas. Der alte Herr nahm es ihr zwar ab, schüttete den Inhalt jedoch auf den Boden.
»Nein, Mädchen! Heute trinke ich einen anständigen Schluck Wein, und wenn dieser Knochenflicker es mir hundertmal verbieten will. Es ist sowieso die letzte Flasche, die noch in diesem Haus zu finden war. Die werde ich nicht Ottokar und Malwine hinterlassen, damit sie auf meinen Tod anstoßen können. So, Mädchen, jetzt setz dich hier auf den Stuhl ins Licht, damit ich dich richtig sehen kann. Ich habe dir nämlich einiges zu sagen!«
Lore gehorchte verwundert und knetete dabei die Bettdecke, die ihr Großvater beiseitegeschoben hatte.
»Hast du deine Englischübungen gemacht, so wie ich es dir aufgetragen hatte?«, fragte er.
Als Lore nickte, sprach er mit durchdringender Stimme weiter.

»Was würdest du davon halten, wenn ich dich an einen Ort schicke, an dem du richtig Englisch lernen und es auch gebrauchen kannst? Dort kannst du auch nach Herzenslust nähen und sticken, und zwar zu deinem eigenen Nutzen und nicht für die geizige Schneiderin in der Stadt oder gar als Sklavin dieses dahergelaufenen Weibsbilds, das sich Herrin auf Trettin nennt. Sieh mich nicht so erschrocken an! Glaubst du, ich wüsste nicht, was in meinen eigenen vier Wänden vorgeht? Ich habe nur deswegen nichts gesagt, weil es eine gute Schule für deine Zukunft war.
Aber nun zurück zu deiner Reise. Erinnerst du dich noch, wie du dir als Kind gewünscht hast, bis ans Ende der Welt fahren zu können? Eine solche Reise habe ich für dich arrangiert. Unser guter Doktor Mütze, aber auch Kord und der Fuhrunternehmer Fritz Wagner haben dabei kräftig mitgeholfen. Und nun, Mädchen, wirst du nach Amerika fahren!«
Lore starrte den alten Herrn verständnislos an. »Wohin soll ich fahren?«
»Nach Amerika! Genauer gesagt, in die Vereinigten Staaten. Du wirst dorthin auswandern, wie es heutzutage viele tun. In dem Land bist du vor der Bagage vom Gutshof sicher. Aber wir müssen rasch handeln. Bist du nämlich noch hier, wenn mich der Pfaffe auf den Gottesacker bringt, dann steckt diese Hexe Malwine dich als Dienstbolzen in die Gutsküche, und du darfst wie eine gewöhnliche Magd auf einer Matte vor dem Herd schlafen.«
Der Alte schnaubte kurz, und Lore erinnerte sich an Malwines Auftritt in der Stadt. Um diesem Drachen zu entgehen, war sie bereit, an jeden Ort der Welt zu reisen, an den ihr Großvater sie schicken wollte. Aber musste es gleich Amerika sein?
Bevor sie jedoch einen Einwand äußern konnte, sprach der alte Herr weiter. »Dieses Gesindel wollte dich ja schon neulich von hier wegholen, weil es sich angeblich nicht gehört, dass eine brave Enkelin für ihren Großvater sorgt. Soll der Teufel Ottokar und

sein hochnäsiges Weibsstück holen! Von denen lasse ich meine Enkelin nicht schurigeln.«
Lore schüttelte entsetzt den Kopf, als sie begriff, dass er es wirklich ernst meinte. »Über den Ozean soll ich fahren? Ganz weg von Deutschland? Nein, Herr Großvater, das kann ich nicht! Hier weiß ich, was ich tun muss, um Geld zu verdienen. In einem fremden Land kenne ich mich nicht aus.«
Dabei kam ihr noch ein Grund in den Sinn, der gegen eine solche Reise sprach, die doch nur ein Hirngespinst ihres Großvaters sein konnte.
»So eine Fahrt kostet viel Geld, Herr Großvater. Aber mit den paar Groschen, die noch im Haushalt sind, komme ich nicht einmal bis Danzig. Außerdem müsst Ihr ja auch noch leben. Wer sollte Euch pflegen, wenn ich nicht da bin?« Mit einer verzweifelten Geste wandte Lore sich an den Arzt. »Bitte, Herr Doktor, sagen Sie doch meinem Großvater, dass ich für eine solche Reise noch viel zu jung bin.«
Doktor Mütze, der bis jetzt wie ein Schatten neben dem Kamin gesessen hatte, rückte seinen Stuhl ins Licht und schüttelte den Kopf. »Das Mädchen hat recht, Nikas. Du kannst keine Fünfzehnjährige allein nach Amerika schicken. Denk nur an die schlechten moralischen und hygienischen Verhältnisse, die auf den Auswandererdecks der Passagierschiffe herrschen. Selbst wenn das Schiff heil drüben ankommt – was nicht immer der Fall ist! –, sterben genug Dritte-Klasse-Passagiere unterwegs durch Unfälle und Krankheit und ebenso viele durch Mord und Totschlag! Wie soll ein Kind wie Lore eine solche Überfahrt lebend überstehen? Und selbst wenn sie wirklich gesund drüben ankommt, wird sie nicht in der Lage sein, ihren Lebensunterhalt zu verdienen, es sei denn als Arbeiterin in einer dieser Fabriken. Da hätte sie es sogar auf Trettin noch besser!
Ich sage dir, es ist eine Schnapsidee. Hast du mir vielleicht deshalb

den Wald verkauft, um Lore mit diesem Geld auf die Reise zu schicken?«
»Weswegen denn sonst?«, antwortete der Kranke verärgert. »Irgendwie musste ich das Geld doch auftreiben. Aber ich hätte dir das Jagdhaus und den Forst auch so verkauft. Oder glaubst du, Ottokar würde auch nur einen Augenblick zögern, ihn Lore nach meinem Tod abzunehmen und zum Gutsbesitz zu stopfen? Nein, alter Freund. Ich habe alles zu Geld gemacht, was noch irgendwie von Wert war, sogar die paar mir noch verbliebenen Erinnerungsstücke an die glorreiche Vergangenheit derer von Trettin, nach denen Ottokar ebenfalls giert, um seinen Gästen damit das Alter unseres Geschlechts vor Augen führen zu können. Ich habe sogar die verrostete Muskete losgebracht, über die du immer so hergezogen hast. Mir gehört gerade noch meine Leib- und Bettwäsche und das alte Schmuckstück hier, das Lore ab jetzt tragen soll. Wenn ich in die Grube fahre, soll nichts übrig bleiben außer einem Haufen Schulden. Die, die jetzt auf Trettin residieren, haben mir zu Lebzeiten alles abgenommen, was sie mit Hilfe von Rechtsverdrehern in die Hände bekommen konnten. Sie sollen nicht auch noch von meinem Tod profitieren!«
»Das verstehe ich. Aber gibt es denn keine andere Lösung für Lore, als ihr Heimatland zu verlassen?«, wandte Doktor Mütze ein.
Wolfhard von Trettin hob abwehrend die Rechte. »Wenn es eine gäbe, hätte ich sie ergriffen. Aber solange sie hier in Deutschland lebt, kann Ottokar sie ausforschen und als entlaufenes Mündel zurückbringen lassen. Lore verfügt über ein Paar geschickte Hände und viel Ausdauer. Also soll sie sich von dem Geld, das ich ihr mitgebe, später ein Modegeschäft kaufen. Bis dahin wird sie in New York in einem Ordenshaus der Franziskanernonnen unterkommen. Ich habe mich mit der Oberin des Ordens in Deutschland in Verbindung gesetzt. Da ich ihr früher einmal einen Gefal-

len erwiesen habe, ist sie bereit, sich dafür zu revanchieren. Mit dem gleichen Schiff, auf dem Lore mitfahren soll, reisen auch fünf Nonnen nach Amerika, die dort an deutschen Schulen und in Krankenhäusern arbeiten wollen. Denen wird Lore sich ab Bremen anschließen. Außerdem ist sie bald sechzehn und damit wohl aus den Windeln herausgewachsen.«

Der Arzt gab sich noch nicht geschlagen. »Aber du kannst deine Enkelin doch nicht allein von Ostpreußen nach Bremen schicken. Sie müsste von Heiligenbeil aus die Eisenbahn benutzen und bis Bremerhaven acht- oder neunmal umsteigen. Das schafft sie nie. Sie wird sich hoffnungslos verirren und irgendwo im hintersten Bayern landen!«

»Nein, das wird sie nicht!«, erklärte Wolfhard von Trettin in einem Ton, mit dem er sich jeden weiteren Widerspruch verbat. »Elsie wird Lore begleiten und auf sie aufpassen. Das Mädchen war, bevor es zu uns kam, Zofe bei einer alten Dame, die von einem mondänen Badeort zum anderen gereist ist. Als Belohnung bekommt Elsie ein hübsches Sümmchen. Sie hat mir versprochen, so lange bei Lore zu bleiben, bis diese bei den Nonnen in der Neuen Welt gut untergebracht ist. Danach will sie sich drüben einen Mann suchen und mit diesem zusammen ein Geschäft aufmachen. Wenn sie ihr Geld zusammenhält, wird ihr beides gelingen.«

Doktor Mütze war bislang der Meinung gewesen, Wolfhard von Trettin würde seine Enkelin einem Freund außerhalb Preußens, aber eben noch im Deutschen Reich anvertrauen, in dessen Schutz sie sich bis zu ihrer Volljährigkeit verstecken konnte. Jetzt zu hören, dass der alte Herr Lore bis nach Amerika schicken wollte, bestürzte ihn.

Während der Arzt überlegte, wie er seinen Freund und Patienten doch noch zur Vernunft bringen könnte, sann Lore darüber nach, welcher Schicksalsschlag Elsie getroffen haben mochte, dass diese von der Zofe einer bessergestellten Dame zum schlechtbezahlten

Dienstmädchen herabgesunken war. Da Elsie ihr gegenüber nie etwas von ihrer Zeit als Zofe erwähnt hatte, musste der Grund dafür sehr schmerzlich gewesen sein. Nun wunderte sie sich auch nicht mehr, warum das Dienstmädchen seine Arbeit nur widerwillig leistete.

Ihr Großvater sah seinem Freund an, dass dieser noch immer nicht mit seiner Entscheidung einverstanden war, und fasste nach dessen Hand. »Es gibt keine andere Möglichkeit, alter Knochenflicker. Ich weiß, was das Richtige für meine einzige Enkelin ist! Komm her, Mädchen, setz dich zu mir auf die Bettkante. Du fährst in die Neue Welt und baust dir dort dein eigenes Leben auf! Doch versprich mir, dass du dich nicht von den Franziskanerinnen einkassieren lässt! Du sollst zwar in ihrer Obhut leben, bis du alt genug bist, um deinen eigenen Weg zu gehen. Ich will aber nicht, dass du Nonne wirst. Das ist genauso schlimm wie ein Dienstbote, nur dass du kein Geld bekommst, sondern für Gottes Lohn arbeiten musst! Dafür aber schicke ich dich nicht auf so eine weite Reise. Hast du das verstanden?«

»Ja, Herr Großvater«, sagte Lore verwirrt. Bisher hatte der alte Herr noch nie mit ihr über ihre Zukunft gesprochen, und so hatte sie eigene Pläne geschmiedet. Sie hatte nach Berlin gehen und dort als Lehrling bei einer Schneiderin arbeiten wollen, obwohl diese Stadt so unendlich weit von ihrer Heimat entfernt lag.

Bisher war sie nicht weiter als bis nach Heiligenbeil gekommen, einmal auch nach Zinten, und es schien ihr unvorstellbar, von hier wegzugehen, ohne die Möglichkeit zu haben, ihre Heimat wiederzusehen. Hier lagen die Gräber ihrer Lieben, in deren Mitte sie einmal glücklich gewesen war. Die Vereinigten Staaten waren nach allem, was sie darüber gehört und gelesen hatte, eine Mischung aus einer Märchenwelt und einem wilden Räubernest. Aber wenn der alte Herr wollte, dass sie eines Tages dorthin fahren sollte, musste sie es schweren Herzens tun.

Ihr Großvater befahl ihr nun näher zu treten und hängte ihr eine feine Goldkette um den Hals, an der ein kleines Kruzifix hing. »Das lag ebenfalls unter den Erinnerungsstücken, die Kord für mich sortiert hat. Es stammt von einer entfernten Verwandten, die unter meinem eigenen Großvater als billige Dienstbotin auf Trettin geendet ist.«
Dann schnaubte er, weil sie verblüfft auf das Schmuckstück starrte, und wies sie an, eine Reisetasche aus Wachstuch aus dem Schrank zu holen und diese zu öffnen. Als sie hineinsah, befand sich ein Mantel aus geteertem Segeltuch darin. Das musste der gewesen sein, den Kord genäht hatte. Für Lore war er viel zu groß, obwohl sie die meisten Mädchen ihres Jahrgangs um einen halben Kopf überragte.
»Den Mantel nimmst du mit und trägst ihn bei schlechtem Wetter, damit du nicht nass wirst und dich erkältest. Eine Seefahrt ist eine verdammt kalte und feuchte Angelegenheit, und ich will nicht, dass du unterwegs krank wirst, hörst du? Behalte den Mantel immer griffbereit und lass dich von niemandem überreden, darauf zu verzichten. Er soll dich in die Staaten begleiten, und du behältst ihn bei dir, bis du volljährig bist! Das ist ein Befehl, Mädchen! So, jetzt geh und pack deine Sachen. Schau, ob Elsie schon fertig ist. Gleich kommt einer von Wagners Fuhrknechten vorbei und holt euch ab. Fritz Wagner hat mir versprochen, dass sein Kommis Gustav euch zur Eisenbahnstation von Heiligenbeil bringen und dort euer Gepäck aufgeben wird, damit alles seine Richtigkeit hat. Von Heiligenbeil aus müsst ihr beide alleine weiterreisen. Aber da Elsie bereits mit der Eisenbahn gefahren ist, weiß sie, wie das geht. Außerdem helfen euch die Schaffner für ein kleines Trinkgeld gerne weiter, da mach dir mal keine Sorgen.
Bis auf den Pass stecken deine persönlichen Papiere in einer Tasche des Segeltuchmantels, zusammen mit noch ein paar nützlichen Kleinigkeiten. Ich habe Elsie die Pässe, die Fahrkarten und

das Geld in Obhut gegeben. Sie hat auch alle Fahrpläne und weiß, wo ihr umsteigen und welche Züge ihr nehmen müsst. Ihr dürft auf dieser Reise nicht trödeln, denn das Schiff geht schon in zehn Tagen von Bremerhaven ab.«

Wolfhard von Trettin legte eine kurze Pause ein und sah dabei seinen Freund Doktor Mütze spöttisch an. »Lore und Elsie werden übrigens nicht in einem schmutzigen Zwischendeck reisen, sondern erster Kajüte, unterer Salon. Das ist so etwas wie zweite Klasse bei der Eisenbahn. Das hat mich dreihundert Taler für meine Enkelin und hundertfünfzig für Elsie gekostet, die als Dienstbotin nur die Hälfte zahlen muss. So, Lore, nun lauf und tu, was ich dir gesagt habe! Dann kommst du noch einmal hierher und verabschiedest dich von mir!«

Lore fühlte sich wie vor den Kopf geschlagen. Natürlich wollte sie irgendwann von hier fortgehen, aber erst nach dem Tod ihres Großvaters. Sie konnte ihn doch nicht einfach allein zurücklassen und auch nicht abreisen, ohne Abschied von den Gräbern ihrer Angehörigen genommen zu haben. Sie starrte auf sein rotes, unnatürlich lebhaft wirkendes Gesicht, unter dessen Augen sich schwarze Schatten eingenistet hatten. So selbstzufrieden, wie er sie anblickte, brachte er kein Verständnis für ihre Gefühle auf. Stattdessen lag ein Ausdruck des Triumphs in seiner Miene, den sie noch nie bei ihm gesehen hatte.

Sie schluckte, weil der Frosch in ihrem Hals immer größer wurde, raffte dann die Reisetasche mit dem hässlichen Mantel an sich und rannte hinaus, um ihre Tränen zu verbergen. Der alte Herr würde sich nicht umstimmen lassen, das war ihr nur allzu klar. Wenn sie ihm widersprach oder sich beklagte, weil alles so schnell gehen musste, würde es zu einem schrecklichen Streit kommen, der ihr Gewissen bis ans Ende ihres Lebens belastete.

Elsie erwartete sie im Vorraum. Mit Tränen in den Augen umarmte sie Lore und zog sie an sich. »Fräulein Lore! Der Herr kann

nicht mehr bei Sinnen sein! Warum schickt er uns in eine ferne, böse Welt hinaus, in der wir keine Freunde haben? Wir werden mit dem Schiff untergehen oder an Cholera sterben! Und wenn wir tatsächlich nach Amerika kommen, erwarten uns dort Räuber und Mörder! Ich habe früher Gazetten geschenkt bekommen, wie sie die feinen Leute lesen, und die waren höchstens ein paar Monate alt und voll von Berichten über Schiffbruch, Mord und andere schlimme Dinge. Aber mir bleibt nichts anderes übrig, als mit Ihnen zu gehen, sonst setzt Ihr Großvater mich ohne meinen ausstehenden Lohn vor die Tür und will mir auch kein Zeugnis geben. Und ohne Papiere bekomme ich keine Stellung mehr und muss verhungern oder in einem dieser schrecklichen Häuser arbeiten, über die man nicht sprechen soll.
Können Sie den Herrn nicht überreden, uns hierzubehalten? Ich verspreche Ihnen, ich werde für zwei arbeiten und Sie niemals im Stich lassen!«
Lore schüttelte verzweifelt den Kopf. Wieso war ihr Großvater zu der Ansicht gekommen, das Dienstmädchen sei das Reisen gewohnt und würde sie glücklich nach Bremerhaven bringen? Sie kannte Elsie besser. Die Frau war leichtgläubig, unselbständig und nervöser als ein Huhn auf den Eiern. Sie würde auf Elsie achtgeben müssen, sonst fiele diese auf jeden Schwindler herein, der ihr ein paar Komplimente machte. So eine Begleiterin war nicht gerade das, was sie sich für eine solch lange Reise wünschte. Dennoch war sie froh, dass Elsie mitkam, denn allein hätte sie sich nicht getraut, diese Fahrt anzutreten.

V.

Die nächsten Stunden waren für Lore ein einziger Alptraum. Ihr Großvater stritt sich zuerst mit dem Arzt, der ihn vergeblich zu überreden versuchte, die ganze Sache abzublasen und Lore stattdessen in seine Obhut zu geben. Dann putzte er Elsie herunter, die nach seiner Ansicht alles falsch gemacht hatte, was falsch zu machen war. Zwischendurch rief er immer wieder Lore zu sich und erteilte ihr Dutzende von Ermahnungen. Als sie zu fragen wagte, wer sich denn nun um ihn kümmern werde, wenn er weder sie noch Elsie hätte, lachte er und zeigte nach oben. »Der Herrgott! Und zwar bald!«

Doktor Mütze, der gerade in seiner Arzttasche kramte, fuhr herum. »Das wird eher der Teufel tun, und zwar noch heute Nacht, wenn du nicht sofort aufhörst, dich aufzuregen und den Wein in dich hineinzuschütten!«

Der alte Herr begann zu lachen, bis ein Hustenanfall seinen Körper schüttelte und sich die roten Flecken auf seinem Gesicht purpurn färbten. »Meinetwegen auch der Teufel«, sagte er, als er wieder Luft bekam. »Aber er soll bitte schön nicht auf sich warten lassen. Ich will den morgigen Tag schon auf der anderen Seite verbringen. Dieses nutzlose Herumliegen ist sowieso schon ein Vorgeschmack auf die Hölle. Schlimmer kann es da unten gar nicht sein. Und komm mir ja nicht auf die Idee, den evangelischen Lumpen zu holen, der den Einzug meines räuberischen Neffen auf Trettin auch noch gesegnet hat!«

Jetzt begriff Lore, was ihr Großvater meinte. Doch als sie sich von dem Schrecken erholt hatte und ihn bitten wollte, wenigstens bis zuletzt bei ihm bleiben zu dürfen, erklangen draußen Hufschläge und das Rasseln von eisenbereiften Wagenrädern. Ein mit zwei schweren Kaltblütern bespannter und mit Kisten und Kasten hoch

beladener Frachtwagen rollte über das grasüberwucherte Kopfsteinpflaster vor dem Haus und blieb vor der Tür stehen.
Auf dem Bock saßen Gustav, einer der Gehilfen der Firma Wagner, und der Fuhrknecht, der Lore schon öfter mit nach Heiligenbeil genommen hatte. Der junge Kommis sprang herab und trat fröhlich pfeifend ins Haus. Als Lore ihm entgegeneilte und ihn bitten wollte, leiser zu sein, brüllte ihr Großvater, dass der Kerl sich gefälligst beeilen solle. Lore begleitete den jungen Mann in das Krankenzimmer und sah, dass Gustav Elsie mit einem lauernden Blick musterte. Dabei wirkte Elsie einen Augenblick lang wie eine Ertrinkende, die nach einem Strohhalm suchte.
Gustav bemerkte Elsies Mienenspiel ebenfalls, blieb neben ihr stehen und strich ihr über den Arm. »Warum denn so verzweifelt? Du und Lore, ihr habt doch mich an eurer Seite.«
»Aber nur bis Heiligenbeil!« Elsie begann zu heulen.
Gustav lachte. »Nicht nur! Mein Patron hat mich beauftragt, eine Warenlieferung aus Übersee in Bremerhaven in Empfang zu nehmen und hierherzubringen.«
Während Elsie aufatmete, zog Lore die Stirn kraus. Obwohl sie es nicht hätte begründen können, gefiel ihr der Gedanke nicht, bis Bremerhaven auf den jungen Mann angewiesen zu sein. Man hatte ihr einiges über ihn zugetragen, das ihn nicht in bestem Licht erscheinen ließ. Unter anderem sollte er mit einem Mädchen von einem Nachbargut eine Liebschaft angefangen und sie sitzengelassen haben, als ihr Bauch dick wurde.
Wolfhard von Trettin, der sich nie für Dienstbotengeschwätz interessiert hatte, schien Gustav zu vertrauen, denn er winkte ihn näher zu sich heran. »Ich freue mich, dass du meine Enkelin bis nach Bremerhaven begleiten wirst. Das macht es mir leichter, von ihr zu scheiden. Hier hast du eine kleine Belohnung. Kümmere dich gut um meine Kleine und sorge dafür, dass sie und Elsie rechtzeitig ihr Schiff erreichen!«

»Keine Sorge, das werden sie«, antwortete Gustav grinsend und strich die drei Taler ein, die der alte Herr mit Kords Hilfe einer alten Geldbörse entnahm. Die restlichen Münzen darin verteilte Wolfhard von Trettin an den Fuhrknecht, Elsie und Lore.
»Davon könnt ihr euch unterwegs etwas zu essen kaufen«, sagte er, als hätte er ganz vergessen, dass er Elsie bereits das Geld für die Reise übergeben hatte. Er ließ sich noch einmal einschenken, schlürfte den Rotwein mit Genuss und blinzelte Lore mit seinem gesunden Auge zu.
»So, und jetzt verschwindet, sonst schlagt ihr noch Wurzeln! Viel Glück, mein Kind! Mögen der liebe Gott und die gesamte Bande der katholischen Heiligen, von denen dieser Starzig geschwätzt hat, dich auf deinem weiteren Weg beschützen!«
»Lebt wohl, Herr Großvater. Ich, ich …« Lore brach ab, weil ihr die Tränen kamen.
Der alte Herr atmete tief durch und wies Gustav an, Lore hinausführen. Elsie folgte den beiden mit hängendem Kopf, aber um einiges munterer als vor Gustavs Auftauchen. Draußen hatte der Fuhrmann bereits das Gepäck aufgeladen, das aus einer großen Seekiste und zwei Koffern bestand. Während Lore auf den Wagen stieg, fragte sie sich, was ihr Großvater ihr alles mitgegeben hatte. Das wenige, das sie selbst besaß, hatte sie in der Wachstuchtasche verstaut, die sie gegen ihre Brust presste, als müsse sie sich daran festhalten.
Elsie hatte ebenfalls eine Wachstuchtasche mit Kleidung für die Fahrt mit der Eisenbahn gepackt. Doch ihre wichtigsten Sachen hatte sie in eine alte, übergroße Handtasche gesteckt, die sie umklammert hielt, als sei sie ihr Rettungsanker. Sie wirkte immer noch ängstlich, blickte jedoch vertrauensvoll zu Gustav auf, der sie nun unter den Armen fasste und lachend auf den Kutschbock hob.
»Ich bin so froh, dass du mitfährst. Allein mit Lore zu reisen, davor hätte ich doch Angst gehabt.«

»Die brauchst du bei mir nicht zu haben. Für ein Mädchen wie dich tu ich doch alles.« Gustav zwinkerte Elsie zu, stieg dann selbst auf den Wagen und setzte sich so neben sie, dass ihre Hüften sich berührten. Da der Kutscher auf der anderen Seite saß und nach schlechtem Tabak roch, drängte Elsie sich noch enger an Gustav und hielt sich an dessen Arm fest.

Lore, die auf der linken Seite des Fuhrmanns Platz genommen hatte, nahm diese intime Geste nicht wahr. Aber als die beiden sich ungeniert laut zu unterhalten begannen, begriff sie, dass sie sich schon länger kannten. Offensichtlich waren sie sich zum ersten Mal bei einem Fest in Pörschken begegnet, denn Gustav zog Elsie damit auf.

Da Lore der Sinn nicht nach fröhlichem Geplauder stand, blendete sie die Stimmen der beiden aus und versuchte zu begreifen, dass sie gerade ihre Heimat verließ und sie niemals mehr wiedersehen würde. Am schlimmsten für sie war, ihren Großvater, für den sie mehr als ein halbes Jahr gesorgt hatte, hilflos zurücklassen zu müssen. Sie hatte den alten Herrn trotz seiner Strenge gerngehabt und gehofft, noch lange Jahre bei ihm bleiben zu können. Außerdem war er der Letzte ihrer Familie, dem etwas an ihr lag. Auch tat ihr in der Seele weh, nie mehr am Grab ihrer Eltern und Geschwister beten zu dürfen. Bei dem Gedanken begannen ihr die Tränen über die Wangen zu laufen. Sie fühlte sich wie ein entwurzelter Baum, der mit dem Hochwasser ins Meer gespült wurde, und konnte sich nicht vorstellen, in einem fremden Land neu anzuwachsen.

Mit tränenfeuchten Augen drehte sie sich um und starrte in die Richtung, in der sie das Jagdhaus wusste. Sie bildete sich ein, es erst vor wenigen Augenblicken verlassen zu haben. Doch der Forst hatte es längst ihren Blicken entzogen, und das hochbeladene Gefährt bog gerade ächzend und schwankend auf die Überlandstraße ein, die nach Heiligenbeil führte. Lore erhaschte noch einen letzten Blick auf ihr Heimatdorf mit seinen schlichten, reetgedeckten Katen. Dann blieb auch dieses hinter ihr zurück. Um sie herum gab es nur noch Wald und in der Ferne das Gutshaus von Trettin, in dem sie so viele schöne und zuletzt auch bittere Augenblicke erlebt hatte.

Es begann zu schneien, und schon bald lag das Land unter einer weißen Decke, die Lore an ein Leichentuch gemahnte. Da neben ihr der maulfaule Fuhrmann saß und Elsie und Gustav sie nicht in ihr Gespräch mit einbezogen, schlang sie die lederne Decke fester um die Schultern und begann aus altem Packpapier Silhouetten von Bäumen, Häusern und den Kutschpferden zu schneiden. Dabei verewigte sie auch die Profile ihrer drei Mitreisenden. Trotz des unbequemen Sitzes auf dem Kutschbock bot diese Arbeit ihren Händen und ihren wild flatternden Gedanken Ablenkung und würde ihr in der Fremde eine Erinnerung an die alte Heimat sein.

VI.

Als der Frachtwagen Heiligenbeil erreichte, war es bereits dunkel. Auch fuhr an diesem Tag kein Zug mehr in Richtung Danzig. Daher brachte Gustav seine beiden Schutzbefohlenen zu einem Gasthof, während der Fuhrmann den Wagen zu einem Nebengleis lenkte, an dem seine Fracht noch in der Nacht in einen Güterwaggon verladen werden sollte. Auch Lores und Elsies Gepäck wurde von einem Bahnbediensteten entgegengenommen, der hoch und heilig versprach, es rechtzeitig in den richtigen Zug bringen zu lassen.

Erst als sie den warmen Gasthof betraten, fühlte Lore die Kälte, die ihr während der Fahrt in die Glieder gekrochen war. Daher

nahm sie den Becher Glühwein dankbar entgegen, den eine der Wirtsmägde ihr reichte. Das Getränk war zwar noch so heiß, dass sie sich die Zunge verbrüht hätte, aber sie vermochte wenigstens ihre klammen Finger an dem Becher zu wärmen.
»Ich habe Hunger«, maulte Elsie und sog den Duft ein, der aus der Küche zu ihnen drang.
Lore hingegen schüttelte es bei dem Gedanken an Essen. »Du kannst noch etwas zu dir nehmen, aber ich gehe lieber zu Bett. Wir müssen morgen sehr früh aufstehen, um rechtzeitig zum Zug zu kommen.«
»Keine Sorge, ich wecke euch schon!«, versprach Gustav und berührte Elsie am Arm. »Ich könnte auch noch einen Bissen vertragen. Wenn dir die Gaststube zu voll ist, sollten wir uns in ein kleines Nebenzimmer setzen. Dort können wir uns gemütlicher unterhalten, als wenn direkt am Nebentisch Skat geklopft wird.«
»Das ist eine gute Idee!« Elsie hakte sich bei Gustav unter, erinnerte sich rechtzeitig daran, dass Lore noch mitten im Raum stand, und wies mit dem Kopf nach oben.
»Fräulein Lore, Sie können ruhig schon zu Bett gehen. Ich komme später nach.«
»Dann gute Nacht!« Lore war froh, wenigstens eine Weile mit sich und ihren Gedanken allein zu sein.
Auf ihre Bitte führte eine Wirtsmagd sie nach oben und öffnete die Tür zu ihrem Zimmer. Es beherbergte zwar einen eigenen kleinen Kanonenofen, doch das Feuer darin schwelte nur und vermochte den Raum nicht zu erwärmen. »Ich bringe gleich noch ein paar Kohlen«, versprach die Magd und verschwand.
Lore streifte mit müden Bewegungen ihr Kleid ab und stand kurz darauf fröstelnd im Hemd. Rasch goss sie Wasser aus dem Krug in die Waschschüssel, wusch sich Gesicht und Hände und schlüpfte anschließend in eines der beiden Betten, die nebeneinander im Raum standen.

Kurz darauf kehrte die Magd mit einem Blecheimer voller Eierkohlen zurück. »Gleich wird es wärmer«, sagte sie und öffnete die Ofenklappe, um nachzuschütten.
»Danke! Kannst du die Petroleumlampe ein wenig herabdrehen? So ist mir das Licht zu hell, aber Elsie muss noch etwas sehen können, wenn sie hereinkommt.« Lore seufzte, denn sie hätte lieber eine Kammer für sich allein gehabt. Ihr stand nicht der Sinn danach, sich die halbe Nacht Elsies Gejammer anhören zu müssen, und dazu würde es mit Sicherheit kommen.
Dabei benötigte sie selbst Trost, denn ihr bisheriges Leben war nun zum zweiten Mal nach dem grauenvollen Tod ihrer Familie in Scherben zerfallen. Bedrückt fragte sie sich, wie es ihrem Großvater gehen mochte. Der Gedanke, er würde bald sterben oder sei sogar schon tot, brannte wie Säure in ihrem Inneren. Auch daran war Ottokar von Trettin schuld. Hätte der Mann ihre Familie gewarnt, wären ihre Eltern und Geschwister rechtzeitig aus dem brennenden Haus entkommen und ihr Großvater hätte mit Sicherheit nicht jenen verhängnisvollen Schlaganfall erlitten, der den früher so lebensfrohen Freiherrn in ein Wrack verwandelt hatte.
Für einen Augenblick wünschte sie sich die Macht, Ottokar von Trettin alles heimzahlen zu können, was er ihr und ihrer Familie angetan hatte. Doch der gütige Gott im Himmel, von dem der alte Pastor immer gesprochen hatte, hielt es wohl mehr mit den Reichen und Mächtigen dieser Welt, und auch Hochwürden Starzigs katholische Heilige hatten anderes zu tun, als sich um ein armes und einsames Mädchen wie sie zu kümmern.
Über diesen ketzerischen Gedanken erschrocken, betete Lore leise zu Gott und Herrn Jesus Christus, damit sie ihren Großvater gnädig aufnahmen und sie auf ihrem weiteren Weg beschützten. Darüber nickte sie ein. Als sie tief in der Nacht durch ein lautes Geräusch hochschreckte und sich umsah, sah sie im schwachen

Schein der auf Sparflamme brennenden Petroleumlampe, dass Elsie noch nicht in ihrem Bett lag.

VII.

Gustav führte Elsie in ein kleines Nebenzimmer, das eigentlich als Salon für höherstehende Gäste gedacht war. Die Magd, die sie bediente, machte ein abweisendes Gesicht, denn sie kannte Wagners Angestellten und dessen Ruf. Wie es aussah, war er gerade dabei, eine weitere Dummliese einzuwickeln, die sich hinterher ebenso wie all die anderen Mädchen die Augen ausweinen würde. Während Elsie einen Teller Hühnersuppe, ein großes Stück Schweinebraten mit Klößen und einen Grießbrei mit eingemachten Kirschen verspeiste, unterhielt sie sich mit Gustav über Belanglosigkeiten. Als sie sich schließlich satt zurücklehnte, bestellte er bei der Wirtsmagd noch ein Kännchen Kaffee und zwei Gläser Wein. Nun hielt er den Augenblick für geeignet, mehr über ihre und Lores überstürzte Abreise zu erfahren. Er wartete, bis die Magd gegangen war, hob sein Glas und stieß mit Elsie an. »Auf dein Wohl!«

»Auf das deine!« Elsies Stimme bebte, denn die Angst vor den kommenden Tagen und vor allem vor der weiten Schiffsreise nach Amerika kroch wieder in ihr hoch.

Gustav legte ihr die Hand auf den Arm. »Du zitterst ja! Das musst du nicht. Willst du mir dein Herz ausschütten? Ich bin ein guter Zuhörer.«

Elsie kämpfte mit den Tränen. »Du kannst mir doch nicht helfen!«

»Vielleicht doch! Aber dazu muss ich erfahren, was es mit dieser Reise auf sich hat. Sonst sagt mir der Chef immer, was in den nächsten Tagen ansteht, aber ich habe erst heute Morgen erfahren, dass ich euch nach Bremerhaven bringen soll. Wagner hat sehr geheimnisvoll getan und mir aufgetragen, niemandem ein Wort davon zu sagen. Wenn ich nicht die Maschine vom Schiff abholen müsste, die Graf Elchberg in Amerika bestellt hat, hätte er mir wahrscheinlich nur befohlen, euch nach Heiligenbeil zur Bahn zu schaffen.«

Elsie schniefte und trank noch einen Schluck Wein, bevor sie antwortete. »Ich habe auch nichts davon gewusst, bis Herr von Trettin es mir heute Mittag mitgeteilt hat. Du kannst dir nicht vorstellen, wie erschrocken ich war und jetzt noch bin. So eine lange Reise, und dann noch mit einem Schiff! Fräulein Lore und ich werden niemals nach Amerika gelangen.«

»Was sollt ihr eigentlich da drüben machen?«

»Fräulein Lore soll bei den Franziskanerinnen bleiben, bis sie volljährig ist, und ich ...« Elsie brach ab, um ihre Gedanken zu ordnen. »Herr von Trettin hat mir ein wenig Geld gegeben, damit ich in Amerika ein neues Leben beginnen kann. Aber was nützt mir das Geld, wenn ich gar nicht erst drüben ankomme, sondern womöglich mit dem Schiff untergehe?«

Gustavs Augen leuchteten auf. »Er hat dir Geld gegeben? Wie viel denn?«

»Ich könnte mir damit hier in Heiligenbeil oder gar in Elbing ein kleines Ladengeschäft einrichten.«

»Dann kann es nicht wenig sein.« Gustav war beeindruckt und rückte noch ein wenig näher an Elsie heran.

»Musst du wirklich bis nach Amerika fahren? Da hast du es hier in Deutschland doch weitaus leichter. Denke darüber nach! Fast jedes zweite Schiff, das über den Atlantik fährt, geht verloren, und drüben in Amerika hausen Wilde, die jeden, der ihnen über den Weg läuft, umbringen und skalpieren.«

»Was ist denn das?«, fragte Elsie erschrocken.

Gustav fuhr mit seinem rechten Zeigefinger einmal um den Kopf und machte dann eine Bewegung, als wolle er an seinem Schopf ziehen. »Diese Wilden reißen dir die Kopfhaut bei lebendigem Leib ab und hängen sie als Trophäe in ihren Hütten auf, so wie die hohen Herren hier es mit Elch- und Hirschköpfen machen. Diese Indianer sind schlimm, sage ich dir! Die überfallen sogar die Städte und bringen alle Leute darin um.«

»Tut denn die Armee nichts dagegen?«, wunderte Elsie sich.

»Die Armee? Ha!« Gustav schüttelte den Kopf. »Ich habe erst vor kurzem gelesen, dass ein Häuptling dieser Wilden namens Red Cloud mit seinen Leuten eine ganze Armee unter General Carrington fast bis auf den letzten Mann aufgerieben hat. Wenn nicht einmal ein General mit diesen Wilden fertig wird ...« Der junge Mann ließ den Rest des Satzes in der Luft hängen. Doch damit ängstigte er Elsie umso mehr, deren Phantasie ihr die übelsten Dinge vorgaukelte.

»Ich will nicht nach Amerika«, wimmerte sie.

»Das musst du auch nicht. Bleib doch bei mir! Weißt du, ich wollte schon lange meinen Dienst bei Wagner aufgeben. Erstens zahlt er schlecht, und zum anderen habe ich keine Aussichten, in seiner Firma weiter aufzusteigen, denn auf die wichtigen Posten setzt der Alte seine Söhne.«

»Aber ich habe versprochen, Lore nach Amerika zu bringen«, wandte Elsie ein.

»Ist sie erst einmal auf dem Schiff, kümmert sich der Kapitän um sie, und drüben erwarten sie doch die Franziskanerinnen, wie du mir erklärt hast. Warum sollst du also mitfahren? Denk doch nur daran, was wir beide mit dem Geld anfangen können. Du weißt doch, dass du mir bereits bei dem Fest in Pörschken gefallen hast. Doch da hast du mich einfach abblitzen lassen.«

»Aber nur, weil du nichts anderes im Sinn gehabt hast, als mit mir in dem kleinen Wäldchen hinter dem Festplatz zu verschwinden.

Für eine so kurze Liebschaft bin ich mir zu schade!« Elsie klang ein wenig abweisend, doch Gustav gelang es mit schmeichelnden Worten, ihr klarzumachen, dass ihr damaliger Eindruck falsch gewesen sei und er sich die ganze Zeit nichts lieber gewünscht habe, als mit ihr ein neues Leben anzufangen.

Gustav war Elsie auf der Fahrt schon wie ein rettender Fels erschienen, und sie hatte bedauert, sich in Bremerhaven von ihm trennen zu müssen. Zudem sah er mit seinem kecken Schnurrbart ausgesprochen gut aus und war offensichtlich weltgewandt. Daher verspürte sie den Wunsch, sich an ihn zu klammern und nie mehr loszulassen.

»Ich werde es mir überlegen«, sagte sie gedehnt.

In Gustavs Augen war dies so viel wie ein Ja. Er zog sie an sich und wollte sie küssen. Im selben Augenblick hörte er, wie sich von draußen Schritte näherten. Die Wirtsmagd kam herein und fragte, ob noch etwas benötigt werde oder ob sie jetzt abräumen könne.

»Bring die leeren Teller hinaus und füll die Weingläser noch einmal nach. Danach werden wir wohl zu Bett gehen«, antwortete Gustav.

»Zeit wird es!« Die Magd nahm das Geschirr, verschwand damit und kehrte nach einer Weile mit zwei vollen Gläsern zurück. »Der Wirt verlangt, dass du jetzt zahlst! Du bist der letzte Gast und solltest ebenfalls verschwinden.«

»Lass mich nur noch austrinken!«

Da die Wirtsmagd wie ein mahnendes Gewissen neben ihm stehen blieb, ging Gustav hinüber in die Gaststube. Der Wirt stand noch hinter dem Schanktisch, während ein Knecht die Tische abräumte. Die Magd, die Gustav gefolgt war, begann diese mit einem Lappen abzuwischen.

Gustav beglich die Zeche, steckte der Magd eine Münze als Trinkgeld zu und kehrte zu Elsie zurück. Diese hatte inzwischen das

zweite Glas Wein zur Hälfte geleert und fühlte sich wie in Watte gepackt. »Ich würde gerne noch länger mit dir reden. Aber hier geht es nicht. Wie wäre es oben bei dir auf deinem Zimmer?«, fragte Gustav sie.
Elsie schüttelte den Kopf. »Dort schläft Lore! Wir sollten sie nicht aufwecken.«
Die Anwesenheit einer dritten Person, mochte diese im Augenblick auch schlafen, war nicht nach Gustavs Geschmack. Außerdem würde er Probleme haben, das Gasthaus zu verlassen, nachdem der Wirt und dessen Gesinde zu Bett gegangen waren. Daher nahm er Elsies Hände in die seinen und sah ihr ernst in die Augen.
»Dann machen wir es anders. Du gehst jetzt in dein Zimmer. In ein paar Minuten machst du das Fenster auf und kletterst ins Freie. Ich werde dort auf dich warten. Wenn wir das Fenster mit einem Hölzchen festklemmen, sieht es so aus, als wäre es fest verschlossen, und du kannst auf diesem Weg wieder zurückkehren.«
Elsie sah ihn unsicher an. »Aber wird Lore denn nicht sehen, dass das Fenster nicht verriegelt ist?«
»Jetzt, mitten in der Nacht? Wenn wir leise sind und es richtig machen, merkt sie gar nichts.«
Obwohl sie im Grunde ihres Herzens bereit war, Gustav zu folgen, brachte Elsie einen weiteren Einwand. »Aber wo sollen wir in dieser Kälte hingehen?«
»In Wagners Stall ist es schön warm, und dort wird uns auch keiner stören!«
Elsie hatte schon begriffen, dass es nicht beim Reden bleiben würde, aber die Hoffnung, mit Gustavs Hilfe der Fahrt nach Amerika entgehen zu können, überwog alle Bedenken. Außerdem sah er beinahe so gut aus wie Fridolin von Trettin, und mit dem hätte sie sich gerne für ein Stündchen in die Einsamkeit zurückgezogen. Daher nickte sie und trank aus.

»Dann auf Wiedersehen, Gustav. Bis morgen früh!«, sagte sie so laut, dass die Magd und auch der Wirt im anderen Zimmer es hören mussten, und ging mit lauten Schritten zur Treppe, die ins erste Geschoss führte.

VIII.

Als Elsie das Zimmer betrat, erschrak sie, weil Lore sich im Bett herumwarf. Doch als sie genauer hinsah, stellte sie fest, dass ihre Mitbewohnerin nur unruhig schlief und sie nicht bemerkt hatte. Mit einem erleichterten Seufzer trat sie ans Fenster und öffnete es. Es klemmte stark, aber das war ihr nur recht. Nun benötigte sie kein Hilfsmittel, um es von außen zuzuhalten.

Ein Schwall kalter Luft wehte ihr entgegen, und für einen Augenblick verließ sie der Mut. Dann sah sie im Schein einer Gaslampe, die vor der Schmiede stand, Gustav herbeischlendern. Kurz entschlossen setzte sie sich auf die Fensterbank und schwang ihre Beine nach draußen. Jetzt galt es nur noch hinabzuspringen, ohne sich weh zu tun. Dafür erschien ihr die Entfernung bis zum Boden zu groß. Als Gustav auf sie zutrat und ihr die Arme entgegenstreckte, fasste sie Mut und ließ sich so weit sinken, dass er ihre Beine festhalten konnte. Dann zog sie das Fenster zu und bat ihn flüsternd, sie auf den Boden zu stellen.

Er setzte sie vorsichtig ab, hielt sie aber fest und näherte den Mund ihrem Ohr. »Ich freue mich, dass du gekommen bist, denn ich fürchtete schon, du würdest dich nicht trauen.«

»Für dich wage ich alles!«, antwortete Elsie und presste sich an ihn. Dann liefen sie Hand in Hand die verschneite Straße entlang zu dem ausgedehnten Anwesen des Fuhrunternehmers Wagner.

Ein paar Hunde schlugen an, krochen aber rasch wieder in ihre Hütten zurück, als sich die beiden nächtlichen Spaziergänger wieder entfernten.

Wagners Wachhunde kannten Gustav und gaben nur ein paar leise Töne von sich, als er das Hoftor und kurz darauf die Tür des Pferdestalls öffnete. Obwohl es innen so dunkel war, dass Elsie die Hand nicht vor Augen sehen konnte, führte er sie zielsicher zu einer Leiter, die nach oben auf den Heustock führte.

»Steig hoch, aber halt dich gut fest«, sagte er, als er ihre Hände auf die Leitersprossen legte.

»Es ist zu dunkel hier«, wandte sie ängstlich ein.

»Dann bemerkt uns auch niemand. Komm jetzt! Du schaffst das schon! Ich bin doch bei dir!«

Elsie atmete tief ein und begann zu klettern. Ihr Begleiter kam direkt hinter ihr her und dirigierte sie mit leisen Zurufen. Hier im Stall kannte Gustav sich aus und fand selbst in finsterster Nacht seinen Weg. Schließlich war Elsie nicht das erste Mädchen, das er überredet hatte, mit ihm zu kommen. Aber diesmal war es anders, denn Elsie besaß etwas, das den anderen gefehlt hatte, nämlich Geld.

Einen Augenblick lang meinte Gustav die blanken Taler, die schon bald ihm gehören sollten, direkt vor sich zu sehen. Er stieg hinter Elsie auf den Heustock, half ihr, auf dem weichen Untergrund ein Stück weiter nach hinten zu klettern, und schloss sie dann fest in die Arme. »Du weißt gar nicht, wie sehr ich mich nach dir gesehnt habe«, flüsterte er, ließ seine Hände an ihrem Rücken nach unten wandern und begann, ihr Kleid und ihre Unterröcke nach oben zu zerren.

»Was machst du? Wir wollten doch erst etwas miteinander reden«, protestierte Elsie, setzte sich aber nicht zur Wehr.

»Das können wir hinterher noch tun!« Mit einem leichten Schubs legte Gustav die junge Frau auf den Rücken und glitt zwischen

ihre Beine. Während er mit einer Hand nach ihren Brüsten griff und diese sanft knetete, löste er mit der anderen seine Hosenträger und zog Hose und Unterhose nach unten. Ein Strohhalm stach in seine Eichel und entlockte ihm einen gepressten Atemzug. Schnell schob er sich nach vorne, brachte mit seiner Rechten seinen Penis in die richtige Position und drang in Elsie ein.
Es ging leichter als gedacht, und als er das zweite Mal zustieß, bäumte sie sich ihm entgegen. Für eine gewisse Zeit war sie für ihn nicht mehr als die Bauermägde, die er auf seinen Fahrten dazu gebracht hatte, sich ihm hinzugeben. Bis jetzt hatte sich noch keine über ihn beschweren können, und er spürte auch bei Elsie, dass sie kurz vor ihm Erfüllung fand.
Als auch er befriedigt war, blieb er auf ihr liegen und drückte sie ins Heu. Daher maulte Elsie ein bisschen, doch Gustav gab ihr einen Kuss.
»Du frierst doch nicht etwa?«, fragte er, denn ihre Haut war warm und verführerisch, und er wollte die Nacht nicht vorbeigehen lassen, ohne sie noch einmal zu nehmen.
Elsie versuchte, ihn von sich wegzustemmen. »Mich friert nicht, aber du wirst mir zu schwer. Außerdem wollten wir miteinander über unsere Zukunft reden. Wenn wir zusammen gehen, wirst du mich heiraten müssen.«
»Natürlich werde ich das!«, versprach Gustav und meinte es in diesem Augenblick sogar ernst. Um Elsie nicht noch widerspenstiger zu machen, stützte er sich mit seinen Armen ab und rieb dabei seinen Unterleib an dem ihren. Doch bevor er noch einmal Adam und Eva mit ihr spielen konnte, musste er all die Fragen beantworten, mit denen sie ihn bombardierte.

IX.

Der Morgen graute bereits, als Gustav Elsie wieder zum Gasthof zurückbrachte. Er hob sie in die Höhe, so dass sie auf seine Schultern steigen konnte. Das Fenster war noch zu, schwang aber nach einem leichten Stoß auf, und das Mädchen kletterte mit einem letzten Kosewort ins Zimmer. Zu ihrer Erleichterung brannte die Petroleumlampe immer noch auf kleinster Flamme und half ihr, sich zu orientieren. Nachdem sie Gustav noch kurz zugewinkt hatte, schloss sie das Fenster und schlüpfte aus ihrer Kleidung. Doch als sie sich ins Bett legen wollte, meldete sich ihre Blase, und sie zog den Nachttopf unter dem Bett hervor, der es den Gästen ersparte, den bitterkalten Abtritt hinter dem Haus benutzen zu müssen.

Gerade als sie fertig war, wachte Lore auf und sah sie an. »Du bist schon auf?«

»Ich bin eben wach geworden«, log Elsie und musste an sich halten, um nicht wie ein zufriedenes Kätzchen zu schnurren. Ihr Unterleib vibrierte noch unter dem Nachhall der Lust, die sie mit Gustav geteilt hatte, und sie malte sich ihre Zukunft in glühenden Farben aus. Davon durfte ihre Begleiterin nichts erfahren, und so zog sie ein missmutiges Gesicht. »Müssen wir wirklich aufbrechen? Es ist so ein schrecklich langer Weg nach Amerika, und ich fürchte mich davor.«

»Ich habe auch ein wenig Angst«, antwortete Lore. »Aber mein Großvater hat uns befohlen, dorthin zu fahren, also tun wir es.«

Sie wusste nicht, wie spät es war, aber die Geräusche, die aus der Gaststube hochdrangen, verrieten ihr, dass auch andere bereits erwacht waren. Daher schlüpfte sie aus ihrem Bett, trat neben Elsie und schüttelte sich. »Hier ist es aber kalt!«

Obwohl Elsie wusste, dass sie die Kälte beim Hereinklettern mit-

gebracht hatte, deutete sie auf den Ofen. »Anscheinend ist das Feuer während der Nacht ausgegangen. Warte, ich sehe nach, ob noch Glut vorhanden ist, dann schüre ich ihn an.«
»Ich helfe dir!« Lore zog das Schürloch an dem hölzernen Griff auf und sah, dass es drinnen rot leuchtete. Derweil füllte Elsie die kleine Schaufel mit Kohlen und schüttete diese in den Ofen. Glutfunken sprühten auf und zwangen Lore zurückzuweichen. »Kannst du nicht achtgeben?«, schimpfte sie und machte rasch das Schürloch zu.
»Ich hätte nicht gedacht, dass noch so viel Glut vorhanden ist«, verteidigte Elsie sich und gähnte dabei. Mit einem Mal fühlte sie sich unendlich müde und hätte sich gerne hingelegt, um noch eine Weile zu schlafen. Doch wenn ihre Pläne mit Gustav gedeihen sollten, durfte Lore das Schiff nicht verpassen. Daher beeilte sie sich mit ihrer Morgenwäsche, zog sich an und begleitete Lore in die Gaststube, in der schon das Frühstück auf sie wartete. Während sie Malzkaffee tranken und deftig belegte Brote aßen, kam Gustav herein.
Ihm war nicht anzusehen, dass er den Großteil der Nacht wach gewesen war, denn er grüßte die beiden fröhlich und wies dann mit dem Daumen in Richtung Bahnhof. »Der Zug aus Königsberg wird bereits angezeigt. Er ist spätestens in einer Viertelstunde hier.«
»In einer Viertelstunde schon? Da müssen wir uns beeilen!« Lore sprang auf und trank ihren letzten Malzkaffee im Stehen. Im Gegensatz zu ihr hatte Elsie nach der anstrengenden Nacht Hunger und schmierte sich daher noch ein Brot.
»Jetzt komm! Trödle nicht so herum!«, fuhr Lore auf, denn sie nahm an, Elsie mache extra langsam, damit sie den Zug verpassten. Dann wandte sie sich Gustav zu. »Was ist mit unserem Gepäck?«
»Das steht bereits auf dem Bahnsteig und wird verladen, sobald der Zug hält. Ich höre die Lokomotive schon pfeifen!«

Gustavs Ausruf brachte Elsie dazu, aufzuspringen und zum Wirt zu gehen, um die Rechnung zu bezahlen. Da sie mit dem Trinkgeld geizte, verließen die drei unter dem missbilligenden Schnauben des Wirtes und seines Gesindes den Gasthof. Kurz darauf fuhr der Zug in den Bahnhof ein, und als er sich wieder in Bewegung setzte, hatte Lore das Gefühl, von einer unbarmherzigen Hand ins Ungewisse gestoßen zu werden.

X.

Während der Fahrt sah Lore nur die Bahnhöfe und den jeweiligen Gasthof in deren Nähe, denn Elsie war nicht bereit, auch nur den kleinsten Spaziergang zu wagen. Außerdem kannte sie kein anderes Thema als all die Unglücksfälle, die ihr und ihrer früheren Herrin bei ihren Reisen angeblich zugestoßen waren. Wollte Lore ihr Glauben schenken, so sprang jeder dritte Zug aus den Schienen, und beinahe jedes Schiff, das den Atlantik überqueren wollte, ging unter, strandete oder fiel Piraten in die Hände.
Lore beschlich der Verdacht, ihr Dienstmädchen habe sich das alles aus jenen Journalen und Gazetten zusammenphantasiert, die sie so gerne gelesen hatte. Denn soweit sie wusste, war die alte Dame, bei der Elsie angestellt gewesen war, all diesen Räuberpistolen zum Trotz friedlich in ihrem Bett gestorben. Das hielt sie ihrer Begleiterin vor, um sie zu beruhigen. Aber sie hätte ebenso gut versuchen können, einen brennenden Herd mit einer Schneeflocke zu löschen.
Nur wenn Gustav sich zu ihnen gesellte, vergaß Elsie ihre Schauergeschichten, so dass Lore bald sogar froh war, wenn er auftauchte. Allerdings benahm er sich für ihr Gefühl allzu selbstherrlich.

Er bestimmte, wo sie übernachten sollten, und bestellte das Essen, ohne sie nach ihren Wünschen zu fragen. Obwohl sie sich zumeist in ihrer Trauer um ihren Großvater vergrub und den Verlust ihrer Eltern und Geschwister durch ihr Gefühl der Heimatlosigkeit beinahe stärker empfand als direkt nach dem Brand, ärgerte sie sich über den jungen Mann nicht weniger als über Elsie, die Gustav anhimmelte und an seinen Lippen hing.
Lore war allerdings zu sehr mit dem Schmerz über den Verlust all dessen beschäftigt, was sie geliebt hatte, um der auffallenden Vertrautheit der beiden größere Bedeutung beizumessen. Während der eintönigen Bahnfahrt flogen ihre Gedanken zurück in das Jagdhaus im Wald, und sie fragte sich, wie es ihrem Großvater ergehen mochte. Ob er noch lebte? Würde Kord ihn auch richtig versorgen? Ganz konnte sie sich das nicht vorstellen, und sie bat den treuen Knecht im Stillen für dieses Misstrauen um Verzeihung. Kord würde sein Leben für den alten Herrn hingeben, das wusste sie. Manchmal dachte sie auch an das Gutshaus und seine neuen Besitzer und war dann um jede Meile froh, die die Lokomotive sie weiter von dort fortbrachte.
In Bremen hätten Elsie und sie eigentlich auf die Nonnen warten sollen, um mit diesen zusammen weiterzureisen. Doch nach ihrer Ankunft schien das Dienstmädchen von einer ungewöhnlichen Ungeduld erfasst zu werden. »Warum sollen wir hier warten, Fräulein Lore? Gustav muss im Auftrag seines Patrons noch heute nach Bremerhaven weiterfahren. Wenn wir ihn begleiten, kann er uns zum Schiff bringen, und dort werden wir die Nonnen sicher leichter finden als hier. Was ist, wenn die frommen Frauen in einem anderen Gasthof übernachten oder gleich weiterfahren, weil sie denken, wir würden uns ihnen erst auf dem Schiff anschließen?«
Elsies Worte ließen Lore unsicher werden. »Aber wenn sie uns hier in Bremen erwarten, werden sie gewiss böse sein, weil sie uns hier nicht antreffen.«

»Gustav kann den Wirt ja bitten, den Nonnen Bescheid zu geben«, drängte Elsie.

Jetzt mischte sich auch Gustav ins Gespräch. »Wenn wir zusammen fahren, kümmere ich mich um euer Gepäck. Die frommen Frauen haben bestimmt keine Dienstboten bei sich, die das für euch erledigen können.«

Dieses Argument ließ Lore nachgeben. »Also gut! Reisen wir weiter. Wahrscheinlich ist es besser so.«

Elsie und Gustav wechselten einen kurzen Blick miteinander, dann fasste das Dienstmädchen Lore bei der Hand und zog sie hinter sich her.

XI.

Sie fuhren noch am gleichen Tag mit der neuerbauten Geestebahn nach Bremerhaven, übernachteten dort in einem gediegenen Gasthof und fanden sich am nächsten Tag schon ganz früh in der weißen, lichtdurchfluteten Wartehalle des Norddeutschen Lloyd ein. Von dort starrten sie auf den schwarzen Rumpf des Dampfers, der an der Pier lag und das nicht gerade kleine Gebäude sowohl in der Länge wie auch in der Höhe überragte.

Laut der Reiseinformation, die jeder Passagier erster Kajüte ausgehändigt bekam, war das Schiff über einhundert Meter lang und mehr als zwölf Meter breit. Einem Mädchen vom Land, das nur die kleinen Frachtsegler kannte, die auf den Flüssen und dem Haff verkehrten, konnte der Anblick durchaus den Atem verschlagen. Lore starrte fasziniert auf den Ozeanriesen und sagte sich, dass Elsies Erzählungen nur dem Reich der Phantasie entsprungen sein konnten. So ein gewaltiges Gebilde trotzte gewiss jedem

Sturm. Für den Fall, dass dem Schiff die Kohle ausging, besaß es noch zwei Masten, die höher waren als die Kirchtürme ihrer Heimat und an denen viele Segel Platz hatten. Die vier weißen Rettungsboote, die hintereinander hoch über der Reling hingen, wirkten jedoch wie Spielzeuge, die einen hübschen Kontrast zu dem dunklen Kamin in der Mitte und den ebenfalls dunklen Masten bildeten.

Lore war so in die Betrachtung des Schiffes versunken, dass Elsie sie anstupsen musste, um ihre Aufmerksamkeit zu erregen. »Wenn Sie nichts dagegen haben, Fräulein Lore, würde ich gerne nachsehen, ob Gustav auch alles richtig macht. Er gibt gerade das Gepäck auf, und Sie wissen ja, wie Männer so sind. Nicht dass er die Koffer mit den Kleidern bei der Seekiste im Laderaum des Dampfers verstauen lässt und wir sie erst bei unserer Ankunft in New York wiederbekommen.«

Elsie war so zappelig, dass Lore froh war, sie für eine Weile loszuwerden. »Ja, kümmere dich um das Gepäck! Da du mit deiner früheren Herrin einige Schiffsreisen unternommen hast, weißt du sicher besser als Gustav, was zu tun ist. Im Grunde ist der Mann doch nur ein besserer Fuhrknecht.«

Lore wusste selbst nicht, weshalb sie so schnippisch reagierte, doch sie hatte sich unterwegs zu oft über diesen Mann geärgert. Da sie sogleich wieder zum Dampfer hinüberschaute, bemerkte sie nicht, wie Elsies Gesicht erst zornig aufflammte und dann einen höhnischen Zug annahm.

Während das Dienstmädchen aus der Halle lief, richtete Lore ihre Aufmerksamkeit auf die Menschen, die immer zahlreicher herbeiströmten. Viele waren schlicht gekleidet und trugen Stofftaschen oder auch nur mit Packpapier umwickelte Pakete bei sich. Uniformierte Aufseher scheuchten diese Leute in den hinteren Bereich der Halle, in dem es nur schmale Holzbänke gab, während Lore auf einem richtigen Stuhl sitzen durfte. Ein Stück weiter befand sich ein mit gepolsterten Sesseln ausgestatteter Bereich, in dem die Passagiere der ersten Klasse darauf warten konnten, bis sie an Bord gehen durften. Aber dort herrschte gähnende Leere. Die hohen Herrschaften hielten sich anscheinend noch in ihren Hotels auf und würden erst erscheinen, wenn der Kapitän den Zutritt zum Schiff freigab.

Wann dies der Fall sein würde, wusste Lore nicht. Sie hoffte nur, dass es nicht mehr lange dauern würde, denn sie sehnte sich nach einem Ort, an dem sie allein sein konnte. Der Gedanke, mit Elsie die Kabine teilen und während der Überfahrt nur über den in ihren Augen höchst unwahrscheinlichen Untergang des Schiffes reden zu können, entlockte ihr einen tiefen Seufzer.

Als sie zufällig auf die große Uhr an der Stirnwand der Halle blickte, stellte sie fest, dass Elsie schon über eine Stunde weg war. Sie wollte schon aufstehen, um nach ihr zu suchen, da kam das Dienstmädchen auf sie zu und blieb abgehetzt vor ihr stehen. »Gustav und ich haben alles erledigt. Sobald das Signal ertönt, können wir an Bord gehen!«

Lore wunderte sich über Elsie, denn die klang mit einem Mal so, als würde sie sich auf die Reise freuen. Doch sie kam nicht dazu, länger darüber nachzudenken, denn die Ankunft eines Zuges, der auf den Platz zwischen der Wartehalle und dem Dampfer einfuhr, lenkte sie ab. Nun strömten weitere Menschenmassen in die Halle, und unter diesen waren auch die ersten bessergestellten Passagiere. Die fünf Nonnen, auf deren Ankunft sie wartete, entdeckte sie in der Menge jedoch nicht.

Kaum hatte der Zug sich geleert, fuhr er wieder los, und keinen Atemzug später ertönte die Schiffssirene wie der Ruf eines gewaltigen Ungeheuers. Angestellte der Reederei forderten die Passagiere des NDL-Schnelldampfers *Deutschland* auf, sich auf das Schiff zu begeben und ihre Fahrkarten und Personalpapiere bereitzuhalten. Sofort griff Elsie nach den beiden Reisetaschen, die

sie mit in die Kabine nehmen wollten, und stieß einen verärgerten Laut aus.
»Ich vermisse meine Handtasche! Kommen Sie, Fräulein Lore. Ich bringe Sie schon aufs Schiff und laufe dann noch einmal zum Büro. Vielleicht hat jemand sie gefunden und abgegeben!«
Lore zuckte entsetzt zusammen, denn in der Handtasche befanden sich ihrer beider Papiere, das Geld und die Fahrkarten für die Überfahrt. Als Elsie losgegangen war, um nach Gustav zu schauen, hatte sie diese Tasche, eng an sich gepresst, mitgenommen.
»Was ist mit unseren Fahrkarten und den Pässen? Ohne die kommen wir doch nicht an Bord!«
»Die habe ich vorhin einem Angestellten der Reederei zeigen müssen und in meine Manteltasche gesteckt. Dabei muss ich die Handtasche liegen gelassen haben. Kommen Sie schnell, damit ich nachsehen kann, ob sie gefunden worden ist.« Elsie zerrte Lore wie ein kleines Kind hinter sich her und schob sich rücksichtslos durch die anderen Passagiere. Beschwerden und das Geschimpfe hinter ihnen ignorierte sie ebenso wie den tadelnden Blick des uniformierten Reedereiangestellten, der mit einem Kollegen zusammen am Fuß der Landebrücke die Papiere der Reisenden kontrollierte.
Elsie hielt ihm die Fahrkarten und die Pässe unter die Nase und eilte sofort weiter, als der Uniformierte sie durchwinkte. An Deck angekommen, sprach sie einen Mann an, der in seinem weißen Frack wie ein Kellner aussah, und drückte ihm die beiden Reisetaschen in die Hand.
»Bringen Sie meine junge Herrin bitte schon in unsere Kabine, Nummer 29. Hier sind ihre Passage-Unterlagen und ihr Pass. Ich muss noch einmal an Land, weil ich meine Handtasche verloren habe! Fräulein Lore, warten Sie bitte in der Kabine auf mich! Ich werde mich beeilen! Laufen Sie inzwischen nicht allein auf dem Schiff herum!«

Mit diesen Worten machte Elsie kehrt und kämpfte sich durch den Strom der Passagiere, die an Bord eilten, zurück an Land. Lore sah ihr nach und hatte mit einem Mal einen bitteren Geschmack auf der Zunge. Irgendetwas lief falsch. Aber ehe sie diesen Gedanken festhalten konnte, sprach der Mann im Kellnerfrack sie an. »Wenn Sie mir bitte folgen wollen, Fräulein!«

Unterwegs stellte er sich ihr als dritter Steward der zweiten Kajüte vor. Das verwirrte Lore noch mehr, denn in den Passagierunterlagen war diese Klasse als »erste Kajüte, unterer Salon« bezeichnet worden.

Als sie nachfragte, beruhigte der Steward sie. »Keine Sorge, Fräulein. Sie haben genau die Kabine, die für Sie gebucht worden ist. In den Reedereiprospekten wird die zweite Klasse als erste Kajüte, unterer Salon, beschrieben, damit die Herrschaften, die auf diese Art reisen, sich nicht mit den Zwischendeckpassagieren verwechselt sehen. Sie werden auf alle Fälle eine wunderbare und unterhaltsame Überfahrt haben, denn genau wie Sie hat eine ganze Reihe netter Mitreisender ihre Überfahrt im unteren Salon gebucht, darunter auch fünf junge Nonnen, die mit dem letzten Zug angekommen sind.«

Lore bedauerte, dass sie die Frauen nicht in der Masse der anderen Passagiere hatte ausmachen können, und beschloss, Elsie nach deren Rückkehr sofort zu den frommen Schwestern zu schicken, um diesen mitzuteilen, dass sie ebenfalls wohlbehalten auf dem Schiff angelangt war.

Der Steward bemerkte Lores Unsicherheit und gab ihr noch eine Menge aufmunternder Ratschläge. Dabei versuchte er, ihre Ängste bezüglich der Schiffsreise zu vertreiben. »Keine Sorge, Fräulein. Unsere Reederei hat an alles gedacht, von der Bequemlichkeit unserer Passagiere angefangen, bis zu deren Sicherheit. Selbst wenn unser Schiff sinken würde, was natürlich nicht geschehen wird, haben wir mit den Rettungsbooten und den neuen Patentflößen mehr als ausreichend Platz für alle Menschen an Bord. Außerdem …«

Lore war schließlich froh, als sie die Kabine erreicht hatten und der redselige Mann wieder gegangen war. Während sie ihre Gedanken sammelte, blickte sie sich um. Der Raum war winzig. Es gab auch kein Fenster – oder Bullauge, wie man es auf einem Schiff nannte –, durch das sie nach draußen hätte schauen können, sondern nur eine schmale Glasscheibe über der Tür. In dem fahlen Licht der Korridorlampen, das vom Gang hereinfiel, erblickte sie grau-beige tapezierte Wände, zwei schmale Betten, eine Kommode mit eingelassenem Waschbecken sowie einen Spind, der leer war.

Verwundert rieb sie sich über die Stirn. Eigentlich hätten ihre Koffer bereits hier sein müssen. Doch selbst als sie die Kabine untersuchte und dabei sogar unter die Betten schaute, waren diese nicht aufzufinden. Anscheinend hatte Elsie doch nicht aufgepasst, und deswegen waren die Koffer samt der Seekiste im Bauch des Schiffes verstaut worden. Sie trug nur die alte Wachstuchtasche mit dem Segeltuchmantel bei sich, in die Elsie zusätzlich noch ihr Waschzeug und weitere Unterwäsche gesteckt hatte.

Da Lore Durst verspürte, trat sie an die schmale Waschkommode und prüfte das Wasser in der Kanne. Es wirkte frisch, und sie trank in gierigen Schlucken. Danach fühlte sie sich etwas besser. Aber die Angst, dass die Reise nicht ganz so verlaufen würde, wie ihr Großvater es geplant hatte, wollte nicht weichen. Nicht Elsie würde auf sie, sondern sie auf Elsie aufpassen müssen, sonst beging das Mädchen noch mehr Fehler.

Wenigstens hatten sie eine Kabine für sich allein, auch wenn es sich nur um eine enge, wenig anheimelnde Kammer handelte. Lore dachte an das, was sie unterwegs über die Einrichtung des Auswandererdecks gehört hatte, und schüttelte sich. Die Reise tief unten im Bauch des Schiffes, mit Dutzenden von Zwischendeck-

passagieren in einem Raum und ohne die Möglichkeit, wenigstens hie und da für sich allein zu sein, wäre die Hölle für sie gewesen.
Um sich von diesen Gedanken abzulenken, packte sie ihre Tasche aus und verstaute den Inhalt im Spind. Danach wollte sie auch Elsies Habseligkeiten wegräumen. Doch als sie die Reisetasche ihrer Begleiterin öffnete, fand sie nur Packpapier und einen alten Sack darin.
Lore starrte fassungslos auf den Inhalt der Tasche und wühlte darin herum, weil sie hoffte, darunter doch noch Elsies Unterwäsche und Ersatzkleidung zu finden. Da war jedoch nichts. Erschrocken faltete sie die Hände und flehte die Heilige Jungfrau an, sie aus diesem bösen Traum zu erlösen.
Mit einem Mal hielt sie es in der bedrückenden Kabine nicht mehr aus und lief nach draußen, um das Dienstmädchen zu suchen. Doch als sie auf dem Korridor stand, glaubte sie die Stimme ihres Großvaters zu hören.
»Behalte den Mantel immer griffbereit und lass dich von niemandem überreden, darauf zu verzichten.«
Rasch kehrte sie um, zog den Segeltuchmantel über ihren Wollmantel und schlang sich den viel zu langen Gürtel mehrfach um die Taille. Als sie dann durch das Schiff eilte, versuchte sie, sich an den Weg zur Gangway zu erinnern. Dennoch stand sie mit einem Mal ganz vorne am Bug, hielt sich an der Reling fest und starrte hilflos auf den Platz hinab, auf dem etliche Menschen geschäftig umhereilten.
Der Schornstein des Schiffs stieß nun immer dichter werdende Qualmwolken aus, und an den bordeigenen Kränen wanderten gerade die letzten Fässer und Pakete in den Laderaum des Schiffes. Auf ein lautes Tuten hin wurden die Landestege eingeholt und die Leinen gelöst, die den Dampfer am Kai festhielten.
Als Lore sich abwenden und wieder zur Kajüte zurückkehren wollte, entdeckte sie Elsie und Gustav neben der Wartehalle. Die

beiden stiegen gerade auf ein Pferdefuhrwerk, das von einem abgerissen aussehenden Kutscher gelenkt wurde, und hielten sich dabei an den Händen. Auf der Ladefläche hinter dem Bock stand neben den beiden Koffern auch die Seekiste, die ihr der Großvater mitgegeben hatte.

XII.

Lore sah fassungslos dem Karren mit Elsie und ihrem Liebhaber hinterher, bis das wacklige Gefährt im aufkommenden Schneegestöber zwischen den Häusern der Stadt verschwunden war. Dabei vollführten ihre Gedanken einen wilden Tanz. Warum, fragte sie sich, hatte Elsie sie so im Stich gelassen? Zwar hatte das Dienstmädchen sich vor der Überfahrt gefürchtet, aber drüben in Amerika hätte sie ein neues Leben anfangen können und nie mehr schlechtbezahlte Dienstbotenarbeit verrichten müssen. Lore musste an ihren Großvater denken, der alles so genau geplant und sich doch getäuscht hatte. Verzweiflung packte sie, und während ihr die Tränen über die Wangen rannen, nahm sie nicht einmal wahr, wie das riesige Schiff von Schleppern in den Fluss gezogen wurde.
Irgendwann sprach ein Mann in Uniform sie an und schickte sie die Treppe hinab auf das nächste Deck. Wie aus weiter Ferne tauchte plötzlich die Erinnerung an ihre Kabine auf, in der sie sich verkriechen konnte. Lore wusste jedoch nicht mehr, wo ihr Unterschlupf zu finden war, und hatte auch nicht den Mut, einen Fremden danach zu fragen. So irrte sie verzweifelt umher, bis sie sich in einem großen, von Dutzenden von Gaslampen taghell erleuchteten Saal wiederfand. Für einen Augenblick vergaß sie Elsie, denn

es war, als sei sie aus einem düsteren Alptraum in eine Märchenwelt geraten.
Der Raum hatte die Ausmaße eines Ballsaals mit riesigen, schräg stehenden Deckenfenstern, durch die jetzt nur spärliches Licht hereindrang. Große, trotz des Winters mit frischen Blumen geschmückte Tische zogen sich wie Perlen an einer Schnur durch die ganze Länge des Saals und wurden rechts und links von weichgepolsterten Bänken mit zierlichen Rückenlehnen flankiert. Ringsum an den Wänden gab es mindestens zwei Dutzend von Statuen umrahmte Nischen, in denen samtüberzogene Sofas standen. Auf dem Boden und auch auf den Tischen lagen wunderschöne, weiche Orientteppiche. So kostbar war nicht einmal das Herrenhaus von Trettin eingerichtet, und das hatte als eines der schönsten im ganzen Landkreis gegolten.
Gerade als Lore vorsichtig mit der Hand über eines der Sofapolster strich, öffnete sich neben ihr eine Tür, die wie die Wand um sie herum ebenfalls mit Samt überzogen war und die sie daher nicht bemerkt hatte. Sie zuckte erschrocken zusammen. Mittlerweile hatte sie begriffen, dass sie sich in den Teil des Schiffes verirrt hatte, in dem die reichen Passagiere untergebracht waren. Als sie sich umblickte, sah sie ein zierliches Mädchen von vielleicht sechs Jahren auf sich zukommen.
Das Kind musterte sie von Kopf bis Fuß mit großen Augen, und Lore wurde sich ihres hässlichen Mantels und ihrer schlichten Kleidung darunter schmerzlich bewusst. Ihr gutes Kleid und die wenigen schönen Sachen, die sie sich neben ihrer anderen Arbeit selbst genäht hatte, steckten in den Koffern, mit denen Elsie und Gustav verschwunden waren.
»Wer bist du denn?«, fragte das kleine Mädchen mit einem engelhaften Lächeln. »Bist du eine Auswanderin aus dem Zwischendeck? Dann musst du aber ganz schnell wieder gehen, wenn du keinen Ärger haben willst. Komm, ich bringe dich nach unten!«

Lore beugte sich zu dem Mädchen hinunter, das sie an ihre tote Schwester erinnerte, und reichte ihr die Hand. Gleichzeitig räusperte sie sich, um den Frosch im Hals loszuwerden.
»Meine Kabine ist aber in der ersten Kajüte – unterer Salon oder so ähnlich. Kannst du mich da hinbringen? Ich habe mich verlaufen!«
»Ja, das kann ich. Ich kenne mich auf Schiffen sehr gut aus. Komm mit! Kennst du die Nummer eurer Kabine? Ich kann schon Zahlen lesen, weißt du? Ich bin sieben Jahre alt und damit eine junge Dame, die man zu respektieren hat. Das sagt jedenfalls mein Großvater, den ich auf seiner Reise begleite. Mein Name ist Nathalia von Retzmann, und ich bin eine Komtess. Ich fahre jetzt schon zum fünften Mal über den Ozean!«
Das klang so stolz und selbstbewusst, dass Lore lächeln musste und darüber ihre Verlassenheit und ihre Angst für einen Augenblick vergaß. Ein wenig erinnerte das Mädchen sie an die übergroße Porzellanpuppe, die »Mama« sagte, wenn man sie hinlegte, und die zuerst ihr und dann ihrer kleinen Schwester gehört hatte. Nur hatte ihre Puppe nie so kostbare Kleider besessen wie die kleine Komtess. Das Kind stampfte ungeduldig auf, als ginge es ihr mit der Antwort nicht schnell genug.
»Ich heiße Lore Huppach und reise zum ersten Mal in meinem Leben irgendwohin. Ich habe auch einen Großvater, und der hat mich einfach nach Amerika geschickt!«
»Ohne deine Eltern?«, fragte Nathalia neugierig.
»Die sind tot, und meine kleinen Geschwister sind ebenfalls umgekommen, als unser Haus abgebrannt ist. Ich lebe noch, weil ich bei meinem Großvater zu Besuch war, und bin nach dem Unglück bei ihm geblieben, bis er mich weggeschickt hat.«
»Hat er die Passage bezahlt? Dann ist er ein sehr netter Mann. Im Zwischendeck ist es nämlich furchtbar. Da schlafen alle in einem Saal, und es gibt fast kein Licht. Und riechen tut es da – ganz

schlimm. Weißt du, ich habe mich schon mal dort hinuntergeschlichen und hineingesehen! Mein Opa darf das aber nicht wissen. Er schimpft immer und poltert sofort los, wenn ihm etwas nicht passt. Die Bediensteten haben deswegen Angst vor ihm, aber ich nicht. Ich habe nie Angst! Du musst auch keine haben. Mit einem Schiff fahren ist wunderschön, wenn man nicht gerade untergeht. So, das hier muss deine Kabine sein! Wenn du zum Essen in den Salon gehst, solltest du aber diesen scheußlichen Mantel ausziehen, sonst meinen die Leute wirklich, du gehörst zu den armen Emigranten da unten!«

Lore senkte betroffen den Kopf. Im Grunde war sie nun genauso arm wie die Auswanderer im Zwischendeck, denn außer dem hässlichen Mantel, der Kleidung, die sie darunter trug, und ein paar Sachen zum Wechseln besaß sie nur noch die Münzen, die ihr Großvater ihr zuletzt noch zugesteckt hatte. Das Geld für die Reise und die ersten Jahre in Amerika hatte Elsie bei sich getragen, und die war damit verschwunden.

Als sie vor ihrer Kajüte angekommen waren, strich Lore dem vorwitzigen kleinen Mädchen über das blonde Haar und bedankte sich bei ihm. Doch so leicht wurde sie Nathalia nicht los.

»Morgen nach dem Frühstück kommst du zur Tür des oberen Salons erster Kajüte. Dann werde ich dir das Schiff zeigen. Wir können uns sogar die Brücke ansehen und mit dem Kapitän sprechen. Mein Großvater ist nämlich einer der Aktionäre der Reederei, musst du wissen. Daher traut sich hier niemand, mir etwas zu verbieten.«

»Ich werde kommen«, versprach Lore in dem Glauben, die Kleine würde sie spätestens, wenn sie wieder zu ihren eigenen Leuten zurückgekehrt war, vergessen haben.

Nathalia nickte zufrieden, winkte ihr noch einmal zu und lief dann so schnell weg, als habe sie jemand gerufen. Da sich in dem Moment einige Türen öffneten und mehrere Passagiere gleichzei-

tig auf den Gang hinaustraten, schloss Lore rasch die Tür und zog sich in ihre Kabine zurück wie eine Schnecke in ihr Haus.
Zu ihrer Erleichterung kümmerte sich niemand um sie. Daher konnte sie sich ins Bett verkriechen und sich ungehemmt ihrem Kummer hingeben. Zwischendurch knabberte sie an einem vertrockneten Stück Streuselkuchen, dem kargen Rest des Reiseproviants, den Elsie von daheim mitgenommen hatte, und trank einen Schluck von dem Wasser, das eigentlich zum Waschen bestimmt war.
Nach einer Weile wurde sie müde und zog Rock und Bluse aus, um sich zu waschen. Als sie ihr Nachthemd überstreifte, erinnerte sie sich an die frommen Schwestern, in deren Obhut sie sich eigentlich schon befinden sollte. Am nächsten Tag würde sie nach ihnen suchen und sich ihnen vorstellen. Sie hatte zwar Angst davor, ihr völlig unbekannte Leute anzusprechen, doch ihr würde nichts anderes übrigbleiben. Da Elsie sie bestohlen und im Stich gelassen hatte, war sie von nun an auf die barmherzige Hilfe fremder Menschen angewiesen. So wie sie musste sich ein kleiner Hund fühlen, der von seinem Besitzer ausgesetzt worden war, dachte sie, und ihr kamen erneut die Tränen.
In diesem Augenblick hätte Lore selbst ein Dienstbotendasein auf Gut Trettin der jetzigen Situation vorgezogen. Doch da die *Deutschland* bereits abgelegt und Fahrt aufgenommen hatte, war ihr der Weg zurück versperrt. Noch während sie sich ausmalte, welche Schrecken in Amerika auf sie warten würden, überwältigte sie die Müdigkeit, und sie schlief ein.

XIII.

Nach Lores Abreise hatte Wolfhard von Trettin sich noch eine Weile mit seinem Freund Doktor Mütze gestritten. Der Arzt versuchte immer noch, ihm vor Augen zu führen, wie hirnrissig seine Pläne seien, und bot sich sogar an, dem Frachtwagen nachzufahren und das Mädchen und Elsie zurückzuholen.

Der alte Trettin musterte ihn mit einem spöttischen Blick. »Warum solltest du das tun? Dann hätte ich Lore gleich diesen Hyänen auf dem Gut überlassen können. Nein, mein Guter, meine Enkelin wird so, wie ich es beschlossen habe, nach Amerika reisen. Nur dort ist sie vor Ottokar und seiner Weibskreatur sicher.«

»Auf dem Gut hätte Lore zwar kein leichtes Leben, aber in Amerika kann sie zugrunde gehen«, wandte Doktor Mütze ein.

»Ich mag zwar hier herumliegen wie ein gefällter Baumstamm, aber ich habe Ohren zum Hören. Ich weiß, dass Malwine die Mägde, die sie nicht mag, mit einem Stock verprügelt, und sie würde auch vor Lore nicht haltmachen. Es geschieht so, wie ich es gesagt habe, und damit basta!« Wolfhard von Trettin hieb mit der geballten Rechten gegen das Bettgestell, und sein Gesicht wurde so dunkel, dass der Arzt besorgt zu seiner Tasche griff.

»Du musst mir helfen, Kord«, sagte er leise zu dem alten Knecht. »Ich will deinem Herrn eine Spritze geben, damit er schläft. Er regt sich sonst zu sehr auf.«

Während Kord bedrückt nickte, begann Lores Großvater zu lachen. Dabei verschluckte er sich und hustete. Doktor Mütze sah mit Erschrecken, wie sich die Lippen des alten Mannes rot färbten und ihm ein dünner Blutfaden über das Kinn lief. »Wie es aussieht, wirst du wirklich noch heute vor deinem himmlischen Richter stehen!«

»Und wenn schon! Er wird sicher gerechter mit mir verfahren als diese Lumpenhunde, mit deren Hilfe Ottokar mich um meinen Besitz gebracht hat.« Wolfhard von Trettins Stimme klang brüchig, und er rang zwischen den einzelnen Worten nach Luft. Er war jetzt auch zu schwach, um den Arzt daran zu hindern, ihm eine Spritze zu setzen. Kurz darauf schloss sich sein gesundes Auge, und schon bald verriet sein leises Schnarchen, dass er weggedämmert war.

Der Arzt schob das Lid auf Trettins gelähmter Körperseite über den Augapfel und zuckte dabei zusammen. Zu sehr erinnerte es ihn an den letzten Dienst, den er verstorbenen Patienten hatte leisten müssen. »Ist noch etwas von dem Wein übrig? Ich könnte jetzt einen Schluck gebrauchen«, fragte er Kord.

Dieser deutete auf die noch zu einem Viertel volle Flasche. »Ich hole Ihnen gleich ein Glas, Herr Doktor. Aber sagen Sie, wird Herr von Trettin noch einmal aufwachen?«

Der Arzt betrachtete den Kranken und schüttelte den Kopf. »Ich glaube es nicht. Er hat all seine Kraft verbraucht, um seine Pläne mit Lore in die Tat umzusetzen. Jetzt gleicht er einer abgebrannten Kerze. Am liebsten würde ich ja hierbleiben und an seinem Bett wachen, bis der schwarze Schnitter neben ihn tritt und ihn mit sich nimmt. Zu Hause warten jedoch noch andere Patienten auf mich. Ich komme auf jeden Fall morgen Vormittag wieder vorbei. Bleibst du so lange bei deinem Herrn?«

»Das wär ja was, wenn ich jetzt gehen würde! Nein, Herr Doktor. Herr von Trettin hat mich immer wie einen Menschen behandelt, und er soll auch wie ein Mensch sterben, auch wenn ihn das Gesindel auf dem Gut am liebsten verrecken lassen würde wie ein Stück Vieh.«

»Brav, Kord!« Doktor Mütze nickte dem Knecht anerkennend zu und folgte ihm dann in die Küche. Dort schenkte Kord ihm den Rest des Weines ein und lehnte die Einladung, diesen mit dem Arzt zu teilen, mit einer beschwichtigenden Handbewegung ab.

»Trinken Sie nur, Herr Doktor. Ich habe mir selbst etwas mitgebracht!« Kord holte eine große Steingutflasche aus einem Schrank und stellte sie auf den Tisch. »Das ist selbstgebrannter Wacholderschnaps. Der wird mich warm halten, während ich am Bett meines Herrn wache.«
»Trink aber nicht zu viel! Sonst wird dir zwar warm, aber du wirst nicht lange wachen können«, mahnte ihn der Arzt.
»Keine Sorge, Herr Doktor. Ich bleibe wach!« Kord schenkte sich ein Glas ein und trank.
»Der geht einem durch Mark und Bein«, keuchte er, während ihm die Augen tränten.
»Diese Flasche Schnaps hat der Herr Steuerassessor wohl nicht zu Gesicht bekommen«, spottete Doktor Mütze.
»Die nicht und ein paar andere auch nicht«, gab Kord augenzwinkernd zu.
»Ich werde es nicht weitersagen.« Doktor Mütze klopfte dem Knecht auf die Schulter und ging noch einmal in das Zimmer des Kranken. Dieser lag so starr, als wäre er bereits ein Leichnam. Nur ein leichter Hauch, den der Arzt mit der Hand mehr erfühlte als spürte, zeigte an, dass noch Leben in ihm war.
»Lebe wohl, alter Freund. Möge Gott es geben, dass wir uns im Paradies wiedersehen.« Mit Tränen in den Augen wandte Doktor Mütze sich ab und ging zur Tür.
»Ich werde jetzt wieder fahren.« Mit diesen Worten reichte er Kord die Hand und verließ das Haus. Der alte Knecht folgte ihm und half ihm, die Pferde wieder einzuschirren, die er nach Doktor Mützes Ankunft in den kleinen, schon arg mitgenommenen Pferdestall gestellt hatte, um sie vor dem scharfen Ostwind zu schützen.
Doktor Mütze erwog kurz, ob er die Pferde antreiben sollte, um den Frachtwagen mit Lore vielleicht doch noch einzuholen. Erst einmal konnte er das Mädchen zu sich nehmen und es später zu

Verwandten schicken, bei denen es sich vor Ottokar und dessen angeheirateter Megäre verstecken konnte.
Doch kaum hatte er ein wenig mehr als eine Viertelmeile auf der Landstraße zurückgelegt, sah er in der aufziehenden Dämmerung eine Gestalt auf seinen Wagen zulaufen.
»Herr Doktor, welch ein Glück, dass ich Sie hier treffe. Bei uns auf dem Gut hat es einen schweren Unfall gegeben. Kommen Sie schnell! Es geht um Leben und Tod!«
Doktor Mütze nickte und bat den Mann aufzusteigen. Während sie im flotten Tempo zum Gutshof von Elchberg fuhren, dachte er, dass anscheinend höhere Mächte verhindern wollten, dass er sich um Lore kümmerte, und schloss seiner Fürbitte für den Verletzten auch eine für Lore an, die es in seinen Augen nicht weniger nötig hatte.

XIV.

Doktor Mützes Vorhersagen zum Trotz erwies Wolfhard von Trettin sich als zäher als erwartet. Zwar lag er in tiefer Bewusstlosigkeit, doch noch immer schlug das Herz, und die Lunge sog rasselnd die Luft ein.
Kord blieb bei ihm, obwohl ihm der Lebenswille, der den ausgemergelten Körper erfüllte, ein wenig unheimlich war. Gelegentlich flößte der Knecht dem Bewusstlosen Wasser ein und wartete ansonsten auf das, was kommen würde.
Die alte Miene, die ebenfalls nicht vergessen hatte, dass der alte Herr sein Gesinde zwar streng, aber gerecht behandelt hatte, brachte dem Knecht von Zeit zu Zeit etwas zu essen. Dann setzte sie sich zu ihm, und sie sprachen über alte Zeiten, in denen das Leben auf Trettin noch schön gewesen war.

»Ich habe immer gesagt, etwas Besseres kommt nicht nach«, seufzte die alte Frau. »Der Herr macht es richtig. Er verlässt diese bucklige Welt, in der die Starken die Schwachen immer mehr drücken und in der Ehre und Wahrhaftigkeit ein rares Gut geworden sind.«

»Es hätte anders kommen können, wenn der Herr selbst einen Sohn gehabt oder Fräulein Leonore einen vornehmen Herrn geheiratet hätte, der Ottokar die Hammelbeine hätte langziehen können!«

Miene sah ihn nachdenklich an. »Der Lehrer war schon der rechte Mann für sie, Kord. Mit ihm hat Fräulein Leonore wenigstens ein schönes Leben geführt. Wen hätte sie denn sonst heiraten sollen? Einen Krautjunker vielleicht, der im Grunde nur eine Hausfrau gesucht hat? Da Trettin Majoratsbesitz ist, wussten doch alle, dass Fräulein Leonore kein großes Erbe erhalten würde. Außerdem – so hört man es wenigstens – hat Ottokar unter seinesgleichen verlauten lassen, sein Onkel werde Fräulein Leonores Heirat mit ihm gutheißen, damit diese Herrin auf Trettin werde. Das mag so manchen abgehalten haben, der sich sonst um das Fräulein beworben hätte.«

»Ottokar war ein Lump, ist einer und wird immer einer bleiben!« In Kords Stimme schwang unterdrückter Groll mit. Er hatte es dem neuen Gutsherrn nicht vergessen, dass er, dessen Wort als Vorarbeiter auf dem Gut etwas gegolten hatte, von diesem wie ein Hund davongejagt worden war, so dass er nun statt des hübschen Häuschens eine heruntergekommene Kate bewohnen musste.

»Ich glaube, der Herr wird wach!«

Mienes erstaunter Ausruf riss Kord herum. Er starrte den alten Freiherrn an und mochte kaum glauben, als dieser das rechte Auge öffnete und ihn mit wachem Blick ansah.

»Ist Doktor Mütze schon gegangen?«, fragte Lores Großvater, so als hätte er nur einen Moment geschlummert.

»Der Herr Doktor war bis jetzt jeden Tag da, seit Sie ohnmächtig geworden sind. Er will auch morgen wieder vorbeikommen«, erklärte der Knecht.

Wolfhard von Trettins Miene zeigte Erstaunen. »Jeden Tag, sagst du? Wie viel Zeit ist denn seit Lores Aufbruch vergangen?«

Kord überlegte, wie lange es her war, als sein Blick auf den Kalender fiel, der auf der anderen Seite des Raumes an der Wand hing. »Heute ist der vierte Dezember«, sagte er.

»Der vierte Dezember?« Wolfhard von Trettin begann zu lachen. »Der vierte Dezember! Heute ist der Tag, an dem Lore mit dem Schiff in die Neue Welt aufbricht. Damit ist sie Ottokars Klauen endgültig entronnen!« Aus seinen Worten sprachen Triumph und eine tiefe Zufriedenheit, weil er bis zu diesem Tag durchgehalten hatte.

Ein letztes Mal lachte er noch einmal so dröhnend wie in seinen besten Zeiten. Dann verstummte er mit einem Schlag. Sein rechter Arm sank hinab, und als Miene sich über ihn beugte, wusste sie, dass der Lebensweg des Freiherrn Wolfhard Nikolaus von Trettin ein Ende gefunden hatte.

»Es ist vorbei! Unser Herr ist nun in einer besseren Welt«, sagte sie zu Kord und drückte das offene Auge des Toten zu.

Kord starrte auf den Toten hinab, als könne er nicht begreifen, dass dieser von einer Sekunde auf die andere gestorben war. Ihm gellte noch immer das Gelächter in den Ohren, mit dem Lores Großvater den Sieg über seinen Neffen Ottokar bejubelt hatte. Erst nach einer Weile wagte er, sich zu rühren. »Schade, dass der Doktor heute schon da war. Jetzt muss ich in die Stadt laufen, um ihm den Tod unseres Herrn zu melden. Was meinst du, soll ich unterwegs beim Gut vorbeigehen und Ottokar und dann im Dorf dem Pastor Bescheid geben?«

»Nein, das wirst du nicht tun! Unser Herr wollte weder den einen noch den anderen an seiner Bahre sehen. Ottokar ist schuld, dass

Fräulein Leonore, ihr Mann und die übrigen Kinder im Feuer umgekommen sind. Das Haus hat bereits lichterloh gebrannt, als Ottokars Kutsche vorbeifuhr. Es ist komisch, weißt du? Ich habe es bis jetzt niemandem erzählt außer jetzt dir, aber es sah so aus, als würde die Kutsche gerade anfahren. Also muss sie dort angehalten haben. In der Aufregung habe ich mir zuerst nichts dabei gedacht ...«

»Aber dann ...« Kord erschrak selbst über den Gedanken, der in seinem Kopf echote. Von Miene und anderen Zeugen wusste er, dass der Brand in der kleinen Scheune ausgebrochen war und auf das Haupthaus übergegriffen hatte. Das Heu in der Scheune war jedoch gut getrocknet gewesen und hätte sich kaum von selbst entzünden können.

»Ich denke dasselbe wie du, und er hat es auch geglaubt«, flüsterte Miene mit einem scheuen Seitenblick auf den Toten.

»Das glaube ich nicht. Sonst hätte er alles getan, um sich an Ottokar von Trettin zu rächen, und wenn er diesen zu sich gerufen und mit der Flinte erschossen hätte.«

»Lore hätte ihm die Waffe nie in die Hand gegeben«, wandte Miene ein.

»Da hast du recht. Da müsste doch der Herrgott mit gepanzerter Faust dreinschlagen!« Kords Schultern zuckten, denn er vergaß nicht, wer sie waren und wer der Herr auf Trettin.

»Kein Wort darüber, zu niemandem! Dem alten Herrn hilft es nicht mehr, und Lore ist weit weg. Beten wir heimlich darum, dass unser Herrgott den Sünder bestrafen wird.« Der alte Knecht schüttelte sich, stand auf und begann sich für den langen Weg nach Heiligenbeil anzuziehen.

»Kannst du unseren Herrn allein zurechtmachen, oder soll ich dir jemand aus dem Dorf schicken?«, fragte er, als er zur Tür ging.

Miene schüttelte den Kopf. »Das schaffe ich allein. Wenn du zu jemandem im Dorf etwas sagst, erfahren es auch andere, und die

tragen es dann zum Gut weiter. Ich glaube nicht, dass es dem Herrn gefallen würde, wenn Ottokar auftaucht, während er noch hier liegt.«
Das sah Kord ein. Er verabschiedete sich von Miene und ging dann mit langen Schritten den Forstweg entlang. Einige Augenblicke lang starrte die alte Frau ihm nach, dann machte sie sich daran, den Toten zu waschen und neu einzukleiden.

XV.

Kord erreichte die Hauptstraße bei leichtem Schneefall und wandte sich Richtung Heiligenbeil. Unterwegs überholte ihn ein Fuhrwerk aus Trettin. Den Knecht, der die Pferde lenkte, hatte er selbst angelernt und ihn immer unterstützt. Doch nun fuhr dieser flott an ihm vorbei, ohne ihm auch nur einen Blick zu schenken.
»Lümmel!«, entfuhr es Kord. Dann aber sagte er sich, dass der Kerl den Atem nicht wert war, den er an ihn verschwendete, und stapfte weiter. Nach einiger Zeit bog von Elchberg her ein Gespann auf die Landstraße ein. Der Kutscher entdeckte Kord und hielt seine Pferde an, bis dieser zu ihm aufgeschlossen hatte.
»Na, willst du mitfahren?«, fragte er.
»Danke, Henner!« Kord kletterte schwerfällig auf den Wagen und ließ sich neben dem Fuhrmann nieder. Ihm war nicht zum Reden zumute, aber da Elchberg in direkter Nachbarschaft zu Trettin lag, wollte er sich nicht anmerken lassen, was ihn bedrückte, und beantwortete die Fragen des Kutschers. Zu seiner Erleichterung drehten sich diese meist um den neuen Gutsherrn auf Trettin und dessen Frau. Der Lenker des Gespanns war derselbe Knecht, der Lore vor einigen Monaten in die Stadt gebracht und dabei von

Ottokar und dessen Frau geschwärmt hatte. Inzwischen äußerte er sich um einiges kritischer, denn unter den Knechten und Mägden der Umgebung war bekanntgeworden, wie schlecht die neue Herrschaft auf Trettin den Teil ihres Gesindes behandelte, der nicht vor ihnen kroch und ihnen ständig schmeichelte.
Kord war froh, als sie Heiligenbeil erreicht hatten und er sich von dem Kutscher verabschieden konnte. Am Doktorhaus öffnete ihm das Dienstmädchen. »Der Herr Doktor ist bei einem Patienten. Du wirst später wiederkommen müssen«, erklärte es hochmütig.
»Ich muss mit Doktor Mütze sprechen, und zwar dringend!« Kord war nicht bereit, sich abweisen zu lassen, und stellte den Fuß in die Tür, damit das Dienstmädchen sie ihm nicht vor der Nase zuschlagen konnte.
Unterdessen war Frau Mütze auf ihn aufmerksam geworden. Sie kannte ihn von mehreren Festen auf Gut Trettin, die noch zu Zeiten des alten Herrn stattgefunden hatten, und rief das Mädchen zurück. »Du kannst den Mann einlassen, Senta. Und gieß ihm gleich einen Becher Glühwein ein. Er muss ja bei der Kälte halb erfroren sein. Möchtest du auch etwas zu essen, Kord?«
Dieser schüttelte den Kopf und sah die Frau des Arztes mit einem traurigen Blick an.
»Also ist es so weit!« Frau Mütze seufzte, denn ihr hatte der alte Trettin imponiert, und der Gedanke, dass er jetzt in seiner Waldeinsamkeit gestorben war, tat ihr weh.
»Senta, den Glühwein schenke ich ein. Suche meinen Mann und sage ihm, er soll so schnell wie möglich zurückkommen.«
Das Dienstmädchen zog eine Schnute, denn bei der Kälte draußen herumzulaufen war nicht gerade nach ihrem Sinn.
Unterdessen reichte Frau Mütze Kord einen dampfenden Becher, in den sie noch einen Schuss Wacholderschnaps gegeben hatte. »Herr von Trettin lebt also nicht mehr.«
»Ja, so ist es. Aber er ist noch einmal aufgewacht und ist mit dem

Wissen in den Tod gegangen, dass Fräulein Lore in Sicherheit ist.«

»Ich hätte Lore gerne bei uns aufgenommen, aber die neuen Herrschaften auf Trettin hätten das nie und nimmer geduldet.« Frau Mütze seufzte, denn sie mochte das Mädchen, das auf eine so traurige Weise Eltern und Geschwister verloren hatte und sich nun auf dem Weg ins Ungewisse befand.

Zu Kords Erleichterung kehrte kurz darauf der Arzt zurück. Auch der begriff ohne Worte, was geschehen war. Obwohl diese Nachricht jederzeit zu erwarten gewesen war, war Doktor Mütze zutiefst erschüttert. Er klopfte Kord auf die Schulter und atmete ein paarmal tief durch, bevor er zu sprechen begann. »Senta, richte diesem guten Mann hier einen Imbiss und sage dem Kutscher, er soll anspannen. Sobald ich zurück bin, fahren wir los.«

»Wo willst du denn hin?«, fragte seine Frau.

»Ich möchte Herrn Fridolin telegraphieren. Er wird sicher aus Berlin kommen, um seinem Oheim die letzte Ehre zu erweisen. Außerdem habe ich das Gefühl, dass wir ihn hier brauchen. Allein fühle ich mich Ottokar von Trettin und seinem Weibsteufel nicht gewachsen.«

Mit diesen Worten verließ Doktor Mütze das Haus und eilte zur Telegraphenstation. Während er dem Telegraphisten die Nachricht diktierte, hoffte er, dass Fridolin von Trettin genug Geld besaß, um nach Ostpreußen reisen zu können. Dabei musste er unwillkürlich an Lore denken, die nun vollends zur Waise geworden war.

Dritter Teil

Tod in der Themsemündung

1.

Lore zog den Kopf ein, als ihr Großvater sie zornig anfunkelte. »Du fährst nach Amerika, und Elsie wird dich begleiten!«, rief er und drohte ihr mit dem Stock.
»Aber ich …«, begann Lore und fand sich auf einmal mitten in einem Schneesturm wieder. Nicht weit von sich entfernt, sah sie Elsie.
»Komm, wir müssen an Bord!«, rief sie ihr zu und versuchte, das trödelnde Dienstmädchen anzutreiben. Elsie lachte sie jedoch nur aus. In dem Moment tauchte Gustav auf, packte die große Seekiste und hob sie auf einen Karren. Bevor Lore auch nur ein Wort sagen konnte, waren die beiden verschwunden, und sie blieb allein an Deck eines Schiffes zurück, ohne zu wissen, wie sie dorthin gekommen war.
Dieses Schiff war jedoch nicht die *Deutschland*, sondern ein Seelenverkäufer, kaum größer als das Haffboot, das sie vor einigen Jahren gesehen hatte, und mit einer Dampfmaschine, für die kein Holz mehr an Bord war. Gleichzeitig brauste eine schwarze Sturmfront heran, und Lore hörte den entsetzten Schrei: »Rette sich, wer kann!« Dann sank das Schiff ganz plötzlich, und die Wellen schlugen über ihr zusammen.
Gerade als sie glaubte, ertrinken zu müssen, hörte sie ein heftiges Klopfen und schreckte hoch. Voller Erleichterung erkannte sie, dass sie nicht vom Wasser verschlungen worden war, sondern in ihrer kleinen Kabine auf der *Deutschland* lag. Mit wunden, verklebten Augen starrte sie in den winzigen, durch das Fenster über der Tür nur spärlich erhellten Raum, der ihr nach dem durchlebten Alptraum trotz seiner kargen Einrichtung beinahe heimelig erschien.

Die Stimme draußen klang ungeduldig. Dann öffnete sich die Tür, und ein Mann kam herein. Lore erschrak und zog die Bettdecke bis zur Nasenspitze hoch.

»He, ist hier denn niemand?«, fragte der Eindringling.

Lore erkannte den redseligen Steward vom Vorabend, und mit einem Schlag kam ihr das ganze Elend wieder zu Bewusstsein. Sie spürte, wie ihr die Tränen in die Augen traten und die Wangen hinunterliefen.

»Doch, ich!«, antwortete sie mit dünner Stimme und richtete sich auf.

Der Steward warf einen schnellen Blick auf das unberührte zweite Bett und sah sie fragend an. »Guten Morgen, Fräulein. Es ist Zeit zum Frühstücken! Ich habe Sie gestern Abend beim Abendessen vermisst. Sagen Sie, wo ist denn Ihre Zofe? Hat sie heute Nacht nicht hier geschlafen?«

Lore schüttelte verzweifelt den Kopf. »Sie ... Elsie ist weg! Sie hat mich ganz allein zurückgelassen und ist mit Gustav zusammen auf einem Pferdefuhrwerk weggefahren! Ich ... ich möchte nach Hause! Ich habe so große Angst vor Amerika!«

»Wer ist Gustav?«, fragte der Steward verblüfft. Dann zündete er die Gaslampe an, die an der Wand über dem kleinen Nachttisch befestigt war, nahm Lores Hand und bat sie, ihm alles zu erzählen.

Und das tat sie. In wenigen Minuten schüttete sie dem ihr völlig unbekannten Menschen ihr Herz aus und berichtete ihm alles, angefangen von dem Unglück, bei dem sie ihre Eltern verloren hatte, bis zu dem Augenblick, in dem sie gesehen hatte, wie Elsie mit dem Handlungsgehilfen Gustav und dem größten Teil ihres gemeinsamen Gepäcks auf einem alten Fuhrwerk Richtung Stadt fuhr.

»Der Dampfer hatte bereits abgelegt, und so konnte ich nur noch hinter ihnen herschauen. Jetzt bin ich mutterseelenallein«, setzte sie unter Tränen hinzu. Die Tatsache, dass sie und Elsie sich in die

Obhut der frommen Schwestern hätten begeben sollen, hatte sie in diesem Augenblick völlig vergessen.
»So etwas aber auch. Das tut mir sehr leid für Sie!«
Trotz seines mitfühlenden Tons spürte Lore, dass er in ihr weniger eine hilfsbedürftige Person als vielmehr ein unangenehmes Problem sah, mit dem er sich herumschlagen musste. Dennoch blieb er freundlich und lächelte ihr aufmunternd zu. »Wissen Sie, was? Sie stehen jetzt auf und machen sich frisch. Dann kommen Sie in den unteren Salon und frühstücken erst einmal. Wenn der Magen gefüllt ist, sieht die Sache nicht mehr ganz so schlimm aus, wie es auf den ersten Blick erscheint. Sobald der Kapitän Zeit hat, sage ich ihm Bescheid. Er wird dann schon wissen, was zu tun ist. Ihr Großvater wollte, dass Sie nach Amerika fahren, und dahin sind wir unterwegs. Ihre Fahrkarte und Papiere haben Sie, und alles Weitere wird sich schon finden!«
Lore nickte und bedankte sich artig, atmete aber auf, als sie wieder allein war. Da sie trotz des ungewohnten Schaukelns und Stampfens um sich herum Hunger verspürte, folgte sie dem Rat des Stewards, wusch sich mit dem Rest des Wassers aus dem Krug und zog sich an. Als sie die Stimme des kleinen Mädchens, dem sie am Abend zuvor begegnet war, draußen auf dem Gang vernahm, konnte sie sogar wieder lächeln. Wie es aussah, gab es doch noch einen Menschen, der sich für sie interessierte. Sie zupfte ihren Rock zurecht, legte das warme Schultertuch um, das ihr geblieben war, und verließ die Kabine.
Nathalia flog ihr um den Hals. »Ach Lore, da bist du ja endlich! Ich langweile mich so! Mein Großvater ist heute furchtbar schlechter Laune und schnauzt mich nur an, und sonst habe ich keinen Menschen, der sich um mich kümmert. Du musst jetzt mit mir kommen und mit mir spielen!«
Da Lore wahrlich nicht danach zumute war, mit einem kleinen Mädchen zu spielen, wollte sie sogleich ablehnen. Aber als sie in

das zarte, kleine Gesicht mit leicht zitternden Lippen blickte, auf denen ein gleichzeitig bittendes und schmeichelndes Lächeln stand, traf es sie wie ein Schlag.
Es war, als sähe sie ihre kleine Schwester Ännchen vor sich, die ebenso gelächelt hatte. Dazu kam, dass die langen, blonden Locken dem Kind das Aussehen eines Rauschgoldengels gaben. Große, himmelblaue Augen schenkten Lore Blicke, denen sie nicht widerstehen konnte. Wenn sie dieses entzückende Geschöpf zurückwies, würde sie sich ganz schlecht fühlen und sich nur noch in ihrer Kabine verkriechen und heulen.
»Ich spiele gerne mit dir, aber ich habe noch nicht gefrühstückt«, wandte sie ein.
»Das macht nichts. Ich komme mit und sage dir, was du bestellen musst. Kennst du den Weg? Nein? Dann führe ich dich hin. Du musst ein Deck tiefer steigen. Die Salons liegen direkt übereinander im Heck. Übrigens: Du darfst Nati zu mir sagen, denn wir sind doch jetzt Freundinnen!«
»Das will ich gerne tun! Sagtest du nicht gestern, dass du schon oft mit einem Dampfer gefahren bist? Das merkt man daran, wie gut du dich auskennst.« Lore bedauerte ihre Bemerkung sofort, denn die altkluge Kleine erklärte ihr auf dem Weg zum Speisesaal und während des Frühstücks haarklein, auf welchen Schiffen sie mitgefahren war.
»Meine Eltern sind bei einem Schiffsunglück gestorben«, setzte sie ganz unvermittelt hinzu, schniefte und wischte sich ein paar Tränen aus den Augen. »Ich bin damals gerettet worden. Aber da war ich gerade erst vier Jahre alt und kann mich nicht mehr richtig erinnern.«
Die Beschreibung, die sie von der Havarie gab, konnte nicht von ihr selbst stammen. Wahrscheinlich hatte sie sie von Erwachsenen vernommen, denn ihre Wortwahl passte nicht zu ihrem Alter.
»Hast du denn keine Angst, dass auch dieses Schiff untergehen

könnte?«, fragte Lore, der immer noch Elsies Schauergeschichten durch den Kopf spukten.
Nati schüttelte heftig den Kopf. »Deutsche Schiffe gehen nicht unter. Das tun nur solche aus England oder Amerika. Meine Eltern sind auch auf einem englischen Schiff gewesen, als sie zu den Fischen gehen mussten. Das hier ist ein deutsches Schiff aus Bremerhaven, und mein Großvater sagt, die NDL-Schiffe sind die sichersten der Welt! Uns kann überhaupt nichts passieren.«
Das klang so überzeugt, dass Lore zum ersten Mal seit vielen Tagen herzhaft lachen musste. Dabei fiel ihr Blick auf eine Nische, in der sich gerade eine gutgekleidete Dame von mehreren in schwarze Kutten gehüllten Gestalten verabschiedete. Das mussten die Franziskanerinnen sein.
Als die Nonnen sich kurz darauf erhoben, konnte Lore ihre Gesichter erkennen. Alle fünf wirkten noch sehr jung, und das nahm ihr etwas von ihrer Scheu. Immerhin war sie erst seit kurzem Katholikin und wusste noch immer nicht so recht, wie sie sich ihrer neuen Konfession gegenüber stellen sollte. Trotzdem wollte sie aufstehen und die frommen Schwestern ansprechen, doch Nathalia, die bemerkt hatte, dass Lores Aufmerksamkeit nicht mehr ihr galt, krallte ihr die Finger in den Arm.
»Wir sollten jetzt nach oben gehen und spielen. Du hast es mir versprochen!«
Lore verschob die Begegnung mit den Nonnen seufzend auf später und wandte sich wieder dem puppenhaften Plagegeist zu. »Lass mich nur noch zu Ende frühstücken.«

II.

Kaum hatte Lore den letzten Bissen gegessen, schleppte Nathalia sie unbarmherzig die Treppen hinauf zum Salon erster Kajüte. Auf dem Weg dorthin begegneten sie einem jungen Mann mit modischem Backenbart und eleganter Kleidung. Sein Blick streifte Lore verächtlich und blieb dann auf Nati haften. »Wen schleppst du denn da an, Base? Du weißt doch, dass das Gesindel aus dem Zwischendeck hier oben nichts zu suchen hat. Also schick das schmutzige Ding gefälligst dorthin zurück, wo du es hergeholt hast!«

Lore war so schockiert über die bösartige Bemerkung, dass es ihr die Sprache verschlug. Doch als sie ihre Finger aus Nathalias kleiner Faust lösen wollte, um fluchtartig zu verschwinden, umklammerte das Mädchen ihre Hand und fauchte den jungen Mann böse an.

»Du bist ja so dumm, Vetter Ruppert! Lore ist nicht schmutzig. Sie riecht sogar viel besser als du. Außerdem ist sie meine Freundin und meine neue Gesellschafterin. Ich nehme sie mit, wohin ich will! Großvater sagt, du hast mir gar nichts vorzuschreiben. Du gehörst nicht einmal richtig zu unserer Familie, denn deine Mutter war keine Dame von Stand! Also geh mir aus dem Weg, bevor ich einen Lakaien rufe, damit er dich zur Tür hinauswirft!«

Die giftigen Worte passten so gar nicht zu dem engelhaften Mädchen. Lore war im ersten Augenblick erschrocken, bemerkte dann aber den Blick, mit dem der Mann Nathalia streifte. So viel Hass und Wut hatte sie noch selten auf dem Gesicht eines Menschen gesehen. Dahinter musste mehr stecken als nur ein paar unartige Worte. Sie kannte die Hintergründe nicht, aber eines war ihr klar: Diesem Mann durfte sie niemals allein oder gar im Dunkeln begegnen, und Nati sollte es am besten auch nicht tun. So viel Angst

wie vor diesem Fremden hatte sie selbst vor Ottokar von Trettin nicht empfunden.
Nathalia schien in ihrer kindhaften Unbekümmertheit nichts von den Gefühlen ihres Vetters wahrzunehmen, denn sie ging mit hocherhobenem Kopf an ihm vorbei, ohne ihn noch eines Blickes zu würdigen, und zog Lore mit sich. Als ein Steward Lore am Eingang des oberen Salons erster Kajüte den Weg versperren wollte, stellte das Kind sich vor sie und sah kämpferisch zu dem Mann auf. »Was soll das? Lore ist meine neue Gesellschafterin. Also geh aus dem Weg!«
An Mut scheint es der Kleinen wahrlich nicht zu mangeln, dachte Lore anerkennend, nur nahm sie sich für ihr Alter etwas zu viel heraus.
Der Steward wich so rasch beiseite, dass er beinahe mit einem anderen Passagier zusammenstieß, und wandte sich etwas höflicher an Lore. »Sind Sie nicht die Passagierin aus der zweiten Klasse, die von ihrer Zofe bestohlen worden ist?«
Als diese unglücklich nickte, atmete der Steward auf. »Diese Lösung ist wunderbar! Kapitän Brickenstein wird damit sehr zufrieden sein. Bis New York können Sie Ihre Kabine behalten, und danach kümmert sich sicher Graf Retzmann um Sie! Er wird froh sein, dass sich jemand seiner Enkelin annimmt. Unsere kleine Komtess ist nämlich manchmal recht eigenwillig.«
Er unterbrach sich, dachte einen Moment nach und sah Lore forschend an. »Haben Sie bereits mit dem Herrn Grafen gesprochen? Er ist sehr anspruchsvoll und will nur zuverlässige Leute um sich haben.«
»Ich bin auf dem Weg zu ihm«, versicherte Lore nicht ganz wahrheitsgemäß, denn sie wollte Nathalia nicht als Lügnerin bloßstellen. Innerlich seufzte sie jedoch, denn sie sah Verwicklungen auf sich zukommen, die sie in ihrer Lage ganz sicher nicht brauchen konnte.

Die kleine Komtess beachtete den Steward nicht weiter, sondern redete munter auf Lore ein. »Weißt du, der Mann, der vorhin so garstig zu dir war, ist Ruppert, der Sohn des ältesten Sohnes meines Großvaters. Onkel Robert ist tot. Es heißt, er sei bei einem Streit in einem der schlimmen Häuser erschossen worden, über die man als Dame nicht sprechen darf. Großvater hatte ihn schon vorher verstoßen, weil er eine Dame geheiratet hatte, die keine war. Sag mal, Lore, verstehst du das? Wie kann man eine Dame sein und dann doch nicht als solche gelten? Sie soll aus einem dieser bösen Häuser stammen, in die ein Graf eigentlich nicht hineingehen darf.«
Nathalia redete, ohne auch nur einmal eine Antwort abzuwarten, und erzählte auf ihre kindlich naive Art die Geschichte ihrer Familie, die nur aus Hader, Streit und schrecklichen Unglücken zu bestehen schien, bis nur noch ihr Großvater und sie übrig geblieben waren.
Währenddessen machte sie es sich mit Lore zusammen in dem prächtigen Salon erster Kajüte bequem, gegen den der gewiss nicht bescheiden eingerichtete Salon zweiter Kajüte sich wie das Wohnzimmer eines gewöhnlichen Bürgerhauses ausnahm.
Das Kind nahm Lores Aufmerksamkeit ganz für sich in Anspruch und ließ sie so für eine Weile ihren Kummer und die nagende Angst vor der Zukunft vergessen. Dann unterbrach eine harsche, befehlsgewohnte Stimme die traute Zweisamkeit. »Nathalia! Willst du mir deine neue Gesellschafterin nicht vorstellen?«
Während Nathalia trotzig die Unterlippe vorschob, sprang Lore erschrocken auf und sah einen grimmigen Mann vor sich, der trotz seiner schwarzen Kleidung und den weißen Haaren nicht so alt wirkte, wie Natis Erzählungen sie hatten vermuten lassen. Sie machte einen Knicks, wie ihr Großvater es ihr beigebracht hatte. »Ihre Enkelin hat mich gebeten, ihr ein wenig Gesellschaft zu leisten, Herr Graf. Ich bin Passagierin der zweiten Kajüte, heiße

Lore Huppach und stamme aus Trettin. Das liegt im Landkreis Heiligenbeil in Ostpreußen.«

Graf Retzmann brummte etwas, das Lore nicht verstand. Ihr kam es jedoch sehr herablassend vor, und so straffte sie ihre Schultern und sah dem hochgewachsenen Mann geradewegs ins Gesicht. »Ich bin die Enkelin des Freiherrn von Trettin auf Trettin. Meine Mutter hat einen preußischen Beamten ohne Titel geheiratet.«

Graf Retzmann begann zu lachen. »Schon gut, junge Dame! Sie brauchen nicht beleidigt zu sein. Ich habe nichts gegen Bürgerliche und auch nichts gegen Damen aus Ostpreußen. Ich finde nur, dass Sie für eine Gesellschafterin noch reichlich jung sind!«

»Ich bin ja auch keine richtige Gesellschafterin, sondern vertreibe Nathalia nur ein wenig die Langeweile, weil sie ebenso allein ist wie ich. Der Steward hat mir erlaubt, mich zu diesem Zweck hier aufzuhalten. Doch wenn Sie es wünschen, werde ich mich zurückziehen.«

»Wollen Sie desertieren, Mädchen? Das kommt nicht in Frage! Wenn es Ihre Angehörigen gestatten, können Sie bei meiner missratenen Enkelin bleiben, solange Sie wollen.«

»Lore hat keine Angehörigen mehr, und ihre Zofe hat sie auch im Stich gelassen!«, warf Nathalia ein. »Sie braucht eine neue Familie, und das bin jetzt ich.«

»Stimmt das?«, fragte Graf Retzmann und setzte sich auf die Couch, während Lore immer noch stramm wie ein Soldat vor ihm stand. Er betrachtete sie von Kopf bis Fuß, aber sein Blick war schon viel freundlicher. Er erinnerte Lore jetzt sogar ein wenig an ihren Großvater, den sie wohl niemals wiedersehen würde. Bei diesem Gedanken schossen ihr die Tränen in die Augen.

Graf Retzmann reichte ihr ein Taschentuch. »Aber Mädchen, ich bin doch kein Menschenfresser. Komm, wischen Sie sich das Gesicht ab und setzen Sie sich neben mich. Sie sind die Enkelin eines Freiherrn von Trettin? Ich habe einen Wolfhard von Trettin ge-

kannt, der aus Ostpreußen kam. Wir haben zusammen studiert. Könnte das ein Verwandter von Ihnen gewesen sein?«
Lore schniefte. »Mein Großvater heißt Wolfhard. Aber ich glaube, seine Freunde sagten früher Nikas zu ihm, weil einer seiner Vornamen Nikolaus ist. Er hat mich auf die Reise geschickt und auch die Passage bezahlt. Ich habe nämlich außer ihm keine Angehörigen mehr, die sich um mich kümmern könnten.«
Das entsprach zwar nicht ganz der Wahrheit, war aber nach Lores Meinung gewiss im Sinne ihres Großvaters. Zwar fürchtete sie sich fast zu Tode, wenn sie an das unbekannte Land dachte, aber um keinen Preis der Welt wollte sie zu den Leuten zurückgeschickt werden, die den stolzen, alten Herrn von Trettin ins Elend gejagt hatten.
Graf Retzmanns Augen leuchteten bei ihren Worten erfreut auf. »Sie sind die Enkelin des wilden Nikas? Nun, das ist aber eine Überraschung! Er war mein Freund und ein Mann, auf den sich ein Kamerad wirklich verlassen konnte. War das seine Idee, Sie mutterseelenallein auf die Reise zu schicken? Nun ja, er war immer schon ein Hitzkopf, der zuerst handelte und danach erst nachdachte. Ich hoffe, es erwartet Sie jemand in den Staaten!«
Lore schüttelte den Kopf. »Ich sollte mit den Franziskanernonnen reisen und drüben eine Weile bei ihnen wohnen ...« Auf seine Aufforderung hin berichtete sie dem Grafen kurz und knapp, was sie erlebt hatte. Erstaunlicherweise fühlte sie sich jetzt viel ruhiger als am Morgen, und es schien ihr, als könne doch noch alles gut werden.
Der alte Graf hörte ihr aufmerksam zu und stellte auch die eine oder andere Frage. Als sie endete, spendete er ihr keinen Trost, sondern trug ihr auf, sich bis zum Ende der Reise um Nathalia zu kümmern. In New York würde er ihr weiterhelfen, ganz gleich, was sie dort zu tun gedächte. Danach verabschiedete er sich abrupt und ging zur Freitreppe, die zum Deckhaus führte.

Lore sah ihm noch nach, bis er aus ihrem Blickfeld verschwand. Dann hatte sie eine Weile zu tun, um die wegen des »langweiligen Erwachsenengesprächs« schmollende Nathalia wieder aufzuheitern. Viel zu früh rief der Gong sie in den Speisesaal ihrer Klasse. Da Nathalia auf Anordnung ihres Großvaters nach dem Essen Mittagsschlaf zu halten hatte, beschloss Lore, ihr Herz über die Hürde zu werfen und die fünf Franziskanerinnen anzusprechen, falls diese sich nicht auch zum Schlafen zurückziehen würden.

III.

Zu Lores leichtem Bedauern blieben die Nonnen nach dem Mittagessen am Tisch sitzen und befanden sich sofort im Zentrum eines ebenso frömmelnden wie schwatzhaften Damenkränzchens.

Auch Lore gesellte sich zu ihnen, jedoch nur als stumme Zuhörerin. Sie brachte es nicht fertig, die Dinge, die ihr am Herzen lagen, vor so vielen unbeteiligten Leuten anzusprechen. Außerdem schienen ihr die Nonnen, so nett und liebenswürdig sie auch waren, selbst noch sehr jung und hilfsbedürftig zu sein. Daher wollte sie sich ihnen nicht vorbehaltlos anvertrauen. Wie aus den Gesprächen hervorging, hatten die frommen Frauen ihre Heimat nicht freiwillig verlassen. Die neuen Gesetze des Reichskanzlers Fürst Bismarck verboten ihnen, in Deutschland als Lehrerinnen und Krankenschwestern zu arbeiten, und daher fuhren sie in die Neue Welt, um dort ihre Berufe in deutschen Gemeinden auszuüben. Auch sie hatten Angst vor dem unbekannten Land und sprachen sehr viel von Gottvertrauen und innigen Gebeten.

Ehe Lore die Gelegenheit fand, mit einer der Ordensschwestern unter vier Augen zu sprechen, erschien Nathalia auf der Bildfläche, munter wie ein Vögelchen und bestrebt, ihre neue Freundin aus der für sie bedrohlichen Nähe der Franziskanerinnen zu schaffen. Die Kleine führte sie an Deck, auf dem man den Passagieren erster Kajüte mit dem Deckhaus einen bequemen Aussichtspavillon zur Verfügung gestellt hatte. Hier konnte man windgeschützt den Anblick des Meeres genießen, ohne vom Ruß aus den Schornsteinen beschmutzt zu werden.

Dort ließ das Mädchen seiner Eifersucht auf die Nonnen freien Lauf. »Ich will nicht, dass du mit denen redest! Sie machen eine schwarze Krähe aus dir, und dann betest du den ganzen Tag und hast keine Zeit mehr, mit mir zu spielen. Du gehörst jetzt zu mir und nicht zu ihnen. Großvater hat gesagt, er kümmert sich um dich, und das heißt, dass du bei mir bleiben darfst! Du wirst uns auf unseren Reisen begleiten und zu Hause mit mir in einer großen Kutsche ausfahren. Du liest mir vor und gehst mit mir schöne Kleider für mich kaufen. Du bekommst natürlich auch ein schönes Kleid! Wir sind jetzt für immer Freundinnen, hörst du? Ich will nicht mehr allein sein, und deshalb bleibst du bei mir!«

Das klang sehr energisch, aus dem Mund dieses puppenhaften Wesens aber auch so drollig, dass Lore zu lachen begann. Trotz ihrer Belustigung wollte sie Nathalia fragen, ob sie selbst bei diesen Plänen nicht auch noch ein Wörtchen mitzureden hätte. Aber die Kleine stampfte mit dem Fuß auf und verlangte ein sofortiges Ja von ihr. Lore hasste Streit und ging Auseinandersetzungen möglichst aus dem Weg, deswegen zog sie Nathalia an sich und strich ihr über das Haar.

»Meine liebe, kleine Freundin, ich verspreche dir, dir bis zu unserer Ankunft in New York Gesellschaft zu leisten und mich um dich zu kümmern, so wie ich mich früher um meine kleine Schwester gekümmert habe. In Amerika werden dein Großvater und du entscheiden, ob ich bei dir bleiben darf. Wer weiß, vielleicht magst du mich bis dahin auch gar nicht mehr und bist froh, mich loszuwerden. Eine große Freundin zu haben kann auch sehr lästig sein, nämlich dann, wenn ich dir sagen muss, was du tun darfst und was nicht.« Für sich hoffte Lore, dass sie bei Nati bleiben durfte, denn ohne einen einzigen Taler oder Dollar in der Tasche glaubte sie nicht, in Amerika Fuß fassen zu können.

»Du sollst aber meine Freundin und Gesellschafterin sein. Gouvernanten hatte ich genug, mindestens drei im Jahr, wie Großvater sagt, und Lehrerinnen kriege ich auch immer neue. Aber die meisten davon sind furchtbar dumm! Ich will jemanden haben, der mit mir lacht und spielt und nicht immer schimpft und lamentiert, hörst du? Du musst immer lustig sein und …«

Nathalia sprach ohne Punkt und Komma. Es war, als wolle sie sich den ganzen aufgestauten Unmut ihres bisherigen Daseins von der Seele reden. Dabei gab sie Lore einen tiefen Einblick in den Charakter und das Leben eines armen, reichen Waisenkinds, das einen Ersatz für die schmerzlich vermisste Mutter suchte und dabei schon einige Male schwer enttäuscht worden war. So charmant Nathalia zu fremden Personen und Dienstboten sein konnte, so schnell verwandelte sie sich von einem Engel in einen kleinen Teufel, wenn sie ihre Bedürfnisse oder sich als Person missachtet sah. Zu Lores Erleichterung hörte sie jedoch zu, wenn man ihr etwas geduldig erklärte, und sie konnte auch einsichtig sein.

Lore verbrachte den ganzen Nachmittag mit ihr, und als der Gong zum Abendessen rief, stellte sie fest, dass sie ihre eigenen Sorgen und Nöte für einige Stunden vergessen hatte. Sie verabschiedete sich von Nathalia und ihrem Großvater, der ihnen eine Weile schweigend Gesellschaft geleistet hatte, und ging dann in den Salon zweiter Kajüte hinab. Auf dem Weg dorthin hatte sie auf einmal das Gefühl, von Blicken verfolgt zu werden. Sie blieb zuerst stocksteif stehen, bückte sich dann aber und band die Schleifen ihrer Schuhbänder neu. Dabei sah sie sich vorsichtig um.

In einer düsteren Ecke entdeckte sie Nathalias Vetter Ruppert. Seine schwarzen, eng zusammenstehenden Augen schienen sich regelrecht an ihr festzusaugen. Lore bekam es mit der Angst zu tun und ging rasch weiter. Zum Glück würde sie selbst dann, wenn sie sich entschloss, bei Nathalia zu bleiben, nichts mit Ruppert von Retzmann zu tun haben, denn dieser durfte deren Worten zufolge das Haus des alten Grafen nicht betreten. Wie Nati ihr erklärt hatte, war es reiner Zufall, dass Ruppert sich auf demselben Schiff befand wie sie selbst und ihr Großvater, doch Lore traute dem Braten nicht so recht. Daher war sie froh, als er sich mit einer ärgerlichen Handbewegung abwandte und wieder nach oben stieg.
Da sie sich gerade zu Ruppert umdrehte, wäre sie beinahe mit der hochgewachsenen Nonne zusammengestoßen, in der sie die Anführerin der Gruppe vermutete.
»Entschuldigen Sie vielmals«, flüsterte Lore und versuchte sich an Schwester Henrica vorbeizudrücken. Doch diese streckte die Hand aus und hielt sie am Ärmel fest.
»Bist du nicht das Mädchen aus Ostpreußen, das sich uns in Bremen hätte anschließen sollen?«
Lore wäre vor Verlegenheit am liebsten im Boden versunken, nickte aber unglücklich. »Das stimmt. Ich bin Lore Huppach. Unser Dienstmädchen, das mit mir nach Amerika reisen sollte, hatte jedoch Angst, wir könnten Sie in Bremen verpassen, und drängte daher darauf, nach Bremerhaven weiterzufahren und an Bord zu gehen. Aber Elsie ist nicht auf das Schiff mitgekommen, angeblich, weil sie ihre Handtasche verlegt hatte und diese suchen wollte. Und dann ist sie mit Gustav weggefahren und hat mich allein zurückgelassen!«
»Der Steward hat uns bereits von deinem Missgeschick mit der untreuen Zofe berichtet. Mir tut es sehr leid um dich. Aber ich finde, wir sollten uns jetzt zusammensetzen und überlegen, was mit dir geschehen soll.«

»Sehr gerne! Seien Sie mir bitte nicht böse, weil ich mich bis jetzt nicht bei Ihnen gemeldet habe. Aber ich war durch Elsies Verrat wie vor den Kopf geschlagen.« Lore hatte sich wieder gefasst und war erleichtert, als die Schwester ihre Entschuldigung lächelnd zur Kenntnis nahm.

»Wir haben gesehen, dass du dich um das kleine Waisenmädchen aus der ersten Klasse gekümmert hast. Das ist ein gottgefälliges Werk, Lore, und vielleicht sogar deine Bestimmung. In den Staaten gibt es nämlich viele Waisenkinder, und du wirst dir dort einen wunderbaren Wirkungskreis schaffen können. Ich glaube, du wirst eine Bereicherung für unsere Kongregation werden!«

»Was ist eine Kongregation?«, fragte Lore verblüfft.

»Das ist ein Ordenshaus, in dem wir Schwestern zusammenleben und von dem aus wir unseren gottgefälligen Dienst an unseren Nächsten verrichten. Es ist meistens einer Schule, einem Kindergarten oder einem Krankenhaus angeschlossen. Aber komm jetzt, liebe Lore! Heute Abend werden wir noch viel miteinander reden und einander kennenlernen. Es wird alles gut werden! Du brauchst dir wirklich keine Sorgen mehr zu machen.«

Lore nickte stumm und versuchte, der liebenswürdigen Schwester ein Lächeln zu schenken, doch sie spürte, dass es ihr kläglich misslang. Als sie dann bei den Nonnen am Tisch saß und ein freundlicher Steward ihr eine Tasse Kaffee und Plätzchen vorlegte, spürte sie, wie ihr Magen sich verkrampfte und der wenige Appetit, der ihr nach dem Abendessen noch geblieben war, rasch verflog. Sie wunderte sich darüber, denn sie hatte längst gelernt, das Leben so zu nehmen, wie es kam, und es gab zumindest im Augenblick keinen Grund für sie, mit dem Schicksal zu hadern.

Allerdings heulte draußen ein abscheulicher Wintersturm, und das Schiff stampfte, rollte und schlingerte so stark, dass sie sich sogar im Sitzen mit einer Hand am Tisch festhalten musste, um nicht vom Stuhl zu rutschen. Wahrscheinlich hatten sich deswe-

gen auch nur wenige Passagiere zum Abendessen eingefunden. Ihr selbst war jedoch nicht übel, und sie hatte auch keine Kopfschmerzen wie einige der Damen am Tisch. Auch den Nonnen schien das Schaukeln auf Magen und Gemüt zu schlagen.
Schwester Henrica sah Lore kläglich an. »Liebe Lore, ich möchte dich bitten, uns heute Abend zu entschuldigen. Wir wollen uns eine Weile ins Gebet versenken und Gott bitten, diesen Sturm zu besänftigen. Meine Mitschwestern und ich waren noch nie auf See und müssen uns erst daran gewöhnen. Wir sprechen morgen miteinander. Heute schließen wir dich in unsere Gebete ein und bitten Gott, dass er dir den richtigen Weg zeigen und deinen Eintritt in die Neue Welt segnen möge. Du solltest auch zu Bett gehen, Kind, denn du siehst sehr müde aus. Bete vor dem Einschlafen ein Ave-Maria, dann wird die Gottesmutter dich beschützen und leiten. Ich wünsche dir im Namen unseres Herrn Jesus Christus einen tiefen Schlaf und ein süßes Erwachen!«
»Danke, Schwester Henrica, und gute Nacht!« Nachdem sie sich von den Nonnen verabschiedet hatte, zog auch Lore sich in ihre Kabine zurück.

IV.

Während sie sich zum Schlafengehen zurechtmachte, kreisten Lores Gedanken rastlos hinter ihrer Stirn, ohne ein Ziel zu finden, und als sie sich ins Bett legte und die Decke bis über den Kopf zog, beschäftigte sie sich kaum mit dem immer stärker werdenden Schlingern des Schiffes, sondern mit ihrer Situation. Da sie im Dröhnen und Vibrieren des Rumpfes nicht einschlafen konnte, stand sie auf, zündete die Gaslampe an, wie der Steward es ihr gezeigt hatte, und breitete ihren geringen Besitz und das wenige Bargeld, das ihr noch geblieben war, auf dem anderen Bett aus. Das Geld, das ihr Großvater für die Reise vorgesehen hatte, hatte Elsie behalten, und mit den paar Münzen, die sie noch besaß, konnte sie wahrscheinlich nicht einmal ein Zimmer für eine Nacht mieten. Durch die Niedertracht ihrer Begleiterin war sie zu einer heimatlosen Bettlerin geworden.

Also musste sie entweder auf Nathalias Angebot eingehen, falls deren Großvater gewillt war, sie in seinen Haushalt aufzunehmen, oder sich für immer den Nonnen anschließen, die eine Kindergärtnerin oder eine Krankenschwester aus ihr machen würden. So oder so würde sie eine Art Dienstbotin werden, ein Schicksal, vor dem ihr Großvater sie hatte bewahren wollen.

Als sie den Segeltuchmantel, das letzte Geschenk ihres Großvaters, vor sich ausbreitete, fiel ihr auf, wie schwer das Ding war, und als sie versuchte, den Stoff glatt zu ziehen, stellte sie fest, dass er mehrere Beulen hatte, so als würden kleine Säckchen in den Taschen und im Innenfutter des Mantels stecken. Nun untersuchte sie den Mantel gründlich und förderte etliche Bündel zutage, die sorgfältig in geteertes Segeltuch eingeschlagen, zugebunden und an eingenähten Schlaufen befestigt waren.

Als sie die prall gefüllten Säckchen öffnete, fand sie allerlei nützliche, gut in Ölpapier eingewickelte Dinge darin wie ein Päckchen mit Hartbrot, Dauergebäck und eine steinharte Wurst. Außerdem förderte sie ein praktisches Reisenecessaire und ein Buch mit guten Ratschlägen für Auswanderer in die Neue Welt zutage. Dann folgte eine kleine Metallflasche, die einen scharfen Kräuterschnaps enthielt, wie er zu Hause bei Erkältungskrankheiten angewendet wurde, und ganz zuletzt fischte Lore aus einer versteckt angebrachten Innentasche ein dreifach verschnürtes Päckchen heraus, das gleich von mehreren Schichten wasserdichter Hüllen umgeben war.

Als sie diese entfernte, hielt sie eine ungewöhnlich große, gut verschlossene Tabaksdose in der Hand.
Als Lore diese öffnete und den Inhalt vor sich ausbreitete, wurde ihr fast schwindelig. Ganz zuoberst lag ein dickes Bündel grüner Scheine, auf denen »Dollar« stand. Obwohl sie nicht wusste, welchen Kurs die amerikanische Währung zu ihren gewohnten Talern auswies, begriff sie, dass sie ein Vermögen in der Hand hielt. Wahrscheinlich war es der größte Teil des Erlöses, den ihr Großvater für das Jagdhaus und seinen Wald erzielt hatte. Diesen Schatz hatte er ihr zukommen lassen, ohne Rücksicht darauf zu nehmen, dass er selbst kein Geld mehr für Lebensmittel hatte, geschweige denn für Heizmaterial oder sonstige wichtige Dinge. Lore fühlte sich von diesem Geschenk wie erschlagen und wünschte sich, sie hätte sich noch bei dem alten Herrn dafür bedanken können. Dieses Geld nahm ihr einen großen Teil ihrer Sorgen, bescherte ihr aber auch einen Haufen neue.
Lore fragte sich, ob ihr Großvater schon von Anfang an mit Elsies Unehrlichkeit gerechnet hatte. Zuzutrauen war es ihm. Nachdenklich packte sie alles wieder genauso ein, wie sie es vorgefunden hatte, und nahm sich vor, den Mantel als Andenken an ihren Großvater stets in Ehren zu halten. Dann wurde ihr schlagartig bewusst, dass sie ihn wegen seines wertvollen Inhalts tatsächlich nicht mehr aus den Augen lassen durfte. Das bedeutete nicht mehr und nicht weniger, als dass sie dieses Monstrum bei jeder nur möglichen Gelegenheit tragen musste. Sie fragte sich, was Nathalia und vor allem Graf Retzmann dazu sagen würde, wenn sie in dem Ding herumlief.
Mit einem letzten, tiefen Seufzer kroch sie wieder in ihre Koje und betete ein ausführliches Nachtgebet, in dem sie Jesus Christus und die Heilige Jungfrau um das Wohlergehen des alten Herrn bat. Dabei ahnte sie, dass er wahrscheinlich nicht mehr unter den Lebenden weilte. Schließlich hatte er ihr klarzumachen versucht,

dass er in der Nacht nach ihrer Abreise zu sterben wünsche, und wie sie ihn kannte, hatte er genau das getan. Daher sprach Lore noch das Gebet, das sie an seinem Grab hätte beten sollen. Auch wenn es ungehörig war, so dankte sie zum Schluss der Muttergottes, dass sie das Sterben ihres Großvaters nicht miterlebt hatte. Sie hatte an den offenen Särgen ihrer Eltern und Geschwister stehen müssen, und der Anblick reichte ihr für den Rest ihres Lebens. Um nicht wieder von jenen schrecklichen Erinnerungen bis in ihre Träume verfolgt zu werden, betete sie noch ein Ave-Maria und bat darin die Himmelsjungfrau um einen ruhigen, ungestörten Schlaf.

Das Gebet schien ungehört zu verhallen, denn an Einschlafen war nicht zu denken. Das Stampfen der beiden Schiffsmaschinen klang, als befände sie sich direkt im Maschinenraum, und das Schiff vibrierte so stark, dass der Becher, den sie neben sich auf die kleine Kommode gestellt hatte, über die erhöhte Kante kippte und zu Boden fiel. Gleichzeitig schlugen die Wellen wie mit riesigen Holzhämmern auf das Schiff ein, und der Rumpf ächzte und kreischte, als quetsche eine riesige Hand ihn zusammen. Lore spürte, wie ihr Herz vor Angst zu rasen begann, und sie flehte die Himmelsmächte an, ihr in diesen Stunden beizustehen.

V.

*I*rgendwann war Lore wohl doch eingeschlafen, denn sie wurde durch einen heftigen Schlag geweckt, dem ein zweiter, noch stärkerer folgte. Dabei flog sie wie von einer unsichtbaren Faust gepackt gegen die Wand der kleinen Koje. Es war, als hätte der Riese, der bereits seit Stunden auf den metallenen Rumpf einschlug,

einen noch gewaltigeren Hammer benutzt. Zwei-, dreimal schüttelte sich das Schiff, dann lag es still. Das Heulen des Sturms nahm jedoch noch zu, und die Wände schwangen wie eine Glocke. Das Stampfen der Maschinen ging in ein schnelles Vibrieren über und erlosch dann ganz.
Auf einmal war Lore hellwach. Etwas Schlimmes musste passiert sein. Entweder war das Schiff gegen etwas gestoßen, oder es war aufgelaufen und gestrandet.
Im Bruchteil einer Sekunde schoss Lore alles durch den Kopf, was sie in den letzten Tagen über Schiffskatastrophen gehört hatte. Lange Augenblicke schien es ihr, als sei sie das einzige Lebewesen, das an Bord dieser lärmerfüllten Hölle zurückgeblieben war, eingeschlossen in einem riesigen Sarg und zum Sterben in der Tiefe des Meeres verurteilt. Dann aber hörte sie Menschen um sich herum vor Angst schreien, nach anderen rufen oder panisch fragen, was geschehen sei. Einige fluchten unanständig, und in der Kabine nebenan erlitt eine Dame einen hysterischen Anfall.
Lore fühlte ihr Herz bis unter die Schädeldecke klopfen und saß noch einige Atemzüge lang wie erstarrt. Dann sprang sie auf, riss sich das lange Nachthemd über den Kopf und zog in fliegender Hast drei Schichten Unterwäsche an. Darüber kam alles, was sie noch an Kleidung besaß. Dabei lauschte sie angestrengt, um jedes Wort von draußen zu hören.
Gerade als sie dabei war, ihre Schafwolljacke überzustreifen, die anscheinend beim letzten Waschen eingelaufen war, kam Nathalia herein und warf sich heulend und kreischend in ihre Arme.
»Lore, das Schiff geht unter! Jetzt müssen wir auch ertrinken wie meine armen Eltern! Ich habe Angst! Ich will noch nicht sterben!«
Lore nahm das Kind in die Arme und versuchte, es zu trösten. »Nati, du brauchst keine zu Angst haben. Noch geht das Schiff nicht unter. Hörst du, was die Matrosen rufen? Alle Passagiere

sollen an Deck kommen! Es sind doch Rettungsboote da – und die vielen Patentflöße, zwischen denen wir gestern Verstecken gespielt haben. Komm, gib mir deine Hand. Wir laufen jetzt ganz schnell nach oben. Nein, warte! Du bist ja nur halb angezogen. Wir müssen erst wärmere Sachen für dich holen.«

Nathalia stampfte mit dem Fuß auf. »Nein, ich gehe nicht zurück in die Kabine! Du musst mich zum Rettungsboot bringen! Ich will nicht sterben, hörst du?«

»So kannst du nicht in die Kälte hinaus. Da erfrierst du schneller, als du ertrinkst! Komm, raus aus dem Mantel. Du ziehst darunter erst meine alte Wolljacke an. Dazu nehme ich noch meine kleine Reisedecke mit. In die wickele ich dich aber erst ein, wenn wir im Boot sitzen. Du wirst sehen, es wird alles gutgehen!«

Lore redete auf Nati ein, während sie erst ihren alten braunen Mantel und darüber den kostbaren Segeltuchmantel anzog, dessen Gürtel sie dreimal um sich schlingen musste. Doch das Kind ließ sich nicht überzeugen, dass es keine unmittelbare Gefahr fürchten müsse. Lore drohte ebenfalls den Mut zu verlieren, als sie hinter anderen schreckensbleichen Passagieren an Deck stieg, um auf einen Platz in den Rettungsbooten zu warten. Das Meer schien trotz der Kälte zu kochen. Gischt und eisiges Wasser spritzten über das Deck, und der Sturm trieb beißend kalten Schnee in jede Ritze. Schon nach kurzer Zeit waren die Augen verklebt und die Kleidung über und über mit Eiskristallen bedeckt. Irgendjemand rief nach ihr, doch brauchte Lore einen Moment, um Graf Retzmann zu erkennen. Er wollte auf sie zukommen, wurde aber von den panisch an Deck strömenden Menschen einfach beiseitegeschoben, und Lore verlor ihn wieder aus den Augen.

Ein paar Stewards und die beiden Stewardessen verteilten wulstige Schwimmwesten, die mit Kork und Pferdehaaren gefüllt waren, und schrien gegen den Sturm an, wie diese anzulegen seien. Lore kam der doppelte Gurt so schwer vor, dass sie befürchtete, damit noch schneller unterzugehen. Dennoch wollte sie auch Nathalia eine Schwimmweste umlegen. Das klobige Ding war jedoch viel zu groß für das puppenhafte Kind.

Einige Offiziere und ein Schwarm hektisch herumwirbelnder Matrosen versuchten, das erste der vier eisernen Boote zu Wasser zu lassen. Darin befanden sich fünf Matrosen, die die Ruder, mit denen sie das Boot vom Rumpf abhalten sollten, fest umklammert hielten.

Bis zur halben Höhe ging alles gut. Dann schnappten die Wellen gierig nach dem weißgetünchten Bootskörper, hoben ihn hoch und schleuderten ihn trotz aller Anstrengungen der Seeleute gegen den Rumpf des Dampfers. Es krachte entsetzlich, und die fünf Matrosen brüllten vor Angst, als steckten sie schon in des Teufels Bratpfanne.

Vor den Augen der Passagiere wurde das Boot ein zweites Mal wie von einer geisterhaften Hand angehoben und dann vom Schiff weggerissen.

Für einen Augenblick waren in der aufstiebenden Gischt noch fünf schattenhafte Gestalten zu sehen, die sich verzweifelt an das Boot klammerten. Dann wurde es von den Wellen und der Dunkelheit verschlungen. Weitere Wogen peitschten hoch und rissen auch das nächste Boot weg, das gerade ausgeschwenkt wurde. Die beiden Matrosen, die hineingeklettert waren, stürzten ins Wasser und verschwanden in der tobenden See.

Lore konnte den Anblick nicht länger ertragen. So hastig, als fürchte sie, als Nächste von den Wellen geholt zu werden, zwängte sie sich mit Nathalia im Arm zwischen den anderen Passagieren hindurch zur Treppe. Das immer noch hoch aus dem Wasser ragende Schiff schien ihr sicherer als die kleinen Boote, die dem Wüten der Elemente hilflos ausgeliefert waren. Auch Nathalia kehrte lieber in das bebende und ächzende Innere des Dampfers zurück.

Unter dem bogenförmigen Vordach des Niedergangs versperrte Nathalias Vetter ihnen den Weg. Ruppert rauchte eine Zigarre, die er sorgfältig mit der Hand gegen die Nässe und die heranstiebenden Schneeflocken schützte, und wirkte so gelassen, als ginge ihn das Chaos um ihn herum nicht das Geringste an. Den Blick ins Leere gerichtet und die Stirn in scharfe Falten gelegt, sah er ganz so aus, als würde er über ein Problem nachdenken, das mit der momentanen Situation nicht das Geringste zu tun hatte.
Als Lore sich an ihm vorbeischieben wollte, blickte er auf, schob die Unterlippe vor und stieß verächtlich die Luft zwischen den Zähnen heraus. »Siehe da, Komtess Nathalia und ihre neue Kindsmagd. Ich würde das Weibsstück an deiner Stelle wieder dorthin schicken, wo es hingehört – ins Zwischendeck zu den anderen stinkenden Bauernweibern. Mit solchem Lumpenpack als Dienstbotin schmeißt man dich aus jedem anständigen Hotel hinaus!«
Lore fragte sich, warum Ruppert von Retzmann trotz der entsetzlichen Lage, in der sie sich alle befanden, so gereizt auf ihre Anwesenheit reagierte. Doch er hatte sich einen schlechten Zeitpunkt für seine Häme ausgesucht. Die Tünche des frühreifen Kindes war von Nathalia abgefallen, und übrig blieb eine zu Tode geängstigte Siebenjährige, die sich an Lore klammerte, als sei sie der einzige Rettungsanker in dieser aus den Fugen geratenen Welt.
Als Ruppert die Hand nach ihr ausstreckte, um sie Lore abzunehmen, kreischte sie laut auf und schlug nach ihm. Seine Zigarre flog auf den Boden und verglühte zischend in einer schwappenden Wasserlache.
»Du kleines Miststück!«, fluchte Ruppert und wollte Nati und Lore auf das Deck zurückstoßen, über das eben ein gewaltiger Brecher hinwegfegte.
In diesem Moment stolperte ein älterer Passagier herein. Von der Wucht des Wassers getrieben, verlor er den Halt und prallte gegen

Ruppert. Der trat einen Schritt zurück und ließ den Mann zu Boden stürzen. Erst als Lore, die mit Nati auf dem Arm selbst um ihr Gleichgewicht kämpfte, dem alten Mann die freie Hand reichte, bemühte Ruppert sich lässig, dem anderen auf die Beine zu helfen. Der Mann starrte ihn verunsichert an und klammerte sich unter dem Stoß der nächsten Welle an das Treppengeländer.

»Sie sollten hier nicht im Weg stehen und die Leute behindern, Herr von Retzmann. Der Kapitän hat allen Passagieren befohlen, unter Deck zu gehen. Wir haben gerade das letzte Rettungsboot verloren, und die Patentflöße lassen sich bei der schweren See nicht zu Wasser bringen. Wir werden warten und beten müssen, dass uns bei Tageslicht andere Schiffe zu Hilfe kommen!«

Ruppert murmelte etwas, das bei gutem Willen als Entschuldigung durchgehen mochte, drehte sich ruckartig herum und lief die Treppe hinunter. Lore ließ dem älteren Herrn den Vortritt und folgte ihm vorsichtig über die von der eindringenden Gischt glitschig gewordenen Stufen. Hinter ihnen stolperten durchnässte, verfrorene und verstörte Gestalten herab, die in keiner Weise mehr an die vornehmen Passagiere der ersten Kajüte erinnerten.

In den Gängen des Hauptdecks, aber auch in und vor den Kabinen der zweiten Kajüte hatten sich die Zwischendeckpassagiere niedergelassen. Genau wie der untere Salon waren ihre eigenen Räume mit heißem Dampf gefüllt. Lore erfuhr nun, dass der Boden der *Deutschland* beim Auflaufen auf eine Sandbank aufgerissen worden war und seitdem Wasser von unten in den Rumpf strömte und bereits in die Feuerungen der Maschinen gedrungen war. Der dabei entstandene Dampf hatte mehrere Heizer und Kohlentrimmer getötet, und die Räume bis hoch zum Zwischendeck durften nicht mehr betreten werden. Nun stand das Wasser bereits hoch über den Kohlenbunkern und den Maschinenräumen.

Das Schiff neigte sich mehr und mehr zum Bug, und so bildete der Boden des oberen Salons eine schiefe Ebene, die Lore und

Nathalia mit zitternden Beinen hinaufstiegen, um die Kabine des Kindes aufzusuchen.
Nicht weit von Natis Kabinentür saßen vier Passagiere an dem Tisch, der am weitesten im Heck stand, und wetteiferten, wer die meisten Schreckensberichte über Schiffsuntergänge zu erzählen wusste. Um diesem Gerede zu entkommen, wollte Lore schnell in Natis Kabine verschwinden.
Sie wurde jedoch von dem Diener des alten Grafen aufgehalten. Dieser hatte das Kind bereits gesucht und war froh, dass Lore sich seiner angenommen hatte. Lore sah, dass der Mann Todesangst litt und nahe daran war, die Nerven zu verlieren. Daher erklärte sie ihm energisch, dass sie weiterhin auf Nathalia aufpassen werde, und befahl ihm kurzerhand, seinem Herrn beizustehen und diesen nicht mehr allein zu lassen.

VI.

Mit den Schiffsmaschinen war auch die Dampfheizung ausgefallen, und von überall kroch klamme Kälte herein. Lore suchte unter Natis Kleidung vergeblich nach warmen Sachen. Sie fand nur modische Kleidchen und Unterwäsche mit Firlefanz aus Spitzen. Dennoch zog sie das Mädchen um, dessen Kleidung feucht geworden war, räumte den Rest wieder weg und behielt nur den eleganten Pelzmantel griffbereit, der offensichtlich auf Zuwachs gekauft und Nati noch viel zu groß war. Diesen würde sie dem Kind überziehen, wenn sie sich wieder dem Toben der Elemente aussetzen mussten.
Ihre eigene Reisedecke war bei dem Aufenthalt auf Deck völlig durchnässt worden, und so ließ Lore sie ohne Bedauern fallen.

Stattdessen zog sie die feine Decke von Natis Bett und machte es sich mit der Kleinen auf der Couch bequem. Um das völlig verstörte Kind zu beruhigen, nahm sie es in die Arme und begann ihm jene Gutenachtgeschichten zu erzählen, die ihre Mutter ihr und ihren Geschwistern einst vorgelesen hatte. Dabei lauschte sie angespannt, was sich draußen im Salon und auf dem übrigen Schiff tat.

Das Brausen und Heulen des Sturms wollte und wollte nicht nachlassen, und die Wellen schlugen auf das bebende Schiff ein, als könnten sie es nicht erwarten, den eisernen Rumpf aufzubrechen und seinen Inhalt mit sich in die unergründlichen Tiefen zu nehmen.

Nati lag so stumm da, als habe ihr die Angst die Sprache geraubt, und sie rührte sich auch nicht, als ihr Großvater die Kabinentür aufriss und bei ihrem Anblick vor Erleichterung schnaufte. Zuerst nickte er Lore anerkennend zu, schüttelte dann aber den Kopf und sagte: »Ihr dürft euch hier nicht verstecken. Geht, schließt euch den anderen Fahrgästen an! Sonst kann es passieren, dass ihr nicht mehr rechtzeitig zu den Flößen kommt, wenn das Schiff geräumt werden muss. Das Wasser im Rumpf steigt beständig, und die männlichen Passagiere müssen sich bereits mit den Matrosen an den Handpumpen abwechseln, um den Rumpf so lange wie möglich über Wasser zu halten. Daher kann ich mich nicht um euch beide kümmern, wie ich es gerne täte. Haben Sie verstanden, was ich gesagt habe, Fräulein?«

Lore nickte bedrückt. »Ja, Herr Graf. Nathalia und ich werden uns in den Salon setzen, damit wir nicht übersehen werden.«

»Sehr gut! Wenn wir hier heil herauskommen, werde ich mich erkenntlich zeigen, das verspreche ich Ihnen. Bis dahin aber vertraue ich Ihnen das Leben meiner Enkelin an. Lassen Sie sie keinen Augenblick aus den Augen!«

»Ja, Herr Graf«, antwortete Lore. Sie hatte ohnehin nicht vor, sich

von Nati zu trennen. Die Sorge um das verängstigte Kind lenkte sie von ihrer eigenen Angst ab, die ihr wie ein großes, schwarzes Ungeheuer im Nacken hockte.
Graf Retzmann schien ihre Gedanken lesen zu können, denn er klopfte ihr dankbar auf die Schulter. »Sie brauchen nicht in Panik zu geraten, Fräulein. Wir sind nicht an irgendeiner wilden Küste, sondern unweit der Hauptfahrrinne mitten in der Themsemündung gestrandet. Hier herrscht dichter Verkehr. Sobald es hell wird, werden wir von dem nächsten Schiff, das uns sieht, gerettet.«
Die ruhige, beherrschte Art des Grafen flößte Lore Zuversicht ein, und so kehrte sie mit Nati in den Salon zurück. In den nächsten Stunden wünschte Lore sich jedoch, sie hätte dem Grafen nicht versprochen, bei den anderen Passagieren zu bleiben. Wie sollte sie ihre Nerven behalten, wenn selbst erwachsene Männer die Fassung verloren und vor Angst zitterten und greinten?
Auch schien so schnell nichts aus der erhofften Rettung zu werden, denn die Nacht wollte und wollte nicht weichen. Durch die Oberlichten konnte man sehen, dass schwere Wolken mit dem Sturm über den Himmel jagten, und immer wieder nahm das Schneetreiben allen, die Ausschau hielten, die Sicht.

VII.

Am späten Vormittag endlich schien das Schlimmste überstanden zu sein. Die Flut hatte ihren Höhepunkt überschritten, und das Wasser sank. Auch der Sturm hatte etwas nachgelassen. Inzwischen war es den Matrosen gelungen, eine Dampfpumpe zum Laufen zu bringen, und sie brachten damit das Wasser fast ebenso

schnell wieder aus dem Rumpf, wie es nachströmte. Daher konnten die Männer an den Handpumpen ein wenig Atem schöpfen.
Auch die Sicht wurde besser, und selbst die Passagiere im unteren Salon, der wieder betretbar war, konnten die Kanonenschüsse hören, die das Feuerschiff von Kentish Knock in regelmäßigen Abständen abfeuerte. Dort hatte man die Havarie des NDL-Dampfers *Deutschland* offensichtlich bemerkt.
»Es wird nicht mehr lange dauern, dann kommt Hilfe!«, sagte einer der Stewards, um die verängstigten Passagiere zu beruhigen. Dennoch befahl der Kapitän sicherheitshalber, die Ladung über Bord zu werfen, um den Schiffsrumpf zu entlasten, und überdies alle Lebensmittelvorräte auf das Hauptdeck und ins Ruderhaus zu bringen.
Mit einem Mal lockten laute Jubelrufe die Passagiere auf das Deck, das nun, da Ebbe eingesetzt hatte, nicht mehr von Brechern überspült wurde. Auch Lore eilte mit Nati nach draußen. Einer der Matrosen zeigte auf einen großen Viermaster in der Ferne. Sein Rumpf lag noch unter der Kimm, und so konnte man nur die knappe Sturmbesegelung erkennen, die über den Wellen zu tanzen schien. Da die bordeigene Signalkanone in der allgegenwärtigen Nässe nicht mehr zu zünden war, ließ Kapitän Brickenstein Pistolen abfeuern, um den Segler auf die *Deutschland* aufmerksam zu machen.
Das Schiff kam näher – und zog vorbei, ohne seinen Kurs zu ändern. Die Menschen an der Reling sahen ihm teils stumm, teils schimpfend und jammernd nach. Mehr als eine Faust fuhr in die Luft, und der Sturm riss etliche böse Wünsche für den Klipperkapitän von den Lippen.
Lore versicherte ihrem jammernden Schützling, dass die Leute von dem Segelschiff im nächsten Hafen Bescheid geben und daher bald Retter erscheinen würden. Daran versuchte sie selbst ebenfalls zu glauben, doch als der Mittag nahte und der Sturm

erneut zu toben begann, brauchte sie ihre ganze Kraft, um sich nicht in der dunkelsten Ecke zu verkriechen, die sie finden konnte. Sie wäre auch zurückgeschreckt, denn in allen düsteren Winkeln hatten sich schon andere, unangenehme Zeitgenossen breitgemacht – die Schiffsratten, die aus den unteren Decks heraufkamen und pfeifend nach neuen Verstecken suchten. Da Lore sich wegen Graf Retzmanns Befehl nicht mit Nati in die Kabine zurückziehen durfte, wanderte sie mit dem Kind an der Hand oder auf dem Arm ziellos auf dem wieder trockenen Hauptdeck umher, bis der Gong vor der Bordküche sie zu Tisch rief.
Das verspätete Mittagessen verlief erstaunlich alltäglich, wenn man davon absah, dass die Passagiere aller drei Klassen und die abkömmlichen Matrosen einträchtig zusammensaßen und die meisten Esstische mit Kisten und auf dem Boden ausgebreiteten Decken improvisiert worden waren. Da sich die Kombüse auf dem Hauptdeck befand, gab es sogar eine warme Suppe.
Noch ehe der letzte Teller verteilt war, schrie von draußen jemand herein: »Da kommt wieder ein Schiff! Ein Dampfer!«
Wäre die *Deutschland* in diesem Augenblick unter den Füßen der Menschen auseinandergebrochen, das Chaos hätte kaum größer sein können. Die meisten ließen alles stehen und liegen und liefen an Deck. Im Nu waren die Treppen von ungeduldigen Passagieren und brüllenden Matrosen verstopft, die auf ihre Positionen gerufen worden waren, und der Kapitän und die Offiziere hatten alle Hände voll zu tun, um wieder Ordnung zu schaffen.
Schließlich stand auch Lore mit vielen anderen an der Reling und starrte auf die schwarze Silhouette eines Dampfers, der an seinen beiden Masten Sturmbesegelung aufgezogen hatte und eine dünne Rauchfahne ausstieß, die vom Wind sofort zerrissen wurde.
Im dichter werdenden Schneetreiben schob sich der Rumpf des Schiffes quälend langsam über die Kimm, und bald war abzusehen, dass er ebenso gemächlich wieder dahinter verschwinden

würde. Einige Matrosen und Passagiere feuerten Pistolen ab, doch gegen das Brüllen der entfesselten Elemente klangen ihre Notsignale so dünn, dass sie kaum von einem Ende der *Deutschland* bis zum anderen zu hören waren. Dann trieben die wild anrollenden, sich am Schiffsrumpf brechenden Wellen die Passagiere wieder zurück in den Salon. Mit der aufkommenden Flut begann das Wasser wieder zu steigen, und die Aussicht auf Rettung sank.

Gerade als Lore sich anschickte, wieder in die spärliche Wärme und die zweifelhafte Sicherheit des Hauptdecks zurückzukehren, überschüttete eine besonders heftige Woge das obere Deck mit Wasser und Gischt. Instinktiv klammerte sie sich an einer Ecke des Pavillons fest, um nicht mit dem Kind auf dem Arm umgerissen zu werden. Dabei sah sie aus den Augenwinkeln, wie jemand mit einem Ruck nach vorne stolperte, das Gleichgewicht verlor und von dem ablaufenden Wasser unbarmherzig auf eine Lücke in der Reling zugetrieben wurde. Lore erkannte Nathalias Großvater und schrie gellend auf.

Ein Matrose drehte sich um, sah, was passierte, und war mit einem Satz bei dem alten Herrn. Er packte ihn im allerletzten Moment und zerrte ihn aus dem Sog der Welle heraus. Allerdings konnte er nicht verhindern, dass sie beide gegen das Deckhaus geschleudert wurden.

Lore war unwillkürlich zurückgewichen, um nicht selbst von der Welle mitgerissen zu werden. Dabei bemerkte sie, dass Ruppert von Retzmann nicht weit von ihr entfernt über eine halbaufgelöste Taurolle stolperte und sich hastig zur anderen Schiffsseite entfernte. Dort drehte er sich um, und sie sah in ein von Hass und Wut entstelltes Gesicht, auf dem sich nun ein Ausdruck von Enttäuschung breitmachte. In dem Augenblick hätte sie ihre eigene Seligkeit verwettet, dass Nathalias Großvater nicht ohne Zutun gestürzt war. Ruppert musste ihn auf die gefährliche Stelle zugeschubst haben.

Doch als Lore sich dem alten Grafen zuwandte und ihn fragte, ob sie ihm helfen könne, bog Ruppert um die Deckaufbauten und beugte sich scheinbar besorgt über seinen Großvater. Zum Glück waren weder der alte Graf noch der Matrose ernsthaft verletzt. Durch die wasserdichte Ölkleidung, die sie beide trugen, waren sie noch nicht einmal sonderlich nass geworden, was bei dieser Kälte äußerst unangenehm hätte werden können.
Da der alte Graf seinen Enkel mit herablassender Höflichkeit behandelte und ihn wegschickte, ohne ein Wort über den Zwischenfall zu verlieren, nahm Lore an, sie habe sich getäuscht. Dennoch zweifelte sie daran, dass die Welle stark genug gewesen war, einen kräftigen Mann umzureißen, und blickte vorsichtig über die Schulter. Nicht weit hinter ihr stand Ruppert, die Rechte zur Faust geballt, und musterte sie so finster, dass sie unwillkürlich schauderte.
Rasch wandte sie Natis Vetter den Rücken zu und begleitete den alten Herrn nach unten. Dort half sie ihm anstelle seines fahrigen Dieners, die nassen Stiefel und Socken auszuziehen. Gleichzeitig musste sie Nathalia trösten, der bei dem Sturz ihres Großvaters der Schreck so in die Glieder gefahren war, dass sie sich nicht beruhigen wollte. Dabei nahm sie wahr, wie der alte Graf nachdenklich zu Ruppert hinübersah, der eben seinem Diener den nassen Mantel reichte und dem Lore auf Anhieb unsympathischen Lakaien in barschem Ton Anweisungen erteilte.
Für einen Augenblick trafen sich die Blicke der beiden Herren von Retzmann, und Lore wurde klar, wie sehr die Männer einander verabscheuten. Ruppert winkte schließlich mit einer verächtlichen Bewegung ab und ließ sich von seinem Diener eine seiner großen Zigarren anzünden. Dann schlenderte er mit hochmütiger Miene zwischen den am Boden kauernden Zwischendeckpassagieren hindurch und verschwand aus dem Salon.
Nachdem Ruppert gegangen war, wagte Lore es, Graf Retzmann

zu fragen, ob er oben an Deck über eine Taurolle oder einen Poller gestolpert wäre oder wieso er an dieser gefährlichen Stelle den Halt verloren habe.

Der Kopf des alten Mannes ruckte hoch, und er starrte Lore durchdringend an. »Warum fragen Sie mich das, Fräulein? Haben Sie genau beobachtet, was passiert ist?«

»Nein, Herr Graf, ich habe nur gesehen, wie Sie auf die Öffnung zugetrieben worden sind«, antwortete sie verlegen. »Allerdings kam es mir eigenartig vor. Dort war nämlich nichts, über das Sie hätten stolpern können.«

Der alte Mann seufzte. »Sie sollten sich darüber keine Gedanken machen, mein Kind. Es ist ja noch einmal gutgegangen. Alte Leute wie ich stehen nun einmal nicht mehr ganz so fest auf den Beinen. Übrigens – ich habe Ihren Schrei gehört und denke, Sie haben damit entscheidend zu meiner Rettung beigetragen. Dafür und für das, was Sie für meine kleine Enkelin tun, danke ich Ihnen von ganzem Herzen. Versprechen Sie mir aber eines: Halten Sie sich von Nathalias Vetter fern und bleiben Sie immer in Sichtweite anderer Passagiere und der Besatzungsmitglieder. Vor allem aber meiden Sie alle dunklen und einsamen Orte an Bord dieses Wracks und passen Sie auch später gut auf sich und Nati auf. Ich fürchte, Sie haben sich dadurch, dass Sie sich um meinen kleinen Engel kümmern, einen gefährlichen und unberechenbaren Feind geschaffen. Trotzdem bitte ich Sie, Nathalia keine Sekunde aus den Augen zu lassen, bis wir wieder sicheren Boden unter den Füßen haben. Ich fürchte, es könnte ihr sonst in dem Durcheinander, das hier herrscht, ein Unglück zustoßen.«

Lore versicherte dem Grafen, dass sie Nati hüten würde wie ihr eigenes Leben. Es klang in ihren Ohren furchtbar pathetisch und gestelzt, doch der alte Herr nickte beifällig.

»Ich hoffe, ich kann es Ihnen vergelten. Sollte ich nicht gerettet werden, müssen Sie sich an meinen Freund und Geschäftspartner

Thomas Simmern in Bremen wenden. Ich habe ihn schon vorsorglich zu meinem Testamentsvollstrecker und zu Nathalias Vormund ernannt. Er wird wissen, was zu tun ist. Sie können ihn über die Niederlassung des Norddeutschen Lloyd in London erreichen. Ich bin Gesellschafter der Firma, und daher wird man dort für meine Enkelin und deren Betreuerin alles tun, um euch sicher nach Hause zu bringen. Bitte verlassen Sie meine Kleine nicht, bevor sie bei meinem Freund in Obhut ist. Ich habe hier ein Bündel Papiere, das ich Ihnen in Verwahrung geben will, und ich werde noch einen Brief mit Anweisungen für Ihre Zukunft schreiben und ihn dazulegen. Hat dieser seltsame Mantel, den Sie tragen, auch Innentaschen? Dann können Sie das Päckchen und das Reisegeld, das ich Ihnen gebe, sicher unterbringen.«
Der alte Mann schwieg für einen Augenblick und krallte die Finger seiner Rechten so fest in Lores Schulter, dass es trotz des dicken Schiffermantels weh tat.
»Eines ist ganz wichtig«, fuhr er eindringlich fort. »Lassen Sie sich auf keinen Fall mit Ruppert ein! Er darf auch von diesen Papieren nichts erfahren. Trauen Sie ihm nicht und hüten Sie sich, ihm Nathalia auszuliefern! Schwören Sie mir, dass Sie alles tun werden, um ihm aus dem Weg zu gehen, bis ihr bei Thomas Simmern in Bremen und damit in Sicherheit seid! Ruppert wird möglicherweise versuchen, sich als Nathalias Vormund aufzuspielen. Dann zeigen Sie den Behörden meinen Brief und verlangen nach unserem NDL-Repräsentanten.«
»Das werde ich tun!«, versicherte Lore. Um der Situation die kaum noch erträgliche Spannung zu nehmen, versuchte sie zu lächeln und fragte: »Wie viele der Zehn Gebote hat Natis Vetter denn schon gebrochen?«
Graf Retzmann biss sich auf die Lippen. »Ich fürchte, er hat kein einziges ausgelassen! Nein, ganz ehrlich, mein Fräulein, ich weiß es nicht. Ich wollte mich bei unserem Aufenthalt in London mit

Thomas Simmern treffen, um eben das herauszufinden, damit ich nach meiner Rückkehr aus Amerika die entsprechenden Schritte einleiten kann. Die Andeutungen in den Briefen meines Freundes lassen mich das Schlimmste befürchten. Aber wahrscheinlich sehe ich zu schwarz. Ich will Ihnen keine unnötige Angst machen, aber Sie sollten …«
Es folgten noch eine Reihe von eindringlichen Ermahnungen mit allerlei Einzelheiten, die Lore sich gehorsam zu merken versuchte. Hinter ihrer Stirn aber rasten die Gedanken. Wie es aussah, hatte sie sich den Mordversuch doch nicht eingebildet. Beinahe wäre es Ruppert gelungen, seinen Großvater umzubringen und es wie ein Unglück aussehen zu lassen. Der alte Herr wusste das. Aber warum schwieg er? Warum klagte er ihn nicht an und ließ ihn von Kapitän Brickenstein festnehmen? Dazu hatte dieser, wie sie gehört hatte, durchaus das Recht. Wollte er den danach unvermeidlichen Skandal verhindern? Das wäre bei einem Mann aus seinen Kreisen durchaus denkbar. Oder glaubte der alte Herr nicht mehr an seine Rettung? Seine Worte hatten wie ein Testament geklungen. Doch wenn dies so war, hatte er sich in ihr eine armselige Vollstreckerin ausgesucht.
Lore hätte gerne die Antwort gewusst, doch sie wagte es nicht, ihn zu fragen. Seit dem Tod ihrer Eltern hatte sie panische Angst vor Unglücksfällen. Doch nun war sie selbst Teil einer Katastrophe und fand sich zudem in einer jener Mordgeschichten wieder, die Elsie in vergilbten Gazetten und Monatsblättern gelesen und ihr erzählt hatte. Das Ganze erschien ihr so unwirklich, dass sie sich fragte, ob sie noch zu Hause im Lehrerhaus in ihrem Bett lag und das alles nur träumte.
Sie schüttelte energisch den Kopf. Das untergehende Schiff und die fluchenden, jammernden und betenden Menschen in dem nur noch spärlich beleuchteten Salon stellten die Wirklichkeit dar, der sie sich eben durch ihre Phantasie zu entziehen versucht hatte.

Auch war Nati keine Porzellanpuppe, die sie herumschleppte, um sich damit zu trösten, sondern ein zu Tode geängstigtes Menschenkind, für das sie eine Verantwortung übernommen hatte, die ihr nun wie ein Mühlstein am Hals hing.
Dabei war sie doch selbst fast noch ein Kind, das viel zu früh die Eltern verloren hatte und seit jenem Tag so tun musste, als sei es bereits erwachsen. Wie konnte sie Nati trösten, wenn sie selbst Trost benötigte? So wie das Meer um das Schiff tobte, würden sie beide bald tot sein, und dann spielte es keine Rolle mehr, ob es einen Ruppert von Retzmann gab oder nicht.

VIII.

Die Dampfpumpe war schon vor geraumer Zeit ausgefallen. Daher drang das Wasser mit steigender Flut immer schneller in den Rumpf, und es war immer noch keine Rettung in Sicht. Passagiere, die bis nach Einbruch der Dämmerung draußen an Deck ausgeharrt hatten, um nach Hilfe Ausschau zu halten, kamen verfroren und entmutigt herunter. Das Vorschiff, so sagten sie, versinke bereits in den Wellen, und auch das Hauptdeck stehe schon zum Teil unter Wasser.
Zum Glück lag das Heck des Dampfers ein ganzes Stück höher, und so boten der Salon der ersten Kajüte und die an ihn angrenzenden Kabinen noch eine trockene Zuflucht.
Zuerst lagerten die Passagiere aller drei Klassen dicht an dicht nebeneinander auf den Sofas, am Boden und teilweise auch schon auf den Tischen. Die Kisten, die als Behelfstische gedient hatten, wurden auf Befehl des Kapitäns samt den in ihnen enthaltenen Vorräten in das Ruderhaus geschafft. Dennoch wurde der Platz

immer knapper. Die Flut drang unaufhörlich herein, und das Schiff ächzte und stöhnte unter den Schlägen der entfesselten Elemente. Das Kreischen des gequälten Eisens übertönte das Jammern und Schreien der Frauen und Kinder und auch die Gebete, mit denen die fünf jungen Nonnen gegen die Angst der Passagiere und ihre eigene anzukämpfen suchten. Gott schien jedoch weit weg zu sein, denn Wind und Wasser rasten um das Schiff, als hätte sich die Hölle aufgetan, um es zu verschlingen.
Obwohl Lore erst seit kurzem Katholikin war und ihre Frömmigkeit mehr angelernt war als wirklicher Glaube, wollte sie näher an die Nonnen heranrücken, um gemeinsam mit ihnen zu beten. Nathalia aber bemerkte ihre Absicht und wehrte sich mit Händen und Füßen dagegen. »Nein! Nein! Du gehst nicht zu den Betschwestern. Bei ihnen ist der Tod! Meine Mutter hat auch mit einer dieser schwarzen Krähen gebetet, statt mit mir in das erste Rettungsboot zu steigen! Deswegen ist sie gestorben, und dann mussten sich fremde Leute um mich kümmern!«
»Pst! Nati, schäm dich! So etwas darfst du niemals sagen. Die Nonnen sind sehr nett, und sie beten für unser aller Rettung. Ich glaube, das ist das Einzige, was uns noch helfen kann. Wir beide sollten ebenfalls beten.« Obwohl Lore versuchte, Nathalia zu beruhigen, quengelte diese so lange, bis sie nachgab und sich trotz der gischtgetränkten Windböen, die von oben hereinstoben, auf die Freitreppe setzte. Dabei starrte sie auf das eindringende Wasser, das näher und näher kam, bis es schließlich durch den Salon schwappte und sich anschickte, die Sofas zu ertränken.
Die Passagiere, die auf den Tischen keinen Platz mehr fanden, drängten nun über die Freitreppe nach oben. Doch im Deckpavillon und auf der Brücke standen die Menschen bereits so dicht, dass keine Maus mehr dazwischenpasste. Deswegen befahl Kapitän Brickenstein gegen zwei Uhr nachts allen männlichen Passagieren, zusammen mit den Matrosen in die Wanten der beiden

Masten zu klettern, damit Frauen und Kinder in den Deckaufbauten Platz finden konnten. Angesichts des tobenden Wintersturms war diese Kletterpartie selbst für kräftige und mutige Männer ein Alptraum. Doch das Wasser trieb die zögernden Menschen unbarmherzig vor sich her.

Lore drückte Nati so fest an sich, dass die Kleine die Arme um ihren Hals und die Beine um ihre Taille schlingen konnte. Dann ließ sie das Mädchen von einem Matrosen vor ihrer Brust festbinden, um selbst die Hände frei zu haben. Geborgen in ihrem Pelz, hing Nati unter dem voluminösen Segeltuchmantel wie ein kleines Äffchen auf dem Bauch der Mutter. Während immer mehr Frauen an Deck strebten, war Lore bemüht, den alten Grafen und dessen vor Angst schlotternden Diener nicht aus den Augen zu verlieren. Von oben warf sie noch einen letzten Blick in den Salon hinab, wo das Wasser schon auf Sitzhöhe der Sofas schwappte und die zurückgebliebenen Frauen dicht an dicht auf den stabilen Tischen standen, die Gesichter teils verzweifelt, teils hoffnungsvoll den betenden Franziskanerinnen zugewandt.

Obwohl Kapitän Brickenstein unermüdlich versuchte, Herr der Lage zu bleiben und für alle einen sicheren Platz zu schaffen, standen die Menschen im Deckpavillon so eng beieinander, dass ihnen trotz der hereinfauchenden Sturmböen kaum Luft zum Atmen blieb.

Aus Angst, Nati könnte durch die dichtgedrängten Menschen zu Schaden kommen, wich Lore immer weiter auf das offene Deck hinaus. Schon bald wurde sie von jedem Brecher mit Gischt überschüttet, und das über das Deck schlagende Wasser drohte sie von den Beinen zu reißen. Verzweifelt klammerte sie sich an den Türrahmen des Deckpavillons und suchte nach einem sichereren Ort. Nati krümmte sich vor Angst und schrie nach ihrem Großvater. Für Lore verlor die Vorstellung, an einem dünnen Seil hoch über der kochenden See zu hängen, allmählich ihren Schrecken. Alles war besser, als weiterhin der eisigen Gischt ausgeliefert zu sein und Angst haben zu müssen, von der nächsten Welle erfasst und über Bord gerissen zu werden. Sie hielt den nächsten Matrosen an, der sich an ihr vorbeihangelte, und bat ihn, auch sie zu einem der Masten zu bringen.

Der Matrose schüttelte den Kopf und schrie: »Nur die Männer! Kapitän …«

Ein Schwall eiskalten Wassers riss ihm die Worte vom Mund, und Lore fühlte eine Welle von Panik in sich aufsteigen. Sollte sie hier draußen stehen bleiben, bis die nächste, größere Woge sie und Nati mit sich nahm und unbarmherzig ertränkte? Sie hatte noch die Schreie der Matrosen im Ohr, die mit den verunglückten Rettungsbooten mitgerissen worden waren. Mit aller Kraft klammerte sie sich an den Mann und hinderte ihn daran, weiterzuklettern. Er rief etwas, das wie Ruderhaus klang. Doch auch dort standen die Leute zusammengepresst wie Heringe in einem Fass. Im schwachen Schein der Petroleumlampen, der aus dem Inneren drang, sah Lore die Kette der Matrosen, die den Männern half, zum vorderen Mast zu kommen, an dessen Fuß schon die Wellenkämme hochbrandeten.

Gerade als Lore überlegte, doch zum Ruderhaus zu gehen, zerrten die Matrosen den alten Diener des Grafen hinaus in die Dunkelheit. Der Mann brüllte vor Angst, als wollten sie ihn umbringen.

»Lasst den armen Mann hier und bringt mich zu Graf Retzmann hoch«, schrie Lore gegen den pfeifenden Sturmwind an. »Ich habe seine Pillen in der Tasche. Er braucht sie dringend!«

Die Männer stutzten und sahen den Kapitän an. Der warf einen Blick auf Lores ärmlichen, skurrilen Aufzug, zuckte mit den Schultern und winkte den Matrosen zu, sie zum vorderen Mast zu bringen. Er hatte sie als Dienstbotin eingestuft, und mit solchen machte man nicht viel Federlesens. Lore wurde daher wie ein Sack durchgereicht und dann von mehreren Männern angehoben, bis sie die Sprossen einer Art Strickleiter greifen konnte. Diese war nass, teilweise mit Eis überzogen und führte nach oben in eine unheimliche Schwärze. Irgendwo dort aber musste Nathalias Großvater sein.

Zwei, drei Herzschläge lang klammerte Lore sich wie zu Stein erstarrt an die Wanten. Unter ihr brauste das Wasser von den Schlägen des Sturms. Windböen zerrten an ihr, und Nati hing wie ein Bleiklumpen an ihrem Hals. Die Matrosen unter ihr schimpften, weil sie nicht weiterkletterte. In ihrem Rücken heulte eine Frau auf, und ihre durch Mark und Bein dringende Stimme übertönte sogar das Crescendo der Elemente.

»Mein Kind, mein Adam ist tot! Er ist ertrunken!«

Der Gedanke, dass Nati ebenso sterben könnte wie der kleine Junge, gab Lore den notwendigen Ruck. Sie biss die Zähne zusammen und stieg die schwankenden Seilstege aufwärts, bis sie die Stimme des alten Grafen über sich hörte. Graf Retzmann hatte Natis Geheul vernommen und leitete Lore mit knappen Befehlen zu sich. Gemeinsam mit einem anderen Passagier half er ihr auf die kleine Ausguckplattform, die sich ungefähr in halber Höhe des Mastes befand, und band sie dort mit dem langen Gürtel ihres Segeltuchmantels und einem am Mast herabhängenden Tauende fest. So saß sie in schwindelnder Höhe gegen das glatte Holz gelehnt, während Nati wohlverpackt auf ihrem Schoß hockte, und musste mit anhören, wie unter ihr der Tod seine Ernte einfuhr.

Die See schickte immer höhere Wellen, die mit zerstörerischer Wucht über das Schiff hereinbrachen. Die Brecher ließen den Mast erzittern, so dass die Wanten wie Klaviersaiten vibrierten und die Taue, an denen die Menschen sich festhielten, aus so manch kraftloser, zu Eis erstarrter Hand gerissen wurden.

Von allen Seiten drangen die Wellen in den Salon und rasten durch das Deckhaus, als bestände es aus Papier. Sie ertränkten die Menschen an Deck, die nicht mehr zu den Masten hatten flüchten können, und trugen auch unbarmherzig jeden mit sich fort, der in luftiger Höhe seinen Halt verloren hatte.

IX.

Als es hell wurde, gab die Ebbe das Deck des Schiffes frei und machte das ganze Ausmaß der Katastrophe sichtbar. Nach den Rettungsbooten waren nun auch die hochgelobten Patentflöße verschwunden, und die Aufbauten bestanden nur noch aus kläglichen Resten. Von den Menschen, die an Deck geblieben waren, lebten nur noch sieben Frauen und ein alter Mann. Diese hatten sich an die Oberlichten des oberen Salons geklammert und den Wellen getrotzt, die stundenlang über sie hinweggeflutet waren. Auch einige derer, die sich in die Takelage geflüchtet hatten, waren der Kälte und der Wucht der entfesselten Elemente erlegen.
Ein Mann, der sich weiter unten am vorderen Mast festgebunden hatte, war von einem durch die Wellen herumgeschleuderten Gegenstand enthauptet worden, und sein Oberkörper neigte sich mit ausgestreckten Armen dem Wasser zu, als suche er verzweifelt seinen Kopf.
Kapitän Brickenstein und zwei Matrosen kletterten als Erste hinab, um den Toten zu bergen und den verstörten und erschöpften Passagieren den Weg auf das Deck frei zu machen.
Lore saß wie versteinert auf der kleinen Plattform und wagte es nicht, nach unten zu sehen. Mit schmerzenden Armen drückte sie das schlafende Kind an sich, dessen Gesicht vom Weinen nass war, und starrte auf den hinteren Mast, von dem ein Passagier nach dem anderen mit schwerfälligen Bewegungen auf das Deck hinabstieg. Die meisten stolperten noch ein paar Schritte weiter, ließen

sich dann fallen und blieben liegen. Genau wie hier auf dem vorderen Mast hatten auch dort einige Passagiere und Seeleute in der eisigen Kälte den Halt verloren und waren den Wellen zum Opfer gefallen, darunter manch tapferer Mann, der bis zuletzt für die Rettung anderer gesorgt hatte.
Unwillkürlich sah Lore zu Natis Großvater hoch, der nicht weit über ihr wie ein nasser Sack in den Tauen hing. Sein Gesicht wirkte grau und verfallen, und er vermochte mit seinen steifen Fingern das Seil nicht zu lösen, mit dem er sich an den Wanten festgebunden hatte. Andere Passagiere drängten an ihm vorbei, um auf dem jetzt trockenen Deck Atem schöpfen zu können, bis die nächste Flut sie wieder nach oben treiben würde.
Graf Retzmann nestelte mit verbissenem Gesicht an den Knoten, die ihn festhielten, und achtete nicht auf seine Umgebung. Da sich die letzte Schlinge nicht lösen ließ, entschloss er sich, das verknotete Tau über den Kopf zu ziehen.
Gerade als es ihm gelungen war, auch die Arme aus der Schlinge zu ziehen, rutschte ein Passagier über ihm ab und trat ihm auf die Hand, mit der er sich in den Wanten festhielt. Mit einem Aufschrei verlor der alte Mann den Halt, schaffte es aber irgendwie noch, sich mit der anderen Hand an eines der senkrecht verlaufenden Taue zu klammern. Genau wie er kämpfte nun auch der andere Passagier um sein Gleichgewicht. Beide Männer stießen noch einmal zusammen. Diesmal vermochte Graf Retzmann sich nicht mehr festzuhalten und stürzte wie ein Stein in die Tiefe. Ein grün schäumender Brecher packte ihn und drückte ihn unter Wasser.
Von der Höhe des Mastes aus sah Lore zu, wie Natis Großvater starb. Als der junge Mann, der das Unglück verursacht hatte, an ihr vorbeikletterte, erkannte ihn Lore. Es war Ruppert von Retzmann. Seine Miene schien vor Entsetzen verzerrt und sein Mund wie zu einem stummen Schrei geöffnet. Doch aus seinen Augen leuchtete wilder Triumph. So hatte auch Ottokar von Trettin

ihren Großvater angeblickt, nachdem die Richter ihm die riesigen Güter zugesprochen hatten. Lore wurde mit einem Mal klar, dass der Tod des alten Grafen kein Unglücksfall gewesen war, sondern ein gemeiner, geschickt in Szene gesetzter Mord.

Von den durchfrorenen und zu Tode erschöpften Menschen auf der *Deutschland* schenkte keiner Graf Retzmanns Ende mehr Beachtung als ein bedauerndes Kopfschütteln. Jeder schien froh zu sein, dass es nicht ihn selbst getroffen hatte, und es schöpfte niemand den Verdacht, es sei nicht mit rechten Dingen zugegangen. Kapitän Brickenstein half sogar dem wegen des Unglücks scheinbar völlig niedergeschmetterten Ruppert auf das Deck hinunter und versuchte, ihn zu beruhigen.

Die meisten Passagiere drängten sich im Windschatten des abgedeckten Ruderhauses und in den Resten des Deckpavillons zusammen und warteten darauf, den einen oder anderen Bissen von dem Brot und der Wurst abzubekommen, die ein Matrose mit in die Takelage genommen hatte. Alle anderen Vorräte hatte die gierige See verschlungen.

Lore hatte sich bisher nicht gerührt, teils wegen des Schreckens, den ihr der heimtückische Mord eingejagt hatte, teils aber auch, um Nati nicht zu wecken, die sich in den Schlaf geweint hatte und nun friedlich in ihrem Schoß schlummerte. Stumm dankte sie Gott, dass das Kind den Vorfall nicht miterlebt hatte, wusste aber nicht, wie sie dem Mädchen den Tod seines Großvaters erklären sollte. Am liebsten wäre sie sitzen geblieben, bis irgendetwas Entscheidendes geschah. Doch ihr Körper forderte nachdrücklich sein Recht. Ihre Blase schmerzte, und die Zunge klebte ihr wie Leder am Gaumen. Bei dem Gedanken an die Reste des Hartbrots, das sich noch in ihren Manteltaschen befand, knurrte ihr Magen vernehmlich. Sie schüttelte ihre Erstarrung ab, zog die Hände aus den Falten von Natis warmem Pelzmantel und streckte sie durch die Ärmel ihres Segeltuchmantels hinaus, um den Gür-

tel und das Tauende zu lösen, mit denen sie immer noch am Mast festgebunden war. Lange würde sie sich nicht an Deck aufhalten können, denn die Flut hatte schon wieder eingesetzt, und die Überlebenden würden bald aufs Neue Zuflucht in der Takelage suchen müssen.
Inzwischen hatte der Kapitän bemerkt, dass sie noch in luftiger Höhe saß, und schickte zwei Leute zu ihr hoch. Doch anstatt ihr zu helfen, blieben die beiden Seeleute neben ihr stehen und starrten angestrengt nach Westen. Lore beschattete ihre Augen mit den Händen und suchte den Horizont in der gleichen Richtung ab.
Vor dem dunklen Himmel zeichnete sich ein Streifen weißlichgrauen Rauches ab, unter dem ein rundlicher Schatten regelmäßig auftauchte und wieder verschwand. Die Rauchfahne war dünn und verwehte schnell im Wind, und wenn es sich wirklich um einen Dampfer handelte, so fehlten diesem die Masten für die Segel. Dazu taumelte das Ding wie betrunken auf den hohen Wellen, die es immer wieder hochwarfen und dann zu verschlucken schienen. Einen Retter stellte Lore sich anders vor.
»Sehen Sie es auch, junge Dame?«, fragte einer der Matrosen, der nicht recht glauben wollte, was ihm die Augen zeigten.
Lore wollte etwas sagen, brachte aber nur ein Krächzen über die Lippen. Daher nickte sie heftig. Der junge Matrose atmete auf und hangelte sich so schnell, wie er konnte, an den Tauen hinab. Unten angekommen, redete er mit Händen und Füßen auf den Kapitän ein. Brickenstein schüttelte zunächst ungläubig den Kopf, kletterte dann aber trotz seines gesetzten Alters mit der Schnelligkeit eines Zirkusaffen zu Lore empor. Auf der Plattform angekommen, nahm er ein abgeschabtes Fernrohr aus der Tasche, zog es aus und richtete es auf den langsam größer werdenden Fleck.
»Herrgott im Himmel! Das ist ein alter Dampfschlepper – und er hält Kurs auf die *Deutschland!* Wenn der uns erreicht, bevor die

Flut voll aufläuft …«, flüsterte er mit bebenden Lippen, während er sein Fernrohr mit einem heftigen Ruck zusammenschob. Um seine Aufregung zu verbergen, schnauzte er Lore und den Matrosen an, endlich aus dem Ausguck zu verschwinden.

Lore ließ sich von dem jungen Mann helfen, Nati wieder sicher vor ihrer Brust festzubinden, damit das Kind beim Abstieg aus dieser schwindelnden Höhe nicht abrutschte und das Schicksal seines Großvaters teilte. Während sie vorsichtig nach unten kletterte, fragte sie sich, wie sie sich verhalten solle. Am liebsten hätte sie dem Kapitän berichtet, dass Nathalias Großvater nicht durch einen Unfall, sondern durch Mord umgekommen war. Da ihr Wort gegen Rupperts stand, war es jedoch unwahrscheinlich, dass Brickenstein ihr Glauben schenken würde. Natis Vetter war ein erwachsener Mann und von Adel, während man sie für ein vor Schreck durchgedrehtes Dienstmädchen halten und ihr Nathalia sofort abnehmen würde. Aus diesem Grund beschloss sie, vorerst den Mund zu halten und sich erst dann einem Menschen anzuvertrauen, wenn Nati und sie in Sicherheit waren. Mit verbissener Miene hielt sie noch einmal nach dem Schlepper Ausschau. Dieser war jetzt schon recht nah, und er hielt tatsächlich auf die *Deutschland* zu.

Als Lore endlich auf dem verwüsteten Heck des Schiffes stand, das die Kämme der Wogen kaum noch überragte, wurde ihr bewusst, dass sie mehr Angst vor Natis mörderischem Vetter hatte als vor der immer noch aufgepeitschten See.

Ruppert von Retzmann saß auf einem Poller neben dem halb eingestürzten Ruderhaus und ließ sich ein Stück schwarze Wurst und eine Scheibe Schwarzbrot schmecken, während die anderen Passagiere dicht gedrängt an der Reling standen und zu dem Schiff hinüberstarrten, von dem sie sich Rettung erhofften.

Der Schlepper kämpfte mit zwei großen, aber angesichts der tobenden See sehr zerbrechlich wirkenden Schaufelrädern an den

Seiten mühsam gegen die Strömung an, und seine überlastete Maschine schnaufte und pfiff, als wolle sie jeden Moment den Dienst versagen. Verglichen mit dem riesigen Rumpf der *Deutschland*, wirkte der Radschlepper wie ein Kinderspielzeug, das nur aus Versehen in den Ozean geraten war und mit dem die Wellen nun Ball spielten. Aber beharrlich kam er näher.

Um auf das sicherere Hinterdeck zu gelangen und damit auch aus Rupperts Nähe zu kommen, musste Lore sich dicht an diesem vorbeidrängen. Er musterte sie aus zusammengekniffenen Augen und streckte die Hand aus, als wolle er sie festhalten. Lore wich zwei Schritte zurück und umklammerte Nati, die unter ihrem Mantel aufgewacht war und zu weinen begann. Sie las eine unverhüllte Drohung in Rupperts Augen, die von dem spöttischen Lächeln, das um seine Mundwinkel zuckte, noch unterstrichen wurde. Zuerst schien es, als wolle er ihr folgen, dann zuckte er jedoch mit den Schultern und rückte zur Seite, damit sie passieren konnte. Als sie an ihm vorbeiging, hörte sie ihn leise lachen.

Lore humpelte steifbeinig zu einem der zerbrochenen Fenster, die dem nun unter Wasser stehenden oberen Salon einst Tageslicht gespendet hatten, und ließ sich auf dessen Rahmen nieder. Mit fliegenden Händen löste sie die Schals und Schnüre, mit denen Nati an ihr festgebunden war.

Bei Rupperts Blick war ihr klargeworden, dass er als Nathalias letzter männlicher Verwandter so lange als Vormund des Kindes gelten würde, bis das Bündel Briefe, das sie in einer der Innentaschen ihres Mantels trug, in die richtigen Hände gelangt war. Nur Nati selbst und diese Papiere standen zwischen Ruppert und dem Familienvermögen der Retzmanns, und beides durfte er niemals bekommen. Zwar waren die Papiere sicher an ihrem Körper geborgen, doch Lore fragte sich bedrückt, was sie tun konnte, um das Kind vor seinem Zugriff zu bewahren.

Da auch der alte Diener des Grafen in der Nacht von den Wellen verschlungen worden war, gab es an Bord des Wracks keinen Zeugen für die Feindschaft zwischen dem jungen Herrn von Retzmann und seinem Großvater. Eine Weile überlegte sie, ob sie Ruppert nicht doch vor allen Leuten als den Mörder seines Großvaters bezichtigen sollte. Auch wenn ihr Wort nichts gegen das seine galt, würden doch etliche hellhörig werden, wenn auch Nati in seiner Obhut ein Unfall zustieß. Doch das würde dem Kind nichts mehr nützen.

Lore fühlte Rupperts Blicke in ihrem Nacken und fragte sich, was er vorhatte. Was war, wenn er gar nicht erst versuchte, seine Autorität als Verwandter auszuspielen, sondern gleich einen zweiten Mordanschlag plante? Sie traute ihm zu, das Kind zu töten und ihr die Schuld dafür in die Schuhe zu schieben. Auf diese Weise konnte er die Erbin samt einer lästigen Zeugin mit einem Schlag loswerden. Einem Mann, der einen erschöpften Greis unbarmherzig getötet hatte, war auch jede andere Schlechtigkeit zuzutrauen. Da sie nichts gegen ihn unternehmen konnte, sah Lore keinen anderen Ausweg, als sich möglichst weit von ihm fernzuhalten. Sie wollte ihm ihre Angst nicht zeigen und setzte Nati daher scheinbar gelassen auf ihren Schoß und packte das Hartbrot aus, das in einer der immer noch trockenen Taschen des Segeltuchmantels steckte. Ein Matrose kam mit einer Wasserflasche und einem winzigen Becher in der Hand auf sie zu, um ihnen etwas zu trinken zu geben.

Lore musste Nati beinahe mit Gewalt dazu zwingen, den Becher zu leeren. Als sie selbst die brackige Flüssigkeit hinabwürgte, deutete Nati durch das zerbrochene Fenster in den Salon und begann lauthals zu schreien.

Unwillkürlich blickte auch Lore nach unten und sah direkt in das Gesicht von Schwester Henrica. Die Augen der toten Franziskanerin waren weit geöffnet, und für einen Augenblick war es Lore, als läge ein vorwurfsvoller Ausdruck in ihnen. Warum ließ Gott

dich leben, du kleine Ungläubige, schienen sie zu fragen, und warum musste ich sterben?
Lore schüttelte sich und wandte sich ab. Der Matrose blickte sie traurig an und strich dann dem schluchzenden Kind über das Haar. »Nicht hinsehen, kleines Fräulein! Und Sie auch nicht, Madame. Die frommen Frauen sind jetzt alle bei Gott. Sie haben so lange für uns gebetet, bis die große Welle gekommen ist, die den Salon mit einem Schlag unter Wasser gesetzt und das Deckhaus zerstört hat. Die da unten haben jetzt ihren Frieden. Und wir sind bald gerettet! Sehen Sie doch, da setzt die alte *Liverpool* ihr Beiboot aus. Hier, trinken Sie einen Schluck Rum zum Wärmen. Ich setze Sie mit Ihrem Schützling in das erste Boot. Dann sind Sie in Sicherheit.«
Lore bemerkte jedoch seinen nachdenklichen Blick, mit dem er das vergleichsweise winzige Boot betrachtete, und sie vernahm auch die Zweifel, die hinter ihr zwei andere Matrosen äußerten.
Die Flut stieg wieder, und lange bevor das kleine Beiboot des Raddampfers alle hundertsiebzig Überlebenden in Sicherheit bringen konnte, würde das Deck der *Deutschland* bis weit über die Reste des Ruderhauses unter Wasser stehen.
Lore sah, wie Ruppert sich geschickt und ohne anzuecken unter die Passagiere mischte, die dem anlegenden Boot am nächsten standen, und so zu den zwölf Glücklichen zählte, die beinahe wie Mehlsäcke in den Kahn hineingepackt wurden. Eigentlich hatte der Kapitän zuerst die Frauen und Kinder in Sicherheit bringen wollen, aber die Frauen, die die Schreckensnacht überlebt hatten, scheuten vor der Nussschale zurück, die trotz aller Leinen und helfenden Hände wie wild auf dem Wasser herumtanzte.
Sobald der letzte Passagier den Boden des Bootes berührt hatte, stießen die Matrosen der *Liverpool* ihre Nussschale vom Rumpf der *Deutschland* weg und legten sich so kräftig in die Riemen, dass diese sich bogen. Dennoch reihten sich die Minuten quälend lang-

sam zu einer Viertelstunde, bis sie an der Seite des Schleppers anlegen konnten.

»Sechsunddreißig!«, stieß der Offizier aus, der neben Kapitän Brickenstein stand und während des Manövers die Uhr nicht aus den Augen gelassen hatte. »Sechsunddreißig Leute kann die *Liverpool* auf diese Weise aufnehmen. Der Rest darf wieder in die Wanten!«

Kapitän Brickenstein zuckte mit den Achseln. »Das liegt in Gottes Hand! Oder besser gesagt in jener der Engländer, weil sie uns nur diesen verdammten Schaufelradschlepper geschickt haben. Das alte Ding fällt doch auseinander, wenn man es nur antippt! Warte! Eh, ihr da vorne! Setzt gefälligst nur Frauen und Kinder in das nächste Boot!«

Zu dem Offizier gewandt, meinte er erheblich leiser: »Der Rest von uns sollte beten! Vielleicht überleben wenigstens ein paar die nächste Nacht in den Wanten und werden von anderen Schiffen gerettet.«

Seine bitteren Worte wurden von einigen Passagieren vernommen, und diese drängten unwillkürlich nach vorne, um einen Platz unter den vierundzwanzig Glücklichen zu erringen, die noch gerettet werden konnten.

Lore nahm Nati bei der Hand und stolperte mit zitternden Knien und tränenblinden Augen hinterher. Der Anblick der toten Nonne hatte ihr die letzte Kraft und beinahe auch den Willen zum Weiterleben geraubt. Aber da war Nati, um die sie sich kümmern musste. Das preußische Pflichtgefühl, das ihre Eltern und besonders der Großvater ihr eingebleut hatten, sagte ihr, dass sie um des Kindes willen nicht aufgeben durfte. Die Kleine war ihr in der kurzen Zeit wie eine Schwester ans Herz gewachsen, sie hatte ihrem Großvater versprochen, sie mit ihrem Leben zu beschützen, und deshalb würde sie mit ihr in das kleine Boot steigen, auch wenn sie dabei vor Angst umkam.

Zum Schrecken der Überlebenden auf der *Deutschland* kehrte das Boot jedoch nicht zurück, sondern wurde an Bord genommen. Dann stieß der Raddampfer eine Wolke schwarzen Qualms aus und setzte sich mit heftig schlagenden Radschaufeln in Bewegung.
»Der haut ab!«, schrie einer der Matrosen voller Wut.
Doch Brickenstein schüttelte den Kopf. »Nein! Seht doch, die *Liverpool* kommt auf uns zu. Ihr Kapitän ist anscheinend ebenfalls zu der Überzeugung gelangt, dass er mit dem Beiboot nicht alle retten kann, und versucht jetzt, längsseits zu kommen. Gott stehe ihm und seinen braven Matrosen bei! Wenn die *Liverpool* von den Wellen gegen unseren eisernen Rumpf geschleudert und das empfindliche Schaufelrad beschädigt wird, geht die Besatzung des Schleppers mit uns zugrunde!«
»Aber wenn es gutgeht, bringt der alte Kasten uns alle an Land!«, rief einer der Passagiere, der das Ausmaß der Gefahr, in die sich die Engländer begaben, nicht erahnte.
Kapitän Brickenstein atmete tief durch und brüllte dann seine Befehle über das Schiff. »Los, bringt alles heran, was als Fender für die *Liverpool* taugt! Wir müssen tun, was wir können, damit der Kasten des Schaufelrads auf unserer Seite nicht zu Schaden kommt.«
Die Matrosen und einige Passagiere suchten alles zusammen, was als Abstützung und Polster für den Backbord-Radkasten der *Liverpool* dienen konnte. Viel gab es nicht mehr, nur ein paar halbaufgelöste Taurollen, mehrere Stengen aus der Takelage, die Reste der vom Sturm zerfetzten Segel und einige Bretter des zusammengebrochenen Deckhauses.
Doch es genügte. Trotz des hohen Wellengangs lehnte sich die *Liverpool* beinahe sanft gegen das Wrack der *Deutschland,* und ihr Radkasten an Backbord bildete eine Brücke, über die sich die Schiffbrüchigen in Sicherheit bringen konnten.

Lore schauderte, als sie das dünne, glitschige Holz unter den Füßen spürte, und sie war froh, dass zwei Männer sie stützten und ihr auf das Deck des Schleppers halfen. Als sie sich umsah, bemerkte sie, wie die Wellen über die Backbordseite der *Deutschland* schwappten und bereits mehr als die Hälfte des Decks zurückerobert hatten. Während sie Nati weinend an sich drückte, dankte sie dem Herrgott, weil er ihre kleine Freundin und sie im allerletzten Moment dem nassen Grab entrissen hatte.

X.

So sanft, wie die *Liverpool* an der *Deutschland* angelegt hatte, so vorsichtig entfernte sie sich auch wieder von ihr. Als der Schlepper sicheren Abstand gewonnen hatte, umarmten sich viele der Geretteten vor Freude. Lore aber fühlte keinerlei Erleichterung, denn als sie in dem Gedränge an Deck des kleinen Schiffes einen Platz suchte, wo sie die schluchzende Nathalia vor dem eisigen Wind geschützt absetzen konnte, lief sie Ruppert von Retzmann direkt in die Arme.

»Nun, Mädchen? Du willst wohl diesen Wechselbalg lieber bei mir abladen?«, fragte er hämisch, aber so leise, dass nur sie und Nati es verstanden. »Oder hast du die Nase immer noch nicht voll von diesem kleinen Ungeheuer? Du darfst dich noch ein wenig um dieses Miststück kümmern. Ich werde es mir erst dann holen, wenn es mir passt! Und jetzt passt es mir noch nicht.«

Nati spuckte ihn an und schrie dann wütend auf. »Du bist böse! Ich mag dich nicht! Lore mag mich, und sie lässt mich nie, niemals allein! Geh weg, du gemeiner Kerl, und lass meine Lore in Ruhe! Sonst wird Großvater dich mit dem Stock verprügeln!«

Lore war es unangenehm, dass sich die anderen Passagiere zu ihnen umdrehten und die kleine Keiferin pikiert anstarrten. Ruppert aber lachte nur und stand auf. Mit einer Geste, die seine Großzügigkeit unterstreichen sollte, überließ er Lore den Platz neben dem heißen Schornstein.
»Nathalia ist nun einmal ein ungezogenes, verwöhntes Balg!«, sagte er zu einem der anderen Geretteten. »Bei dem bleibt nur ein Kindermädchen, das selbst nicht ganz richtig im Kopf ist. Es ist wirklich ein Kreuz mit dem Kind und seiner schwachsinnigen Pflegerin! Aber leider kann man sich seine Verwandtschaft und ihren Anhang nicht aussuchen. Daher werde ich die beiden, sobald es mir möglich ist, in meine Obhut nehmen müssen.«
Zu Lores Ärger stimmte der andere Mann Ruppert eifrig zu und musterte sie dabei mit einem mitleidigen Blick, ehe er sich abwandte und zur Reling hinüberwankte.
Die *Liverpool* rollte und stampfte in den hohen Wellen. Daher konnten viele der Passagiere die Notmahlzeit von der *Deutschland* nicht bei sich behalten und mussten sich übergeben. Auch Lore lagen die Kekse und das Hartbrot wie ein Stein im Magen, aber Natis Elend lenkte sie ab. Die Kleine erbrach alles, was sie gegessen und getrunken hatte, und rollte sich zuletzt bleich und schwer atmend in Lores Schoß zusammen.
Als das Schiff endlich seinen Heimathafen Harwich erreichte, fühlte Lore sich kaum besser als ihr Schützling. Verständnislos beobachtete sie, wie ein Schiffer beim Anblick der Stadt zahlreiche Flaggen in schnellem Wechsel aufziehen und wieder abnehmen ließ. Es musste sich dabei um eine Nachricht handeln, denn als die *Liverpool* im Hafen anlegte, war der Kai schwarz von Menschen, und es eilten immer mehr herbei. Etliche blieben nur neugierig stehen, viele aber kamen an Bord des Schleppers und nahmen sich der geschwächten Schiffbrüchigen an, die zum größten Teil nicht mehr in der Lage waren, auf den eigenen Füßen zu stehen.

Lore war froh, als ein junger Mann Nati aufhob und ihr in einem für sie kaum verständlichen Englisch sagte, er würde ihre Tochter zur »Hall« bringen. Ein kräftiger, nach Rauch und feuchtem Staub riechender Hafenarbeiter hob sie selbst hoch und trug sie hinter Nati her auf ein amtlich aussehendes Gebäude zu, dessen Eingang mit zwei martialisch wirkenden Statuen geschmückt war. Die beiden Männer brachten sie und Nati in einen mit Wappen und alten Fahnen geschmückten Saal und setzten sie auf eine mit Leder überzogene Bank, deren Lehnen mit fingertiefen Schnitzereien verziert waren.
Uniformierte Beamte und junge Schreiber liefen mit kleinen Täfelchen zwischen den Geretteten hin und her und fragten jeden nach seinen Personalien und seinem Heimatort. Dabei mussten sie den vielen Menschen ausweichen, die Kannen voller heißer Getränke, Kochkessel mit dampfender Suppe, Brot und alle möglichen Lebensmittel brachten, als hätten sie spontan ihren Abendbrottisch abgeräumt und alles, was darauf gestanden hatte, hierhergebracht. Andere schleppten Decken, trockene Kleidung und allerlei Hausmittel gegen Erkältung und Erschöpfung herbei. Drei Ärzte gingen umher und versorgten die Verletzten, und Lore sah mit einer gewissen Befriedigung, wie ein allzu aufdringlicher Zeitungsreporter von einer resoluten Krankenschwester vor die Tür gesetzt wurde.
Nun, da die Gefahr vorbei war, spürte Lore zum ersten Mal ihre tiefe Erschöpfung. Ihr war zum Sterben elend, und sie fühlte sich außerstande, sich Natis so anzunehmen, wie es nötig war. Das Mädchen lag ganz still da, das Gesichtchen grauweiß wie das Laken, auf das man sie gebettet hatte.
Ein kleines Mädchen, kaum älter als Nati, trippelte heran und drückte Lore eine Schale mit dampfender Suppe in die Hände. Es sagte etwas, aber seine Worte hatten keinerlei Ähnlichkeit mit dem Englisch, das Lore von ihrem Vater gelernt hatte.

»Thank you very much!«, antwortete sie etwas hilflos.
Das Mädchen lachte, drückte ihr einen polierten Holzlöffel in die Hand und deutete auf die Suppe. Dann beugte es sich kurz über Nati und rief etwas quer durch den Raum. Sofort kam eine ältere Frau herüber, die einen der Ärzte hinter sich herzog. Beide sahen Nati besorgt an, schüttelten dann aber erleichtert den Kopf.
»Nein, nein, das Kind ist krank, nicht tot, das arme kleine Häschen!«, verstand Lore. Der Arzt untersuchte Nati und gab schnell ein paar Anweisungen, dann hastete er weiter zu dem nächsten Patienten.
Die Frau, die Krankenschwester zu sein schien, entkleidete Nati bis auf die feine Unterwäsche, massierte sie und frottierte sie anschließend mit rauhen Tüchern, um ihre Lebensgeister wieder zu wecken. Das Kind, das die Suppe gebracht hatte, half ihr, doch es starrte zwischendurch immer wieder Lore an. Plötzlich griff es nach dem Kruzifix, das Lore aus dem Ausschnitt gerutscht war, und rief etwas, was sich anhörte wie »He, die ist ja katholisch!«.
Lore erschrak heftig, denn sie sah einen Haufen neuer Schwierigkeiten auf sich zukommen. In England, so hatte Hochwürden Hieronymus Starzig ihr erklärt, galten Katholiken als Verräter an der Krone und wurden wegen ihres Glaubens und ihrer Treue zum Papst in Rom ins Gefängnis geworfen.
Lore konnte sich zwar nicht vorstellen, dass man auch mit einer armen Schiffbrüchigen wie ihr so verfahren würde, doch sie konnte nicht wissen, was in den Köpfen der Engländer vorging. Dabei trug sie das Ding eigentlich nur, weil ihr Großvater es ihr befohlen hatte und es das einzige Schmuckstück war, das sie besaß. Sie merkte, wie sie zitterte, als einer der uniformierten Beamten prompt auf sie zukam.
»Sie sind Katholikin, Miss?«, fragte er in einem überdeutlich artikulierten Englisch. Lore nickte und presste die Hand auf ihr hart klopfendes Herz.

»Oh! Das ist gut!«, antwortete der Mann, drehte sich um und rief nach dem Hafenarbeiter, der Lore in die Halle getragen hatte. »He, Joe Penn! Du hast doch gesagt, du könntest eine Frau oder ein Kind in deinem Hasenstall aufnehmen! Hier sind zwei, die du sicher leicht unterbringen kannst. Das kleine Mädchen ist von deutschem Adel und die Miss hier sein Kindermädchen! Die Familie der Kleinen wird dir sicher eine hübsche Belohnung zukommen lassen, wenn du das Kind gut versorgst! Bei deinen vielen Mäulern zu Hause könntest du das Geld gut brauchen!«
Lore hatte Mühe, dem halbzerquetschten Englisch zu folgen, aber zu ihrer eigenen Verwunderung begriff sie den Sinn seiner Worte und genierte sich für diese grobe Direktheit. Der Arbeiter aber grinste nur und schlenderte heran. Unterdessen wandte der Beamte sich wieder an Lore und versuchte ihr mit einfachen und deutlich ausgesprochenen Worten zu erklären, was geschehen würde.
»Es ist eben beschlossen worden, alle Schiffbrüchigen, die nicht im Great Eastern Hotel Platz finden, bei Bürgern in Harwich unterzubringen. Es haben sich genug Familien dazu bereit erklärt, jemand aufzunehmen und zu versorgen. Als Katholikin wirst du sicher gerne bei einer braven, katholischen Familie leben wollen, bis du dich wieder erholt hast und die Weiterreise geklärt ist.«
Lore nickte etwas verwirrt, fasste sich aber schnell und fragte den Beamten, ob er für sie eine Nachricht an den Repräsentanten des Norddeutschen Lloyd aus Bremen in London schicken könne.
»Es ist sehr wichtig, bitte! Es geht um die kleine Komtess, für die ich sorge. Sie ist die Erbin eines der Gesellschafter, und ihr Vormund gehört ebenfalls zur Reederei. Er muss ganz dringend verständigt werden. Verstehen Sie mich, eh … Mister?« Lore hoffte, dass er mit ihrem ungelenken Englisch etwas anfangen konnte.
Der junge Beamte lächelte ihr aufmunternd zu und nickte. »Smithson ist mein Name, Miss … Miss Huppach«, antwortete er sehr

freundlich. »Sie sprechen ein schönes Englisch, wirklich gut, ja! Sagen Sie mir, was ich schreiben soll, und ich schicke es mit der offiziellen Post an die deutsche Reederei nach London.«
Lore atmete auf und wagte selbst ein erstes, scheues Lächeln. »Ich danke Ihnen sehr! Die Nachricht geht an einen Herrn Thomas Simmern ...«
Der nette Beamte notierte sich den Text in Englisch und bat sie dann, ihn wegen der unvermeidlichen Verständigungsschwierigkeiten noch einmal auf Deutsch zu schreiben.
Da Lore Vertrauen zu dem Beamten hatte, fasste sie Mut und bat ihn, die Botschaft vor jedermann sonst geheim zu halten, da das Leben der Komtess in Gefahr sei.
Smithson versicherte ihr, dass außer ihm niemand die Notiz zu Gesicht bekomme, bis sie beim Empfänger angelangt sei. Aber sein ein wenig befremdeter Gesichtsausdruck und das mitleidige Lächeln verrieten Lore, dass er ihr nicht glaubte, sondern sie im besten Fall für hysterisch hielt. Er winkte den Hafenarbeiter heran, bei dem Nati und sie wohnen sollten, und wandte sich dann dem nächsten Geretteten zu.
Eine Viertelstunde später lag Nati dick verpackt in einer Art großem Wäschekorb und wurde von einer stämmigen, älteren Frau und einem etwa vierzehn Jahre alten Jungen durch die Straßen getragen. Lore war von der Frau kurzerhand in eine Decke aus Sackleinen gewickelt und dem Mann übergeben worden, der sie hinterherschleppte.
Jetzt erst fiel Lore auf, dass sie Ruppert seit dem Verlassen der *Liverpool* nicht mehr gesehen hatte. Ein Teil von ihr hoffte, dass er seine Pläne bezüglich Natis in diesem fremden Land aufgegeben hatte, doch letztlich glaubte sie selbst nicht daran. Während des ganzen Weges starrte sie über Joe Penns Schulter, um sicherzugehen, dass Ruppert ihnen nicht heimlich folgte. Die Straßen wurden immer schmäler und die Häuser kleiner und ärmlicher, und

die ganze Zeit über konnte sie niemanden sehen, der Ähnlichkeit mit Natis Verwandtem hatte. Einige Ecken weiter atmete Lore erleichtert auf. In diesem Gewirr von Gassen würde Ruppert Nati und sie nicht wiederfinden.

XI.

Im fernen Ostpreußen sorgten der Tod und vor allem die Beerdigung Wolfhard von Trettins für mehr Aufsehen, als der alte Herr es wohl selbst erwartet hatte. Kaum erfuhr der evangelische Pastor, dass der vertriebene Gutsherr den Glauben gewechselt hatte und katholisch geworden war, verbot er, den Toten in der Familiengruft derer von Trettin zu begraben, und untersagte den Mitgliedern seiner Kirchengemeinde, an dem Begräbnis teilzunehmen. Selbst dem Totengräber wurde verwehrt, ein Grab für Lores Großvater auszuheben.

Als Kord von diesen Anweisungen hörte, ballte er wütend die Faust und schwor, lieber selbst katholisch zu werden, als seinen Herrn auf dem letzten Weg im Stich zu lassen. Und so schaufelte er persönlich die Grube für den Verstorbenen im hintersten Winkel des Friedhofs, der für Landstreicher und Mitglieder des fahrenden Volkes vorgesehen war, welche der Tod im Gebiet der Gemeinde ereilte.

Zusammen mit der alten Miene, deren Treue zum alten Herrn ebenfalls die Angst vor Ottokar von Trettin und dessen Frau Malwine überwog, war Kord der Einzige aus dem Dorf Trettin, der dem schlichten Fichtensarg des alten Herrn folgte, den dessen Freund Doktor Mütze besorgt hatte. Auch der Arzt ließ es sich nicht nehmen, von seinem Freund Abschied zu nehmen. Mit ihm

kamen seine Frau, Fridolin von Trettin und der Fuhrunternehmer Wagner aus Heiligenbeil.
Glaubte das kleine Grüppchen der Trauergäste zunächst, sie wären neben Hochwürden Hieronymus Starzig die Einzigen, die der Beerdigung des alten Herrn beiwohnen würden, sahen sie bald verblüfft, dass Kutschen und Schlitten aus der Nachbarschaft vor dem Friedhof hielten. Viele alte Bekannte des alten Freiherrn hatten sich an den Grundsatz erinnert, dass mit dem Tod alle Feindschaft endet. Einige von ihnen, mit Graf Elchberg an der Spitze, trauerten bereits jenen Tagen nach, an denen der Tote noch auf Gut Trettin geherrscht hatte. Mit seinem engherzigen Nachfolger kamen sie nicht zurecht. Daher sprachen sie Fridolin von Trettin, dem einzigen Verwandten des Verstorbenen, aus ehrlichem Herzen ihr Beileid aus. Ihn trafen aber auch etliche fragende Blicke, denn die Trauergäste hatten erwartet, auch Lore hier zu sehen.
»Was ist eigentlich mit Nikas' Enkelin? Ist sie krank, weil sie ihren Großvater nicht mit zu Grabe trägt?«, fragte Graf Elchberg Fridolin geradeheraus.
Der junge Mann zuckte bedauernd mit den Achseln. »Ich weiß nicht, wo Lore steckt. Ich hatte geglaubt, Doktor Mütze habe sich ihrer angenommen, damit sie nicht mit dem Toten allein im Jagdhaus bleiben muss. Aber bei ihm ist sie nicht. Vielleicht hat sie sich in ihrer Not nach Trettin geflüchtet, und Ottokar verbietet ihr, an dem Begräbnis teilzunehmen.«
In den missbilligenden Mienen las Fridolin, dass die meisten seinem Vetter diesen Schurkenstreich zutrauten. Dann aber schüttelte er selbst den Kopf über seinen Verdacht. Lore war ein findiges Mädchen und hätte sicher einen Weg gefunden, zur Beerdigung zu kommen. Es sei denn, schränkte er gleich wieder ein, Ottokar oder Malwine hätten sie in einen Keller eingesperrt, aus dem sie nicht entkommen konnte. Jetzt ärgerte er sich, weil

er nicht zuerst den Gutshof aufgesucht hatte, um nach Lore zu sehen.
Gerade als er sich fragte, was mit seiner Base geschehen sein mochte, fiel ihm Doktor Mützes verkniffener Gesichtsausdruck auf. Wie es aussah, wusste der Arzt mehr, und es schien ihm nicht zu gefallen. Am liebsten hätte Fridolin ihn sofort nach Lore gefragt, wollte dies aber nicht inmitten der Nachbarn und entfernten Bekannten tun, sondern erst, wenn er mit Doktor Mütze allein war.
Während er die Predigt des angesichts so vieler hochstehender Trauergäste nervösen Hieronymus Starzig an sich vorbeiziehen ließ, befassten Fridolins Gedanken sich erneut mit Lore. Bereits in Berlin hatte er sich überlegt, ob er nicht irgendetwas für sie tun könne. Seine Börse war jedoch immer noch leer, und er hatte sogar seine letzten Wertgegenstände versetzen müssen, um sich die Fahrt nach Trettin leisten zu können. Trotzdem war er nicht bereit, das Mädchen einfach Ottokars und Malwines Fürsorge zu überlassen. Die beiden würden Lore wie eine Bauernmagd behandeln und auf vielerlei Art quälen. Dabei hatte das Mädchen durchaus Anspruch auf ein Erbe. Fridolin kannte die Trettinschen Erbregeln nicht so genau wie sein Vetter, dennoch war er sich sicher, dass bei einem Wechsel des Gutes auf einen männlichen Agnaten die Töchter oder in diesem Fall die Enkelin des alten Gutsherrn ein Anrecht auf eine standesgemäße Mitgift besaßen. Doch wie er Ottokar und vor allem dessen Frau einschätzte, würden sie Lore in jedem Fall darum betrügen.
Inzwischen hatte der Priester seine Litanei beendet. Zusammen mit Kord und zwei Herren, die sich dazu bereit erklärt hatten, ließ Fridolin den Sarg mit den sterblichen Überresten seines Onkels in die Tiefe. Danach warf er eine Handvoll Erde in das Grab und trat beiseite. Während Hochwürden Starzig ein letztes Mal mit Weihrauchschwenker und Weihwasser hantierte, traten die Nachbarn

ans Grab, sprachen ein Gebet und verschwanden dann wieder, um dem immer schärfer blasenden Ostwind zu entgehen. Dieser trieb eine Wand aus dunklen Wolken vor sich her, aus denen bereits die ersten Schneeflocken fielen.
»Ich glaube, wir sollten auch gehen«, wandte Doktor Mütze sich an Fridolin.
Dieser nickte zunächst, sah dann aber, wie Kord die Schaufel ergriff, um das Grab mit Erde zu füllen, und winkte Miene heran. »Besorge mir eine Schaufel oder einen Spaten. Ich will Kord nicht allein arbeiten lassen.«
»Aber Herr Fridolin, das geht doch nicht. Sie sind doch von Adel und können nicht …«
»Was ich kann und was nicht, entscheide immer noch ich selbst«, unterbrach Fridolin die alte Frau mit scharfer Stimme. »Und jetzt geh! Du siehst doch, dass ein Schneesturm im Anzug ist.«
Nun gehorchte Miene und verschwand in Richtung ihrer Kate. Dafür trat jetzt der Arzt neben Fridolin. »Ich würde Ihnen gerne helfen, will aber meiner Frau nicht zumuten, noch länger in der Kälte zu stehen. Ich schicke Ihnen den Kutscher mit dem Wagen zurück.«
»Lassen Sie den armen Kerl und die Pferde lieber im Warmen. Kord wird mir für diese Nacht Obdach gewähren«, wehrte Fridolin den Vorschlag ab.
Der Arzt überlegte kurz und nickte. »Bei dem Unwetter, das sich da ankündigt, ist es wohl das Beste. Ich hole Sie morgen Vormittag ab. Dann können wir zusammen zum Jagdhaus fahren und nachsehen, ob wir noch etwas finden, das Sie als Andenken an Ihren Onkel behalten können.« Da Lores Großvater alles, was sich hatte verkaufen lassen, zu Geld gemacht hatte, zweifelte Doktor Mütze jedoch daran.
Der junge Mann winkte ab. »Wenn etwas zu finden ist, gehört es Lore. Die hat es mit Sicherheit nötiger als ich.« Da Miene gerade

mit einem alten Holzspaten zurückkam, verabschiedete er sich von Doktor Mütze und gesellte sich zu Kord, der es angesichts des kalten Windes, der einem durch Mark und Bein fuhr, bei einem missbilligenden Blick beließ.
Dabei dachte der alte Knecht, dass der junge Herr Fridolin sehr viel Ähnlichkeit mit seinem Onkel in dessen jungen Jahren besaß. Der wilde Nikas hätte einen Knecht bei einem solchen Sauwetter ebenfalls nicht alleine arbeiten lassen.

XII.

Der neue Gutsherr auf Trettin und seine Frau hatten bei der Nachricht vom Ableben des alten Herrn eine Flasche Champagner geköpft, um auf dieses Ereignis anzustoßen. Auch der Pastor, der zum Gut geeilt war, um Ottokar und Malwine zu informieren, hatte mit ihnen ein Glas getrunken. An jenem Tag hatte der Geistliche noch gehofft, Wolfhard von Trettin selbst unter die Erde bringen und dabei seiner Gemeinde ins Gewissen reden zu können, damit sie erkannten, wie es Sündern erging, die sich gegen Gottes und der Menschen Gesetze vergingen.
Dieser Triumph blieb ihm jedoch versagt. Während Doktor Mütze und Fridolin als erste Trauergäste auf dem Friedhof erschienen, saß der Pastor mit Ottokar von Trettin am Tisch, in der Hand einen wärmenden Grog, und hörte dem Gutsherrn zu.
»Anders hat der alte Bock es nicht verdient«, tönte Ottokar, ohne dass der Pastor ihn dafür zur Rede stellte. »Mein Onkel hat das Gut herunterkommen lassen und ihm dabei Unmengen an Geld entzogen. Aber ich werde mir jeden Taler zurückholen, dessen können Sie versichert sein, Pastor. Dann werde ich Ihrer Bitte

Gehör schenken und den Dachstuhl des Kirchturms erneuern lassen.«
»Das ist eine sehr edle Geste, Herr von Trettin«, rief der Geistliche freudig aus und stellte dann die Frage, die ihm auf der Seele brannte, seit er vom Tod des alten Gutsherrn erfahren hatte. »Was ist mit Wolfhard von Trettins Enkelin? Haben Sie sie auf das Gut geholt? Ich werde mich ihrer annehmen müssen, um ihre Seele von dem Irrglauben zu befreien, in den ihr Großvater sie in seinem Wahn getrieben hat.«
»Mein Mann wollte das Mädchen erst holen, wenn der Alte unter der Erde liegt«, antwortete Malwine, die am Fenster stand und mit einem scharfen Jagdglas das Geschehen auf dem Friedhof beobachtete. Dieser lag unten im Dorf neben der Kirche, und mit bloßem Auge konnte man von dem erhöht liegenden Gutshaus dort nur käfergroße Gestalten sehen. Mit Hilfe des Feldstechers aber war es ihr möglich, die Personen zu erkennen, die dem alten Herrn das letzte Geleit gaben.
Währenddessen drängte es Ottokar, sich für seine Haltung zu rechtfertigen. »Eigentlich wollte ich sofort zum Jagdhaus fahren, um mich um meine Nichte zu kümmern, aber als ich erfuhr, dass mein Onkel unserem ehrwürdigen Glauben entsagt hat und zum Papstknecht geworden ist, habe ich geschworen, die Schwelle dort erst dann zu überschreiten, wenn der Alte auf dem Gottesacker liegt. Sobald das geschehen ist, werde ich anspannen lassen.«
Dabei verschwieg er, dass er das Jagdhaus auch deshalb gemieden hatte, um nicht für die Beisetzung seines Onkels aufkommen zu müssen. Er hasste den Alten, der sein Leben für sich gelebt und nicht daran gedacht hatte, seinen Besitz für den Nachfolger zu vermehren, und wollte daher keinen schimmeligen Groschen für ihn ausgeben müssen.
»Kord und Miene sind auch auf dem Friedhof! Na, die können etwas erleben, sage ich euch«, rief Malwine empört aus.

»Ich habe es beiden ausdrücklich verboten!« Der Pastor wollte um Gottes willen nicht dafür verantwortlich gemacht werden, dass die beiden alten Leute offen dem Willen des Gutsherrn und seiner geistigen Autorität zu trotzen wagten.
»Fridolin und Doktor Mütze sind auch da«, fügte Malwine gehässig hinzu.
»Der Kerl braucht nicht zu denken, dass er von mir auch nur einen einzigen Taler erhält! Damit prost, Herr Pastor!« Ottokar stieß mit dem Geistlichen an und spottete hinterher, dass die Genannten wohl als Einzige dem Sarg des Verstorbenen folgen würden.
Da vernahm er die keifende Stimme seiner Frau. »Ich sehe den Fuhrunternehmer Wagner. Wie kann der Kerl es wagen, uns so zu provozieren? Diesem Mann überlässt du keine Fuhre mehr von unserem Gut!«
»Wagner ist da, sagst du?«, wunderte Ottokar sich. Gleichzeitig fragte er sich, wie er Malwine begreiflich machen sollte, dass sie auf dieses Fuhrunternehmen angewiesen waren, um ihre Ernteüberschüsse an den Mann zu bringen. Wagner war von Heiligenbeil bis Zinten ohne Konkurrenz, und einen Fuhrunternehmer aus Braunsberg oder Königsberg zu holen war nicht nur eine unsichere Sache, sondern würde wegen der Mehrausgaben auch den eigenen Gewinn schmälern.
»Das gibt es doch nicht!«, platzte Malwine heraus.
Langsam ging ihr Getue Ottokar von Trettin auf die Nerven. »Was ist denn?«
»Eben ist Graf Elchberg gekommen und auch einige andere Nachbarn. Es werden immer mehr! Was denken diese Leute sich eigentlich? Sie müssen doch wissen, dass sie uns vor den Kopf stoßen, wenn sie am Begräbnis dieses alten Schurken teilnehmen.« Malwine war außer sich vor Wut und wollte ihr Jagdglas wieder auf den Friedhof richten.
Da trat ihr Mann an ihre Seite, nahm ihr den Feldstecher ab und

blickte selbst hindurch. »Da ist beinahe die ganze Nachbarschaft versammelt! Na ja, wenn die glauben, sich wegen meines Onkels in die Kälte stellen zu müssen, soll es ihnen unbenommen sein. Hinterher werden sie froh sein, sich hier auf Trettin mit einem steifen Grog aufwärmen zu können. Malwine, weise die Köchin an, sie soll alles für die Gäste bereitstellen. Herr Pastor, Sie bleiben doch noch? Bitte erklären Sie den Damen und Herren, dass mein Gewissen es nicht zugelassen hat, einem vom Glauben abgefallenen Mann ans Grab zu folgen!«

Ottokar von Trettin war davon überzeugt, die Nachbarn, die seinem Onkel das letzte Geleit gaben, würden hinterher zum Gutshof kommen. Umso enttäuschter war er, als die Trauergäste nach der Beerdigung ihre Kutschen und Schlitten bestiegen und den Rückweg antraten, ohne ihm und seiner Frau ihre Aufwartung zu machen.

»Das ist ein Affront, den ich mir nicht gefallen lassen werde«, schimpfte er und wurde dann durch eine junge Magd gestört, die schüchtern an die Tür klopfte.

»Was ist?«

»Die Köchin lässt ausrichten, dass alles für den Grog bereitsteht!«

»Wir brauchen keinen Grog, und jetzt verschwinde!« Malwine griff nach dem Stock, den sie nie lange aus den Händen ließ, doch die Magd schoss bereits erschrocken davon. Wütend hieb Malwine durch die Luft und funkelte den Pastor an.

»Daran sind Sie schuld! Sie hätten die alte Miene zum Schweigen bringen müssen. Aber das Weib plärrt immer noch im halben Landkreis herum, mein Mann sei am Tod seiner Cousine und deren Familie schuld, weil er sie nicht geweckt habe. Dabei war er zu dem Zeitpunkt auf dem Weg nach Königsberg. Weiß der Teufel, wen diese alte Hexe zu sehen geglaubt hat. Mein Mann war es jedenfalls nicht.«

Es war gut, dass der Pastor in dem Moment die Gutsherrin anblickte und nicht den Gutsherrn.
Ottokar war bleich geworden, und seine Augen flackerten. Für einen Augenblick schlug er sogar die Hände vor das Gesicht. Er wusste nur zu gut, wie der Brand beim Lehrerhaus entstanden war, und in trüben Augenblicken glaubte er den Ruf »Mörder!« zu hören.
Er schüttelte diesen Gedanken wie schon so oft rasch ab und gesellte sich wieder zum Pfarrer. »Es muss etwas geschehen! Wenn Miene diese Lüge noch einmal erzählt, lasse ich sie aus ihrer Kate weisen, und es ist mir dabei vollkommen gleichgültig, ob es Stein und Bein friert und der Schnee klafterhoch liegt.«
»Kord muss auch weg!«, setzte Malwine zornrot hinzu. »Die beiden haben sich auf die Seite des Onkels meines Mannes geschlagen und müssen nun die Konsequenzen tragen.«
Dem Pastor lag auf der Zunge, um Milde für Miene und Kord zu bitten, doch als er in die erregten Gesichter des Gutsbesitzerpaares blickte, ließ er es sein. Gott war gnädig und würde sich der zwei alten Menschen annehmen, und wenn nicht, dann war es gewiss der Sünden wegen, die die beiden auf sich geladen hatten.
»Florin, wo bist du?«, rief unterdessen der Gutsherr mit lauter Stimme.
Kurz darauf kam der Kutscher herein und verbeugte sich. »Sie belieben zu befehlen, Herr von Trettin?« Florin sah Ottokar von Trettin dabei nicht an und wich auch sonst dessen Blick aus.
Seinem Herrn fiel das jedoch nicht auf. »Lass anspannen! Ich will zum Jagdhaus meines Onkels fahren und sehen, in welchem Zustand er es mir hinterlassen hat. Außerdem werde ich Lore mitbringen. Die Wirtschafterin soll eine Kammer für sie herrichten lassen.«
»Dieses Ding kann mit den anderen Mägden in der Küche schlafen«, giftete Malwine.

Ihr Mann hob beschwichtigend die Rechte. »Wir müssen auf unser Ansehen achten, meine Liebe. Lore ist leider Gottes unsere Verwandte. Es gäbe ein schlechtes Bild ab, würden wir sie vor allen Leuten wie eine x-beliebige Dienstbotin behandeln.«
»Was Besseres ist sie auch nicht!« Malwine schüttelte die Fäuste, doch auch sie begriff, dass es besser war, den Schein zu wahren. Insgeheim schwor sie sich aber, Lore zu zeigen, wo deren Platz war.
Unterdessen sah ihr Mann, dass Florin noch immer im Raum stand. »Du sollst anspannen lassen!«, wies er den Kutscher zurecht.
Florin zeigte mit bleicher Miene nach draußen. »Es kommt ein Schneesturm auf, Herr von Trettin. Wenn wir da hineingeraten, besteht die Gefahr, dass die Pferde stecken bleiben, ganz gleich, ob wir nun die Kutsche nehmen oder einen Schlitten.«
Voller Erregung eilte Ottokar zum Fenster und blickte zu den dunklen, tiefhängenden Wolken auf. Es schneite bereits heftig, und der Gedanke, bei einem solchen Wetter unterwegs zu sein, war wahrlich wenig verlockend.
»Dann fahren wir eben morgen zum Jagdhaus«, brummte er und wollte sich abwenden.
Da reichte Malwine ihm das Fernglas.
»Sieh nur, Fridolin ist unter die Totengräber gegangen. Man muss sich direkt schämen, mit so jemandem verwandt zu sein!«

XIII.

Fridolin blieb in dieser Nacht bei Kord. Während draußen der Wind heulte und das Land im Schnee versank, saßen die beiden Männer neben dem Ofen, tranken Grog aus selbstgebranntem Wacholderschnaps und unterhielten sich über Wolfhard von Trettin. Kord wusste vieles über seinen einstigen Herrn zu berichten, und da Fridolin jahrelang in den Ferien auf das Gut Trettin geschickt worden war, um diese Wochen bei seinem Onkel zu verbringen, entspann sich ein angeregtes Gespräch.

»Wenigstens hat er jetzt seine Ruhe vor Herrn Ottokar. Bei Gott, was ist das nur für ein Mensch!«, seufzte Kord. »Er hat seinem Onkel nicht einmal einen Platz in der Gruft derer von Trettin gegönnt.«

»Ottokar gönnt einem anderen Menschen nicht das Schwarze unter dem Nagel«, antwortete Fridolin mit bitterem Spott. »Er konnte ja nicht einmal warten, bis der alte Herr starb, sondern musste ihm schon vorher das Gut abnehmen. So ein Schurkenstück hätte nicht einmal ich ihm zugetraut. Er hat wohl etliches an Verleumdungen von sich geben und viel Überredungskunst aufbringen müssen, um das Gericht auf seine Seite zu ziehen.«

Fridolin trank einen Schluck aus der dampfenden Tasse. »Dein Grog ist stark, Kord. Wenn ich mehr davon trinke, liege ich bald am Boden. Na ja, bildlich gesehen tue ich das ohnehin schon.«

»Sind Sie wieder einmal blank, Herr Fridolin?«

»Was heißt hier wieder einmal? Eigentlich bin ich immer blank. Dabei hält sich mein Lebensstil im Rahmen, denn für große Sprünge fehlt mir der schnöde Mammon, und an den ist schwer heranzukommen. Der Geldverleiher verlangt Sicherheiten, die ich nicht habe, bei den Banken lassen sich die Herren Direktoren verleugnen, wenn ich erscheine, und bei meinen Standesgenossen bin

ich nicht zuletzt wegen Ottokars Diffamierungen so unten durch, dass ich nicht einmal ein Butterbrot von ihnen bekommen würde, geschweige denn einen Kredit.«
Da Fridolin seine Worte mit einem leisen Lachen begleitete, sagte Kord sich, dass der junge Freiherr seine Art zu leben nicht zu bedauern schien. »Schade, dass Sie nicht der Erbe sind. Sie hätten Ihrer Familie Ehre gemacht!«
»Das glaube ich weniger!« Fridolin dachte an die Berliner Bordellbesitzerin, mit der ihn eine durchaus angenehme Freundschaft verband, und an einige andere Bekannte, die ebenso wenig gesellschaftsfähig waren. Dann wischte er diesen Gedanken mit einer Handbewegung beiseite.
»Außerdem sollten wir uns nicht um mich Kopfzerbrechen machen, sondern um Lore. Wenn ich könnte, würde ich es ihr ersparen, unter Ottokars und Malwines Fuchtel zu geraten.«
»Wenn der alte Herr nur ein halbes Jahr länger gelebt hätte, hätte er versucht, Lore und Sie miteinander zu verheiraten, Herr Fridolin!« Kord war tiefer in die Überlegungen des alten Trettin eingeweiht als jeder andere und hätte diese Lösung Lores Flucht nach Amerika vorgezogen.
Fridolin lachte hell auf. »Bei Gott, das arme Mädchen kann froh sein, dass es dazu nicht gekommen ist. Sie ist so arm wie eine Kirchenmaus, und auch ich habe keinen einzigen Taler in der Tasche. Ich glaube nicht, dass Lore ein solches Leben zugesagt hätte.«
Kord nahm wahr, dass Fridolin nur von Lore und nicht von sich gesprochen hatte, und ihm fiel zum ersten Mal auf, dass der junge Mann trotz seiner nach außen leichtsinnig wirkenden Art recht zuverlässig zu sein schien. Kaum ein anderer hätte die beschwerliche Reise von Berlin hierher auf sich genommen, nur um an einer Beerdigung teilzunehmen. Daher bedauerte Kord umso mehr, dass aus den früheren Plänen seines Herrn nichts geworden war. In einigen Monaten wurde Lore sechzehn und damit heiratsmün-

dig, und mit der Summe, die Wolfhard von Trettin seiner Enkelin mitgegeben hatte, wären die beiden gewiss in der Lage gewesen, ein neues Leben zu beginnen.
Doch im nächsten Moment erinnerte sich Kord daran, dass Ottokar auch dann nicht nachgegeben, sondern gewiss Lore verklagt hätte, um an das angeblich gestohlene Geld zu kommen. Dabei hatte der Mann mit Gut Trettin bereits mehr vom Schicksal erhalten, als er es sich in seiner Jugend hätte träumen lassen.
Da all diese Überlegungen müßig waren, richtete Kord seine Aufmerksamkeit wieder auf seinen Gast und sorgte dafür, dass ihre Groggläser stets aufs Neue gut gefüllt waren. Draußen heulte der Sturm so wild, dass einem selbst in der warmen Stube angst und bange werden konnte. Obwohl der alte Knecht die Fensterläden geschlossen und die Fenster selbst mit Werg abgedichtet hatte, wehten kleine Schneeflocken durch die Ritzen und blieben für Augenblicke auf dem Boden liegen. Dann schmolzen sie und bildeten eine Pfütze, die immer größer wurde.
»Was meinen Sie, Herr Fridolin, wollen wir zu Bett gehen?«
Fridolin stand auf, musste sich aber sogleich an der Tischkante festhalten, um nicht allzu sehr zu schwanken. »Dein Grog hat es in sich! Der reißt einem glatt die Beine weg«, sagte er mit einem etwas kläglichen Grinsen.
»Ein guter Grog muss steif sein«, erklärte der Knecht und richtete das Bett für seinen Gast.
Kurz darauf lagen beide in den Federn, und während Fridolin rasch wegdämmerte, galten Kords Gedanken der Enkelin seines Herrn, und er hoffte, dass ihr Schiff auf dem Meer in keinen solchen Sturm geriet, wie er hier über das Land fegte.

XIV.

Am nächsten Morgen hatten die Elemente sich ausgetobt, und das Land lag unter einer dicken, weißen Schneedecke. Kord war erleichtert, dass das Unwetter überstanden war, denn Doktor Mütze wollte aus der Stadt kommen, um das Jagdhaus in Besitz zu nehmen. Bislang hatte er aus Pietät gegenüber seinem toten Freund darauf verzichtet. Doch nun lag Wolfhard von Trettin unter der Erde, und das Leben musste weitergehen.
Als Fridolin erwachte, versorgte Kord ihn mit heißem Wasser, damit er sich waschen und rasieren konnte, und bereitete in der Zwischenzeit das Frühstück zu.
»Delikatessen, wie Doktor Mützes Köchin sie zubereitet, kann ich Ihnen nicht auf den Tisch stellen, Herr Fridolin. Aber es macht satt!« Mit diesen Worten teilte er den mit getrockneten Früchten versetzten Haferbrei in zwei Schüsseln und reichte eine davon seinem Gast.
Fridolin aß die schlichte Kost mit gutem Appetit, wunderte sich aber, dass Kord so ärmlich leben musste. Auf dem Gut wurde genug Getreide geerntet und Vieh geschlachtet, um alle dem Gut angehörenden Menschen zu versorgen und darüber hinaus noch einen guten Teil mit Gewinn verkaufen zu können. Die geringe Zuteilung an Kord war wohl Teil von Ottokars Rache, weil der alte Knecht seinem früheren Herrn treu geblieben war.
»Er ist eine Ratte, nicht wahr?«
Obwohl Fridolin keinen Namen nannte, wusste Kord sofort, von wem er sprach. »Das können Sie laut sagen, Herr Fridolin. Ich aber darf nichts sagen, sonst lässt er mich aus meiner Kate weisen. Wahrscheinlich wird er es jetzt tun, weil ich dem alten Herrn einen letzten Dienst erwiesen habe.« Bei diesen Worten wirkte Kord mutlos. Er sagte sich, dass er am besten ebenso auf dem

Gottesacker liegen sollte wie sein Herr, seine Frau und die Kinder, die vor ihm gestorben waren.

»Vielleicht kann Doktor Mütze dir helfen. Er will doch das Jagdhaus behalten, und da braucht er jemanden, der darauf aufpasst und es in Ordnung hält«, warf Fridolin ein.

Kords Kopf ruckte hoch, und er sah den jungen Mann mit neuer Hoffnung an. »Glauben Sie, der Herr Doktor würde das tun?«

»Ich werde mit ihm darüber sprechen«, sagte Fridolin und widmete sich dem Rest seines Getreidebreis.

Nach einiger Zeit hörten sie zwei Gespanne an der Kate vorbeifahren. Kord ging zum Fenster und sah hinaus. Als er sich wieder Fridolin zuwandte, spiegelte seine Miene aufrichtigen Ekel wider.

»Es ist Herr Ottokar mit seinem Reiseschlitten sowie ein Schlitten mit mehreren Knechten. Weiß der Teufel, wohin die unterwegs sind.«

»Vergessen wir Ottokar und trinken lieber einen Grog. Irgendwie ist es hier kalt!« Fridolin rieb sich die klammen Arme und brachte Kord dazu, kräftig nachzulegen.

»Herr Ottokar hat mir das Brennholz heuer arg knapp zuteilen lassen. Aber wenn der Herr Doktor mich in der Jagdhütte hausen lässt, kann ich ruhig einheizen.«

Bei Kords treuherzigen Worten sagte Fridolin sich, dass er den Arzt unbedingt dazu bewegen musste, sich um den alten Knecht zu kümmern. Es war eine Schande, dass Ottokar den alten Mann zu so einem erbärmlichen Leben verurteilt hatte.

»Wann wird der Herr Doktor kommen?«, fragte Kord.

»Sobald die Gutsleute die Landstraße von Schneeverwehungen geräumt haben, vermute ich.«

»Dann dürfte er bald da sein!« Kord atmete tief durch und ging dann zum Herd, um Wasser für den Grog heiß zu machen.

Fridolin sah ihm zu und war schließlich froh, als das Bimmeln von Glöckchen die Ankunft des Arztes verkündete. Doktor Mütze

war mit seinem eigenen Schlitten gekommen und hatte den Fuhrunternehmer Wagner mitgebracht.
»Guten Tag«, grüßte er beim Eintreten und schnupperte gleich in Richtung des Ofens, an dem Kord gerade mehrere Becher mit Grog füllte.
»Das ist genau das Richtige«, setzte er hinzu, als er einen der Becher in der Hand hielt und einen Schluck getrunken hatte.
»Heiß und stark. In der Stadt kriegt man so etwas nicht«, lobte auch Wagner das Getränk. Dann sah er Fridolin mit einem nachsichtigen Lächeln an.
»Unser guter Doktor Mütze hat gemeint, er hätte gerne einen unbeteiligten Zeugen bei sich, wenn er das Jagdhaus übernimmt. Das ist Ihnen doch hoffentlich recht, Herr Fridolin?«
»Warum sollte es mir nicht recht sein? Eigentlich bin ich völlig unbeteiligt. Das Jagdhaus gehörte meinem Onkel, und er konnte es verkaufen oder hinterlassen, wem er wollte.«
»Er hat es verkauft«, rückte der Arzt die Tatsachen zurecht.
»Gott sei Dank! Dann hat Lore wenigstens etwas Geld!« Fridolin atmete auf und fragte dann, wann die beiden Herren aufbrechen wollten.
»Sobald unsere Becher leer sind. Allerdings kann Kord sie vorher noch einmal füllen«, antwortete der Arzt und streckte dem Knecht sein Trinkgefäß hin.
Kurz darauf bestiegen sie den Schlitten. Doktor Mütze reichte Fridolin eine Decke, da dieser nur einen modischen Mantel trug, der vielleicht in der Stadt angebracht war, aber gewiss nicht hier in einem Landstrich, in dem die Kälte selbst Baumstämme zerspringen ließ.
Die Pferde hatten zwar nur kurz im Freien stehen müssen, schienen aber froh zu sein, dass es nun weiterging, und offensichtlich kannten sie den Weg zum Jagdhaus, denn der Kutscher musste sie nicht antreiben. Als der Arzt und seine Begleiter bei dem verwit-

terten Gebäude vorfuhren, erwartete sie eine böse Überraschung. Die Trettiner Schlittengespanne standen vor dem Haus, die Tür war aufgebrochen, und von drinnen drang bellend Ottokars Stimme heraus.
»Schlagt das alte Möbel in Stücke! Wahrscheinlich enthält es ein Geheimfach, irgendwo muss der alte Bock doch sein Geld versteckt haben!«
»Das ist ja die Höhe!« Doktor Mütze sprang empört vom Schlitten und eilte ins Haus. Fridolin folgte ihm auf dem Fuß, während Wagner ein wenig zögerte und Kord anstarrte, der dem Kutscher des Arztes half, die dampfenden Pferde in den kleinen Stall zu bringen, damit sie aus der Kälte kamen.
Als Doktor Mütze das Haus betrat, sah er entsetzt, dass die Kücheneinrichtung nur noch aus Trümmern bestand und Ottokars Knechte sich gerade daranmachten, die Wohnzimmermöbel zu zerschlagen. Ihr Herr stand mit hochrotem Gesicht daneben und stützte sich auf seinen Stock.
Doktor Mütze trat auf den Gutsherrn zu und sah ihn wuterfüllt an. »Was geht denn hier vor?«
Ottokars Wangen zuckten, als er unvermutet den Arzt vor sich stehen sah. »Scher dich zum Teufel, Mann! Hier hast du nichts verloren.«
»Das bezweifle ich! Und ihr hört jetzt sofort auf, verstanden!« Doktor Mützes letzter Satz galt den Knechten, die eben den Schrank umgeworfen hatten und ihm mit Äxten zu Leibe rücken wollten.
»Weitermachen!«, befahl Ottokar den Männern, griff nach dem Arzt und schob ihn in Richtung Tür. »Raus jetzt, sonst lernst du mich kennen!«
»Sie werden jetzt gehen, Herr von Trettin. Das hier ist nämlich mein Haus. Ich habe es von Ihrem Onkel gekauft!«
Ottokar stierte Doktor Mütze verblüfft an und lachte dann schal-

lend. »Der alte Bock hatte nichts mehr zu verkaufen. Alles, was er besaß, gehört dem Gut und damit mir! Mir! Verstanden? Und jetzt zum letzten Mal: Raus, oder ich vergesse mich!«
Bevor Doktor Mütze ein weiteres Wort sagen konnte, traf ihn ein Stockhieb, und er taumelte mit einem Wehlaut gegen Fridolin. Dieser stellte sich zwischen seinen Vetter und den Arzt und verschränkte die Arme vor der Brust.
»Ich wusste schon immer, dass du ein Schurke bist. Aber diesmal bist du zu weit gegangen. Dieses Haus gehört nach Recht und Gesetz Doktor Mütze, und wenn du nicht sofort mit deinen Leuten abziehst ...«
Ottokar von Trettin unterbrach ihn höhnisch. »Wenn einer abzieht, bist du es, du verdammter Hungerleider! Schnorren kannst du woanders. Das ist mein Besitz, hörst du? Du hast hier nichts verloren.«
»Deine Ausdrucksweise war auch schon einmal besser, Vetter«, spottete Fridolin.
»Für einen Lumpenhund wie dich reicht es allemal. Übrigens, wo habt ihr Leonores Balg versteckt? Ich bin ihr Vormund und werde euch vor Gericht zerren, wenn ihr sie mir nicht schnellstens übergebt.« Ottokar packte Fridolin an der Brust und wollte ihn schütteln, doch der Jüngere wehrte seinen Griff mit Leichtigkeit ab. Wütend riss der Gutsherr den Stock hoch, um auch Fridolin wie einen Knecht zu züchtigen.
Der aber entwand ihm den Stock mit einer fast beiläufigen Bewegung und zerbrach ihn über seinem Knie.
Nun begann Ottokar von Trettin zu brüllen. »Du elender Schurke, das hast du nicht umsonst getan! Los, packt ihn und versetzt ihm eine Tracht Prügel, die ihn bis ans Ende seines Lebens daran erinnern soll, dass er hier bei uns nichts zu suchen hat!«
Florin trat zurück und hob abwehrend die Hände, aber die Knechte blickten einander grinsend an und kamen breitbeinig auf Frido-

lin zu. Man konnte Ottokar die Vorfreude auf die Abreibung ansehen, die sein Vetter nun erhalten würde, und er rieb sich die Hände. Sein Grinsen erlosch jedoch, als Fridolin unter seinen Mantel griff und eine kleine zweiläufige Pistole zum Vorschein brachte, eine sogenannte Taschenpistole, die sich bequem in einer Jackentasche unterbringen ließ.

»Es ist doch gut, wenn man sich gegen Räuber und ähnliches Gesindel wappnet«, sagte er lachend und richtete die Waffe auf die Knechte.

»Der Erste von euch, der noch einen Schritt auf mich zumacht, wird sich in drei Tagen auf dem Friedhof wiederfinden! Die andere Kugel ist für meinen famosen Vetter bestimmt. Vielleicht freut Malwine sich sogar, wenn sie auf diese Weise vorzeitig zur Witwe wird!«

Der junge Mann klang so entschlossen, dass Ottokar von Trettin es mit der Angst zu tun bekam. »Mach keinen Unsinn, Fridolin!«, rief er. »Wir sind doch Verwandte. Ich …«

»Nimm deine Leute und verschwinde. Den Schaden, den ihr angerichtet habt, wirst du Doktor Mütze auf Heller und Pfennig ersetzen. Und da du nach Lore gefragt hast: Ich weiß auf Ehrenwort nicht, wo sie sich befindet. Doch ich bin sicher, dass sie den Ort, an dem sie jetzt weilt, einem Aufenthalt auf dem Gut in jedem Fall vorziehen wird!«

Fridolin trat beiseite, damit die ungebetenen Gäste den Raum verlassen konnten, und da er seine Waffe im Anschlag hielt, schritt auch Ottokar von Trettin zähneknirschend dem Ausgang zu. An der Tür blieb der Gutsherr noch einmal stehen und drohte seinem Vetter mit der Faust. »Das hast du nicht umsonst getan, Lümmel! Und dich, Mütze, sehe ich vor Gericht wieder. Dort wird sich zeigen, wem dieses Jagdhaus und das Stück Wald gehören. Dafür, dass ihr Lore entführt habt, werde ich euch beide ins Zuchthaus bringen!«

Der Fuhrunternehmer Wagner war zunächst im Flur stehen geblieben, sah sich nach Ottokars letzten Drohungen jedoch zum Eingreifen genötigt. »Jetzt tragen Sie nicht so dick auf, Herr von Trettin. Ich habe gesehen, wie Sie sich hier aufgeführt haben. Im Landkreis wird es bestimmt nicht gut aufgenommen werden, dass Sie Doktor Mützes Jagdhaus aufgebrochen und ihn mit dem Stock geschlagen haben. Und was Herrn Fridolin betrifft, so wird jedes Ehrengericht ihm zugestehen, dass er Sie für Ihre Frechheiten zum Duell fordern kann. Was übrigens Ihre Verwandte Lore Huppach betrifft, so hat Wolfhard von Trettin diese noch zu seinen Lebzeiten auf die Reise nach Amerika geschickt. Sie werden ihren Namen auf den Passagierlisten des Norddeutschen Lloyd finden!«
»Lore soll nach Amerika fahren?«, rief Fridolin erschrocken aus. »Mein Onkel muss verrückt geworden sein!«

Vierter Teil

Die Entführung

I.

Joe Penns Heim war ein schmalbrüstiges, zweistöckiges Gebäude in einer schier unendlichen Reihe nahezu identischer Häuser, die ein großes Hafenbecken säumten. Hunderte von Booten und kleinen Segelschiffen lagen dicht neben der Straße in einer schwarzen Brühe, die von keiner Welle gekräuselt wurde. Es roch nach verfaultem Fisch, und überall hingen Netze zum Trocknen. Auch schien hier niemand die Straße zu fegen, denn im Rinnstein türmte sich der Dreck. Die Kinder aber, die Joe Penn schreiend entgegenliefen, sahen halbwegs sauber aus und hatten ordentlich gekämmte Haare.

Der grobschlächtige Mann schob die Jungen, die ihn umringten, ebenso sanft beiseite wie die keifende Frau, die aus der Haustür stürzte und ihn mit einem für Lore völlig unverständlichen Wortschwall überschüttete. Bei ihr handelte es sich ganz offensichtlich um Mrs. Penn, die nicht mit den lebenden Mitbringseln ihres Gemahls einverstanden zu sein schien. Lore zitterte vor Kälte, Angst und einer schier unendlichen Erschöpfung. Für ein paar Augenblicke hatte sie gehofft, dem Zugriff Rupperts entzogen zu sein, doch wenn Mrs. Penn Nati und sie nicht aufnahm, dann würde der Mann sie wieder zurücktragen, wahrscheinlich direkt in die Arme des Mörders.

Joe Penn rief der Frau und dem Jungen, die den Korb mit Nati trugen, etwas zu. Die beiden grüßten scheu zu Mrs. Penn hinüber und transportierten ihre Last durch die Wohnküche, die den größten Teil des Erdgeschosses einnahm, und über zwei schmale, steile Treppen bis in den ausgebauten Dachboden. Joe Penn stieg mit Lore hinter ihnen her, als hätte er anstelle einer Person von fast sechzehn Jahren nur ein Kissen auf dem Arm. Sie war erleich-

tert, als er sie auf ein schmales, intensiv nach Lavendel riechendes Bett legte. Lore nahm gerade noch wahr, wie sich ein blondes Mädchen, das in einem Korbsessel neben dem Bett saß, über sie beugte und etwas sagte. Dann wurde es schwarz um sie.
Als sie wieder zu sich kam, zankten sich dicht neben ihr zwei Frauen leise, aber sehr erbittert, und im Hintergrund wimmerte ein Kind. Mit einem Schlag war Lore hellwach und saß aufrecht im Bett, noch ehe sie ihre verklebten Augen öffnen konnte. Das musste Nati sein, sie rief nach ihr. Lores Kopf schmerzte, und die Welt um sie herum schien zu schwanken. Für einen Moment hatte sie das Gefühl, sie sei wieder an Bord der vom Sturm durchgeschüttelten *Deutschland,* und schrie unwillkürlich auf. Aber hier gab es nur diese niedrige, nach Lavendel und billigem Lampenöl riechende Dachstube, in der sich eine ältere Frau und ein in einem Korbsessel sitzendes Mädchen um eine Geldbörse stritten wie zwei Hunde um einen Knochen.
Das Mädchen umklammerte mit einer Hand die Sessellehne und hielt mit der anderen das Portemonnaie fest, während die Frau es ihr zu entreißen versuchte. Dann bemerkten sie, dass Lore wach war, und erstarrten. Die ältere Frau, Mrs. Penn, wie Lore sich erinnerte, fasste sich zuerst und überhäufte sie mit einem Wortschwall. Sie hielt auch nicht inne, als Lore abwehrend die Hände hob und sie mit mühsam zusammengesuchten Worten bat, langsamer und deutlicher zu sprechen.
Erst als die junge Frau im Sessel die ältere an der Schürze zurückzog, verstummte diese und sah mit verkniffener Miene zu, wie jene mit zitternden Fingern und rotangelaufenem Gesicht Lore die Geldbörse reichte und sie mit langsam und deutlich gesprochenen Worten um Entschuldigung bat. Jetzt erst erkannte Lore das Portemonnaie mit dem Reisegeld, das Graf Retzmann ihr gegeben hatte, und sah die beiden Frauen fragend an.
»Bitte … Ich verstehe nicht!«, sagte sie.

»Oh, Miss, es ist mir peinlich. Meine Mutter wollte einfach Geld aus Ihrer Börse nehmen, Miss …«
»Ich heiße Lore, Lore Huppach. Ich bin die Kinderfrau der Komtess Retzmann«, antwortete Lore freundlich. »Wenn Sie sofort Geld benötigen, dürfen Sie das ruhig sagen. Wir zahlen natürlich für Essen und Unterkunft!«
Mrs. Penn schien Lore verstanden zu haben, denn ihr Finger zuckte auf sie zu. »Das Kind ist sehr krank, und der Doktor hat ihm teure Medizin und besonders feines Essen verordnet. Wir sind arme Leute! Ich kann keine Standespersonen beherbergen und verköstigen, denn ich kriege meine eigenen Mäuler kaum gestopft. Meine Älteste hier sitzt den ganzen Tag über ihren Näharbeiten und verdirbt sich dabei die Augen, um mir zu helfen, die Familie zu versorgen! Ich weiß nicht, was Joe Penn sich dabei gedacht hat, noch zwei Fresser herzuschleppen, dazu noch zwei Kranke! Ich …«
»Mom!«, fiel ihre Tochter ihr ins Wort. »Hör auf so herumzuzetern. Davon wird das kleine Mädchen nur noch kränker! Du hörst doch, dass die Lady zahlen will. Also sag ihr, wie viel Geld du brauchst.«
Lore nickte zu diesen Worten und wühlte mit angehaltenem Atem in den Geldscheinen. Es waren neue deutsche Mark darunter, alte Taler preußisches Kurant, amerikanische Dollars und auch einige Scheine mit der Aufschrift »Bank von England«. Der alte Graf hatte ihr ein halbes Vermögen zugesteckt. Sie nahm eine der englischen Banknoten und reichte sie Mrs. Penn.
»Würde das fürs Erste genügen?«, fragte sie.
Die Frau starrte auf den Schein, nickte dann und steckte ihn blitzschnell ein. Ihre Tochter sah Lore mit großen Augen an. »Das sind ja zwanzig Pfund! Bei Gott, das ist mehr, als mein Vater in einem Vierteljahr nach Hause trägt. Das ist viel zu viel!«
Lore schüttelte lächelnd den Kopf, denn sie wusste aus eigener Erfahrung, wie schlecht Näherinnen bezahlt wurden. Auch hatte sie

den Zeitungen zu Hause entnommen, wie wenig ein Arbeiter im Monat verdiente. Natis Pelzmäntelchen hatte sicher mehr als das Doppelte dieser Summe gekostet. Um wie viel mehr durfte sie ausgeben, wenn es um das Wohlbefinden oder gar das Leben der Kleinen ging! Kinder starben so schnell an allen möglichen Krankheiten.

»Bitte, Mrs. Penn, nehmen Sie das Geld und kaufen Sie die Medikamente für die Komtess und gutes Essen für uns alle – auch für sich und Ihre Kinder! Wenn es nicht reicht, dann gebe ich Ihnen noch weitere zwanzig Pfund. Denken Sie daran, wenn der Vormund der Komtess das Kind heil und gesund vorfindet, wird er Ihnen noch eine Belohnung zahlen – mindestens hundert Pfund! Das verspreche ich Ihnen.«

Das Gesicht von Mrs. Penn wurde auf einmal sehr viel freundlicher, und die Augen glitzerten. »Also jetzt noch einmal zwanzig Pfund für die Versorgung der Kleinen und hundert Pfund Belohnung?«, fragte sie misstrauisch nach.

»Noch einmal zwanzig Pfund und weitere hundert, wenn die Komtess Nathalia von Retzmann wieder gesund wird«, bestätigte Lore und kam sich vor wie ein Schacherer auf dem Pferdemarkt. Aber sie wusste nur allzu gut, wie geldgierig blanke Not die Menschen machen konnte.

Mrs. Penn warf noch einmal einen Blick auf den Geldschein, als traue sie ihm noch nicht ganz, und stopfte ihn mit zufriedenem Lächeln in ihre Schürzentasche. »Und du, Mary, hörst jetzt auf mit dem dummen Nähen und Sticken!«, herrschte sie ihre Tochter an. »Setz dich gefälligst an das Bett der kleinen Lady und mache ihr kalte Wadenwickel. Jonny bringt dir das Wasser frisch vom Brunnen. Währenddessen laufe ich los und hole die Arznei und Kräuter für den fiebersenkenden Tee. Ich bringe auch ein paar Südfrüchte mit, damit die Kleine frischen Saft zu trinken bekommt. Deine Schwester soll inzwischen eine kräftige Brühe zu-

bereiten! Aber wehe, ihr nehmt etwas davon, bevor die Kleine und die Lady hier satt geworden sind!«
Während sich Mrs. Penns Schritte auf der Treppe verloren, entschuldigte sich Mary wortreich für ihre Mutter.
Lore winkte ab. »Es ist schon gut. Hauptsache, meine Komtess bleibt am Leben! Sie hat bei dem Unglück ihren nächsten Angehörigen verloren.«
Sie stand auf, nahm eines der beiden Öllämpchen und ging mit immer noch wackeligen Knien zu Nati hinüber. Das Kind lag in einer übergroßen Wiege, die mit Schnitzereien reich verziert und deren Farbe schon stark abgeblättert war. Natis Gesicht war hochrot und so fleckig wie die gemalten Rosen über ihrem Kopf. Dazu rasselte ihr Atem noch schlimmer als der von Lores Großvater, kurz bevor er sie weggeschickt hatte. Doch die Kleine erkannte sie und versuchte, nach ihr zu greifen.
Als Lore sich über sie beugte, schlang sie die Arme um ihren Hals und bat sie immer wieder, sie nie und nimmer allein zu lassen. Lore versprach es ihr und versuchte ihr zu erklären, dass sie wenigstens in die Küche gehen müsse, um ihr etwas Leckeres zu kochen. Nati erlaubte es ihr mit dem Anflug eines Lächelns und starrte dann Mary an, die sich ihnen mühsam auf zwei klobigen Krücken näherte. Nun erst bemerkte Lore, dass die Beine des Mädchens genauso dünn waren wie die Stöcke und den Körper nicht zu tragen vermochten.
»Oh, nein! Liebe Mary, bitte bemühe dich nicht. Ich kann Nati allein versorgen. Entschuldige, ich habe nicht bemerkt …«
»… dass ich ein Krüppel bin? Nun, ich bin aber nicht nutzlos! Ich nähe, sticke und häkle Spitzen. Damit verdiene ich beinahe genauso viel wie mein Vater!« Das klang so stolz und selbstbewusst, dass sich Lore für ihre mitleidigen Blicke am liebsten entschuldigt hätte.
Mary nickte ihr aufmunternd zu. »Bitte rücke meinen Sessel neben

die Wiege und stelle den Tisch mit meinem Nähzeug daneben. Ich werde heute Nacht am Bett der kleinen Lady Krankenwache halten. Du schläfst so lange in meinem Bett.«

»Aber ich kann dir doch nicht das Bett wegnehmen!«, rief Lore entsetzt. »Genauso gut kann ich auf der Couch im Wohnzimmer schlafen oder auf einem Strohsack in der Küche!«

»Auf den Bänken in der Wohnküche schlafen meine beiden ältesten Brüder, und hinter dem Vorhang steht das Bett meiner beiden jüngsten Schwestern. Da schläft jetzt noch unser Babybruder, dem die große Wiege hier gehört. Die Betten in den beiden Zimmern unter uns sind mit meinen Eltern und jeweils zwei meiner Geschwister belegt. Ich bin die Einzige, die ein Bett für sich allein hat. Wir werden abwechselnd darin schlafen!«

Das klang so bestimmt, dass Lore nicht zu widersprechen wagte.

»Wie viele Geschwister hast du, Mary?«

»Mit mir sind wir noch zwölf. Drei sind gestorben …«

Mary genoss es, eine aufmerksame Zuhörerin zu haben. Während ihre Mutter und ihre Geschwister nacheinander mit Arznei, Suppe, Tee, Wolldecken, heißen Ziegelsteinen und kaltem Wasser die Treppe heraufkamen und neugierige Blicke auf das arme, kranke und doch so zauberhaft reiche Komtesschen warfen, erzählte sie Lore die Geschichte ihrer Familie, der Nachbarn und sonstiger Verwandter. Dabei lachte sie kein einziges Mal über Lores Verständigungsprobleme, sondern ging mit unendlicher Geduld auf ihre Fragen ein und sorgte dafür, dass Lore sich sehr schnell in der Familie und in der fremden Sprache heimisch fühlte.

II.

»Verschwinde! Lass uns in Ruhe!« Lore wunderte sich selbst, wie flüssig ihr diese Worte auf Englisch über die Lippen kamen. Doch Ruppert lachte sie nur aus und griff trotz des tobenden Sturms nach Nati, um sie aus ihren Armen zu reißen und in die kochende See zu schleudern ...
Ihr eigener Schrei weckte Lore auf, und sie sah sich erschrocken um. Doch da gab es keinen Ruppert und auch keine hohen, wild anbrandenden Wellen. Sie lag in Marys Bett, zitterte vor Kälte und benötigte dringend einen Nachttopf. Durch das kleine Giebelfenster fiel ein erster, schwacher Schein der nahenden Morgenröte, und aus der Küche drangen Geräusche und leise Stimmen nach oben.
Mary saß in ihrem Korbsessel neben Natis Wiegenbett und umklammerte noch im Schlaf krampfhaft ihre Näharbeit. Lore konnte sich nicht daran erinnern, ins Bett gegangen zu sein. Wahrscheinlich war sie mitten in Marys Erzählungen eingeschlafen. Dann hatte man sie ausgezogen und in ein zeltähnlich großes Nachthemd gesteckt. Am Fußende des Bettes lag noch der mit Tüchern umwickelte Ziegelstein, der als Wärmpfanne gedient hatte, und ihr Segeltuchmantel war als zusätzliche Decke über die dünnen Wolldecken ausgebreitet worden.
Lore zog sich leise an, um Mary und Nati nicht zu wecken. Doch die Dielen quietschten und knarrten erbärmlich und riefen sofort die restlichen Bewohner des Hauses auf den Plan. Nati warf sich in der Wiege herum und begann zu weinen. In diesem Augenblick krabbelte Marys jüngste Schwester, ein Nackedei in schmutzigen Windeln, auf allen vieren ins Zimmer, gefolgt von einem ungekämmten, zahnlückigen Mädchen, das nach einem neugierigen Blick in die Wiege die Ausreißerin wieder einfing und wie einen

Mehlsack die Treppe hinunterschleifte. Als Nächste segelte Mrs. Penn herauf und brachte einen Napf mit frischer Brühe, eine Kanne scharf riechenden Tee und eine saubere Bettpfanne, die Nati sofort benutzte.

Als das Komtesschen halbwegs versorgt war, brachte Prudence, die zweitälteste Tochter der Familie, Lore zu einem winzigen, eiskalten Verschlag hinter dem Haus und zeigte ihr die Toilette. Stolz berichtete sie, dass dieser Abtritt der einzige in der ganzen Straße sei, der direkt am Haus stehe und der Familie ganz allein gehöre. Als Lore fertig war, brachte Prudence sie in die Küche und warf die Brüder hinaus, damit sich der Gast ungestört waschen konnte.

Lore genoss in Prudence' Gesellschaft ein kurzes Frühstück und freute sich über ihr harmlos naives, aber doch recht aufschlussreiches Geplauder. Die Freundlichkeit und die Hilfsbereitschaft, mit der die vielköpfige Familie nach Mrs. Penns anfänglicher Ablehnung sie und Nati aufnahm und versorgte, tat ihr wohl, auch wenn sie wusste, dass sie das in erster Linie dem Zwanzigpfundschein zu verdanken hatte. Natis Weinen und Jammern rief sie bald wieder nach oben, wo Mary nun im Bett lag und leise schnarchte.

Lore versorgte das Kind mit fiebersenkendem Tee und legte ihm ein in Lavendelwasser getauchtes Tuch auf die Stirn. Dabei musste sie Nati immer wieder versichern, dass sie wirklich nicht wegzugehen gedenke. Zuletzt rückte sie die Wiege und den Korbsessel etwas näher an die wärmespendende Wand des gemauerten Kamins, der von der Küche aufstieg und alle Etagen des kleinen Hauses beheizte. Trotzdem musste sie sich noch in eine Wolldecke wickeln, ehe sie es sich mit Marys Näharbeit im Sessel bequem machen konnte, da eine feuchte Kälte durch alle Ritzen kroch.

Die nächsten Stunden wurden kurzweiliger, als sie erwartet hatte. Während sie Nati umsorgte und zwischendurch mit feinen Stichen die Nähte der Bluse schloss, die Mary für die Gattin eines der städtischen Honoratioren bestickt hatte, kamen Marys Mutter und ihre Geschwister abwechselnd mit schaulustigen Nachbarinnen im Schlepptau in die Dachstube. Die, die es sich leisten konnten, brachten kleine Geschenke, die anderen Essen oder wenigstens Neuigkeiten mit. Ein zwei- oder dreijähriges Mädchen, so erzählte eine dicke, stark schwitzende Frau, sei noch lebend von der *Deutschland* gerettet worden und dann auf der Fahrt nach Harwich in den Armen seiner Mutter gestorben.

Lore erinnerte sich flüchtig an die kleine Pauline und ihre Mutter, die ebenfalls in der Takelage Zuflucht gesucht hatten. In seinen nassen, am Körper klebenden Kleidern hatte das Mädchen beim Abstieg aus der Takelage an Deck der *Deutschland* schon mehr einer Wachspuppe als einem lebendigen Wesen geglichen. Bei dem Gedanken liefen Lore die Tränen über das Gesicht. So hätte es auch Nati ergehen können, wenn sie das Kind nicht warm und trocken hätte halten können. Doch noch war die Gefahr für die Kleine nicht gebannt. Trotz der Arznei, der Wadenwickel und all der Tees stieg Natis Fieber schon gegen Mittag wieder an, und ihr Atem ging so schwer, als sei sie am Ersticken.

Der eilends herbeigerufene Arzt verordnete eine andere Arznei und eine Schwitzkur in einer Packung von Birkenblättern. Lore hielt mühsam an sich, um nicht böse zu werden. Wo um Gottes willen sollte sie in dieser Winterzeit Birkenblätter herbekommen? Mary beruhigte sie jedoch. Da der Apotheker wusste, was dieser Arzt verordnete, hatte er gleich einen ganzen Schuppen mit getrockneten Birkenblättern gefüllt. Marys älteste Brüder liefen auch sofort los, um einen Sack voll zu kaufen.

Als sie wiederkamen, erzählten sie lachend, dass sie von einem stadtbekannten Herumtreiber angesprochen worden seien, einem Mann, der von Gelegenheitsarbeiten lebte und davon, sich das eine oder andere Ale im Pub mit Neuigkeiten und Gerüchten zu verdienen. Er hatte alles über Lore und Nati wissen wollen, sogar den Ort, an dem sie schliefen. Die Jungen, die den Mann nicht sonderlich mochten, berichteten grinsend, sie hätten ihm von der Kellerwohnung erzählt, die ihr Vater eingerichtet habe, um zahlende Untermieter aufzunehmen, und erklärt, die beiden Mädchen würden dort logieren. Doch in Wahrheit sei die Kellerwohnung unbewohnbar, weil der Bach in der Nähe wegen des Baus der neuen Fischfabrik immer wieder über die Ufer treten und sie so überschwemmen würde, dass sich noch nicht einmal Ratten und Wanzen darin wohl fühlten. Die beiden Jungen hielten das Ganze für einen großen Spaß und planten schon, den Kerl noch mehr an der Nase herumzuführen. Aber Lore war alarmiert. Dahinter konnte nur Ruppert stecken, und wie es aussah, hatte er sie gefunden.

Erst gegen Abend, als der Strom der neugierigen Besucherinnen abgeebbt war, kam sie dazu, mit Mary über die Gefahr zu sprechen, in der Nati schwebte. Das behinderte Mädchen schien die geheime Lenkerin ihrer Familie zu sein, die den aufbrausenden Vater ebenso im Zaum hielt wie die nervöse und von der großen Familie überforderte Mutter. Nun begann Lore, ihre Geschichte zu erzählen, angefangen von dem Tag, an dem sie das Haus ihres Großvaters verlassen musste, bis zu den Drohungen, die Ruppert auf der *Liverpool* ausgestoßen hatte. Sie verschwieg auch nicht, dass sie die Briefe und Papiere des ermordeten Grafen bei sich hatte, bat Mary aber, niemandem sonst etwas davon zu sagen, auch nicht ihren Eltern.

Mary hörte ihr geduldig zu, während sie sorgfältig mit wachsender Zufriedenheit die Arbeit ihres Gastes an der Bluse prüfte. Als Lore geendet hatte, wiegte sie nachdenklich den Kopf: »Das ist eine böse Geschichte. Dieser Ruppert muss ein ganz schlechter Mensch sein, der noch in der tiefsten Hölle enden wird. Aber wenn alle denken, Count Retzmanns Tod sei ein Unfall gewesen, ist er immer noch ein ehrenwerter Mann und als Herr von Stand so gut wie unangreifbar. Wenn du etwas gegen ihn sagst, werden dich alle für verrückt halten. Niemand glaubt einem armen Mädchen, besonders dann nicht, wenn es mit so einer Geschichte daherkommt. Ich rate dir daher, die Angelegenheit für dich zu behalten. Bleibe bei uns, liebe Laurie, bis der deutsche Herr von der Reederei kommt, um euch abzuholen. Ihm kannst du erzählen, was du weißt, und dann wird alles gut werden.«

»Aber was ist, wenn Ruppert einen Anschlag auf uns plant?«, fragte Lore. »Ich ziehe euch alle mit in die Affäre hinein!«

»Was kann der Mann denn schon tun? Er wird ja nicht einfach in unser Haus kommen und unsere kleine Lady umbringen«, versuchte Mary sie zu beruhigen.

Lore seufzte. »Nun, das hoffe ich auch. Aber jetzt müssen wir uns um Nati kümmern. Wie es aussieht, scheint es ihr besserzugehen.«

Tatsächlich war das Fieber der Kleinen nach der Schwitzpackung und der neuen Medizin gesunken, und auch ihr Atem ging freier, doch das erleichterte die Arbeit der beiden Pflegerinnen nicht. Das Kind quengelte mit einer selbst für Mary ungewohnten Ausdauer und hielt sie und Lore die ganze Nacht über auf Trab. Nati brachte selbst den Rest der Hausbewohner um ihren wohlverdienten Schlaf. Mrs. Penn stand jedes Mal mit grimmiger Miene auf, um zu sehen, was Lore nun schon wieder in der Vorratskammer oder am Herd zu suchen hatte. Aber sie half ihr, ohne zu klagen oder zu schimpfen. Ab und an ließ sie noch eine Andeutung fallen, dass Lore Natis Vormund sicher erzählen werde, wie gut das Kind in diesem Haus versorgt worden sei.

Am nächsten Morgen brachte Jonny die Nachricht, jemand habe ein Kellerfenster aufgebrochen, ohne dass es jemand bemerkt hätte. Da nichts gestohlen worden war und Mary und Lore ihren Verdacht für sich behielten, blieb der Einbruch ein Rätsel und beschäftigte die ganze Nachbarschaft zumindest so lange, bis die neuesten Nachrichten vom Tiefwasserhafen herüberschwappten.

Die alte *Liverpool* war am Vortag noch einmal zum Wrack der *Deutschland* ausgelaufen und spät am Abend mit den Toten zurückgekehrt, die man aus dem oberen Salon und aus dem Maschinenraum hatte bergen können. Unter diesen befanden sich auch vier der fünf Franziskanernonnen, deren trauriges Schicksal den überwiegend katholischen Bewohnern der Straße am alten Hafen eine Menge Gesprächsstoff bot.
Natis Fieber stieg gegen Mittag wieder an und erforderte eine neue Schwitzpackung, aber keine der Nachbarinnen nahm Rücksicht auf die kleine Patientin und ihre übermüdeten Pflegerinnen. In Zweier- oder Dreiergrüppchen gaben sie sich die Klinke in die Hand. Jede von ihnen fragte Lore, ob die Menschen katholischen Glaubens jetzt in Deutschland verfolgt würden. Zunächst verstand Lore ihre Fragen nicht und hakte verwundert nach.
»Was soll in Deutschland sein?«
»Kultur-Kampf«, buchstabierte ihr eine der Frauen, die eine etwas ältere Londoner Zeitung in der Hand hielt, welche schon als Einwickelpapier gedient hatte. »Bismarck kämpft gegen die katholische Kirche! Was bedeutet das, Miss Laurie? Liegen der deutsche Kaiser und sein Kanzler im Krieg mit dem Vatikan?«
»Nein, ganz gewiss nicht!«, rief Lore und musste ein Lachen unterdrücken, obwohl ihr gar nicht danach zumute war. Sie kratzte das wenige Wissen zusammen, das sie von ihrem Großvater und aus den oft monatealten politischen Journalen bezogen hatte, die auf verschlungenen Wegen in den verarmten Haushalt gelangt waren. »Das ist kein Krieg, sondern nur ein politischer Streit! Der Reichstag hat beschlossen, dass an öffentlichen Schulen nur noch weltliche Lehrer unterrichten dürfen, aber keine Ordensleute mehr, das heißt keine Priester, Mönche oder Nonnen. Die frommen Schwestern dürfen nur noch als Krankenschwestern arbeiten. Aber das betrifft lediglich die staatlichen Schulen und nicht die, die der Kirche gehören – glaube ich wenigstens.«

»Aber hier steht etwas von Berufsverbot für Katholiken. Müssen fromme Leute in Deutschland nun betteln gehen, weil sie nicht mehr arbeiten dürfen?«, schlug eine andere Nachbarin in dieselbe Kerbe, und deren Tochter fragte Lore, ob Bismarck nicht doch der Luzifer persönlich sei. Er habe doch bestimmt einen Pferdehuf im Schuh.

Lore wusste kaum, was sie darauf antworten sollte, denn ihr Großvater hatte sehr viel von Fürst Otto von Bismarck gehalten. Daher suchte sie verzweifelt nach den richtigen Worten. »Nein, natürlich nicht! Es geht wirklich nur um die öffentlichen Schulen und Kindergärten im Deutschen Reich. Da will der Reichstag keine Lehrer, Lehrerinnen und Erzieherinnen mehr beschäftigen, die einem katholischen Orden angehören. Glauben darf man in Deutschland, was man will, und es wird auch niemandem die Arbeit weggenommen, nur weil er katholisch ist.«

Eine der Frauen hatte von anderen Schiffbrüchigen erfahren, dass Lore mit den fünf Franziskanernonnen gereist sei und angeblich ebenfalls Nonne werden wolle. Das Gerücht verbreitete sich in Windeseile, und da sich auch alle Zeitungen im Umkreis auf den Titelseiten mit dem Untergang der *Deutschland* und dem Tod der Franziskanerinnen beschäftigten, stand Lore im Mittelpunkt vielfältigen Interesses. Aus dem gesamten Wohngebiet rund um den alten Fischereihafen kamen Besucherinnen, um aus erster Hand etwas über die armen Nonnen zu erfahren, die in den Augen der englischen Katholiken zu Märtyrerinnen ihres Glaubens geworden waren.

Vergebens versuchte Lore den Frauen klarzumachen, dass sie die Franziskanerinnen gar nicht richtig kennengelernt hatte und auch keineswegs beabsichtigte, in einen Orden einzutreten.

Zwei Tage wurde sie umlagert, während sie sich verzweifelt um Nati kümmerte, deren Gesundheitszustand sich einfach nicht deutlich bessern wollte. Zu ihrem Glück halfen Mary, Prudence

und Mrs. Penn mit, wo sie nur konnten. Im Gegensatz zu Lore hatte die Familie Penn nichts gegen die ständigen Besuche einzuwenden, denn alle, angefangen von Mrs. Penn bis zu ihrem drittjüngsten Kind, genossen die Wichtigkeit, die ihr ihre jungen Gäste verliehen, und wusste diese auch in klingende Münze umzusetzen.
Die finanziellen Schwierigkeiten ihres Großvaters hatten Lores Sinn für Geld geschärft, und so entging ihr nicht, dass Mrs. Penn Geschenke von den Besucherinnen annahm und diese durch ihre Söhne sofort wieder verkaufen ließ. Als sie Mary darauf ansprach, erklärte diese ihr, ein Geschäft im Viertel habe sich auf diesen Handel spezialisiert.
»Das ist durchaus üblich«, fuhr die junge Engländerin fort. »Es hilft beiden Seiten, das Gesicht zu wahren, so dass niemand so ungehörig sein muss, den Nachbarn für eine Gefälligkeit zu bezahlen. Übrigens profitiere auch ich von dem Besucherstrom, denn ich habe Aufträge für Näh- und Stickarbeiten bekommen, die mich mindestens bis Ostern voll auslasten werden. Die gebotene Entlohnung liegt zum Teil sogar weit über dem üblichen Satz.«
»Das freut mich!« Trotz ihrer Sorgen um Nati war Lore erleichtert, dass die Gastfreundschaft, welche die Penns Nathalia und ihr erwiesen, auch darin ihren Lohn fand.

III.

Am späten Vormittag des dritten Tages kam eine Dame der höheren Gesellschaft zu Besuch, die zu Marys besten Kundinnen zählte. Sie trug ein auffälliges Kruzifix auf ihrem weit ausladenden Busen und hatte einen Rosenkranz um das Handgelenk geschlungen, den sie immer wieder abwickelte, um die Perlen durch ihre

Finger gleiten zu lassen. Dabei erkundigte sie sich eingehend nach Lores Schicksal und ihrem Wohlergehen und lud sie dann ein, mit ihr zur Kirche zu fahren, in der die vier Särge mit den toten Nonnen auf ihre letzte Reise warteten.
»Die sterblichen Überreste der armen, frommen Schwestern«, so erklärte sie salbungsvoll, »werden heute Mittag mit einem Sonderwagen der Eisenbahn nach London gebracht. Die Eisenbahngesellschaft hängt extra einen mit Trauerflor geschmückten Wagen an den Ein-Uhr-Mittagszug an. In Stratford, einem Stadtteil von London, gibt es ein Franziskanerkloster, und auf dem dortigen Friedhof werden die Nonnen – Gott schenke ihnen die ewige Seligkeit! – morgen nach einer großen Trauerfeier zur letzten Ruhe gebettet. Unser Priester, Hochwürden Emend, will vorher noch einen Trauergottesdienst für unsere Gemeinde abhalten, da die meisten von uns nicht mit nach London fahren können.«
Lore sah die Dame verblüfft an. »Ich dachte immer, die Katholiken würden in England verfolgt und müssten sich vor der Obrigkeit in Acht nehmen. Das habe ich jedenfalls bei uns zu Hause in der Kirche gelernt! Wie kommt es dann …«
Die Dame lachte so undamenhaft laut, dass Nati zu weinen begann. »Ach, mein liebes Mädchen, die Zeiten sind längst vorbei. Schließlich leben wir im neunzehnten Jahrhundert und nicht mehr im Mittelalter! Heutzutage tragen wir Katholiken den Kopf genauso hoch wie die Anglikaner. Du wirst sehen, hier in England wird dir niemand wegen deines Glaubens Schwierigkeiten machen. Hier bist du in Sicherheit vor dem bösen Bismarck, der euch Katholiken in Deutschland verfolgt!«
Lore murmelte eine höfliche Antwort, denn sie hatte kein Interesse daran, die Ansichten der gewichtigen Dame zu korrigieren zu versuchen. Dies war ihr schon bei den Frauen des Viertels nicht gelungen.
Schließlich kam die Dame auf den Trauergottesdienst zu spre-

chen, der nicht nur für die Nonnen, sondern für alle Toten der *Deutschland* abgehalten werden sollte.
»Du wirst sicher mitkommen wollen, mein Kind«, sagte sie zuletzt und dehnte ihre Einladung auch auf Mrs. Penn aus.
Während diese freudig zustimmte, brachte Lore Einwendungen, da sie Nati nicht allein lassen wollte. Doch gegen die Überredungskunst der beiden Frauen kam sie nicht an. Auch spürte sie, dass eine Weigerung sie in ein schlechtes Licht setzen und sogar das Ansehen der Penns bei ihren Nachbarn beeinträchtigen würde. Mary, die in dem matschigen Schnee nicht auf ihren Krücken gehen konnte, und ihre beiden ältesten Brüder versprachen, auf Nati aufzupassen und sie zu beschützen. Die Jungen durften sich wegen einiger ungehöriger Streiche bis Weihnachten ohnehin nicht in der Kirche sehen lassen und schienen recht froh zu sein, dass sie zu den Hütern der »kleinen Prinzessin« bestimmt worden waren.
Als Lore aufbrechen wollte, drängte Mary ihr noch ihren Wintermantel auf. »Mit dem dünnen Ding da«, sagte sie und wies auf den Wollmantel, den Lore unter dem Segeltuchmantel getragen hatte, »bist du erfroren, ehe du die Kirche erreichst!«
Lore widersprach nicht, obwohl sie anderer Meinung war. Hier in England war es um die Jahreszeit viel wärmer als in Ostpreußen, allerdings auch wesentlich feuchter. Aber der dunkle Mantel passte natürlich besser zu dem traurigen Anlass als ihr hellbrauner. Deshalb bedankte sie sich bei Mary und streifte mit einem Blick die Sitzbank unter dem Fenster, in der der hässliche Segeltuchmantel samt seinem kostbaren Inhalt beinahe wie in einem Geheimfach versteckt lag. Mary sah den Blick und nickte verschwörerisch. Von ihr, das hatte sie Lore fest versprochen, würde niemand etwas von den Papieren darin erfahren.
Für einen Moment wünschte Lore sich, sie könnte Nati ebenso gut verstecken. In den beiden letzten Tagen hatte sie trotz des Ein-

bruchs in den Keller vor lauter Sorge um den Gesundheitszustand des Kindes und wegen des Ansturms der Besucherinnen nur selten an Ruppert gedacht. Jetzt aber wurde sie beinahe schmerzhaft an ihn erinnert, und ihr wurde bewusst, dass das Haus jetzt für zwei, drei Stunden einladend leer stehen würde. Mit ihren zwölf und vierzehn Jahren waren die beiden Jungen keine Gegner für einen Mann, der aus Habsucht sein Leben riskiert hatte, um vor aller Augen einen als Unglücksfall kaschierten Mord zu begehen. Sie zögerte und wollte schon sagen, sie fahre doch nicht mit, aber da hob der Kutscher der Dame sie hoch, setzte sie neben seine Herrin in den offenen Landauer und packte sie mit geübten Händen in eine Schaffelldecke ein. Danach schwang er sich auf den Bock, löste die Bremse und schnalzte leise. Sofort zogen die beiden Rotschimmel vor dem Wagen an.

Während der Fahrt durch das Hafenviertel sah Lore sich nervös um. Aber da war kein Ruppert zu sehen und niemand, der ihnen über Gebühr nachstarrte. Doch das trug nicht zu ihrer Beruhigung bei. In ihrer Phantasie sah sie Ruppert aus einer Ecke hervorspringen, mit einer Pistole auf sie zielen und Natis Herausgabe verlangen.

Die Dame bemerkte Lores Unruhe und fasste ihre Hand. »Ich weiß, Kindchen, es ist nicht leicht, vor den Särgen derjenigen zu stehen, die man geliebt und verehrt hat. Sei tapfer, mein kleines deutsches Fräulein. Deine Begleiterinnen und Beschützerinnen sind jetzt bei der Heiligen Jungfrau und ihrem Sohn Jesus Christus in guter Hut. Ganz bestimmt sehen sie schon von oben auf dich herab und werden dich als deine Schutzengel begleiten, wo immer du auch hingehst. Denk nur, wie sie sich über deine Gebete freuen werden! Sicher wirst du später, wenn dein Schützling deiner Pflege entwachsen ist, den verehrten Schwestern nachstreben und selbst in den Orden eintreten wollen. Sollte es dir an der nötigen Mitgift dafür fehlen, so werde ich eine Lösung für dich finden, das verspreche ich dir. Ich denke da an einen Wohltätigkeitsball, bei dem wir so viel Geld für dich sammeln können, dass es für den Eintritt in den englischen Zweig des Ordens reicht. Du wirst dich hier in unserem schönen, alten England als fromme Frau sicher glücklicher fühlen als drüben in den Staaten.«

Lore starrte ihr Gegenüber verständnislos an. Doch als die Dame in der gleichen salbungsvollen Art weitersprach, begriff sie, was diese meinte. Irgendwie schien auch die Frau der festen Überzeugung zu sein, dass sie Nonne werden wollte und nur durch die Verantwortung für das arme Waisenkind daran gehindert wurde. Damit zog eine weitere Gefahr für sie herauf. Immerhin war sie noch nicht volljährig und hielt sich zudem ohne Angehörige und ohne Vormund in einem fremden Land auf. Es war nicht abwegig, dass die englischen Behörden sie kurzerhand in ein Kloster steckten, da sie glaubten, sie wäre schon in Deutschland für ein Leben als Nonne bestimmt gewesen. Lore fragte sich, wer dieses Gerücht verbreitet hatte und ob eine Absicht dahinterstand. Sicher hatten andere Passagiere ihren Gastgebern erzählt, dass sie mit den Nonnen hatte reisen sollen, und das war möglicherweise von den frommen Katholiken hier missverstanden worden. Genauso gut aber konnte Ruppert hinter dem dummen Gerede stecken. Ihm käme es sicher zupass, wenn sie hinter Klostermauern verschwände, während die hiesigen Behörden ihm Nathalia anstandslos ausliefern würden.

Vom Rest der Fahrt nahm Lore vor lauter Anspannung kaum etwas wahr. Ihre Gedanken schwirrten wie gefangene Vögel, und ihr war, als treibe sie unaufhaltsam auf einen Abgrund zu. Schon als sie die Kirche betrat, erwartete sie, jeden Augenblick einen Mann in Uniform oder in einer Soutane auftauchen zu sehen, der sie in ein Kloster schleppen wollte.

Ihre Begleiterin schien ihre Unruhe und ihre Geistesabwesenheit für einen Ausdruck tiefer Trauer zu halten, denn sie fasste nach

ihrer Hand und streichelte sie immer wieder tröstend. Nach dem schier nicht enden wollenden Gottesdienst führte sie Lore wie ein kleines Kind ins Freie und trat, ohne sie loszulassen, auf den Priester und den Vikar zu. Auf Lore wirkten die beiden Männer wie schwarze Raubvögel, die sich gleich auf sie stürzen würden. Doch die beiden älteren, etwas rotgesichtigen Herren erwiesen sich als freundlich und kondolierten ihr, als sei sie eine nahe Verwandte der verstorbenen Franziskanerinnen. Auch bedauerten sie sie wegen des Verlusts ihrer Beschützerinnen und lobten ihre Tapferkeit und ihre Bereitschaft, sich eines Waisenkinds anzunehmen und es während des schrecklichen Unglücks zu beschützen.
Der Vikar lächelte Lore und der dicken Dame verständnisvoll zu. »Mrs. Shelton hat uns von der schwierigen Lage berichtet, in der du dich jetzt, da deine Beschützerinnen tot sind, befindest. Sei versichert, wir werden alles tun, um dir zu helfen, falls die Verwandten des Kindes nicht für dich sorgen wollen.«
»Herzlichen Dank! Das ist sehr freundlich von Ihnen«, antwortete Lore und war froh, als die beiden Geistlichen sich verabschiedeten und gingen. Dafür sprach ihre Begleiterin sie an. »Ich habe eine kleine Feier zu Ehren der frommen Damen vorbereitet. Du bist herzlich eingeladen, mitzukommen, mein liebes Kind.«
»Ich würde gerne ... Aber ich kann meinen Schützling nicht so lange allein lassen. Das Kind ist sehr krank, müssen Sie wissen«, antwortete Lore, die dieser Einladung unbedingt entkommen wollte.
»Das verstehe ich sehr gut. Aber wenn die kleine Komtess wieder gesund ist, kommst du zu mir und bringst sie mit, nicht wahr?« Die Dame nickte Lore lächelnd zu und schien zufrieden, ein so pflichtbewusstes Mädchen vor sich zu haben. Dann stellte sie Lore anderen Damen aus den örtlichen Honoratiorenfamilien vor. Auch diese luden Lore zu ihren offiziellen Besuchsnachmittagen ein, machten dabei aber keinen Hehl daraus, dass sie von ihr einen

authentischen Bericht über die ertrunkenen Nonnen und über das ganze, schlimme Unglück hören wollten – mit allen grausamen Einzelheiten.
Die Einladungen galten auch für Mrs. Penn. Diese strahlte über das ganze Gesicht und umschmeichelte die Damen auf eine Weise, die Lore peinlich anmutete. Das junge Mädchen hatte zu Hause genug von solchen gesellschaftlichen Ereignissen gehört und war nicht erbaut darüber, erbarmungslos gemustert und ausgefragt zu werden, um ihren Gastgebern und deren Vertrauten Gesprächsstoff für viele Tage zu liefern. Allerdings blieb ihr nichts anderes übrig, als die Einladungen anzunehmen und sich dafür höflich bei den Damen zu bedanken. Im Stillen hoffte sie, dass Thomas Simmern oder ein anderer Repräsentant der NDL-Reederei vorher auftauchen würde, um Nathalia und sie in seine Obhut zu nehmen.

IV.

Als das Mietfuhrwerk mit der Familie Penn und ihrem Gast in die Straße am alten Hafen einbog, geriet es in einen Menschenauflauf. Die Straßenkinder des ganzen Viertels hatten sich vor dem schmalbrüstigen Heim der Penns versammelt und drängten sich schreiend und gestikulierend um Ruppert von Retzmann und einen dürren, kleinen Mann in vornehmen, aber abgeschabt wirkenden Kleidern. Natis Vetter schimpfte und drohte mit der Peitsche, doch die Rangen grinsten nur und versperrten den beiden Männern den Weg in das Haus.
Als Ruppert Lore auf dem Bock des Fuhrwerks entdeckte, verschwand die Wut auf seinem Gesicht und machte einer Mischung

aus Schadenfreude und Erleichterung Platz. Er schob die Kinder beiseite und kam auf sie zu. Mit einem höhnischen Lachen packte er sie bei den Oberarmen, riss sie von dem Fuhrwerk herunter und stellte sie mit einem harten Ruck auf die Erde. Dann holte er aus und gab ihr eine schallende Ohrfeige.
»Du verrücktes, diebisches Frauenzimmer!«, fuhr er sie auf Englisch an. »Was fällt dir ein, mein Mündel einfach wegzuschleppen, ohne mich zu fragen? Ich möchte wissen, was mein Großvater sich dabei gedacht hat, so ein unzuverlässiges Weibsstück wie dich als Kindermädchen für Komtess Nathalia einzustellen!« Schon hob er die Hand, um Lore erneut zu schlagen.
Doch da schob Joe Penn das Kinn vor, legte die Hand auf Rupperts Schulter und drehte diesen mit Leichtigkeit zu sich herum. »He, mein Junge! Es gefällt mir nicht, wie du meinen Gast behandelst, auch wenn du ein Vornehmer bist!«
In dem Augenblick mischte sich das verstaubt wirkende Männchen ein und hielt Joe Penn ein amtliches Papier unter die Nase. »Halt! Jede körperliche Attacke auf meinen Mandanten wird zur Anzeige gebracht! Wir sind hier in offizieller Mission, um das Mündel meines Mandanten zurückzuholen, das diese Person dort entführt hat.« Dabei deutete er auf Lore.
»Das ist nicht wahr!«, schrie Lore. »Ich habe Nathalia nicht entführt. Ihr Großvater hat sie mir anvertraut. Ich kann …« Ein heftiger Stoß landete in ihren Rippen und nahm ihr die Luft. Sie zuckte zusammen und starrte Marys ältesten Bruder Jonny an, der die Finger auf die Lippen legte und heftig den Kopf schüttelte. Obwohl Lore nicht verstand, was er meinte, stotterte sie nur noch einen leisen Protest und verstummte, als sich alles dem Advokaten zuwandte. Dieser verlas eine gerichtliche Verfügung, deren Inhalt Lore nicht ganz verstand. Aber das Wichtigste begriff sie: Ruppert hatte sich bei den Behörden als Nathalias Vormund ausgegeben und sich eine amtliche Bescheinigung ausstellen lassen, die ihm

die Verfügungsgewalt über das Kind gab. Irgendetwas schien dennoch faul an der Sache zu sein, denn Jonny machte eine verächtliche Handbewegung in Richtung des Advokaten und zeigte nach oben auf das Dachfenster, hinter dem sich Marys Kopf abzeichnete. Diese winkte kurz herab und sah ganz so aus, als wolle sie etwas Wichtiges mitteilen.
Lore tat so, als füge sie sich nun widerspruchslos den Anweisungen des Advokaten, der ihr befahl, ins Haus zu gehen, das Kind anzuziehen und in eine Decke zu wickeln, damit Count Retzmann – wie er Ruppert nannte – es mitnehmen könne.
»Du kannst ebenfalls deine Sachen packen, denn dein Herr will Gnade vor Recht ergehen lassen und dich weiterhin als Kindermädchen für die Kleine behalten, auch wenn das schreckliche Unglück deinen Geist verwirrt zu haben scheint«, setzte er zuletzt überheblich hinzu.
Lore stieg wie betäubt die Treppe hinauf. So musste sich eine Maus in der Falle fühlen, fuhr es ihr durch den Kopf. Sie hatte Graf Retzmann versprochen, seine Enkelin vor Ruppert zu schützen, und dabei kläglich versagt. Statt hier bei diesen netten Leuten zu bleiben, hätte sie Nati Marys Pflege übergeben und mit der Eisenbahn nach London fahren müssen, um die Geschäftsstelle des NDL persönlich aufzusuchen. Mit einem Vertreter der Reederei an ihrer Seite und den entsprechenden Papieren in der Hand hätte Nathalias mörderischer Vetter nun das Nachsehen. Aber der Gedanke war ihr erst vorhin in der Kirche gekommen und damit, wie sich nun herausstellte, viel zu spät.
Als sie das zu Mary sagte, schüttelte diese den Kopf. »Unsinn! Du wärst wahrscheinlich nicht weit gekommen. Dieser Dreckskerl Ruppert hat dich gewiss die ganze Zeit beobachten lassen. Ich glaube, der kennt sich hier in England ebenso gut aus wie in seiner eigenen Westentasche. Der Advokat, den er da mitschleppt, hat seine Schmutzfinger in einem Haufen krummer Sachen stecken,

sage ich dir! Den Bruder einer Dame, für die ich nähe, hat er um sein Cottage in Kent gebracht, nur weil der arme Kerl sich keinen guten Anwalt leisten konnte. Da dieser gemeine Rechtsverdreher alle Tricks kennt, konnte ihm bisher niemand etwas nachweisen. Zeig ihm bloß nicht die Briefe, die der alte Count dir gegeben hat. Der Kerl nimmt sie dir ab und behauptet hinterher glatt, du hättest nie welche besessen!«

»Aber ich kann Nati doch nicht diesem Mörder ausliefern!«, protestierte Lore. »Ich muss ...«

»Gar nichts musst du! Nimm dein Herz fest in die Hände, dann kann noch alles gut werden! Solange Ruppert glaubt, Nati würde das Fieber nicht überleben, wird er sie schon nicht umbringen. Du musst jetzt mit ihm gehen und so tun, als liege unsere kleine Lady im Sterben! Meine Brüder haben schon ziemlich dick aufgetragen, weißt du ...«

Lore unterbrach sie erregt. »Nati wird wirklich sterben, wenn sie nicht die richtige Pflege bekommt! Schau, sie hat immer noch etwas Fieber! Ruppert wird sicher nicht zulassen, dass ein Arzt nach ihr sieht.«

Mary lachte. »Oh, der Schweinekerl wird sicher irgendeinen besoffenen Quacksalber auftreiben, der unsere kleine Lady untersucht und ihr genau das verordnet, was ihr schadet! Wenn Ruppert ihr Vermögen erben will, darf er sich keine Blöße geben, sondern braucht ein ärztliches Attest, dass das Kind nicht mehr zu retten war. Pass auf, Laurie, meine Liebe. Ich habe eine Idee, wie wir diesen Kerl ausschmieren können!«

Während Lore sich fragte, ob Mary nicht auch zu viele Räubergeschichten in den Zeitungen gelesen hatte, entwickelte diese ihren Plan, um Ruppert zu überlisten, als hätte sie nie etwas anderes getan.

»Du gehst jetzt ganz ruhig mit diesem Schw... Ruppert mit und hütest unsere Lady Püppchen wie deinen Augapfel. Meine jüngeren Brüder und ihre Freunde werden seine Kutsche verfolgen und aufpassen, wohin er euch bringt. Ich nehme mir noch fünf Pfund aus deinem Geldbeutel. Damit fährt mein ältester Bruder John mit dem Abendzug nach London und versucht, jemanden von der Reederei aufzutreiben, damit der euch hilft. Ich schreibe schnell noch einen Brief, in dem steht, dass der böse Ruppert die kleine Lady Nathalia mitgenommen hat, obwohl sie todkrank ist. Dann kommt gewiss ein Mann vom NDL mit. Dem Herrn zeige ich dann den Brief, den du von Natis Opa erhalten hast, und erzähle ihm auch, dass Ruppert am Tod des Counts schuld ist. Das können sowohl der Kapitän eures Schiffes wie auch die geretteten Passagiere und Matrosen bezeugen.

Ich mache es ganz dramatisch! Dann wird der Herr sicher mit einem eigenen Anwalt zur Polizei gehen und euch befreien. Na, was sagst du dazu?«

Lore hätte ein Dutzend Einwände vorbringen können, doch sie wusste keine bessere Lösung. Außerdem nahm die Sorge um Nati ihr Denken voll und ganz in Anspruch. Die Haare und das Nachthemd des Kindes waren nass von Schweiß, und es zitterte am ganzen Körper, als seien die Schüttelfrostanfälle wieder zurückgekehrt.

Unten brüllte Ruppert schon nach ihr und drohte, die Polizei zu holen, wenn man ihn nicht ins Haus lasse. Aber Joe Penn stand wie ein Fels in der Tür, während Mrs. Penn von Ruppert lautstark die hundert Pfund verlangte, die Lore der Familie für Natis Pflege versprochen hatte. Es war nur ein schwacher Trost, dass Ruppert das Geld tatsächlich herausrückte, um Mrs. Penn, wie er angewidert sagte, »das Maul zu stopfen«.

Lore trocknete Nati gründlich ab und zog ihr die warme, grobe Kinderkleidung an, die Prudence herbeischleppte. Sie bekam auch genug Ersatzkleidung für die nächsten Tage mit. Allerdings handelte es sich dabei um Jungenkleidung, die Mary und Prudence für

ihre kleinen Brüder genäht hatten. Nati ließ das Ganze unbeteiligt über sich ergehen. Sie schien nicht einmal die Kraft zu haben, den Kopf zu heben, und ihre Glieder fühlten sich erbarmungswürdig schlaff an. In Lores Magen breitete sich die Angst wie ein kalter, schneidender Schmerz aus. Sie legte Nati noch einmal in die Wiege und trat neben Mary, die starr aufgerichtet in ihrem Korbstuhl saß und das Kinn auf eine ihrer Krücken gestützt hatte.
»Ich glaube, Nathalia stirbt«, flüsterte sie.
Marys Blick kehrte wie aus weiter Ferne zurück und streifte Nati, die vorsichtig über den Rand des Bettes lugte. »O nein!«, antwortete sie ebenso leise. »Lady Püppchen ist gesünder, als du denkst. Sie war heute Vormittag putzmunter und ist erst wieder krank geworden, als sie die Stimme dieses Schweinekerls auf der Straße gehört hat. Sie hat Angst und spielt die Todkranke, weil sie hofft, er würde sie dann in Ruhe lassen. Tu so, als wärst du auch der Meinung, sie sei dem Tode nahe. Dann hilft der Kerl wenigstens nicht sofort nach. Aber pass trotzdem gut auf die Kleine und auf dich auf! Unser Prinzesschen ist noch lange nicht gesund und kann jederzeit einen Rückfall bekommen. Dann hätte der Widerling da unten wirklich Grund, sich die Hände zu reiben.«
Lore wagte ein kleines Lächeln. Wenn Nati krank spielte, dann waren ihre Lebensgeister wieder am Erwachen. Schon aus diesem Grund würde sie mitspielen, bis Marys Plan aufging und Hilfe kam. Um selbst nicht ohne Geld zu sein, steckte sie sich einen einzelnen Geldschein aus dem Portemonnaie des Grafen in die Tasche von Marys Wintermantel, den sie jetzt anbehalten musste, und gab Mary den Rest zum Aufbewahren.
»Nimm dir ruhig noch ein oder zwei Scheine heraus, wenn du etwas brauchst«, sagte sie. »Wenn ich nicht zurückkomme, gehört das Geld dir. Es soll Ruppert nicht auch noch in die Hände fallen.«
Mary nickte. »Ihm darf einiges nicht in die Hände fallen. Aber keine Sorge. Von den Papieren weiß niemand außer mir, und die

händige ich nur dir wieder aus. Auch der Mann von der Reederei bekommt nur den Brief zu sehen, den du mir gezeigt hast. Es könnte ja eine Kreatur dieses Schweinekerls da unten sein! Aber jetzt müsst ihr gehen, sonst bringt dieser Schurke meinen Vater auf offener Straße um. Ich wünsche dir und Lady Püppchen alles Glück der Welt!«

V.

Nach allem Glück der Welt sah Lores und Nathalias Situation allerdings nicht aus. Ruppert schenkte dem dick eingepackten Kind nur einen angewiderten Blick und wich erschrocken zurück, als Lore ihm mitteilte, seine Base habe wahrscheinlich eine ansteckende Influenza, an der schon ein paar Menschen im Hafenviertel gestorben seien. Daher trieb er sie samt Nati mit dem Knauf der Peitsche in die wartende Kutsche und setzte sich trotz der Winterkälte oben auf den Bock. Zu Lores Bedauern stieg dafür der Mann, der neben dem Kutscher gewartet hatte, in den Kasten. Er wartete, bis sie sich gesetzt hatte, zog dann blitzschnell einen Strick hervor und band ihr die Füße zusammen. Das längere Ende des Stricks befestigte er an einer Schlaufe im Wageninneren.
»Der Chief sagt, du bist eine ganz heimtückische Ausreißerin. Aber noch einmal wirst du ihm nicht davonrennen!«
Lore verstand seinen Dialekt kaum, begriff aber, was er meinte, und bekam Angst, als sie das gierige Glitzern in seinen Augen bemerkte. Der Mann leckte sich die Lippen, spielte bedeutungsvoll mit seinem Schiffermesser und grinste sie auf eine Art an, die ihr Unbehagen bereitete. Sie senkte den Kopf über Natis Gesicht, um ihre hilflose Wut und ihre Furcht zu verbergen. Einem solchen

Kerl hätte sie in ihrer Heimat noch nicht einmal am hellen Tag, geschweige denn bei Nacht begegnen wollen, und jetzt befand sie sich in seiner Gewalt.

Für einen Augenblick quoll die Angst vor dem in ihr hoch, was dieser Mann und seine Kumpane alles mit ihr anstellen mochten, und sie schüttelte sich. Elsie, ihr diebisches Hausmädchen, hatte sie in sehr unzarter Weise darüber aufgeklärt, was Männer mit Frauen machten, wenn sie verheiratet waren, und sie hatte ihr auch in allen Einzelheiten erzählt, was einer Bauernmagd passiert war, die von zwei Holzknechten, denen sie Essen hatte bringen sollen, in ein Gebüsch gezerrt und brutal missbraucht worden war.

Ihr Bewacher sah ebenfalls so aus, als würde er keinerlei Hemmungen kennen. Und tatsächlich, noch während die Kutsche anfuhr, streckte er die Hand aus und ließ sie über ihren Busen wandern.

Lore beugte sich noch tiefer über Nathalia, doch da begann der Kerl, ihren Mantel und ihren Rock langsam nach oben zu ziehen.

»Wenn du nicht aufhörst, schreie ich so, dass die Leute zusammenlaufen«, presste sie hervor.

Der Mann lachte kurz, zog aber die Hand zurück und lehnte sich gemütlich gegen die Polster. Seine Haltung ließ jedoch keinen Zweifel daran, dass sie ihm nicht entkommen konnte.

Lore begriff, dass sie sich nicht allein auf Marys Plan verlassen durfte, sondern selbst jede Gelegenheit zur Flucht nutzen musste. Ruppert hatte sie eine Ausreißerin genannt, und sie nahm sich vor, genau das zu werden, sobald sich ihr ein Schlupfloch bot. Allerdings würde sie nicht ohne Nati fliehen, denn ihre kleine Lady durfte unter keinen Umständen in den Händen dieser Verbrecher zurückbleiben.

Lautes Geschrei riss sie aus ihren Überlegungen. Gleichzeitig zügelte der Kutscher schimpfend die Pferde. Lores Bewacher warf ihr eine Decke über die Knie, damit niemand, der zufällig aus einem

der nahen Fenster schaute, den Strick um ihre Knöchel entdecken konnte, und funkelte sie drohend an. Lore aber beachtete ihn nicht, sondern reckte den Hals, um durch den zerrissenen Ledervorhang vor dem Kutschenfenster zu spähen. Vielleicht tat die Muttergottes ein Wunder und schickte ihr im letzten Moment jemanden zu Hilfe.
Vor Rupperts Gefährt stritten sich zwei erregte Kutscher um die Vorfahrt. Der offene, mit zwei dürren, alten Gäulen bespannte Wagen des Advokaten war mitten auf der Straße gefahren, um den stinkenden Morast der Rinnsteine zu meiden. Jetzt sah er sich einer schweren, mit vier kräftigen Füchsen bespannten und über und über mit Dreck bespritzten Reisekutsche gegenüber, die in so schnellem Tempo um die Ecke gebogen war, dass sie beinahe eines der Pferde des Advokaten mit der Deichsel aufgespießt hätte. Zum Glück hatten beide Kutscher schnell reagiert und ihre Tiere zum Stehen gebracht.
Nun aber brüllten sie einander Worte zu, die Lore völlig unverständlich waren, und schwangen drohend die Peitschen.
Der Advokat hüpfte auf seiner Sitzbank auf und ab und schimpfte wie ein Rohrspatz. Der Besitzer der Reisekutsche jedoch schien sich durch die Drohungen nicht aus der Ruhe bringen zu lassen. Auf seinen Befehl sprangen sein Kutscher und der Lakai, der ebenfalls auf dem Bock gesessen hatte, auf die Straße herab, packten das Gefährt des Advokaten und schoben es kurzerhand zur Seite.
Lore hörte Ruppert tief Luft holen und ein paar so unanständige französische Schimpfworte ausstoßen, dass sie rot wurde. Sie kannte die Worte von Hugenottenkindern, deren Väter auf den Gütern rings um Trettin als Gutsbeamte arbeiteten und die in der Trettiner Schule unterrichtet wurden. Diese waren traditionell zweisprachig aufgewachsen und hatten mit solchen Ausdrücken geprahlt.

Als Ruppert sich beruhigt hatte, befahl er seinem Kutscher, den beiden Männern zu helfen, und nahm selbst die Zügel in die Hand. Zu dritt bugsierten sie das klapperige Vehikel bis an die Hausmauer, so dass die große Kutsche passieren konnte. Der in seiner Würde verletzte Advokat ließ seinen Kutscher daraufhin die armen Gäule traktieren, und sein Gefährt entfernte sich schnell vom Schauplatz seiner Niederlage.
Auch Ruppert gab nun den Pferden die Köpfe frei und ließ die Zügel auf ihre Rücken klatschen, so dass sein Kutscher auf das anrollende Gefährt aufspringen musste. Der Wagen fuhr haarscharf an der Reisekutsche vorbei, und für den Bruchteil einer Sekunde konnte Lore einen Blick in das Innere werfen. Dort saß ein Herr mittleren Alters, der Ruppert mit zusammengezogenen Augenbrauen nachstarrte. Dann verschwand die Kutsche aus ihrem Blickfeld, und Lore wandte sich wieder der leise vor sich hin wimmernden Nati und ihren eigenen Sorgen und Ängsten zu. Einen Augenblick lang ärgerte sie sich, weil sie nicht laut um Hilfe gerufen hatte, aber dann sagte sie sich, dass sie keinen Grund hatte, anzunehmen, der fremde Reisende wäre ihr zu Hilfe gekommen.
Ruppert trieb die Pferde so rücksichtslos an, dass die Kutsche über das holprige Pflaster schwankte und in den Kurven in Gefahr geriet umzukippen. Lore spürte, wie ihr das Herz schwer wurde. Bei diesem irrsinnigen Tempo würden Freddy und seine Freunde ihnen nicht folgen können. Damit fiel Marys schöner Plan ins Wasser, und sie sah sich und Nati dem mörderischen Erbschleicher und dessen skrupellosen Helfershelfern hoffnungslos ausgeliefert. Wenn ihr nicht unverzüglich etwas zu ihrer Rettung einfiel, waren sie beide bald mausetot.
Nati schlief trotz der wild schlingernden Kutsche in ihren Armen ein oder tat zumindest so, denn sie zuckte bei jedem Schlagloch zusammen. Lore streichelte das Gesicht des Kindes und starrte

durch den flatternden Ledervorhang. Dabei versuchte sie, sich den Weg einzuprägen, musste sich aber bald eingestehen, dass sie viel zu wenig von der Umgebung erkennen konnte. Die Fronten der Häuser glichen einander wie ein Ei dem anderen, und schon bald hatte sie vollkommen die Orientierung verloren.
Zu ihrem Erstaunen hielt die Kutsche mitten in Harwich auf einem belebten Platz an. Ruppert übergab dem Kutscher die Zügel, stieg mit steifen Bewegungen vom Kutschbock, so als müsse er sich die Beine vertreten, und ging um den Wagen herum. Dabei winkte er einen Mann in abgerissener Kleidung herbei, der mit anderen, nicht minder fragwürdigen Gestalten an der Wand eines halbzerfallenen Gebäudes lehnte, und fragte ihn nach dem Weg. Der zerlumpte Eckensteher spuckte aus, sah Ruppert frech von unten bis oben an und bequemte sich dann, langsam näher zu kommen. Statt eine Antwort auf Rupperts Frage zu geben, legte er ihm die Hand auf die Schulter und wollte offenkundig Geld.
Ruppert schob ihn scheinbar angewidert weg und beschimpfte ihn aufgebracht. Doch Lore entging nicht, dass der Mann mit einer schnellen Bewegung einen dunklen, flachen Gegenstand in Rupperts Tasche schob, ehe er unter dem Stoß zurücktaumelte und sich mit einem Platsch in den Dreck setzte.
Lore begriff, dass sich vor ihren Augen ein Theater abspielte, das wohl dazu diente, die Übergabe einer Botschaft oder einer Geldsumme zu verschleiern. Auf diese Weise also ging Ruppert von Retzmann seinen dunklen Geschäften ganz frech unter den Augen der Öffentlichkeit nach.
Nun stieß der Eckensteher eine wilde Schimpfkanonade aus und schüttelte die Faust, und als seine Freunde drohend näher kamen, schwang Ruppert sich mit einem Satz auf den Bock und befahl dem Kutscher, die Pferde anzutreiben. Noch in Sichtweite der heruntergekommenen Gestalten ließ er wieder anhalten und fragte einen vorbeikommenden Bürger nach dem Weg. Doch der

Name des Ortes, den er suchte, klang jetzt ganz anders als bei dem Eckensteher.
Der Mann erklärte bedauernd, dass er diesen Ort nicht kenne, und Ruppert brummte ein knappes Danke. Dann fuhr die Kutsche wieder an, bog an einem kleinen Marktplatz ab und rollte in eine andere Richtung.
Lore sah das zufriedene Grinsen, mit dem ihr Bewacher die Szene beobachtet hatte, und fragte sich, in welche faulen Geschäfte dieser Ruppert hier in England verwickelt sein mochte. Er sprach Englisch so flüssig wie ein Einheimischer und ging mit den Leuten um, als wäre er hier zu Hause. Lore wurde er immer unheimlicher, und ihr Mut sank mit jedem Meter. Wie es aussah, hatte sich alles gegen sie und Nati verschworen.
Die Kutsche verließ nun den Ort und fuhr auf das flache Land hinaus. Hier gab es nur Felder, die unter einer leichten Schneedecke lagen und von winterdürren Hecken gesäumt wurden. Vereinzelte Gehöfte duckten sich spielzeughaft unter kahlen Bäumen, und nur die Rauchfahnen, die aus den Kaminen aufstiegen, zeugten davon, dass hier Menschen lebten. Die Landschaft war von beinahe schwindelerregender Weite, frei von größeren Hindernissen, so dass jeder Mensch und jedes Fuhrwerk von weitem gesehen werden konnten. Hatte sich Lore in der Stadt noch eine kleine Chance ausgerechnet, Ruppert und seinen Helfershelfern entkommen zu können, so fühlte sie sich jetzt wie ein Grashüpfer im Spinnennetz, der darauf wartet, alsbald ausgesaugt zu werden.
Außer ihnen war kein anderes Fuhrwerk auf dieser Straße unterwegs, und schon bald kämpfte Lore mit dem Gefühl, als bewegten sie sich auf das Ende der zivilisierten Welt zu. Über ihr wurde der Himmel langsam dunkel, während sich der Westen glühend rot färbte, als versuche die untergehende Sonne, sich noch ein letztes Mal durch die Wolkendecke zu brennen. In dem blendenden Zwielicht tauchte das breitere Band einer Überlandstraße auf, die

sich im spitzen Winkel mit dem schmalen Weg vereinte. Wenige Meter dahinter stand ein Haus direkt an der Straße, und dort versperrte eine Schranke den Weg. Ein Mann trat aus dem Gebäude und sah der Kutsche entgegen.

Für einen Moment schöpfte Lore Hoffnung. Wenn sie sich bemerkbar machen konnte, würde der Mann Zeuge sein und aussagen können, dass in dieser Kutsche ein kleines Kind mitgefahren war. Dazu musste sie Nati zum Schreien oder zumindest zum lauten Weinen bringen. Dann gäbe es wenigstens jemanden, der den NDL-Leuten einen Hinweis geben könnte. Aber diese Hoffnung zerschlug sich schneller, als sie aufgekeimt war. Die Kutsche fuhr im Schritttempo auf die Straße zu, wendete scharf und fuhr in die andere Richtung. Zudem schien der Mann am Schlagbaum Ruppert oder seine Leute zu kennen, denn er hob die Hand, winkte und rief etwas, das von dem Kutscher lachend beantwortet wurde. Kurz danach verließ die Kutsche die Straße und bog in einen Weg ein, der zu einem ummauerten Grundstück führte. Lore sah das Dach eines größeren Hauses durch die kahlen Baumkronen schimmern und begriff, dass dies ihr Ziel war.

Als die Kutsche sich der Toreinfahrt näherte, öffnete ein vierschrötiger Mann in der Kleidung eines höheren Bediensteten das Gittertor. Ein wie ein gewöhnlicher Lakai gekleideter Mann versuchte, vier hässliche, große Hunde zum Schweigen zu bringen. Die Tiere veranstalteten einen Höllenlärm und brachten mit ihren wilden Sprüngen beinahe den Zaun ihres Zwingers zum Einsturz. Die Männer wirkten auf Lore genauso abstoßend und bedrohlich wie der Kutscher und ihr Bewacher. Sie warf noch einen letzten verzweifelten Blick auf die Straße, aber da war nichts zu sehen, was auf Hilfe hoffen ließ. Nur ein offener, primitiv gebauter Bauernkarren kam im Zuckeltrab den schmalen Weg aus der Stadt herunter.

Vorne auf dem unbeladenen Wagen saßen zwei Gestalten, ein

alter Mann und ein Kind, soweit Lore es erkennen konnte, und davor mühte sich ein einzelnes dürres Pferd ab. Für einen Augenblick sah es so aus, als winke das Kind ihnen zu, warf aber doch nur einen Stein oder einen Dreckklumpen in den Schnee und drehte sich wieder zu seinem Begleiter um. Kurz darauf schloss sich das Gitter hinter der Kutsche und gab Lore das Gefühl, sich auf dem Weg zum Schafott zu befinden.

VI.

Kaum stand die Kutsche, riss ihr Bewacher Lore das Kind aus den Armen und reichte es nach draußen. Dann löste er ihr den Strick von den Knöcheln, hob sie aus der Kutsche und packte sie dann so fest an den Oberarmen, dass sie glaubte, er wolle sie zerquetschen. Sie stieß einen Schmerzensschrei aus, der mit einem hässlichen Lachen quittiert wurde. Der Lakai zerrte die Decke zur Seite, die Natis Gesicht bedeckte, und Ruppert sah aus sicherer Entfernung auf das hochrote Gesicht und die schweißnassen Haare. Offensichtlich hatte er Angst vor Ansteckung. Schließlich nickte er zufrieden und ließ Natis Gesicht wieder zudecken. Dann wurde das Bündel Lore in die Arme gedrückt.

»Bring die beiden nach oben, William!«, befahl Ruppert. »Gib aber acht! Dieses dahergelaufene Miststück soll mir nicht noch einmal samt dem kleinen Ungeheuer entwischen.«

Dann wandte er sich an Lore. »Hör mal, Mädchen!«, sagte er auf Deutsch. »Eigentlich hast du doch gar nichts mit diesem elenden Familienstreit zu tun. Warum machst du dir die Sache nicht einfacher? Hilf ein bisschen nach, damit diese kleine Kröte die Nacht nicht überlebt. Dann machst du morgen deine Aussage vor dem

Arzt und dem Leichenbeschauer. Wir können alle bezeugen, dass das Kind in dem schmutzigen Haus am Hafen todkrank geworden ist und nicht mehr zu retten war.
Ich gebe dir dafür tausend neue deutsche Mark – oder den Gegenwert in Pfund oder amerikanischen Dollars – und bringe dich mit meiner Kutsche nach London oder besser noch zum Überseehafen nach Southampton, damit du deine Reise nach Amerika fortsetzen kannst. Nun, was hältst du davon?«
Lore sah das Glitzern in seinen Augen, und sie ahnte, dass er sie nur in Sicherheit wiegen wollte. Hatte sie erst ihre Schuldigkeit getan, würde er sie umbringen. Er konnte es sich gar nicht leisten, sie als Mitwisserin seiner Untaten am Leben zu lassen. Für einen Augenblick war sie in Versuchung, ihm ins Gesicht zu schleudern, was sie von ihm hielt, aber dann sagte sie sich, dass sie ihn um Natis willen täuschen und hinhalten musste.
»Ich … ich weiß nicht!«, stotterte sie und blickte ihn mit weit aufgerissenen Augen an. »Ich muss es mir überlegen. Vielleicht wäre es das Beste …«
»Überlege es dir nur nicht zu lange! Meine Geduld reicht nicht ewig!« Er versetzte ihr einen Stoß, der sie in Williams Arme trieb, und sah diesen grinsend an.
»Rauf mit ihr! Ich fahre jetzt zum Major, um zu hören, ob die neue Ware bereits in Southampton eingetroffen ist. Wenn die Lieferung sich noch länger verzögert, werden unsere Auftraggeber sauer, und das kann unserem Geschäft auf Dauer schaden!«
Während ihr Bewacher Lore im Nacken und am Gürtel packte und sie grob die Treppe hinaufstieß, hörte sie noch, wie einer der Männer Ruppert verblüfft fragte: »Southampton? Wird das Zeug nicht mehr in London ausgeschifft und von unseren Fuhrleuten hierhergeschafft?«
»Nein, Edwin, damit ist jetzt endgültig Schluss. Es gibt bereits zu viele Mitwisser, und von denen sind einige arg gierig geworden.

Die Bestechungssummen, die sie für die beiden letzten Transporte verlangt haben, waren schiere Erpressung. Na ja, viel können diese Kerle mit dem Geld jetzt nicht mehr anfangen!« Ruppert lachte kurz und wurde dann schlagartig ernst.
»Wir werden unser Hauptquartier nach Südengland verlegen. Von dort aus können wir die Ware auf den modernsten Ozeandampfern transportieren. Ich hatte mich nur deswegen auf dieser verdammten *Deutschland* eingeschifft, weil ich unsere Geschäftsverbindungen in London so schnell wie möglich liquidieren wollte. Wenn dieser schwachsinnige Brickenstein seinen Kasten nicht auf eine Sandbank gesetzt hätte, wäre alles längst erledigt, und wir könnten jetzt gemütlich in unserem neuen Hauptquartier sitzen und unsere Kröten zählen. So aber ist der ganze schöne Plan zum Teufel gegangen, und ich muss noch einmal eine größere Summe aufwenden, um unsere alten Geschäftspartner zu ködern. Aber sobald wir sie nicht mehr brauchen, werden wir sie ebenso auf die lange Reise schicken wie jene geldgierigen Beamten!«
Ein triumphierender Ausruf drang von unten herauf. »Auf die Reise ohne Wiederkehr sozusagen! Na, mich freut's! Diese Trottel hätten doch beinahe die Lieferung an die Serben den Schnüfflern in die Hände fallen und mich hochgehen lassen! Ist die neue Ladung auch für den Balkan bestimmt? Man munkelt, die Bulgaren würden einen Aufstand gegen die Osmanen planen.«
»Das pfeifen ja schon die Spatzen von den Dächern! Aber mit diesem Aufstand haben wir nichts zu tun. Die Bulgaren lassen sich lieber von den Russen beschenken, als selbst Geld auszugeben.«
Lore hörte, wie der Edwin genannte Mann höhnisch auflachte. »Was sind schon die lächerlichen russischen Flinten gegen gute amerikanische Rifles! Das Zeug taugt doch nichts! Wir haben eine Lieferung bester Maschinengewehre und leichter Artillerie aus den Staaten bekommen, die bestens für berittene Freischärler geeignet sind.«

»Das ist genau das Zeug, das ich erwartet habe«, antwortete Ruppert aufatmend. »Ich denke, die Abessinier werden zufrieden sein – zumindest dann, wenn wir unseren Termin einhalten können. Nimm alles mit nach Dover.«
»Nach Dover? Chief, was soll das Zeug denn in Dover?«, fragte Edwin verblüfft.
»Wir werden auch weiterhin die Ware nicht von dem Hafen aus losschicken, in dem wir sie übernommen haben. Deshalb lasse ich sie von jetzt an von Southampton aus mit Fischerbooten nach Dover bringen und dort umladen. Von dort schaffen wir sie nach Le Havre und an Bord eines französischen Dampfers, der sie über das Mittelmeer und den Suezkanal nach Ostafrika transportiert. Die Fracht, die eigentlich für Montenegro bestimmt war, habe ich nach dem Ärger mit unseren Londoner Geschäftspartnern an den guten Kaiser Johannes IV. von Abessinien verkauft. Er bezahlt dafür mit so unverfänglichen Waren wie Elfenbein, Straußenfedern und äußerst edlen Steinchen! Unsere Lieferanten werden sehr zufrieden sein, schätze ich.«
In diesem Moment warf Lores Bewacher die Tür zu. »Du solltest keine so langen Ohren machen, das ist nicht gesund«, meinte er dabei spöttisch.
Lore war klar, dass Ruppert niemals so ungeniert von seinen Plänen gesprochen hätte, wenn er bereit gewesen wäre, sie nach Nathalias Tod laufenzulassen. Auch wenn sie höchstens die Hälfte verstanden hatte, hatte sich das verfestigt, was sie bereits geahnt hatte: Natis Vetter war in üble Geschäfte verstrickt und ging dabei völlig skrupellos vor.
Ein Rippenstoß ihres Bewachers beendete ihre Überlegungen und rief sie in die Gegenwart zurück. Voller Ekel starrte sie in den Raum, in den der Kerl sie und Nati gebracht hatte. Er war kalt wie ein Eiskeller und überdies so feucht, dass Schimmel an den Wänden hing. Zudem zog es durch das zerbrochene Fenster.

Die Einrichtung bestand aus einem wackligen, schmalen Bett und einem wurmstichigen Stuhl. Lore sah keine Decke auf dem Bett, die diese Bezeichnung verdiente, sondern nur zwei Laken, die so fadenscheinig waren, dass man durch den Stoff hindurch die Zeitung hätte lesen können. Ein alter Nachttopf mit abgebrochenem Henkel rundete die erbärmliche Einrichtung ab.
Lore legte Nati auf das Bett und holte tief Luft. »Hier kann ja kein Hund übernachten! Ich benötige Kissen und warme Decken für das Kind und für mich. Dann einen Krug Wasser und eine Schüssel zum Waschen und etwas zu trinken. Bekommen wir unser Abendessen unten? Sonst brauchen wir noch einen Tisch – und natürlich Holz für den Kamin. Ich kann alles selbst hochbringen, wenn mir jemand zeigt, wo die Sachen zu finden sind …«
»Du brauchst gar nichts, du kleine Hündin!«, antwortete der Mann feixend. »Und du wirst auch nicht im Haus herumspazieren. Für wie dumm hältst du uns eigentlich? Los, setz dich hierher!«
Ehe Lore es sich versah, hatte er sie auf das Bett geworfen und ihr linkes Bein hochgerissen. Sie kam halb auf Nati zu liegen, die vor Schreck aufschluchzte, und ehe sie sich aufrichten konnte, hatte der Mann eine Kette um ihren Knöchel geschlungen und mit einem Vorhängeschloss gesichert. Das andere Ende befestigte er am Fußende des Bettes direkt am Rahmen, so dass Lore gerade noch um das Bett herumgehen und ans Fenster treten konnte. Doch die Tür war für sie unerreichbar.
Lore schrie ihn an: »Wie soll ich jetzt das Kind versorgen? Ihr werdet mir alles bringen müssen, was ich brauche!«
Der Mann grinste hämisch. »Der Chief hat gesagt, das kleine Miststück braucht nichts mehr! Und du bekommst erst etwas zu essen, wenn die Missgeburt da tot ist.«
Lore schluckte und sah den Mann für einen Augenblick fassungslos an. »Was soll das heißen?«

»Der Chief hat dir doch schon alles erklärt! Du bringst das kleine Monster um. Dann gibt der Chief dir genug Geld, damit du nach Amerika fahren kannst. Er kennt einen guten Arzt, der die entsprechenden Papiere ausstellt! Das Balg ist eben seiner Influenza erlegen, und es wird niemand vermuten, dass du nachgeholfen hast. Wenn du einen Rat von mir hören willst, dann falte die Decke ein paarmal und press sie der kleinen Ratte aufs Gesicht. Das geht ganz schnell. Wenn der Chief heute Nacht zurückkommt, sollte die Sache erledigt sein. Sonst …«

Mit dieser unausgesprochenen Drohung schloss William die Tür hinter sich und ließ Lore und Nati in der schnell hereinbrechenden Dunkelheit allein. Lore benutzte den Nachttopf und half dann auch Nati dabei, ehe es so dunkel wurde, dass sie die Hand nicht mehr vor Augen sehen konnte. Dann frottierte sie Nati mit einem der Betttücher und packte sie so warm ein, wie es möglich war. Sie hatte jedoch nur die Sachen zur Verfügung, die sie ihr im Haus der Penns übergestreift hatte. Die Reisetasche mit der Kleidung, die Mary ihnen mitgegeben hatte, war entweder in der Kutsche zurückgeblieben, oder sie stand jetzt irgendwo unten im Haus und war für sie ebenso unerreichbar wie ihre Heimat oder die Küste Amerikas.

Lore setzte sich mit dem Rücken gegen das Kopfende des Bettes, obwohl sie ihr linkes Bein wegen der Kette unnatürlich strecken musste, knöpfte den Mantel auf und zog Nati an sich, um sie zu wärmen. So würden sie beide diese eine Nacht überleben. An das, was danach kommen mochte, wagte sie nicht zu denken.

Bis jetzt hatte Nati alles stumm über sich ergehen lassen, und es schien, als sei sie eingeschlafen. Deswegen erschrak Lore, als das Kind plötzlich mit klarer Stimme fragte: »Tut es weh, wenn du mich jetzt totmachst?«

»Was meinst du?«, fragte Lore verständnislos.

»Ich habe ganz genau zugehört! Ruppert, dieser Schweinekerl,

lässt dich nur dann frei, wenn du mich abmurksen tust. Das hat er gesagt und der andere Mann auch!« Das Wort »Schweinekerl« sagte sie auf Englisch, wie sie es wohl von Mary oder deren Brüdern gehört hatte.
»Ich habe nicht vor, dich umzubringen – und ›Schweinekerl‹ sagt man nicht. Das tun nur Gassenkinder«, antwortete Lore müde.
»Mary hat es gebraucht, und ich weiß genau, was das heißt. Ich kann auch ein wenig Englisch. Ruppert hat gesagt, er bringt dich um, wenn du mich nicht umbringst. Du darfst aber nicht sterben, sonst bin ich daran schuld, und das will ich nicht.«
»Unsinn! Wenn wir umkommen, ist nur dein widerlicher Vetter daran schuld. Aber wir werden nicht sterben! Mary wird uns Hilfe schicken, gleich morgen früh ...« Lore merkte selbst, wie wenig überzeugend ihre Worte klangen. Irgendwo auf dem Weg hierher hatte sie die Hoffnung auf ein gutes Ende verloren.
Nati spürte das. »Du musst mich töten, oder du wirst totgemacht. Das habe ich genau verstanden! Opa ist auch umgebracht worden, nicht wahr? Alle Menschen, die ich mag, müssen sterben, denn ich bringe Unglück. Das hat eine Zigeunerin meiner Mutter geweissagt, als ich noch gar nicht auf der Welt war! Dann sind Papa und Mama gestorben und Papas Schwester und Oma Retzmann. Alle sind bei Schiffsunglücken umgekommen, bis auf Oma Retzmann. Die ist von einem wild gewordenen Pferd totgetreten worden, als sie mich vor ihm retten wollte. Jetzt ist auch Opa Retzmann tot. Glaubst du, dass sie alle im Himmel sind?«
»Ja, gewiss!«, antwortete Lore.
Damit aber brachte sie Nati zum Weinen. »Dann sehe ich sie nie, nie mehr wieder!«, schluchzte die Kleine. »Ich komme nämlich in die Hölle! Das haben meine Kindermädchen und Gouvernanten alle gesagt!«
»Aber das ist doch ganz großer Unsinn«, rief Lore. »Evangelische Kinder kommen nicht in die Hölle. Die gibt es für sie gar nicht.

Also wirst auch du in den Himmel kommen. Irgendwann mal, wenn du Großmutter geworden bist …«
»Nein, ich werde sterben, damit du leben darfst. Sonst macht es der Schw… der böse Ruppert, und der tut mir extra weh. Er hat Opa sicher auch sehr weh getan, als er ihn abgemurkst hat! Ich will auch ganz tapfer sein. Vielleicht komme ich dann doch in den Himmel.«
»Nati, hör auf damit! Ich werde dich nicht umbringen. He! Woher weißt du eigentlich, dass Ruppert deinen Großvater ermordet hat? Ich habe es außer Mary niemandem erzählt, und da hast du geschlafen.«
»Du sprichst im Schlaf! Du hast ganz laut gerufen, dass Ruppert ein Mörder ist und meinen Opa vom Mast hinuntergestoßen hat. Mary ist durch das Zimmer gehumpelt und hat dich richtig schütteln müssen, sonst hättest du das ganze Haus aufgeweckt.«
»Oh! Das wusste ich nicht. Ich wollte es dir erst später sagen. Das mit deinem Großvater, meine ich. Alle auf dem Schiff haben gesehen, wie Ruppert gegen ihn geprallt ist, aber jeder hat gemeint, es sei ein Unfall gewesen. Doch das war es nicht.«
»Natürlich war es das nicht!«, antwortete Nati altklug. »Wenn Ruppert seine Schmutzfinger im Spiel hat, dann geschieht immer etwas Böses. Das hat Opa öfter zu Klaus, seinem Kammerdiener, gesagt. Der hatte richtig Angst vor Ruppert und hat bereits gezittert, wenn man nur seinen Namen ausgesprochen hat. Aber jetzt ist er auch mausetot, der arme, alte Dummkopf.«
»Liebes, das sagt man nicht! Man darf über die Verstorbenen nur Gutes reden, weißt du das nicht? Sonst kommen sie zurück und werden böse.«
»So? Dann reden wir ganz schnell Böses über Opa. Dann kommt er wieder und dreht Ruppert den Hals um!«
Lore schüttelte bedauernd den Kopf. »Nein, Nati! So geht das nicht. Tote kommen höchstens als Gespenster zurück, und die

können einem eigentlich gar nichts tun. Sie erschrecken nur die Leute.«

»Schade«, seufzte Nati enttäuscht. »Dann werde ich eben nach meinem Tod ein Gespenst und erschrecke Ruppert so, dass er nie mehr schlafen kann! Vielleicht fällt er dann vor Schreck eine Treppe hinunter und bricht sich den Hals, wie es Opas Pferdeknecht passiert ist.«

»So jemand Böses wie dieser Ruppert fürchtet sich nicht vor Gespenstern. Der hat gewiss noch sehr viel mehr Leute als deinen Großvater auf dem Gewissen, und ich glaube, er schläft immer noch tief und fest. Komm, Nati, noch sind wir nicht tot. Wo Leben ist, da ist auch Hoffnung, hat unser alter Pastor immer gesagt. Schlaf jetzt! Vielleicht fällt uns morgen im Hellen etwas ein, womit wir diesem mörderischen Halunken eine lange Nase drehen können.«

Von Nati kam keine Antwort mehr, so dass Lore schon annahm, das Kind sei tatsächlich eingeschlafen. Die Kälte kroch an den Beinen hoch und biss in ihr Fleisch, so dass sie jeden Gedanken an eine erlösende Nachtruhe aufgab. Doch gerade als sie trotz ihres inneren Aufruhrs ein wenig eingenickt war, riss Natis Stimme sie wieder hoch.

»Aber du versprichst mir, dass du mich umbringst! Ich will nicht, dass dieser Schweinekerl mich mit seinen Schmutzpfoten anfasst! Los! Sag ja! Sonst kann ich nicht schlafen!«

Lore stöhnte auf und sagte: »Ja!« Es klang böser als beabsichtigt.

»Schön!«, murmelte Nati, und das war wirklich das letzte Wort, das sie in dieser Nacht äußerte.

VII.

Lore kam zitternd und völlig steifgelegen zu sich und sah, dass eine graurote Morgendämmerung durch die schmutzigen Fenster drang. Es war, als hätten blutige Finger eine Spur auf die Wolken gemalt. Schnell tastete sie nach Nati und atmete erleichtert auf, als sie den warmen Körper spürte. Dann aber vernahm sie Geräusche und laute Stimmen von unten heraufdringen, und ihr kam das ganze Elend ihrer Lage wieder zu Bewusstsein.
Ruppert und seine Männer schienen Frühaufsteher zu sein, denn es war bereits eine heftige Diskussion im Gange, von der sie zu ihrem Bedauern kein Wort verstehen konnte. Dazwischen klapperte Geschirr, Töpfe schepperten, und ein Teekessel pfiff durchdringend.
Lore schob Nati, die sich wie ein Kätzchen in ihrem Schoß zusammengerollt hatte, von sich weg und stand auf, um Leben in ihre eingeschlafenen Beine zu bekommen. Ihre Fußsohlen schmerzten, als würden sie von tausend Nadeln zerstochen, ihr Mund war ausgedörrt, und ihr Magen knurrte laut. So schlecht wie an diesem Morgen hatte sie sich nicht einmal nach der eisigen Nacht auf der Ausguckplattform der *Deutschland* gefühlt. Am liebsten hätte sie sich wieder hingelegt, um im Schlaf Vergessen zu finden. Doch ihr war klar, dass Ruppert bald kommen würde, um zu überprüfen, ob sie Nati schon getötet hatte.
Noch während sie überlegte, mit welcher Ausrede sie Zeit gewinnen konnte, trat Ruppert auch schon ein. Diesmal glich er nicht gerade einem Triumphator, sondern sah übernächtigt aus und machte ein Gesicht wie eine gereizte Bulldogge. Sein Ausflug am gestrigen Abend schien nicht sehr erfolgreich verlaufen zu sein. Lore hatte jedoch keine Zeit, Schadenfreude zu empfinden, denn Rupperts Gesichtsausdruck wechselte so schnell, als hätte er sich

eine Maske übergestülpt, und wirkte nun souverän und zugleich belustigt.
»Du scheinst mir ja ein außergewöhnlich stures Frauenzimmer zu sein«, sagte er und deutete auf Nati, die wimmerte und röchelte, als läge sie wirklich in den letzten Zügen. »Was versprichst du dir eigentlich davon, dich meinem Willen zu widersetzen? Glaubst du, es käme ein Engel mit dem Flammenschwert, um dich zu retten? Niemand weiß, wo du bist, und es wird sich auch kein Mensch dafür interessieren. Dabei habe ich dir gestern ein sehr gutes Angebot gemacht …«
»Und warum?«, schrie Lore ihn an. »Doch nur, um mich hereinzulegen! Ich soll Nati töten, und dann klagen Sie mich des Mordes an und waschen Ihre Hände in Unschuld!«
Ruppert lachte zynisch auf. »So viel Misstrauen in so einem kleinen Köpfchen! Ich gebe zu, ich habe diese Möglichkeit in Erwägung gezogen. Aber es wäre meinen Plänen nicht förderlich, wenn ich dir Gelegenheit gäbe, vor Gericht auszusagen. Das würde schlichtweg zu viel Staub aufwirbeln. Ich möchte das Retzmann-Erbe jedoch ohne größeres Aufsehen übernehmen. Deswegen wäre es mir lieber, wenn du mir helfen würdest, das kleine Hindernis unauffällig aus dem Weg zu schaffen. Wie ich gestern schon sagte, bin ich bereit, mich mit einer ordentlichen Summe erkenntlich zu zeigen.«
Lore biss sich auf die Lippen und schüttelte den Kopf, so dass ihre halbaufgelösten Zöpfe flogen. »Tausend Mark für einen Mord, der Ihnen wahrscheinlich Hunderttausende einbringt? Ist das nicht ein bisschen knauserig?«
Ruppert stieß einen verblüfften Laut aus und starrte sie an. »Was sind das denn auf einmal für Töne? Willst du vielleicht mehr Geld aus mir herauspressen? Ich habe mir schon gedacht, dass du dich nicht aus uneigennützigen Gründen mit dieser kleinen Giftkröte abgegeben hast. Gib es zu, du wolltest dich ins gemachte

Nest setzen. Nun, darüber können wir reden. Wenn du diese kleine Angelegenheit für mich erledigst, sorge ich für deine Zukunft …«
»Und wie?«, unterbrach Lore ihn. »Mit einer Tasse voll Gift oder einem Messer in den Rücken? Ich habe genau gesehen, wie Sie den alten Grafen umgebracht haben, und jetzt wollen Sie mich nicht nur zu Ihrer Mitwisserin, sondern auch zu Ihrer Komplizin machen.«
»Ist dieser Gedanke so abwegig?«, fragte Ruppert lachend. »Sag, warum hast du mich nicht schon an Bord der *Deutschland* des Mordes beschuldigt? Du hast von Anfang an vorgehabt, mich zu erpressen! Gib es doch zu!«
Lore schauderte. Dieser Mann war wirklich völlig verdorben und unterstellte seine eigene Unmoral auch jedem anderen. Für sie aber galt es, Zeit zu gewinnen. Vielleicht konnte Mary doch noch ein Wunder bewirken. Daher zuckte sie nur mit den Schultern und presste die Lippen zusammen.
Ruppert nahm es als Zustimmung. »Unter diesen Umständen werde ich dich natürlich nicht laufenlassen. Aber wenn du tust, was ich sage, wäre das für uns beide von Vorteil. Mir fehlt nämlich ein tatkräftiges Mädchen unter meinen Leuten, das nicht unter kleinbürgerlichen Moralbegriffen leidet. Es wird dein Schaden nicht sein!«
Bevor Lore etwas darauf antworten konnte, setzte er seine Rede mit sichtlichem Stolz fort. »Du denkst wahrscheinlich, ich wäre nur ein kleiner Gauner, der sich mit gefälschten Wechseln, Falschspiel und Beihilfe zum Versicherungsbetrug über Wasser hält. So hat es dir mein Großvater erzählt, nicht wahr? Aber das waren sozusagen Jugendsünden. Der alte Geizkragen hatte ja keine Ahnung, welche Möglichkeiten er mir in die Hand gegeben hat, als er mir reuigem Sünder eine Stelle bei einem großen Schiffsmaklerbüro verschaffte. Ich habe die Zeit gut genutzt, um meine alten

Kontakte zu guten Freunden zu pflegen und eine Menge neue zu knüpfen.
Zuerst waren es Schieber und Schmuggler aller Art, denen ich gegen gutes Entgelt behilflich sein konnte, ihre Waren mit gefälschten Papieren auf verschiedenen Frachtschiffen unterzubringen. Doch schon bald konnte ich meine wachsende Sachkenntnis ausnutzen, um Beziehungen zu amerikanischen und englischen Waffenfabrikanten und -händlern aufzubauen. Gerade diese haben ein großes Interesse daran, ihre Waren an den offiziellen Stellen vorbei an gutzahlende Interessenten in aller Welt liefern zu können. Jetzt fehlt mir nur noch das entsprechende Startkapital, um mich ganz von den Weisungen und Launen anderer unabhängig zu machen. Bei all den Krisengebieten, die ich beliefern kann, werde ich das Retzmann-Vermögen in kürzester Zeit verzehnfachen.«
»Und welche Rolle könnte ich in diesen Plänen übernehmen?«, fragte Lore verblüfft.
»Ich könnte eine Stewardess oder eine Schiffsnurse brauchen, die auf wechselnden Ozeandampfern fährt und die Ohren offenhält. Um in meinem Geschäft weiterzukommen, braucht man eine Menge Informationen, die man sich auf verschiedene Weise besorgen muss. Vieles läuft nur mit Erpressung, und dazu gehört eine Menge Wissen. Ich muss ebenso über die Offiziere und Mannschaften bestimmter Schiffe auf dem Laufenden sein wie über Geschäftsreisende, Schiffsmakler und deren Angestellte und und und ... Da wäre ein ebenso hübsch wie naiv aussehendes Mädchen wie du mir eine recht große Hilfe ...«
»Nun ...«, antwortete Lore gedehnt. »Das klingt recht verlockend. Ich muss es mir überlegen.«
»Überlege es dir nicht zu lange. Ich muss dieses Haus morgen früh geräumt haben, sonst komme ich in Schwierigkeiten. Aber ich werde diese kleine Höllenkatze nicht noch weiter mit mir herum-

schleppen, schon gar nicht mit einer so gefährlichen Krankheit wie einer Influenza! Bis heute Nachmittag will ich die Angelegenheit geregelt wissen – oder du überlebst die kommende Nacht ebenfalls nicht.«

»Was sind das denn für gewisse Schwierigkeiten?«, fragte Lore.

»Du kleine Ratte hast wirklich das Talent zu einer guten Erpresserin. Aber damit du es weißt: Ich lasse mich niemals erpressen. Wenn du also am Leben bleiben willst, musst du dich auf meine Seite schlagen. Ich gebe dir Zeit bis zum frühen Nachmittag. Als Zeichen deines guten Willens wirst du mir jetzt die Papiere aushändigen, die dir der alte Retzmann in Verwahrung gegeben hat.«

Lore schluckte. »Welche Pa…?«

»Komm, Mädchen, stell dich nicht dumm. Ich weiß genau, dass der Alte noch auf dem Wrack ein neues Testament geschrieben hat!«

»Aber ich habe das Zeug doch nicht mehr!«, rief Lore verzweifelt aus. »Ich hatte sie auf Weisung des Grafen in meine Manteltasche gesteckt und mit einer Nadel befestigt. Beim Hochklettern auf den Mast bin ich irgendwo hängengeblieben, und dabei habe ich das Päckchen verloren. Ich hatte mir die ganze Nacht schreckliche Vorwürfe gemacht, denn ich wusste nicht, wie ich Natis Großvater unter die Augen treten sollte …«

»Dann hast du dir wohl heimlich ins Fäustchen gelacht, dass ich dir den alten Schinder vom Hals geschafft habe!« Ruppert lachte böse, schlug aber dann mit der Faust in die flache Hand und begann, zwischen Tür und Kamin auf und ab zu gehen. »Verdammt! Ich hätte die Handschrift des Alten dringend gebraucht, um ein Testament fälschen zu können. Das ist …«

Mit einem Mal drehte er sich um und starrte Lore durchdringend an. Sie spürte, wie sie rot wurde.

»Beinahe hättest du mich hinters Licht geführt, du miese, kleine Hure, du! Aber du musst noch lernen, wie man andere Leute glaubhaft täuscht!«

Er öffnete die Tür und rief nach dem Kerl, der Lore am Vortag bewacht hatte. »William! Komm rauf und durchsuche dieses Miststück!«
Es ging so schnell, dass Lore noch nicht einmal dazu kam, Luft zu holen und zu schreien, und es war das Peinlichste, was ihr je passiert war. Obwohl sie versuchte, sich zu wehren, zog der Kerl sie bis aufs Hemd aus und betastete sie überall. Dabei grinste er so dreckig, dass es Lore übel wurde. Nach kurzer Zeit stand sie nur noch in ihrem dünnsten Unterhemd vor dem Bett und musste zusehen, wie der Schurke Marys besten Mantel aufschlitzte und ausschüttelte.
»Nichts, Chief! Das Luder hat nichts bei sich außer diesem Zwanzigpfundschein.«
Ruppert kniff die Lippen zusammen und starrte auf die Fetzen des Mantels. »Es könnte tatsächlich sein, Mädchen, dass du die Wahrheit gesagt hast. Aber ich glaube eher, du hast die Unterlagen bei dem schmutzigen Pack in der Hafenstraße versteckt. Los, zieh dich wieder an! Ich trage es dir nicht nach, wenn du mich angelogen hast – diesmal jedenfalls nicht. Es zeigt, dass du Mut genug hast, um auf deinen Vorteil zu sehen. Ich habe sowieso noch etwas in Harwich zu erledigen, und dabei hole ich mir die Papiere, wenn nötig, ganz offiziell mit einer Hausdurchsuchung. Bis ich wiederkomme, muss meine Base tot sein! Sonst verfüttere ich dich an die Hunde.«
Lore zog sich mit zitternden Händen an und spürte gleichzeitig eine solche Wut in sich aufsteigen, dass sie Ruppert am liebsten an die Kehle gegangen wäre. Mühsam riss sie sich zusammen und versuchte, ihre Stimme nicht allzu ängstlich klingen zu lassen.
»Woher weiß ich, ob Sie Ihr Wort halten, Herr von Retzmann? Sie könnten mir ja auch ein Zeichen Ihres guten Willens geben, zum Beispiel ein ordentliches Frühstück mit Kaffee und heißer Milch und vorher warmes Wasser zum Waschen!«

»Also gut, aber es wird die Henkersmahlzeit für die kleine Giftkröte da sein«, erklärte er und zeigte auf Nati, die schlaff auf dem Bett lag und ihn unter halbgeschlossenen Lidern beobachtete. »Und die deine, wenn du mir nicht gehorchst«, setzte er mit einem kalten Lachen hinzu und winkte seinen Handlanger heran. »William, bring ihr das Waschgeschirr und etwas zu essen. Ich habe heute meinen großzügigen Tag!«
William quittierte die Worte mit einem widerlichen Grinsen. »Wird alles erledigt, Chief! Aber ich finde, dass unser Schätzchen mir dafür dankbar sein sollte, weil ich so gut für sie sorge.«
»Schweinekerl!«, sagte Nathalia trotzig, aber ihre Augen waren beinahe schwarz vor Angst. Lore schüttelte es, als William sie am Busen fasste und ihn drückte. Dabei entblößte er lückenhafte Zähne und zeigte ihr die Zunge, die wie ein hässlicher feuchter Wurm über die Lippen strich.
Dann verschwanden beide Männer und ließen Lore in einem Zustand völliger Niedergeschlagenheit zurück.

VIII.

William kam bereits nach wenigen Minuten zurück und brachte einen Krug voll Wasser und eine angeschlagene Schüssel mit, die er auf den wackligen Stuhl stellte. Ihm folgte der Lakai mit dem Galgenvogelgesicht, der ein paar Stücke Brot und zwei Becher bei sich hatte, die eine dampfende, schmutzig braune Brühe enthielten.
»Sis angericht!«, radebrechte er auf Deutsch und ließ das Tablett schwungvoll auf dem Bett landen, ohne etwas zu verschütten. Auch Ruppert steckte noch einmal den Kopf zur Tür herein, als

wolle er noch etwas sagen. Er nickte Lore jedoch nur spöttisch lächelnd zu und verließ zusammen mit seinen Leuten das Zimmer. Noch auf der Treppe brüllte er Anweisungen. Anscheinend hatte er tatsächlich vor, das Haus am frühen Morgen des nächsten Tages zu räumen.

Trotz seines aufgeblasenen Gehabes hatte Lore den Eindruck, dass Ruppert der Boden unter den Füßen zu brennen schien. Das hieß aber auch, dass er seine Drohungen ganz sicher wahr machen würde.

Sie überwand ihren Ekel vor dem schmutzigen Geschirr, brach das Brot und tauchte die Stücke in den noch warmen Milchkaffee. Das karge Mahl schmeckte wesentlich besser, als es aussah, und es wärmte sie von innen.

Nati schien der gleichen Meinung zu sein, denn sie schlang das Brot geradezu hinunter. »Ruppert ist ein widerliches, gemeines Aas!«, sagte sie im Tonfall eines Dankgebets, nachdem sie den letzten Krümel verputzt hatte. Dann rutschte sie an das Fußende des Bettes und sah sich Lores Kette an.

Auch Lore stand auf, wusch sich die Hände mit dem eiskalten Wasser aus dem Krug und trocknete sie an einem der Bettlaken ab. Ruppert war nicht gerade großzügig in seinen Gesten, dachte sie. Wie würde er sie erst behandeln, wenn sie sich ihm völlig auslieferte? So wie sie ihn einschätzte, würde er sie für seine Zwecke benutzen und dann wegwerfen wie einen löchrigen Putzlumpen. Empört schüttelte sie den Kopf. Ganz gleich, was dieser Lump sagte oder tat, sie würde lieber mit einem reinen Gewissen sterben, als sich in seine mörderischen Geschäfte hineinziehen zu lassen.

Auf der *Deutschland* war der Tod allen Menschen an Bord so nahe gewesen, dass sie sich damit abgefunden hatte, selbst zu sterben. Aber durch die Hand eines solchen Schuftes umzukommen, dem vielleicht schon die Obrigkeit auf den Fersen war – dagegen bäumte sich alles in ihr auf. Doch diesmal schien es keinen Ausweg zu

geben und keinen Retter wie die *Liverpool*, die im allerletzten Moment erschienen war, um die Überlebenden aufzunehmen.
Während Lore sich mit diesen Gedanken quälte, wurde es unten auf dem Hof unruhig. Die Kette war gerade lange genug, um zum Fenster treten und hinausblicken zu können. Auf dem Vorplatz stieg Ruppert gerade in einen offenen, zweirädrigen Wagen, der nur von einem Pferd gezogen wurde. Die im Zwinger eingesperrten Hunde machten einen Höllenlärm, als der Wagen das Grundstück verließ. In der Nacht hatte Ruppert sie wohl innerhalb der Umzäunung umherstreifen lassen, denn Lore hatte sie abends unter ihrem Fenster herumschnüffeln hören.
Kaum hatte Ruppert die Einfahrt passiert, wurden die Tiere wieder still, obwohl Edwin, William und zwei weitere Männer eifrig zwischen dem Haus und der Remise hin und her liefen und Koffer und Kisten in die große Reisekutsche luden. Die von einem großen Ledertuch bedeckte Ablage hinter dem Kutschkasten nahm eine schwere Geldtruhe auf, die gut festgezurrt und mit Säcken und Lederbeuteln bedeckt wurde. Für einen Augenblick erwog Lore, Nati dazu zu bringen, hinunterzulaufen und sich dort zu verstecken. Aber die Männer würden die Kleine höchstwahrscheinlich schon auf dem Weg dorthin entdecken, und selbst wenn es ihr gelang, waren da immer noch die Hunde – und die sahen aus, als käme ihnen ein Kind wie Nati zum Frühstück gerade recht.
Als Lore sich zu der Kleinen umdrehte, hatte das Mädchen seinen Mantel und das raschelnde Kleid ausgezogen und wollte sich in dem Nachthemd, das sie darunter trug, aus dem Zimmer schleichen. Dabei zitterte Nati so vor Kälte und Schwäche, dass ihr die Zähne klapperten.
»Hiergeblieben!«, fauchte Lore sie an. »Bist du denn verrückt geworden? Du kannst doch nicht halbnackt herumlaufen! Zieh dich sofort wieder an, sonst holst du dir eine Lungenentzündung!«

»Ja, Fräulein Gouvernante!«, antwortete Nati und verzog das Gesicht. »Ich wollte nur schauen, ob ich unten etwas finde, womit man diese doofe Kette wegmachen kann!«
Lore streifte Nati die restliche Kleidung wieder über und gab ihr einen sanften Klaps. Gleichzeitig versuchte sie, die Tränen wegzuwischen, die ihr selbst unaufhörlich über das Gesicht liefen.
Nati reichte ihr einen Zipfel ihres Nachthemds. »Du kannst ruhig da hineinschneuzen. Das hat Opas Pferdeknecht auch immer getan, wenn er nachts zu einem der Rösser musste.«
Lore kicherte unwillkürlich. Mit Natis Erziehung stand es wirklich nicht zum Besten. Aber ehe sie etwas sagen konnte, deutete das Kind auf die Kette. »Das hat mal eins meiner Kindermädchen mit mir gemacht! Zur Strafe, hat sie gesagt, weil ich frech war und nicht im Bett bleiben wollte, wie sie es befohlen hatte. Da habe ich Opas Schuhputzjungen gerufen, und der hat einfach die Stangen am Fußende vom Bett mit einem Holzscheit aus dem Kamin zerbrochen und mich befreit. Dann hat er mich mit der Kette um den Bauch zu Großtante Ermingarde gebracht. Die hat einen hysterischen Anfall bekommen und das Kindermädchen auf der Stelle entlassen. Der Schuhputzer ist auch entlassen worden – weil er das wertvolle Bett ruiniert hat, statt einfach jemanden zu rufen. Aber Opa hat mir später gesagt, er habe ihm eine neue, bessere Stelle verschafft. Wenn wir jetzt ein Holzscheit hätten, könnten wir dieses Bett kaputt machen und dich befreien.«
Lore sah sich das Bettgestell genauer an. Das Holz war trocken und wurmstichig, doch als sie daran zerrte, widerstand es ihren Kräften. »Mit einem Holzscheit ginge es vielleicht. Aber das würde uns auch nicht weiterhelfen. Wenn wir die Treppe hinunterlaufen, sehen uns die Kerle sofort. Da müssten wir schon aus dem Fenster steigen …«
Nati klatschte begeistert in die Hände. »Ja, das tun wir! Ich kann klettern! Wirklich! Ich bin zu Hause schon zwei Mal aus dem

Fenster gestiegen.« Bevor Lore sie daran hindern konnte, zog sie sich an der Fensterbank hoch und sah hinunter. »Aber da war es nicht so hoch wie hier«, setzte sie leise hinzu.
»Vergiss nicht: Uns fehlt ein Holzscheit!«, sagte Lore mit einem dicken Kloß in der Kehle, der ihre Stimme halb erstickte. »Wir kämen trotzdem nicht weit, schon wegen der Hunde! Ach Nati, ich wünschte, es wäre schon alles vorbei! Ich …«
Sie biss sich auf die Lippen. Sie durfte vor dem Kind keine Angst zeigen, sondern musste alles tun, um ihm Mut zu machen. Bevor sie etwas sagen konnte, vernahm sie Schritte auf der Treppe. Dann platzte William in den Raum. Er grinste breit, und in seinen Augen las Lore eine Gier, die ihr den Magen umdrehte. »Ihr habt brav aufgegessen«, sagte er mit einem Seitenblick auf die leeren Becher. Dann trat er näher an Lore heran und drängte sie Richtung Bett.
»Der Chief hat gesagt, dass ich dir zeigen soll, wie du später an wichtige Informationen kommen kannst. Wenn du so mitmachst, wie ich es will, erledige ich sogar die Sache mit diesem Balg für dich. Na, ist das kein Angebot?« Noch während er es sagte, griff er unter Lores Röcke und zerrte sie hoch.
Lore wollte ihn abwehren, stieß dabei aber mit den Kniekehlen gegen die Bettkante und stürzte rücklings auf den Strohsack.
»Du bist wohl ein frühreifes Schätzchen und hast es schon mit anderen Kerlen getrieben. Aber du wirst sehen, ich bin besser als die.« William drückte Lore mit einer Hand auf die Matratze und nestelte mit der anderen an seinem Hosenschlitz.
Zu Hause in Ostpreußen hatte Lore bei ihren kleinen Brüdern gesehen, was einen Jungen von einem Mädchen unterschied, doch das hässliche Ding, das William aus seiner Hose herausholte, war weitaus größer, als sie sich hätte vorstellen können, und grotesk nach oben gebogen.
»Gleich werde ich's dir besorgen«, keuchte der Mann.

»Lass Lore in Ruhe!« Nati fuhr William kreischend mit ihren Fingernägeln ins Gesicht. Er ließ Lore kurz los, drehte sich um und versetzte dem Kind eine Ohrfeige, die es zu Boden schleuderte.
Lore sprang auf das Bett und hieb mit beiden Fäusten auf ihn ein. William schnappte nach ihren Händen, presste diese zusammen und umklammerte sie mit einer Hand. Mit der anderen schlug er ihr hart in Gesicht. Als er zu sprechen begann, sprühten ihr feine Speicheltropfen ins Gesicht, und sie meinte sich übergeben zu müssen. Schlimmer jedoch war das, was er ihr androhte.
»Du kleines Miststück! Du wirst jetzt tun, was ich sage, sonst bringe ich zuerst dieses Balg und dann dich um. Denke ja nicht, dass der Chief es bedauern wird. Er braucht dich nämlich gut zugeritten, wenn du ihm später von Wert sein sollst. Aber wenn du Zicken machst, bist du weniger wert als Hundefutter.«
Lore wusste, dass er seine Drohung ernst meinte. Der Mann war in der Lage, Nati umzubringen, sie dann zu vergewaltigen und hinterher ebenfalls zu ermorden. Mit Tränen in den Augen gab sie ihren Widerstand auf und ließ es zu, dass er sie auf das Bett legte und ihr trotz der Kälte das Kleid und die Unterröcke hochschlug. Dann riss er ihr die Unterhose hinunter, so dass sie nackt vor ihm lag.
»Du wirst sehen, es wird dir Spaß machen«, stieß er hervor und wollte ihr gerade die Beine auseinanderbiegen, als die Hunde unten wild zu bellen begannen.
Im nächsten Moment klang Edwins Stimme schneidend zu ihnen hoch. »William, wo bleibst du? Komm sofort her!«
Das Geräusch einer sich nähernden Kutsche begleitete seine Worte. Mit einem Fluch ließ William von Lore ab und eilte zum Fenster, um hinauszusehen.
»Ein verdammter Fremder! Was hat der hier zu suchen?« Während er sein Glied mit etwas Mühe wieder in der Hose verstaute, drehte er sich zu Lore um.

»Es wird nicht lange dauern, dann machen wir weiter, wo wir aufgehört haben.« Nach diesen Worten verschwand er und ließ Lore mehr tot als lebendig zurück. Mit müden Bewegungen richtete sie ihre Kleidung und blieb mit vor die Augen geschlagenen Händen sitzen.

Da zupfte Nati an ihrem Ärmel. »Komm zum Fenster, Lore. Dort kommt eine ganz große Kutsche.«

»Das werden irgendwelche Banditen sein, die zu Ruppert wollen. Vielleicht hat dieser auch noch eine zweite Kutsche gemietet, um sein Hab und Gut abzutransportieren«, antwortete Lore bitter. Dann schluckte sie und starrte das näher kommende Gefährt an. »Seltsam – das sind die gleichen Pferde wie gestern in der Hafenstraße, die vier schönen Füchse, die alle einen hellen und einen dunklen Vorderhuf haben. Auch das Ledertuch über der Kofferablage ist rot. Das muss die Kutsche sein, die uns am Hafen entgegengekommen ist.«

Nati antwortete nicht, sondern klammerte sich an Lore und starrte auf das Fahrzeug, das tatsächlich vor dem Gittertor anhielt. Edwin, der in Rupperts Abwesenheit das Kommando zu führen schien, spie aus und winkte einem der anderen Männer, das Tor zu öffnen. Unterdessen lief William zu den Hunden, die sich in ihrem Zwinger aufführten, als wäre der Teufel in sie gefahren.

Jetzt erkannte Lore auch den Kutscher des Gefährts wieder an seinem uniformähnlichen Mantel mit dem zweifarbigen Schulterkragen. Der Mann hatte alle Hände voll zu tun, um die vor den Hunden scheuenden Pferde zu zügeln. Die temperamentvollen Tiere schlugen mit den Hinterhufen gegen den Kutschkasten, so dass ihm schließlich nichts anderes übrigblieb, als vom Bock zu springen, um das Gespann zu halten. Der Lakai, der neben ihm gesessen war, stieg ebenfalls herab, um ihn dabei zu unterstützen. Allerdings konnte Lore jetzt nur noch die Köpfe der Pferde sehen, denn der Wagen war bis zum Haus gerollt und wurde nun halb

davon verdeckt. Das war bedauerlich, denn sie hätte zu gerne gewusst, ob der gleiche vornehme Passagier in der Kutsche saß wie am Vortag.
Edwin stand breitbeinig vor der Remise, die Hände in die Hüften gestemmt, und schien nicht bereit, dem unverhofften Gast auch nur einen Schritt entgegenzugehen. William und der vierte Mann hielten jeweils zwei jaulende und bellende Hunde an der Leine und stellten sich so auf, dass der Fremde, der gerade um die Ecke bog, zwischen sie geraten musste.
Lore erblickte einen vornehmen Herrn mit Biberpelzhut und einem Mantel, der, obwohl er aus einem sehr wertvollen Stoff geschneidert war, dem seines Kutschers sehr ähnlich sah. Er trug lange, enge Hosen und glänzende Schuhe und wirkte wie ein Herr von Stand. Als er grüßend den Hut abnahm, erkannte sie, dass es tatsächlich der Reisende vom Vortag war.
Dieser Mann gehörte sicher nicht zu Rupperts Kumpanen, sagte Lore sich und verspürte eine leise Hoffnung. »Mein Gott, vielleicht ist das der Herr von der Reederei, der zu uns kommen wollte!«
Sie presste sich die Hand gegen das klopfende Herz.
»Ach, sieh an, ein German!«, rief Edwin unten. Er musste schreien, um die Hunde zu übertönen. »Nun, Mr. German, was führt Sie hierher?«
»Ich möchte Herrn von Retzmann sprechen!«, antwortete dieser. »Ich …«
Der Rest seiner Worte ging in einem erneuten Aufheulen der Hunde unter und in einem Quieken dicht neben Lores Ohr. Nati umarmte ihre große Freundin stürmisch. »Wir sind gerettet! Das ist mein Onkel Thomas! Er ist gekommen, uns zu befreien!«
»Du meinst Thomas Simmern, deinen Vormund?«, fragte Lore ungläubig.
»Ja! Komm, wir müssen schreien, damit er weiß, wo wir sind! Onkel Thomas! Onkel Thomas! Hier sind wir!«

»Er kann uns nicht hören! Dafür sind die Hunde zu laut. Oh, Gott, wenn wir doch nur hinunterlaufen könnten! Schau, dieser widerliche Edwin schlägt deinen Onkel vor die Brust! Ich glaube, er will ihn in die Kutsche zurückdrängen. O Heilige Muttergottes, hilf! Ich muss diese Kette loswerden. Hoffentlich lässt sich Herr Simmern nicht so schnell abwimmeln!«

Lores Blick irrte durch das Zimmer und blieb an dem Stuhl haften. Den könnte sie anstelle eines Holzscheits einsetzen. »Nicht erschrecken!«, rief sie Nati zu.

Die interessierte sich jedoch nur dafür, was unten vor sich ging. »Lore, Lore! Ich glaube, die Schweinekerle wollen Onkel Thomas von den Hunden fressen lassen!«

Lore widerstand dem Drang, wieder ans Fenster zu laufen, sondern nahm den Stuhl, hob ihn hoch und schlug ihn gegen den Kaminaufsatz. Der Knall war gar nicht besonders laut, aber in ihren Ohren klang er wie ein Kanonenschuss. Dann hielt sie nur noch einen Teil der Lehne in der Hand.

Nati wandte ihr den Kopf zu und nickte. »Ja, prima! Beeil dich! Onkel Thomas hat jetzt eine Pistole in der Hand. Ich glaube, er will die Hunde erschießen!«

»Ich mach ja schon!« Lore legte die kürzeren Holzstücke weg, packte eines der Beine und steckte es in den Bettrahmen. Ein kräftiger Ruck ließ das morsche Gestell auseinanderbrechen, und sie konnte die Kette herausziehen. Da sie das Ding nicht hinter sich herschleifen wollte, stopfte sie das Ende in ihren Gürtel und wandte sich zu Nati um.

Diese stieg bereits auf die Fensterbank und wollte nach draußen. »Komm schnell!«, rief sie. »Wir …«

»Bist du verrückt? Hier sehen die Kerle uns doch!«, rief Lore und zerrte die Kleine wieder ins Zimmer. Dann warf sie noch einen letzten Blick auf den Vorplatz. Edwin krempelte gerade die Ärmel hoch und trieb den ungebetenen Besucher mit wiegenden Schritten vor sich her. Was er sagte, war nicht zu verstehen, aber trotz der Pistole in seiner Hand schien Thomas Simmern nicht Herr der Lage zu sein.

Lore bekreuzigte sich und schwor, der Muttergottes eine ganz große Kerze zu stiften, wenn Nati und sie lebend hier herauskämen. Sie hob das Kind aus Gewohnheit hoch, setzte es aber sofort wieder ab. »Los, wir laufen über den Flur auf die andere Hausseite. Ich nehme die Betttücher mit. Damit seilen wir uns ab!«

»Hast du das schon einmal gemacht?«

»Nein! Aber ich habe davon gelesen! Es wird schon klappen.«

Nati war Feuer und Flamme für den Plan und folgte Lore, mit den zusammengeknüllten Leintüchern unter dem Arm, vorsichtig den Flur entlang. Dabei versuchte Lore abzuschätzen, unter welchem Fenster die Kutsche stehen mochte, und wählte danach die Zimmertür. Das Fenster des Raums ging auf einen kleinen Anbau mit einem Pultdach hinaus, dessen Giebel kaum hüfthoch unter der Brüstung lag.

Lore hob Nati hoch und stellte sie auf das Dach hinaus, das sofort verdächtig knirschte.

»Vorsicht«, warnte Lore. »Bleib ganz dicht an der Mauer stehen und halt dich fest!« In dem Moment bemerkte sie, dass die Hunde aufgehört hatten zu bellen. Erschrocken lauschte sie auf hastige Schritte oder Rufe, die anzeigten, dass ihre Flucht entdeckt worden war. Doch im Haus rührte sich nichts.

Nach qualvollen Sekunden begannen die Hunde wieder zu jaulen, so heiser, als hätten sie sich verausgabt. Dafür brüllten die Männer vor dem Haus umso lauter. Thomas Simmern schien genau zu wissen, dass Nati hier gefangen gehalten wurde, und er verlangte ihre Herausgabe und die ihrer Kinderfrau. Aber seine Stimme klang eher hilflos, während Rupperts Männer immer wieder in Gelächter ausbrachen. Ihnen schien die Sache Spaß zu machen, denn sie spielten mit ihrem unverhofften Gast Katz und Maus.

Lore wünschte beinahe, Natis Vormund würde diese Banditen einfach niederschießen. Da er das aber nicht tun würde, betete sie ein Stoßgebet, während sie mit einer Hand die Kleine vor sich herschob und sich mit der anderen in dem löchrigen Putz festkrallte. Einzelne Dachziegel lösten sich unter ihren und Natis Füßen, und das Kind brach zweimal in das morsche Dach ein und hing nur noch an Lores Arm. Diese zog die Kleine wieder hoch und schlich weiter. Den Stimmen nach näherten sie sich immer mehr der Kutsche und sahen kurz darauf deren Heck hinter der Hausecke hervorragen. Die rote Lederabdeckung für das Kofferfach hing schlaff durch, so als befände sich wenig oder nichts darunter. Lore atmete noch einmal kräftig durch. »Jetzt kommt es darauf an, wer schneller bei der Kutsche ist, Rupperts Männer mit ihren Hunden – oder wir«, flüsterte sie Nati ins Ohr.

Als sie die Dachkante erreicht hatten, sahen sie, dass der Boden weiter entfernt war, als sie vermutet hatten. Zudem gab es hier auch keine Möglichkeit, die Betttücher, mit denen sie sich hatten abseilen wollen, irgendwo zu befestigen. Kurz entschlossen versuchte Lore, die Tücher aneinanderzuknoten und ein Ende um Natis Brust zu schlingen. Doch der morsche Stoff riss schon bei dieser Beanspruchung. Daher legte Lore das Zeug weg und zog Nati an sich.

»Ich packe deine Hände und lasse dich hinunter, so weit ich kann. Dann lasse ich dich los. Pass auf, dass du gut aufkommst! Wenn du dir weh tust, darfst du nicht schreien, hörst du? Du schleichst dich zur Hausecke und schaust nach, ob einer von Rupperts Banditen hersiehst. Wenn sie dir den Rücken zudrehen, läufst du zu der Kutsche und versteckst dich in der Kofferablage. Hast du mich verstanden?«

Nati sah Lore mit großen Augen an und nickte eifrig, doch Lore fühlte, dass der Körper des Kindes zitterte und gleichzeitig wie unter einem neuen Fieberschub glühte. Wahrscheinlich würde das

Mädchen nicht die Kraft haben, sich auf dem glatten Brett unter der Abdeckung festzuhalten. Für einen Augenblick überlegte Lore, ob sie nicht besser ins Haus zurückkehren und die Leute mit lauten Schreien ablenken sollte, so dass Nati in die Kutsche klettern konnte. So konnte wenigstens das Kind entkommen. Dann aber dachte sie an William und schauderte.

Voller Angst, aber von dem Willen beseelt, Ruppert und dessen Schuften zu entkommen, legte Lore sich auf den Bauch und half Nati so weit hinunter, wie ihre Arme reichten. Dann ließ sie sie mit einem Stoßgebet los. Nati fiel das letzte Stück wie ein Stein hinab und blieb reglos liegen. Voller Panik schwang Lore die Beine über die Dachkante und sprang hinterher. Dabei rutschte das lose Ende der Kette aus dem Gürtel und schlug gegen ihre Beine. Noch während sie die Zähne zusammenbiss, um nicht vor Schmerz zu schreien, kam sie mit ihrer rechten Hand auf einen Stein auf und verdrehte sich das Gelenk. Mühsam kämpfte sie sich auf die Beine. Als sie stand, wurde Nati neben ihr mit einem Mal quicklebendig.

»Mir tut alles weh!«, klagte das Mädchen leise, packte aber Lores Hand und strebte humpelnd der Kutsche zu. Die Stimmen der Männer waren nun ganz nah, und Lore konnte ihre Füße auf der anderen Seite der Kutsche erkennen. Den Geräuschen nach wurde Thomas Simmern gerade von Edwin und dessen Helfern handgreiflich in sein Reisegefährt gesetzt. Der Kutschkasten schwankte bei dem Handgemenge, und alle Aufmerksamkeit war auf die streitenden Männer gerichtet.

Rasch hob Lore Nati hoch, schob sie unter das rote Ledertuch, das die Kofferablage verdeckte, und kroch selbst hinterher. Die Kette an ihrem Bein klirrte und knallte dann gegen das Holz. Lore blieb fast das Herz stehen. Doch niemand kam und sah nach.

»Richtet Herrn Ruppert von Retzmann aus, die Angelegenheit sei noch nicht ausgestanden. Wenn mir seine Base Nathalia und ihre

Kinderfrau nicht unversehrt übergeben werden, sorge ich dafür, dass er sich in Deutschland nicht mehr sehen zu lassen braucht. Außerdem werde ich ihm auch hier in England erhebliche Schwierigkeiten bereiten! Ich verfüge über genug Beweise für seine verbrecherischen Umtriebe, bin aber bereit, sie ihm restlos auszuhändigen, wenn er mir die beiden Mädchen übergibt. Ich warte genau vierundzwanzig Stunden auf ihn, dann gehe ich zur Polizei. In der Zeit findet er mich im Hotel ›Fisherman's Rest‹ am alten Hafen!«

»In der alten Hütte? Na, dann fröhliches Wanzenjagen!«, spottete Edwin. In dem Moment fuhr die Kutsche mit einem scharfen Ruck an, als wären die Pferde froh, endlich aus der Nähe der Hunde zu kommen.

IX.

Lore hatte große Mühe, sich und Nati auf der Kofferablage festzuhalten. Sie klammerte sich an einen der Lederriemen, die zum Befestigen des Gepäcks dienten, und stemmte die Füße gegen das Holz. Doch jeder Ruck schob sie ein Stückchen auf die hintere Kante zu. So atmete sie zunächst auf, als die Kutsche nach einigen Minuten Fahrt anhielt. Dann aber wurde sie steif vor Schreck. Hatten Rupperts Banditen ihre Flucht bemerkt und versperrten der Kutsche den Weg, um sie zurückzuholen? Aber sie vernahm keine lauten Stimmen und auch keine Hunde. Dafür stieg jemand aus der Kutsche und kam über den knirschenden Boden auf das Heck des Wagens zu. Das Leder wurde hochgehoben, und dann sah Lore in Thomas Simmerns lächelndes Gesicht.

»Darf ich die Damen einladen, im Innern der Kutsche mitzureisen? Hier hinten ist es doch ein wenig unbequem, oder meint ihr nicht?«

Er hob Lore heraus, als sei sie so leicht wie ein Federkissen, und drückte sie seinem Diener in die Arme. Dabei streifte sein Blick die Kette an ihrem Bein. »Ruppert wollte wohl auf Nummer sicher gehen! Von dem Ding kann ich dich aber erst befreien, wenn wir wieder im Hotel sind. Bei Gott, ich glaube, du wirst mir einiges zu erzählen haben, mein Fräulein!«

Lore nickte verblüfft, doch er achtete nicht mehr auf sie, sondern zog Nati an sich, der es jetzt, da die Anspannung vorbei war, wieder schlechterging. Ihr Gesicht glühte förmlich, die Lippen waren aufgeplatzt, und die Augen glänzten im Fieber. »Mein Gott, Nathalia! Du wirst mir doch nicht sterben, Kätzchen? Ich fahre dich sofort zum nächsten Arzt!«

»Sie hat gewiss großen Durst«, rief Lore aus der Kutsche und versuchte, sich aus den Decken und Pelzen zu befreien, in die der Diener sie gerade einpackte. »Wir haben seit gestern Mittag nur einen Becher schlechten Milchkaffee zu trinken bekommen. Bitte, Herr Simmern, haben Sie nicht etwas kalten Tee oder etwas Ähnliches bei sich? Ich flöße es Nati dann ganz vorsichtig ein! Auch muss sie dringend in ein warmes Bett, und ich glaube, wir sollten sie wieder in Birkenblätter packen! Mary Penn weiß Bescheid. Sie waren doch bei den Penns, nicht wahr? Ihre Brüder können uns welche besorgen.«

Thomas Simmern schob sie mit der freien Hand zurück in das Wageninnere. »Bleib sitzen, Mädchen! Ich kümmere mich um unser kleines Kätzchen! Du siehst selbst so aus, als bräuchtest du dringend einen Arzt. Hier, trink einen Schluck von dem Ale. Es ist ein dünnes Bier, das meine Leute als Reiseproviant schätzen. Nati bekommt den Rest Wasser aus meiner Trinkflasche. Ich muss den Behälter nur einen Augenblick auf den Wärmeziegel legen, sonst schlägt das kalte Getränk unserer Kleinen auf die Lunge.«

Während Thomas Simmern die Flasche herausholte und anwärmte, lächelte er Lore herzlich zu. »Ich bin froh, dass es dir gelungen ist, mit unserer Kleinen zusammen zu fliehen. Und zu deiner Frage: Ja, ich habe die Penns kennengelernt. Der Brief, den du von Mr. Smithson hast schreiben lassen, hat mich in London erreicht, und ich bin so schnell nach Harwich gekommen, wie es mir möglich war. Der Hafenmeister hat mich dann zu deinen Gastgebern geschickt. Aber leider kam ich eine halbe Stunde zu spät!«
Lore trank von dem sauren Bier und lächelte zaghaft und ein wenig erleichtert. Jetzt verstand sie, warum Nathalia so von ihrem Onkel Thomas geschwärmt hatte. Er war ein freundlicher, aber auch energischer Herr, dessen vornehme Kleidung von der Auseinandersetzung mit den vier Banditen ein wenig mitgenommen war. Außerdem sah er so aus, als hätten die Hunde ihn mindestens zweimal gebissen. Einem Mann, der sich so für die Enkelin eines Freundes einsetzte, konnte sie vertrauen.
»Dafür sind Sie heute gerade noch rechtzeitig gekommen, Herr Simmern! Nathalias widerwärtiger Vetter wollte, dass ich Nati noch an diesem Tag umbringe! Es sollte so aussehen, als sei sie am Fieber gestorben. Dafür hat er mir allerlei falsche Versprechungen gemacht. Außerdem glaube ich, er will Graf Retzmanns Testament fälschen und sich selbst als Erben einsetzen lassen. Er erwähnte einen Mann, der Schriften nachahmen könne und den er schon bezahlt habe … Oh, das Testament! Es ist in dem Päckchen mit den Papieren, die mir Natis Großvater vor seiner Ermordung anvertraut hat. Ich habe sie bei Mary Penn versteckt, und jetzt ist dieser Schuft wahrscheinlich schon dort, um sie sich zu holen. Wir müssen verhindern, dass der Mörder das Testament in die Hände bekommt! Heilige Muttergottes, hoffentlich ist es noch nicht zu spät!«
Thomas Simmern versuchte, sie zu beruhigen. »Wir werden erst Nati und Konrad, meinen Kammerdiener, zum Hotel bringen.

Dort kann Konrad einen Arzt holen lassen, der sich um unsere Kleine kümmert. Wir beide aber fahren sofort weiter zu den Penns. Deine Freundin Mary sieht nicht so aus, als ließe sie sich von irgendjemandem einschüchtern. Sie hat mir fast die Augen ausgekratzt, weil ich zu spät gekommen bin und die Kutsche nicht schnell genug wenden konnte, um Ruppert zu verfolgen.« Simmern lachte leise, als er sich daran erinnerte, und fuhr dann mit seinem Bericht fort.

»Einer von Marys Brüdern hatte sich einen Karren gemietet und ist mit diesem kreuz und quer durch die Stadt gefahren. Dabei hat er die Straßenkinder von ganz Harwich nach Ruppert gefragt. Der Junge hatte Glück, denn er konnte Rupperts Kutsche folgen und sehen, wie diese zu dem alten Cottage abgebogen ist. Aber wie das Schicksal so spielt, hat der Karrengaul auf dem Rückweg ein Eisen verloren, und sein Besitzer weigerte sich, noch einen Meter weiterzufahren. Daher bin ich erst heute Morgen informiert worden. Wie du siehst, hat deine Freundin Wort gehalten und alles zu deiner Rettung unternommen.«

»Zu Natis Rettung!«, antwortete Lore. »Ich hatte dem Großvater unserer kleinen Lady versprochen, auf sie aufzupassen und sie nicht zu verlassen, bis sie bei Ihnen in Sicherheit ist. Das habe ich auch gehalten.«

»Nun, ich hoffe, du bleibst noch eine Weile bei ihr, zumindest so lange, bis sie gesund und munter wieder zu Hause in Bremen ist. Wenn wir ins Hotel zurückkehren, soll der Arzt dich ebenfalls untersuchen. Ich engagiere eine Zofe, die sich um euch beide kümmert – oder besser noch eine Krankenschwester. Du siehst sehr blass aus, mein Mädchen, und gehörst ins Bett. Glaubst du, du hältst noch durch, bis wir bei den Penns waren? Oder soll ich dich ebenfalls im Hotel zurücklassen?«

»Nein! Ich komme auf jeden Fall mit. Das heißt, wenn sich jemand um Nati kümmert. Ist Herr Konrad zuverlässig?«

»Nicht Herr Konrad, sondern einfach nur Konrad! Er war der Steuermannsmaat meines Schiffes, als ich selbst noch zur See gefahren bin, und jetzt ist er mein Kammerdiener. Aber er nennt mich immer noch Käpt'n. Ja, er ist zuverlässig, und er kennt Nati seit ihrer Geburt. Keine Sorge, er wird sich besser um sie kümmern als jede Amme.«

Nati öffnete die Augen und grinste ihren Onkel an. »Konrad ist ein feiner Kerl! Er hat Äpfel für mich gestohlen und einmal sogar Schokolade. Er beschützt mich, solange ihr den bösen Ruppert übers Knie legt.«

Thomas Simmern lachte schallend. »Meine liebe Nathalia, du bist unverbesserlich! Konrad wird dir diesmal keine Schokolade stehlen, weil du nämlich zuerst gesund werden musst. Danach bekommst du meinetwegen genug Schokolade, um dir den Magen zu verderben. Spuck sie aber nicht wieder über meine beste Hose!«

»Das tue ich nur, wenn du Lore nicht wieder mitbringst«, murmelte Nati schläfrig. »Sie ist meine beste Freundin, und sie hat mir das Leben gerettet. Sie hat auch einen adeligen Großvater, und der war ein Freund von Opa. Du musst sie wie eine Dame behandeln, hörst du? Sie bleibt jetzt immer bei mir und sorgt dafür, dass ich ganz artig werde.«

Onkel Thomas schmunzelte und strich Nati über die heiße Stirn. »Aber ja, mein kleiner Schatz. Das wird sie ganz sicher! Schlaf jetzt. Es wird alles gut werden, das verspreche ich dir.«

»Kein Tod und keine schlimmen Unglücke mehr?«, fragte Nati noch.

»Nein, mein kleiner Engel«, antwortete Onkel Thomas. Aber da war Nati trotz des heftigen Rumpelns der Kutsche schon eingeschlafen.

Lore sah Thomas Simmern lächelnd an. So zärtlich wie er mit Nati gingen nur wenige Männer mit ihren eigenen Kindern um.

Sie wollte etwas sagen, aber er schüttelte den Kopf und deutete durch das Seitenfenster nach vorne.
»Wir sind gleich da. Reden können wir später, Fräulein von Huppach!«
»Einfach nur Huppach«, antwortete Lore automatisch. Da sie gegen die Fahrtrichtung saß, musste sie sich vorbeugen und den Vorhang beiseiteschieben, um hinaussehen zu können. Vor ihnen tauchte bereits das Hotel auf, in dem Thomas Simmern logierte, und dahinter konnte man einen Teil des alten Fischereihafens erkennen. Marys zweitältester Bruder Freddy erwartete sie aufgeregt vor der Hofeinfahrt des Hotels.
»Mister Simmern! Mister Simmern! Der Schweinekerl ist wieder da! Er hat die Bullen mitgebracht, und die stellen jetzt das ganze Haus auf den Kopf und werfen die Möbel auf die Straße. Wir sind sogar selber durchsucht und dann in dieser Hundekälte vor die Tür gejagt worden. Ist das nicht eine Gemeinheit? Ach, Laurie, du bist ja auch wieder da! Hat der feine Gentleman dich befreit? Mary hat die ganze Zeit gejammert und gemeint, ihr wärt schon tot. Habt ihr Lady Püppchen wieder mitgebracht? Ach, da ist sie ja! Eingepackt wie 'ne Wurst. Na, fein!«
Onkel Thomas unterbrach seinen Redeschwall. »Schon gut, mein Junge. Es wird schon wieder alles in Ordnung kommen. Du kennst doch sicher einen guten Arzt, nicht wahr? Lauf schnell zu ihm und sage ihm, Lady Nathalia benötige ihn sehr dringend. Es geht um Leben und Tod! Er soll ins Zimmer 301 im Hotel ›Fisherman's Rest‹ kommen. Ich fahre inzwischen zu deinen Eltern und regle diese Angelegenheit.«
Angefeuert von einem halben Shilling, rannte Freddy, als ginge es um sein Leben. Unterdessen nahm Konrad Nati wie eine kostbare Last auf den Arm und trug sie im Laufschritt zum Hoteleingang. Thomas Simmern drehte sich zu Lore um. »Willst du nicht doch ins Hotel?«

Sie schüttelte den Kopf. »Ich mag nicht mit dieser Kette um den Fuß herumlaufen! Können wir sie denn nicht abmachen?«

»Dazu ist jetzt keine Zeit. Entweder gehst du jetzt zu Nati aufs Zimmer, oder wir fahren weiter. Hältst du noch durch? Lass deinen Tränen ruhig freien Lauf. Weinen erleichtert das Herz. Und ich werde Ruppert vor aller Augen fragen, was ihm einfällt, eine Enkelin des Herrn von … wie war der Name …?«

»Meines Großvaters? Wolfhard von Trettin.«

»Oh! Eine Enkelin des wilden Nikas! Nun, das erklärt, warum du so beherzt gehandelt hast. Komm, mein tapferes Mädchen! Zwar können wir den Wolf nicht fangen, aber wir werden ihn wenigstens von der Beute vertreiben.«

Lore hatte zwar das Gefühl, als wirble die Kutsche um sie herum, aber sie nickte und lächelte schließlich unter Tränen. »Hoffentlich! Ich bin dabei, Herr Simmern.«

»Nenne mich ruhig Onkel Thomas! Ich habe schließlich deinen Großvater kennengelernt, als ich noch ein Bengel in kurzen Hosen war. Graf Retzmann hat noch Jahre später in trauter Herrenrunde Schwänke vom wilden Nikas erzählt.«

Lore spürte, wie sie rot wurde. Sie kannte einige der harmloseren Geschichten über ihren Großvater, doch selbst die waren kaum für Damenohren geeignet.

Währenddessen hatte sich die Kutsche wieder in Bewegung gesetzt und bog jetzt in die Straße am alten Hafen ein. Vor dem Haus der Penns waren zahllose Menschen zusammengelaufen, so dass es in der Straße kein Durchkommen mehr gab. Einige Gassenjungen und ein paar junge Männer waren sogar auf das Dach der Hafenkommandantur geklettert, um besser sehen zu können, was sich bei den Penns abspielte. Das Geschrei war ohrenbetäubend, aber Mrs. Penns Keifen übertönte alle anderen Stimmen. Sie klang so empört, als hätten die Polizisten ihr gerade angedroht, sie und die ganze Familie nackt in das Hafenbecken zu werfen.

X.

Thomas Simmern sprang aus dem Wagen und drängte sich durch die Menge. Als Ruppert ihn kommen sah, spie er aus und wandte ihm den Rücken zu. Onkel Thomas aber packte ihn an der Schulter und zwang ihn, sich umzudrehen. Zu ihrem Leidwesen konnte Lore nicht verstehen, was er sagte, doch sie sah mit Genugtuung, wie Natis Vetter dunkelrot anlief und die Zähne fletschte wie eine wütende Bulldogge. Nach einem Augenblick der Erstarrung folgte er Thomas Simmern, der wieder zur Kutsche zurückkehrte, als sei nichts geschehen.

Direkt neben dem Kutschenschlag packte Ruppert Onkel Thomas am Rockaufschlag und drückte ihn gegen den Wagenkasten. »Was sollte das eben heißen?«, fragte er sehr leise und gepresst auf Deutsch.

»Nur das eine: Geh zu deinem Winkeladvokaten, behaupte, das Ganze sei ein Irrtum von dir, und blase die Sache hier ab. Sonst sorge ich dafür, dass Scotland Yard von deinen Geschäften mit dem Hehler und Waffenschieber Horris Blandon erfährt! Du hast den Kapitän der vor zwei Jahren bei den Hebriden gestrandeten Viermastbark *Fair Lady* etwas zu tief in deine Karten sehen lassen. Der Mann hat mich nicht nur darüber aufgeklärt, wie du den Norddeutschen Lloyd um etwa dreißigtausend amerikanische Dollar betrogen hast, sondern er hat mir auch einiges über deine Kontakte zu einem gewissen Hank Pycroft aus Boston und dessen Geschäftspartner Horris Blandon erzählt. Ich denke, ein paar Leute in London würden sich über meine Hinweise freuen!«

Ruppert stand da, als hätte ihn der Schlag getroffen. Nur allmählich fand er seine Sprache wieder. »Ich glaube, ich habe einen erpresserischen Lumpenhund zu wenig umge… Aber das geht dich plattfüßigen Einschleimer nichts an! Jetzt denkst du, du hättest

gewonnen und könntest dich als Vormund meiner Base in Bremen ins gemachte Nest setzen, um das Vermögen des Alten genüsslich an dich zu bringen, nicht wahr? Aber davon träumst du nur! Wenn ich das Testament gefunden habe, kannst du deine Höllenkatze von Patenkind meinetwegen an deine Brust drücken, aber die Moneten werde ich mir holen. Solltest du mir Schwierigkeiten machen, drehe ich dem kleinen Biest eigenhändig den Kragen um, das schwöre ich dir! Ich lasse mich von der Tochter einer russischen Hure nicht um mein Erbe bringen! Ebenso wenig von einem lächerlichen Emporkömmling wie dir!«
»Versuche lieber nicht, mich mit etwas zu erpressen, was du längst nicht mehr besitzt«, antwortete Thomas Simmern ebenso leise, aber mit einem Lachen in der Stimme. »Ich würde an deiner Stelle mal einen Blick in den Wagen werfen.«
Ruppert hob den Kopf und starrte direkt in Lores Gesicht. Auch wenn ihr das Herz wie rasend schlug, so musste sie doch unwillkürlich lachen, denn Natis Vetter glich jetzt einem frisch gefangenen Dorsch.
Er riss ein paarmal den Mund auf und schnappte nach Luft, ohne einen einzigen Ton über die Lippen zu bringen. Schließlich stieß er einen ordinären Fluch aus, zähmte dann aber seine Stimme, um nicht von Fremden gehört zu werden.
»Ich weiß nicht, wie du meine Leute überlistet hast, denn freiwillig hätten die dir das Weibsbild und das kleine Balg nicht herausgegeben. Aber noch hast du nicht gewonnen!«
»Ich glaube, doch. Wenn du jetzt nicht auf der Stelle verschwindest und Nati, ihre Kinderfrau und den Rest der Familie in Ruhe lässt, klage ich dich wegen Menschenraubs an. Die Kette an Fräulein Huppachs Bein spricht eine Sprache, an der auch dein Rechtsverdreher nicht herumdeuteln kann.«
Ruppert sah aus, als wolle er Simmern schlagen, begnügte sich dann aber mit einem Achselzucken. »Pah! Ich kann meine Dienst-

boten züchtigen, wie ich will. Solange ich sie nicht totschlage, interessiert das keinen.«
»Da irrst du dich. Du hast keinen Kontrakt mit Fräulein Huppach in der Hand. Außerdem ist sie keine Dienstbotin, sondern die Enkelin des Herrn von Trettin auf Trettin. Falls du dich nicht an ihn erinnerst: Er war der wilde Nikas, ein Studienfreund deines Großvaters. Graf Retzmann hat sich ihrer um dieser alten Freundschaft willen angenommen und sie gebeten, ihn als Nathalias Gesellschafterin zu begleiten. Das habe ich schriftlich von dem alten Herrn.«
Ruppert schüttelte den Kopf, so dass seine Haare aufstoben. »Du lügst, wie es dir passt! Jeder weiß, dass dieses Miststück ein armer Dienstbolzen ist, der als Waschfrau oder Ähnliches mit den fünf auf der *Deutschland* krepierten Betschwestern nach Amerika fahren sollte.«
»Du wirst kaum eine Waschfrau finden, die das Geld hat, zweiter Klasse zu reisen, und das in Begleitung einer eigenen Zofe. Ich bin vom Lloyd mit der Abwicklung des Schiffsunglücks beauftragt worden, weil ich zufällig das einzige Aufsichtsratsmitglied des NDL war, das sich zu dem Zeitpunkt in London aufgehalten hat. Ich habe die Passagierlisten studiert, und ich kann bezeugen, dass Lore Huppach ein Passagier der ersten Kajüte war, unterer Salon, wie es sich für eine bürgerliche Dame geziemt. Abgesehen davon wollte ich Graf Retzmann auf der *Deutschland* aufsuchen, um ihn über deine Umtriebe hier in England aufzuklären. Deswegen glaube ich auch nicht, dass es sich bei seinem Tod um einen Unglücksfall gehandelt hat. Du hast deinen Großvater mit Absicht aus den Wanten gestoßen, und zwar nicht nur, um an das Erbe zu kommen.«
Rupperts Gesicht nahm eine bleigraue Färbung an. Als sein Advokat mit langer Miene auf ihn zutrat, stieß er ihn so heftig zurück, dass der Mann gegen einen Polizeioffizier prallte und diesen mit

zu Boden riss. Ohne dem Gestürzten die geringste Beachtung zu schenken, packte Ruppert Thomas Simmern, hob ihn wie ein Leichtgewicht hoch und stieß ihn gegen die Kutsche.
»Mit dir Leisetreter werde ich immer noch fertig! Lauf ruhig zu Scotland Yard! Du hast keine Beweise in der Hand und bis auf den versoffenen McThorne von der *Fair Lady* auch keinen Zeugen. Und falls du auf Hank Pycroft und Horris Blandon hoffen solltest, lass dir gesagt sein, dass beide unglücklicherweise vor ein paar Tagen einem bedauerlichen Unfall zum Opfer gefallen sind. Pass besser auf, dass dir nicht auch so etwas zustößt. London ist ein verdammt unsicheres Pflaster für betuchte Ausländer! Raubmorde sind dort an der Tagesordnung. Ich habe viele Freunde hier in England, die mir gerne den einen oder anderen Gefallen tun.«
Ruppert machte eine kurze Pause, in der er Thomas Simmern wie einen Sack in die Kutsche stopfte. Dabei zuckte ein höhnisches Lächeln um seine Lippen. »Im Grunde erweist du mir eben einen Gefallen. Es ist meinen Zwecken nämlich viel dienlicher, wenn das Aas Nathalia in deinen Händen krepiert! Dann kann ich die meinen in Unschuld waschen.«
Mit diesen Worten drehte er sich um und schlenderte davon, ohne dem Chaos, das er angerichtet hatte, auch nur einen Blick zu schenken.
Der Polizeioffizier kümmerte sich nicht um Ruppert, sondern ließ seinen ganzen Ärger über die erfolglose Hausdurchsuchung und seine verschmutzte Uniform an dem Advokaten aus. Außerdem verlangte er von diesem zu erfahren, wo denn nun die diebische Hausangestellte sei.
Als Lore das hörte, drückte sie sich tiefer in die Polster der Kutsche. Onkel Thomas zwinkerte ihr zu und schüttelte den Kopf. Dann klopfte er sich mehr symbolisch den Schmutz aus dem inzwischen arg mitgenommenen Gehrock, stieg aus und schloss den Kutschenschlag hinter sich.

Der Polizeioffizier trat sofort auf ihn zu, offensichtlich froh, einen Menschen vor sich zu sehen, von dem er Aufklärung erhalten konnte.
Lore hielt die Hand hinter das Ohr, um zu hören, was der Beamte zu sagen hatte. Doch der sprach einen so unverständlichen Dialekt, dass selbst Thomas Simmern Schwierigkeiten hatte, ihn zu verstehen.
Plötzlich wurde Lore durch zwei alte Frauen abgelenkt, die von der anderen Seite in die Kutsche stiegen und sich ohne ein Wort neben sie setzten. Die eine war eine schmierige, alte Vettel, die einen verbeulten Henkelmann in der Hand trug. Die andere ging an zwei grobgeschnitzten Stöcken und hatte das Gesicht mit einem schmutzigen Schultertuch beinahe ganz verhüllt. Als sie es abstreifte, erkannte Lore Mary, die breit grinste: »Die Bullen haben unser Haus gefilzt, als hätten wir den Kronprinzen entführt und in einem Nachttopf versteckt! Ich glaube, jetzt gibt Mama sich mit nichts weniger als mit dem Kopf dieses Schweinekerls zufrieden. Es tut mir leid, aber sie haben deinen Mantel entdeckt, und dieser Ruppert hat ihn mit einer Schere zerfetzt. Dabei sind ihm ein Haufen Kekskrümel in die Schuhe geraten!«
Lore zuckte zusammen. »Und die anderen … äh, Sachen?«
»Tja, meine liebe Laurie! Die haben sich fast noch unter den Augen der Bullen unsichtbar gemacht«, sagte Mary augenzwinkernd. »Wie sagt unser Vikar immer? Kleidet die Armen und speiset die Hungrigen, auf dass ihr selbst immer von Gott gefüttert und mit Spinnstoff versorgt werdet!
Die alte Emma hier ist die ehrlichste Bettlerin, die ich kenne, und ich habe ihr Speise gegeben. Leider ist das Zeug in dem Henkeltopf für sie nicht sehr verdaulich. Deswegen verkauft unsere Freundin es dir für fünf Pfund.«
Lore unterdrückte einen Schrei und riss der Bettlerin den Henkelmann aus den Händen. Als sie ihn öffnete, fiel ihr als Erstes die

Geldbörse des Grafen in die Hände, aus der ein Fünfpfundschein hing. Emma griff danach, lachte Mary und Lore mit ihrem zahnlosen Mund an und stieg so flink aus der Kutsche, als habe sie Angst, Lore würde ihr das Geld wieder abnehmen. Die aber packte den Blechtopf aus und sah, dass auch sonst noch alles vorhanden war, einschließlich ihrer eigenen Papiere und des Geldes ihres Großvaters.

Mary deutete auf das Portemonnaie und lächelte. »Da Jonny nicht nach London fahren musste, ist bis auf ein paar Shilling noch alles drin. Der feine Herr aus Deutschland kam ein paar Minuten nachdem der Schweinekerl euch entführt hatte. Ich habe ihm sofort deinen Brief gegeben und ihm erklärt, was passiert ist. Er hat sich furchtbare Sorgen um Nati gemacht, und wir anderen natürlich auch. Wo ist Lady Püppchen? Sie lebt doch noch? Sag, dass es ihr gutgeht! Oder hat dieser verrückte Halunke ihr etwas angetan?«

»Nati ist in Sicherheit. Onkel Thomas hat sie ins Hotel gebracht, und dort kümmert sich jetzt wahrscheinlich schon ein Arzt um sie.«

»Der Heiligen Jungfrau sei Dank!« Mary freute sich aufrichtig.

Lore sah sie nachdenklich an. Thomas Simmern hatte unterwegs erklärt, er würde eine Zofe für die Kleine suchen. Auch wenn Mary durch ihre Krücken behindert war, schien sie ihr die beste Person dafür zu sein. Nach den Erfahrungen mit Ruppert war ihr nicht danach, eine Fremde in Natis Nähe zu sehen. Daher zupfte sie Simmern zaghaft am Ärmel.

»Was gibt es?«, fragte Onkel Thomas freundlich.

»Es geht um Mary, oder vielmehr um Nati. Könnte nicht Mary deren Pflege übernehmen? Sie ist sehr pflichtbewusst und vertrauenswürdig. Außerdem hat sie dafür gesorgt, dass das Testament Graf Retzmanns und die anderen Papiere nicht in die Hände Rupperts gefallen sind.«

Während Thomas Simmern angesichts der Krücken ein zweifelndes Gesicht zog, war Mary für diesen Vorschlag Feuer und Flamme.
»Ich würde mich gerne um Lady Püppchen kümmern. Aber wenn Sie wegen meiner Beine Bedenken haben, könnte auch meine Schwester Prudence einspringen. Sie wäre auf jeden Fall eine bessere Pflegerin als eine angemietete Krankenschwester. So eine taugt meistens nichts, sondern säuft, lässt das Fenster offen, so dass es zieht, und ist sich zu fein, Handreichungen zu machen. Laurie, du kennst meine Schwester. Sie ist für uns treppauf und treppab gelaufen, ohne sich auch nur ein einziges Mal zu beschweren. Bitte stellt sie ein, wenigstens für die Zeit, die ihr in England bleibt! Wenn der feine Herr ihr dann ein gutes Zeugnis ausstellt, hat sie die Aussicht auf eine gute Stelle als Kindermädchen oder Hausangestellte.«
Als der »feine Herr« Lore fragend ansah, nickte diese, auch wenn sie gerne länger mit Mary zusammengeblieben wäre. Bevor er jedoch etwas sagen konnte, tauchte Mrs. Penn auf, ergriff seine Hand und küsste sie ehrfürchtig.
»Sir, wir stehen für immer in Ihrer Schuld! Ach Mary, stell dir vor, der feine Herr hat uns dreihundert Pfund statt der von Lady Laurie versprochenen hundert gegeben – für den ganzen Ärger und die ruinierten Möbel! Oh, Mylord! Ich weiß nicht, wie ich Ihnen danken soll!«
»Mama! Es geht um Prudence«, unterbrach Mary ihre Mutter. »Lady Nathalia hat wieder einen schlimmen Rückfall. Prudence kann doch mit Laurie mitgehen und für sie arbeiten, nicht wahr?«
»Aber ja, gnädiger Herr! Sie können meine zweitälteste Tochter mitnehmen, so lange Sie wünschen. Sie brauchen ihr auch kein Gehalt zu zahlen. Wir können den Kontrakt gleich auf der Stelle abschließen. Da drüben steht die Vermittlerin.«

Onkel Thomas lächelte nachsichtig. »Den ihr zustehenden Lohn soll die junge Dame schon bekommen. Sie muss nur bereit sein, nach London und wahrscheinlich auch nach Southampton mitzukommen. Unter diesen Bedingungen engagiere ich sie. Aber nicht hier auf der Straße und in dieser Kälte. Kommen Sie, wenn Sie Ihr Haus wieder eingeräumt haben, mit Ihrer Tochter und der Vermittlerin ins Hotel.«
Während Mrs. Penn hocherfreut nickte, umarmte Lore Mary zum Abschied. »Prudence ist ja ganz lieb, aber ich würde mich freuen, wenn auch du bei uns sein könntest. Du bist so tatkräftig. Weißt du, was? Wenn ich alt genug bin, um mein Modeatelier aufzumachen, schreibe ich dir. Dann kommst du und wirst meine Geschäftspartnerin. Wir beide … oh, Onkel Thomas wird ungeduldig! Nati ist allein im Hotel. Wir hören voneinander! Ja?«
Mary nickte heftig, küsste Lore auf die Wange und ließ sich dann von ihrem Vater aus dem Wagen heben. Als die Kutsche anfuhr, winkte Lore ihnen zu, bis der Zaun des Hotelgartens das Haus in der Straße am alten Hafen verdeckte.

Fünfter Teil

In London

I.

Fridolin verzog das Gesicht, als der Trettiner Schlitten an Doktor Mützes Haus vorbeifuhr und vor dem Bahnhof anhielt. Von seinem Fenster aus konnte er seinen Vetter Ottokar beobachten, der in einen teuren Pelzmantel gehüllt ausstieg, sich von seiner Frau verabschiedete und den Bahnhof betrat. Zwei Dienstmänner eilten sofort herbei, um seine Koffer zu tragen. Bei dem Anblick verspürte Fridolin Neid. Die letzten Male, mit denen er mit dem Zug hier in Heiligenbeil angekommen oder weggefahren war, hatte sich keiner der dienstbaren Geister sehen lassen, so dass er sein Gepäck selbst hatte schleppen müssen. Doch mit einem leeren Portemonnaie ließ sich schlecht Trinkgeld geben.
Unterdessen wendete der Kutscher das Gespann und fuhr erneut am Doktorhaus vorbei. Da Malwine auf dem Schlitten saß, war wohl das nächste Hutgeschäft ihr Ziel oder die sich französisch gebende Schneiderin, die ihren schlichten Namen Haase in ein vornehm klingendes de Lepin verwandelt hatte.
Nicht zum ersten Mal fand Fridolin, dass Fortuna ihre Güter ungerecht verteilt hatte. Ein Mann wie Ottokar durfte sich Herr auf Trettin nennen, obwohl nicht mehr für ihn sprach, als dass er der Sohn des nächstälteren Bruders war. Zum Dank hatte er den alten Herrn vom Gut vertrieben und damit auch Lore um das ihr zustehende Erbe als Nachkommin des letzten Majoratsherrn gebracht.
Er selbst … Fridolin brach den unerfreulichen Gedankengang ab und wollte vom Fenster zurücktreten, als er das Trettiner Schlittengespann zurückkommen sah. Diesmal saß nur noch der Kutscher auf dem eleganten Gefährt. Es war Florin, der ihm vor vielen Jahren den ersten Reitunterricht erteilt hatte. Das war eine schöne

Zeit gewesen und Florin damals noch ein fröhlicher, junger Mann.
Als der Kutscher nun vor dem Gasthof anhielt und dem herbeieilenden Knecht die Zügel zuwarf, wirkte er trotz des unförmigen Schaffellmantels und der über die Ohren gezogenen Mütze wie ein Mensch, der sich vor seinem eigenen Schatten fürchtet.
Zu Fridolins Verwunderung trat Florin nicht in den Gasthof, sondern wandte sich, nachdem er mehrmals die Straße hoch- und hinuntergeblickt hatte, dem Doktorhaus zu. Da Ottokar und Malwine stets den Arzt aus Zinten rufen ließen, weil sie Doktor Mütze die Freundschaft zu dem vertriebenen Gutsherrn übelnahmen, musste etwas Besonderes geschehen sein. Kurz darauf ertönte die Türklingel, und dann klopfte jemand an die Tür.
»Herein!«, rief er.
Die Tür wurde einen Spalt weit geöffnet, und das Mädchen der Mützes steckte den Kopf in den Raum. »Eben ist ein Mann gekommen, der mit Ihnen sprechen will, Herr Fridolin!«
»Ich komme!« Fridolin sah in den kleinen Spiegel an der Wand und strich kurz über sein schmales Oberlippenbärtchen. Es war mehr eine Geste, aber sie gab ihm das Gefühl, alles getan zu haben, um gut auszusehen.
Das Hausmädchen wartete lächelnd. Auch wenn Senta nicht mehr zu den Jüngsten zählte, so war sie doch für den Charme des jungen Mannes empfänglich. »Soll ich Ihnen ein Glas Wein in das Rauchzimmer bringen, Herr Fridolin?«, fragte sie.
Fridolin schüttelte den Kopf. »Danke, das ist sehr lieb von dir. Aber zu einer so frühen Stunde trinke ich noch nichts.«
»Das ist auch richtig so«, ertönte in dem Moment die Stimme der Hausherrin. »Es tut keinem Mann gut, viel zu trinken!« Dann wandte Frau Mütze sich ihrer Dienerin zu. »Trotzdem solltest du Herrn Fridolin ein Glas Bärenfang oder Goldwasser in das Rauchzimmer stellen. Und sieh nach, ob auch genug Zigarren zur Auswahl dort liegen.«

»Das ist nicht nötig. Ich rauche nämlich nicht«, erklärte Fridolin lächelnd.
Die Hausherrin sah ihn verwundert an. »Aber alle Herren rauchen Zigarren!«
Fridolin wollte ihr nicht erklären, dass er sich die Sorten, die ihm schmecken würden, nicht leisten konnte. Den billigen Knaster aber, den Dienstboten und Handwerker rauchten, verabscheute er. Um das Thema nicht vertiefen zu müssen, brachte er die Rede wieder auf den Besucher und wurde von dem Dienstmädchen auf schnellstem Weg ins Rauchzimmer geführt.
Wenige Augenblicke später ließ sie Florin eintreten. Fridolin erschrak, denn von nahem war nicht zu übersehen, dass der Mann verzweifelt und am Ende seiner Kraft war. Die Hände des Kutschers zitterten, und er sah so aus, als würde er sich am liebsten umdrehen und davonlaufen. Fridolin begriff, dass Florin eine schwere Last auf der Seele liegen musste, und er winkte dem Dienstmädchen, den Raum zu verlassen. Bevor sie die Tür schloss, rief er ihr nach: »Kannst du ein Glas Grog für Florin besorgen?«
Senta schnaubte missbilligend, denn Menschen, die dem neuen Herrn auf Trettin dienten, wurden hier in diesem Haus nicht gerade gern gesehen. Sie trollte sich jedoch und kehrte kurz darauf mit einem kleinen Tablett zurück, auf dem ein dampfendes Grogglas und ein Glas mit Honiglikör standen.
»Wohl bekomm's«, sagte sie und zog sich mit einem Gefühl des Bedauerns zurück, kein Mäuschen zu sein, welches das Gespräch der beiden Männer heimlich belauschen konnte.
»Komm, trink! Du siehst aus, als könntest du einen steifen Grog gebrauchen«, forderte Fridolin den Kutscher auf.
Dieser nahm das Glas gehorsam zur Hand, sah den jungen Mann jedoch mit einem bitteren Ausdruck an. »Das Trinken hilft mir auch nicht mehr, Herr Fridolin. In mir brennt alles! Ich kann es kaum mehr ertragen.« Dann schniefte er und brach in Tränen aus.

»Hoppla, Florin! So kenne ich dich gar nicht. Was ist denn los?«
Auch wenn Fridolin es Florin übelgenommen hatte, dass der ehemalige Kutscher seines Onkels diesen Posten ohne zu zögern auch bei dem neuen Herrn auf Trettin versehen hatte, tat der Mann ihm nun leid.
»Sie wissen ja nicht, wie sehr ich mit meinem Gewissen kämpfe, Herr Fridolin. Es ist wegen dem Brand im Lehrerhaus, müssen Sie wissen.«
»Also ist Ottokar doch daran vorbeigefahren, ohne Cousine Leonore und ihre Familie zu wecken. Bei Gott, das ist fast so schlimm wie Mord!« Fridolin verzog das Gesicht, doch Florin schüttelte den Kopf.
»Herr Ottokar ist nicht nur am Lehrerhaus vorbeigefahren. Er hat es angezündet!«
Seine Worte trafen Fridolin wie ein Schlag. »Was sagst du da?«, fragte er ungläubig.
Das Gesicht des Kutschers verriet ihm jedoch, dass der Mann die Wahrheit sagte.
»Bist du dir ganz sicher?« Hinter Fridolins Stirn rasten die Gedanken. Ein Teil von ihm wollte das, was er gehört hatte, nicht glauben. Selbst Ottokar konnte nicht so ruchlos sein, einen vorsätzlichen Mord an fünf Menschen zu begehen.
»Sogar sechs!«, sagte er laut. »Er muss gedacht haben, Lore sei im Lehrerhaus, und wollte die Familie mit einem Schlag aus dem Weg räumen. Bei Gott, wie kann ein Mensch nur so verderbt sein!« Fridolin spürte, wie ihm die Wut und die Erschütterung Tränen in die Augen trieben.
Florin knetete seine Mütze und sah aus, als wünsche er sich ans Ende der Welt. Da er an jenem verhängnisvollen Abend auf dem Bock der Kutsche geblieben war, hatte er nicht genau sehen können, was sein Herr getan hatte, denn der Gutsherr war erst zur Kutsche zurückgekehrt, als eine Feuerlohe das Dach des Hauses

erfasste, und hatte ihm befohlen, die Pferde zu peitschen, um so rasch wie möglich fortzukommen.

»Ich musste ihn noch in der Nacht nach Heiligenbeil bringen, damit er mit dem ersten Zug nach Königsberg fahren konnte. Bei Gott, Herr Fridolin. Sie wissen gar nicht, wie es in mir reißt. Ich hätte damals den Mund auftun und laut schreien sollen. Dann wären sie alle noch am Leben. So aber habe ich auf die Pferde eingeschlagen und bin so schnell, wie ich konnte, zum Gutshof gefahren.«

Der Kutscher rang in einer verzweifelten Geste die Hände, doch Fridolin vermochte ihn nicht zu trösten oder gar von seiner Schuld freizusprechen. Das Verbrechen, das Ottokar begangen hatte, verschlug ihm für einige Augenblicke die Sprache, und er schämte sich, mit so einem Mann verwandt zu sein. Alles in ihm drängte, die Gendarmerie aufzusuchen und seinen Vetter als Mörder anzuzeigen. Doch schon halb auf dem Weg zur Tür hielt er inne. Ottokar war als Gutsherr auf Trettin hoch angesehen und hatte einflussreiche Freunde in Justizkreisen. Keiner von denen würde auch nur einen blanken Nickel auf Florins Aussagen geben.

Niedergeschlagen legte er Florin die Hand auf die Schulter. »Es tut mir leid, aber wir sind beide nicht in der Lage, Ottokar anzuzeigen. Er würde alles abstreiten, und bei den Herren vor Gericht gilt sein falsches Ehrenwort nun einmal mehr als deine ehrliche Aussage.«

»Was soll ich nur machen?«, fragte der Kutscher. »Immer wenn ich durch das Dorf fahre, sehe ich das brennende Haus und höre die Leute drinnen schreien. Die Toten verfluchen mich, weil ich ihnen nicht geholfen habe. So kann ich nicht weiterleben!«

»Beruhige dich, Florin. Gott wird dir verzeihen. Außerdem schwöre ich dir, dass Ottokar irgendwann einmal dafür bezahlen wird, und wenn ich ihn zum Duell fordern und eigenhändig zur Hölle schicken muss!« Fridolin ballte die Faust und drohte in ohnmächtigem Zorn in die Richtung, in der er Trettin wusste. Dabei erinnerte er sich an den alten Herrn, für den diese Geste fast schon zur Gewohnheit geworden war, und ihm wurde klar, dass Ottokar auch seinen Onkel auf dem Gewissen hatte. Noch während er seiner Machtlosigkeit mit Flüchen Luft machte, fiel sein Blick auf ein Blatt Papier, das auf dem kleinen Tischchen neben der Zigarrenschachtel lag. Es war ein Briefbogen ohne gedruckten Kopf und so jungfräulich, als hätte es auf ihn gewartet.

Er nahm den Bogen an sich und reichte ihn Florin. »Schreib alles auf! Ich muss etwas Schriftliches in der Hand haben, für den Fall, dass Ottokar Lore bedrohen sollte. Dein Geständnis kann ihn zwar nicht ins Gefängnis bringen, aber es würde einen Skandal verursachen, der ihn zumindest hier in der Gegend um seine Reputation bringen würde.« Fridolin schob dem Kutscher das Papier hin, zog seinen Patentschreiber aus der Westentasche und schraubte die Kappe ab.

Florin betrachtete das Schreibinstrument misstrauisch und nahm es so vorsichtig zur Hand, als könne es ihm unter den Fingern zerbrechen. Erst auf Fridolins energische Aufforderung setzte er sich an den Tisch und begann zu schreiben. Seine Schrift war ungelenk, und der Text strotzte vor Fehlern, wirkte aber gerade dadurch authentisch.

»Es dürfte dir etwas bessergehen, wenn du dein Gewissen erleichtert hast«, versuchte er Florin zu trösten.

Dieser hörte mitten im Wort auf und sah mit trüber Miene zu ihm auf. »Ich hatte mir schon überlegt, mit unserem Pastor zu sprechen. Aber für den kommt Herr Ottokar gleich nach unserem Herrgott, und er würde behaupten, ich sei ebenso verlogen wie die alte Miene. Es ist nur gut, dass Herr Doktor Mütze ihr und dem braven Kord erlaubt hat, im Jagdhaus zu wohnen. Herr Ottokar hatte nämlich seinen Gutsinspektor geschickt, um sie aus ihren Katen zu vertreiben. Jetzt redet der Pastor von Unmoral, weil sie

in einem Haus zusammenleben, und will Miene zwingen, ins Armenhaus zu gehen.«
Fridolin lachte bitter auf. »Der Kerl ist wirklich ein Mann Christi! Aber da Kord und Miene beide verwitwet sind, könnten sie heiraten und dem Pastor ein Schnippchen schlagen.«
Zum ersten Mal huschte der Anflug eines Lächelns über Florins Gesicht. »Das werde ich ihnen ausrichten, Herr Fridolin, wenn ich sie das nächste Mal sehe. Ich glaube, die meisten in unserem Dorf würden dem Herrn Pastor diese Abfuhr gönnen.«
Dann schrieb er weiter und hörte erst auf, als er mit seinem Bericht über die Ereignisse beim Lehrerhaus fertig war. Auf Fridolins Aufforderung setzte er seine Unterschrift darunter und reichte das Blatt dem jungen Mann.
»Jetzt ist mir wirklich leichter, wo ich weiß, dass Sie Herrn Ottokar irgendwann einmal für diese Untat bezahlen lassen werden. Ich muss gehen! Die Uhr hat eben die halbe Stunde geschlagen, und ich muss mich tummeln, wenn ich die Gnädige rechtzeitig von der Schneiderin abholen will.«
»Geh mit Gott, Florin! Du hast gesündigt, aber der Herr wird dir verzeihen.« Fridolin reichte dem Kutscher die Hand und sah ihm nach, bis dieser die Tür hinter sich geschlossen hatte. Er griff nach dem Glas mit dem Honiglikör und schüttete den Inhalt in einem Zug hinab. Als er ebenfalls das Rauchzimmer verließ, sah er Doktor Mütze und dessen Frau auf dem Flur stehen. Ihre Mienen verrieten ihm, dass sie den größten Teil des Gesprächs mit angehört hatten.
Doktor Mütze zeigte auf das Blatt, das Fridolin eben zusammenfaltete und in die Westentasche steckte. »Was werden Sie tun? Wollen Sie versuchen, Ottokar das Gut abzunehmen, so wie er es mit Ihrem Onkel gemacht hat?«
Für einen Augenblick erschien der Gedanke Fridolin verlockend, aber dann zuckte er mit den Achseln. »Das ist mir leider nicht

möglich. Zum einen fehlt mir das Geld, um einen langen Prozess gegen Ottokar durchstehen zu können, und zum anderen sind da noch Malwine und ihre Söhne. Selbst wenn ihr Vater als Mörder verurteilt würde, bekommt der ältere von ihnen das Gut. Immerhin hat Ottokar ja niemanden umgebracht, der vor ihm erbberechtigt gewesen wäre. Nein, Herr Doktor! Dieses Geständnis benutze ich nur, wenn Lore durch Ottokar in Schwierigkeiten geraten sollte.«
»Also kann der Mörder weiterleben und sich seines unrechtmäßig erworbenen Besitzes erfreuen«, antwortete Doktor Mütze bitter.
Fridolin wusste nicht, was er darauf antworten sollte, und empfand dieselbe Hilflosigkeit, die wohl auch seinen Onkel gequält hatte.

II.

Nach dem Gespräch mit Florin hielt Fridolin nichts mehr in Heiligenbeil. Er musste den nächsten Zug in Richtung Danzig nehmen und von dort aus nach Berlin reisen, um nicht dem Drang zu erliegen, Ottokar wie einen tollwütigen Hund zu erschießen. Zudem wollte er Doktor Mütze nicht länger auf der Tasche liegen.
Frau Mütze hatte ihm von ihrer Köchin ein großes Paket mit Lebensmitteln als Reiseproviant einpacken lassen, und als Fridolin einen Blick hineinwarf, stellte er fest, dass es für mehr als eine Woche reichen würde. Obwohl er sein letztes Geld für die Fahrt nach Ostpreußen geopfert hatte, fühlte er sich beschämt und war schließlich froh, als der Zug einfuhr und er nach einem letzten Zuwinken einsteigen konnte.

Die Zugfahrt versprach ebenso lang wie langweilig zu werden. Die Leute, die bei diesem Wetter mit der Bahn reisten, taten es entweder voller Vorfreude auf das kommende Weihnachtsfest, oder sie zogen Gesichter, als wären sie eben ans Ende der Welt versetzt worden. Keiner von ihnen eignete sich als Gesprächspartner, und Fridolin sagte sich, dass er darüber froh sein solle, weil er sich nun in Ruhe mit den Ereignissen auseinandersetzen konnte.
Er konnte nicht begreifen, was Ottokar dazu getrieben hatte, die eigene Cousine und deren Familie zu ermorden. Hatte er verhindern wollen, dass Leonore Huppach das ihr zustehende Erbe erhielt, oder war es aus Rache geschehen, weil sie ihn vor fast zwanzig Jahren abgewiesen und statt seiner einen einfachen Beamten geheiratet hatte?
Damals war Fridolin gerade auf der Welt gewesen und kannte diese Ereignisse deshalb nur vom Hörensagen. Seine Mutter hatte sich sehr ereifert. Wolfhard von Trettin sei ein unberechenbarer Freigeist, hatte sie stets behauptet und ihn davor gewarnt, in die Fußstapfen seines Onkels zu treten. Ihre Abneigung gegen den alten Gutsherrn hatte sie jedoch nicht daran gehindert, das Geld anzunehmen, das dieser der verwitweten Frau seines jüngsten Bruders hatte zukommen lassen, und ihren Sohn in den Ferien nach Ostpreußen zu schicken. Nun war auch sie tot und Ottokar nach Recht und Gesetz sein Vormund, bis er einundzwanzig wurde. Doch zu seinem Glück ließ sein Vetter ihn in Ruhe.
»Ich habe ihn, als er noch in Berlin gelebt hat, wohl einmal zu oft angepumpt«, sagte Fridolin mit einem spöttischen Auflachen zu sich selbst.
Statt Geld oder tatkräftiger Hilfe hatte er von Ottokar stets nur lauwarme Ratschläge bekommen. Dabei hätte es seinen Vetter nicht viel gekostet, ihm eine Stelle als Leutnant in einem Linienregiment zu besorgen. Die Familientradition derer von Trettin hätte zwar verlangt, dass er wie frühere, nicht erbberechtigte Söhne zu

den Gardekürassieren ging oder Pfarrer wurde. Für die Militärschule allerdings hatten ihm das Geld und das standesgemäße Auftreten gefehlt, und für den geistlichen Stand fühlte er sich nicht geschaffen. Zudem hätte er auch da jemanden gebraucht, der ihm eine einträgliche Pfarrstelle hätte vermitteln können.
Mit Bitterkeit dachte Fridolin daran, dass er sein Geld damit verdiente, reiche Müßiggänger aus der Provinz in das Berliner Nachtleben einzuführen und sich dafür aushalten zu lassen. Im Grunde war er nicht mehr als ein Schnorrer, aber das war der Sitte nach eher mit seiner Standesehre zu vereinbaren als ehrliche, aber lohnabhängige Arbeit. Ein Handwerk auszuüben oder eine Stelle bei einem bürgerlichen Industriellen anzunehmen war für einen Herrn von Stand nicht ohne gesellschaftliche Ächtung möglich. Nicht einmal die einfachen Bürger würden ihn dann noch akzeptieren.
Um nicht in Trübsinn und Selbstverachtung zu verfallen, begann Fridolin seine Mitreisenden zu beobachten. Bei ihnen handelte es sich ausnahmslos um Bürgerliche, die sich eine Fahrkarte zweiter Klasse leisten konnten. Die meisten fuhren lediglich einige Stationen weit. Nur eine dickliche Matrone mit zwei halbwüchsigen Kindern war schon vor ihm im Abteil gewesen und schien sich, der Menge der Butterbrote in ihrem Korb nach zu urteilen, auf eine lange Reise vorbereitet zu haben. Ein Mann, dem man trotz seines guten Anzugs den emporgekommenen Kaufmann ansah, stieg in Danzig zu und hatte seinen Worten zufolge ebenfalls Berlin zum Ziel.
Weder der Händler noch die Frau suchten Kontakt. Die Matrone hatte genug damit zu tun, ihren Nachwuchs zu bändigen, dem es zusehends langweiliger wurde, und der Mann zog eine Zeitung heraus und begann die Titelseite zu lesen. Zuerst achtete Fridolin nicht auf ihn, doch als der andere erstaunte und auch verärgerte Ausrufe von sich gab, sprach er ihn an.

»Können Sie mir sagen, was los ist? Hat Bismarck wieder einmal einen Krieg angezettelt?«
Der Händler starrte ihn indigniert an. Für ihn war Otto von Bismarck ein Held, den zu schmähen er selbst einem Adelsbürschchen wie seinem Gegenüber nicht gestatten mochte. Die Nachricht jedoch, die er eben gelesen hatte, erregte ihn weitaus mehr, und so machte er seinem Ärger Luft. »Sehen Sie sich diese Schweinerei an! Einer unserer Dampfer ist in der Themsemündung untergegangen. Dabei handelt es sich ausgerechnet um die *Deutschland!* Es soll viele Tote gegeben haben!«
»Wie bitte? Die *Deutschland* ist gesunken?« Fridolin fuhr hoch und riss dem Mann die Zeitung aus der Hand. Tatsächlich stand die Nachricht in großen Lettern an oberster Stelle.
Der Fremde schimpfte, weil er seine Zeitung wiederhaben wollte, doch Fridolin achtete nicht auf ihn. Laut dem Fuhrunternehmer Wagner hatte Lore sich auf dem Schnelldampfer *Deutschland* eingeschifft, und der Gedanke, seine Verwandte könne ertrunken oder hilflos in England gestrandet sein, war mehr, als er glaubte ertragen zu können. Rasch las er die Meldung durch, die der Zeitungskorrespondent aus London gekabelt hatte. Doch mehr als die Information, dass das Schiff bei Kentish Knock im Sturm aufgelaufen war und es dabei Tote gegeben hatte, konnte er dem Text nicht entnehmen.
Mit zitternden Händen reichte er die Zeitung zurück und setzte sich wieder hin. Seinem Gegenüber entging Fridolins Erregung nicht. »War vielleicht ein Bekannter von Ihnen an Bord?«
Jetzt blickte auch die Matrone auf, und ihre beiden Kinder verstummten für einen Augenblick.
Fridolin war jedoch nicht danach, die Neugier anderer Leute zu befriedigen, und schüttelte den Kopf. »Nein, ich glaube nicht, dass jemand, den ich kenne, auf diesem Schiff war.«
Die Erfahrung vieler Kartenspielrunden half ihm, eine unbewegte

Miene aufzusetzen, während sich in seinem Kopf die Gedanken überschlugen. Lore darf nicht tot sein! Gott konnte das doch nicht zugelassen haben. Sie war so ein liebes Ding. Welches andere Mädchen hätte sich Tag und Nacht für den kranken Großvater aufgeopfert?

»O Herr im Himmel, lass sie noch leben!«, betete er lautlos. »Sie ist doch so jung. Willst du Ottokar auch noch für all das belohnen, was er getan hat? Ohne ihn und Malwine hätte mein Onkel niemals den Entschluss gefasst, Lore nach Amerika zu schicken.«

In diesem Moment begriff er, dass Lore selbst dann, wenn sie das Unglück überlebt hatte, nicht in Sicherheit sein würde. Gewiss hatte sie nichts außer sich selbst und dem, was sie am Leib trug, retten können. Also würde sie sich in England als Dienstbotin verdingen müssen. Und selbst wenn sie nach Amerika weiterreisen konnte, würde es ihr schwerfallen, dort Fuß zu fassen. So wie er seinen Onkel kannte, hatte dieser ihr das Geld, das sie für einen Neuanfang brauchte, sicher nicht in die Hand gedrückt, sondern es irgendwo in ihren Sachen versteckt. Somit lag es nun samt der *Deutschland* auf dem Meeresgrund.

Außerdem durfte er Ottokar nicht vergessen. Wenn der Kerl erfuhr, dass Lore sich derzeit in England aufhielt, würde er zweifelsohne hinreisen und seinen Anspruch als Lores Vormund erheben, und sei es nur, um seine Macht über sie zu beweisen.

Plötzlich wusste Fridolin, was er zu tun hatte. Zwar besaß er nicht einmal genug Geld für eine Fahrkarte von Berlin nach Potsdam, dennoch würde er nichts unversucht lassen, um nach England zu gelangen. Notfalls musste Hede ihm helfen. Der Gedanke, eine Puffmutter anpumpen zu müssen, hatte etwas Ehrenrühriges an sich, doch um Lores willen war er auch dazu bereit. Gleichzeitig fragte er sich, was er mit dem Mädchen anfangen sollte, wenn er es lebend in England antraf.

Die einzige Chance, die ihnen beiden blieb, war, tatsächlich nach

Amerika auszuwandern und dort ein neues Leben zu beginnen. Unter den Umständen würden sie heiraten müssen, sobald sie alt genug dazu waren. Er selbst wurde in zwei Monaten volljährig, und bis zu Lores sechzehntem Geburtstag im April war es auch nicht mehr weit.

III.

*I*n Berlin angekommen, nahm Fridolin sich nur die Zeit, seinen Koffer in das Zimmer zu schaffen, das er bei einer ältlichen Lehrerswitwe gemietet hatte, und in seinen Ausgehanzug zu schlüpfen. In einem Glas im Schrank fand er noch ein paar Groschen, die er gleich wieder für eine Droschke ausgab, um schneller als sonst ins »Le Plaisir« zu kommen. Am Ziel angekommen, bezahlte er den Kutscher und stürmte durch den Eingang.

Anton, Hede Pfefferkorns Hausdiener, empfing ihn mit sichtlicher Freude. »Schön, Sie zu sehen, Herr Fridolin! Die Madame hat schon bedauert, dass Sie nach Ostpreußen gefahren sind.«

»Jetzt bin ich wieder hier. Wo kann ich Madame finden?«

»Im großen Salon. Warten Sie, ich bürste Ihnen den Kragen ab. Ich glaube nämlich, dort ein Staubkorn zu sehen!« Noch während Anton das sagte, brachte er Fridolins Mantel in die Garderobe und kehrte mit einer weichen Bürste zurück.

Fridolin ließ ihn genau ein Mal über den Kragen seines Jacketts fahren, dann kehrte er ihm den Rücken und eilte weiter. Im großen Salon, einem hohen, von Säulen getragenen Raum, der ganz in rotem Plüsch gehalten war, tummelten sich etliche junge Frauen in aufreizenden Kleidern und eine stattliche Anzahl von Männern jeden Alters. Weiter hinten schäkerten mehrere Studenten mit

einem der Mädchen. Diesen Burschen ging es meist nur darum, den berüchtigten Sündentempel einmal von innen gesehen zu haben, denn ihnen fehlte entweder das Geld oder die Courage, mit einem Mädchen im Séparée zu verschwinden. Zwei schneidige Offiziere in Uniform hatten genau das vor, schwankten aber noch, ob sie eine Blondine oder Brünette bevorzugen sollten.
Fridolins Blick fiel auf einen breitgebauten Mann mit kräftigen Händen, die davon zeugten, dass er hart hatte arbeiten müssen, bevor er zu Reichtum gekommen war. Ebenso wie die Offiziere zählte der Industrielle zu den Stammkunden des »Le Plaisir« und grüßte Fridolin wie einen alten Bekannten.
Er nickte nur knapp, weil er nach Hede Pfefferkorn, der Besitzerin des Bordells, Ausschau hielt. Da er sie nicht auf Anhieb entdeckte, wollte er eines der Mädchen fragen, doch in dem Augenblick trat Hede neben ihn.
Sie war noch recht jung, höchstens Mitte zwanzig, und von betörender Schönheit, die so manchen Mann, der in ihr Etablissement kam, hoffen ließ, eines der Zimmer mit ihr aufsuchen zu können. Den meisten jedoch blieb dieses Vergnügen versagt, denn Madame überließ es im Allgemeinen ihren Mädchen, die Kunden zufriedenzustellen. Nur wenigen ausgesuchten Herren wurde ihre Gunst zuteil. Fast ausnahmslos handelte es sich um Männer, die in der Lage waren, das »Le Plaisir« vor übereifrigen Gendarmen zu bewahren oder die Steuerbehörden dazu zu bringen, das eine oder andere Auge zuzudrücken.
Der Einzige, mit dem sie gelegentlich ohne Hintergedanken das Bett teilte, war Fridolin. Natürlich genoss er diese Gunst, aber er hatte bei ihr das Gefühl, sie sähe in ihm eher den jugendlichen Liebhaber als einen erwachsenen Mann, denn sie benahm sich ihm gegenüber so bestimmend, als sei sie seine ältere Schwester. Auch diesmal ließ sie ihn nicht zu Wort kommen, sondern drückte ihm eine Rolle Münzen in die Hand.

»Es ist schön, dass du gekommen bist, mein Lieber. Ich brauche dich nämlich. Rendlinger will wie immer spielen, bevor er sich für eines der Mädchen entscheidet, doch heute Abend ist niemand bei uns zu Gast, der sein Partner sein könnte. Setz dich zu ihm und spiele ein paar Partien mit ihm. Was du verlierst, geht auf meine Rechnung. Gewinnst du, kannst du das Geld behalten.«
Mit diesen Worten schob sie den jungen Mann auf den Tisch zu, an dem der vierschrötige Industrielle saß. Fridolin sagte sich, dass Hede wohl eher bereit war, ihm das Geld für die Überfahrt nach England zu leihen, wenn er ihr diesen Wunsch erfüllte.
Daher setzte er sich nach einer knappen Verbeugung zu Rendlinger an den Tisch. »Einen schönen guten Abend! Madame sagte, Sie würden gerne ein wenig spielen.«
Während Rendlinger erleichtert nickte, verkniff Fridolin sich ein spöttisches Lächeln.
Der Industrielle kam regelmäßig nach Berlin, um Verhandlungen mit Behörden zu führen, und besuchte im Anschluss stets Hede Pfefferkorns Bordell. Während die meisten anderen Gäste ein Glas guten Weines tranken oder gleich Champagner auffahren ließen, benötigte Rendlinger den Reiz eines Kartenspiels, um in Stimmung zu kommen. Dabei leerte er eine Flasche Wein und tat ganz so, als wären die Mädchen, die er sich danach aussuchte, nur eine Zugabe.
Fridolin hielt den Mann für verklemmt, doch das hinderte ihn nicht, die Geldstücke, die Hede ihm zugesteckt hatte, auf den Tisch zu legen und Rendlinger auffordernd anzusehen.
Der Mann griff in die Jackentasche und zog einen Beutel hervor, in dem es verführerisch klimperte, und beantwortete dann erst Fridolins Gruß. »Guten Abend, Herr von Trettin«, sagte er und betonte das »von« hämisch.
Rendlinger machte keinen Hehl daraus, dass er ihn für einen adeligen Tagedieb hielt, dem ungerechterweise viele Türen offen

standen, die er sich als bürgerlicher Industrieller erst mühsam mit Geld hatte öffnen müssen.
Mit einem routinierten Lächeln griff Fridolin nach den Karten, mischte und teilte aus. Bei den ersten Spielen wechselte der Gewinner mehrmals, doch dann hatte Fridolin eine Glückssträhne, in der sich die goldenen Zwanzigmarkstücke vor ihm auf dem Tisch verlockend mehrten. Rendlinger spielte nun immer verbissener, um das Geld zurückzugewinnen, setzte höher und verlor erneut, aber diesmal durch einen eigenen Fehler.
Während Fridolin die Münzen zu sich heranzog, spürte er, wie seine Finger zitterten. Er hatte Rendlinger bereits so viel abgenommen, dass er mehr als einen Monat würde davon leben können. Sein Ziel war jedoch England, und die Reise dorthin kostete einiges mehr, als die goldenen Zehn- und Zwanzigmarkstücke vor ihm wert waren. Außerdem würde er für sich und Lore die Überfahrt nach Amerika finanzieren müssen. Und die dafür benötigte Summe würde er auch nicht von Hede bekommen.
Fridolins Mund wurde trocken, und er war froh, als eines der Mädchen ihm ein Glas Wein hinstellte. Er trank, versuchte Rendlingers Miene zu lesen und entnahm dessen Blick, dass dieser ein ausgezeichnetes Blatt haben musste. Da seine eigenen Karten mittelmäßig waren, ließ er sich auf keinen langen Kampf ein, sondern gab das Spiel mit dem Verlust von zehn Mark verloren. Als er die Münze zu Rendlinger hinüberschob, blutete ihm das Herz. Der Mann war reich wie Krösus und würde, wie er eben stolz berichtete, bald in den preußischen Adelskalender aufgenommen werden.
»Wir leben in neuen Zeiten, Herr von Trettin. Die Zukunft gehört nicht mehr dem alten Adel auf seinen Gütern, sondern uns Industriellen, die dieses Land mit ihren Fabriken groß und mächtig machen. Schon bald wird Seine Majestät, der Kaiser und König von Preußen, seine Unterschrift unter mein Adelspatent setzen.

Dann werde ich Baron von Rendlinger sein. Welchen Titel tragen eigentlich Sie?«
»Freiherr von Trettin«, antwortete Fridolin mit leicht verkniffener Miene. Es ärgerte ihn, dass der andere zusätzlich zu seinem vielen Geld auch noch in den Adelsstand erhoben werden sollte. Doch so war nun einmal die Welt. Wo ein großer Haufen lag, kam noch mehr dazu, während er selbst zusehen musste, wie er die paar Groschen zusammenbrachte, die sein Zimmer kostete.
»Freiherr, das ist doch das Gleiche wie ein Baron«, erklärte Rendlinger selbstgefällig.
»Einen Unterschied gibt es aber doch«, antwortete Fridolin mit einem Lächeln, dem jede Freundlichkeit fehlte. »Wir Trettins gehörten zu den Ersten, die im Gefolge des Deutschen Ordens in Ostpreußen gesiedelt haben. Ein Trettin kämpfte mit in der Schlacht von Tannenberg. Ein anderer Trettin war Page bei der Krönung König Friedrichs I. in Königsberg. Dessen Sohn diente als Oberst in der Armee König Friedrich Wilhelms I., und dessen Sohn wiederum kämpfte in einem Dutzend Schlachten für Friedrich den Großen. Mein Vater fiel für König und Vaterland im Kampf um die Düppeler Schanzen in Schleswig. Das sind Verdienste, die sich nicht einfach mit Geld aufwiegen lassen!«
Im Allgemeinen war Fridolin verbindlich, doch der selbstgefällige Stolz, mit dem Rendlinger auf ihn herabsah, hatte ihn gereizt.
Der Industrielle lachte höhnisch auf. »Wir werden sehen, Herr von Trettin, wer von uns beiden einmal den höheren Rang bekleiden wird. Ich habe in meinem Leben genug Geld erworben, um meinem Sohn den Titel eines Grafen und meinen Töchtern die Heirat mit Herzögen erkaufen zu können.«
Dann hast du auch genug Geld, um mir die Reise nach England, Amerika oder wohin auch immer bezahlen zu können, fuhr es Fridolin durch den Kopf. Bis jetzt war er immer stolz darauf gewesen, ehrlich zu spielen, doch nun entwickelten seine Finger ein

Eigenleben. Als er gab, wanderte ein Trumpf, der eigentlich Rendlinger gehört hätte, heimlich zu ihm herüber. Der Miene seines Gegenübers entnahm er, dass dieser jetzt eher mittelmäßige Karten hatte, und stieg sofort mit einer hohen Summe ein.
Der Industrielle ging mit und erhöhte den Einsatz. Mit kalter Miene gab Fridolin Kontra und sah zu, wie der Berg Münzen in der Mitte des Tisches immer größer wurde. Als sie schließlich die Karten aufdeckten, hatte Fridolin das bessere Blatt.
Rendlinger schnaubte. »Ich bin selber schuld. Mit diesen Karten hätte ich niemals so hoch mitgehen dürfen.«
Fridolin strich den Gewinn ein und wartete, bis der andere gegeben hatte. Diesmal war sein Blatt schlechter, doch gewitzt durch die Erfahrungen, setzte er sofort hoch und brachte den Industriellen in eine Zwickmühle. Nach einer kurzen Überlegung warf dieser die Karten auf den Tisch.
Das nächste Spiel verlor Rendlinger mit einer geringeren Summe, gewann dann zwei hintereinander mit kaum lohnenswertem Einsatz und verlor bei der nächsten Partie eine bedeutende Summe trotz guter Karten.
Als Fridolin das gewonnene Geld auf seine Seite holte, fiel plötzlich ein Schatten über ihn. Er blickte auf und sah Hede. Ihr Gesicht wirkte geschäftsmäßig freundlich, doch ihre Augen schleuderten Blitze. »Herr von Trettin hat heute Glück im Spiel, nicht wahr, Herr Kommerzienrat? Dafür aber werden Sie heute umso mehr Glück in der Liebe haben.«
Auf ihren Wink kamen zwei ihrer Mädchen heran und setzten sich zu dem Industriellen. Eine davon gehörte zu den schönsten unter Madames Schützlingen, und die andere war diejenige, die selbst die ausgefallensten Männerwünsche erfüllte. Beide strichen sanft über Rendlingers Gesicht, und als sie sich vorbeugten, konnte er tief in ihre Dekolletés sehen.
Er atmete tief durch, und die Verärgerung, die sich durch die ver-

lorenen Spiele auf seinem Gesicht breitgemacht hatte, verschwand wieder.
»Wollen die Damen eine Flasche Champagner mit mir trinken?«, fragte er. Natürlich wollten beide, wie sie versicherten, aber nicht am Spieltisch, sondern in trauter Dreisamkeit.
Kaum hatten die beiden Mädchen sich mit Rendlinger in eines der luxuriösen Séparées zurückgezogen, tippte Hede Fridolin auf die Schulter.
»Komm mit in mein Büro!«
Fridolin steckte die gewonnenen Goldmünzen rasch ein und folgte ihr. Zwar schämte er sich, den Industriellen im Spiel betrogen zu haben, dennoch schob er das Kinn kämpferisch vor.
Hede schloss die Tür und trat dann an den Schrank. Während sie zwei Gläser und eine Flasche Cognac herausholte, kanzelte sie Fridolin ab. »Ich weiß nicht, was du dir dabei gedacht hast! Du solltest Rendlinger unterhalten und ihn nicht durch Falschspiel ausnehmen. Jetzt müssen Gerda und Reinalde zusehen, wie sie seinen Unmut vertreiben, und er wird hinterher auch nicht die Trinkgelder geben, die wir sonst von ihm gewöhnt sind!«
»Es tut mir leid, aber i…«
Hede fiel ihm ins Wort. »Du weißt, ich mag dich, Fridolin. Doch tu das nie wieder! Ich will nicht, dass mein Haus durch solche Dinge in Verruf kommt und mir die Gäste wegbleiben.«
»Ich sagte doch, es tut mir leid! Ich hätte es auch nicht getan, aber ich muss heute noch nach England aufbrechen, und dazu benötige ich das Geld.« Fridolin überlegte, ob er Hede wenigstens einen Teil seines Gewinns als Entschädigung anbieten sollte, doch der Gedanke an die Kosten dieser Reise ließ ihn davon absehen.
Hede blickte ihn erstaunt an. »Weshalb willst du nach England?«
»Du hast doch sicher gehört, dass die *Deutschland* untergegangen ist. Meine Nichte Lore befand sich auf dem Schiff. Ich will sehen, ob ich sie finde und ihr helfen kann.«

»Ja, es soll viele Tote gegeben haben, vor allem unter den Frauen. Hoffen wir, dass deine Nichte überlebt hat. Trotzdem, mein lieber Fridolin: Lass das mit dem betrügerischen Spiel! Auf die Dauer kann das nicht gutgehen. Oder willst du irgendwann einmal jemandem mit der Pistole in der Hand gegenüberstehen, der dich des Falschspiels beschuldigt hat?« Hede reichte Fridolin eines der beiden Gläser und stieß mit ihm an. »Auf dein Wohl, und darauf, dass du deine Verwandte lebend antriffst. Und wenn du das nächste Mal Geld brauchst, dann komm zu mir.«

»Das wollte ich eigentlich tun. Doch als Rendlinger beleidigend wurde, hat mich der Zorn gepackt, und ich wollte es ihm heimzahlen.«

»Die paar hundert Mark, die du ihm abgenommen hast, tun ihm nicht weh. Da müsstest du schon eine seiner Töchter verführen und schwängern. Aber selbst dann würde er, so glaube ich, eine Heirat des Mädchens mit dir begrüßen. Ich habe die beiden schon einmal Unter den Linden flanieren gesehen. Das sind Trampel, sage ich dir. Du hast schon recht: Rendlinger ist ein unangenehmer und großsprecherischer Mensch. Aber so ist eben das neue Reich, das Herr von Bismarck geschaffen hat, und so muss man sich mit Menschen wie Rendlinger arrangieren. Der kommt auch nur hierher, um mit meinen Mädchen Dinge zu tun, die zu Hause bei ihm im Ehebett nicht möglich wären. Was meinst du, warum ich immer darauf achte, dass sich Reinalde um ihn kümmert? Sie ist zwar nicht die Jüngste und Schönste meiner Schützlinge, aber sie besitzt einen flinken Mund und kann ausgezeichnet auf der speziellen Flöte spielen. Außerdem ist sie auch zu anderen Dingen bereit, die Gerda und die anderen Mädchen nicht so gerne machen.«

»Du meinst, auf die Art der alten Griechen? Rendlinger sieht mir ganz so aus, als würde er das zu schätzen wissen«, sagte Fridolin spöttisch.

Hede zuckte kühl mit den Schultern. »Er kommt gewiss nicht hierher, um das zu tun, was seine Ehefrau zulässt! Aber jetzt zu dir. Willst du heute noch aufbrechen oder die Nacht über hierbleiben? Bei dem Geld, das du Rendlinger aus den Taschen gezogen hast, könntest du dir eines meiner Mädchen leisten.«
Der Gedanke, sich mit einer Hure im Bett zu tummeln, während Lores Leichnam vielleicht irgendwo in England aufgebahrt lag, stieß Fridolin derart ab, dass er heftig den Kopf schüttelte. »Ich fahre gleich heute. Halt, warte! Hier, schenk deinen Mädchen ein paar Flaschen Champagner ein.« Fridolin griff in die Jackentasche, holte ein Zwanzigmarkstück heraus und warf es Hede zu.
Diese fing es auf und ließ es in einer Kassette verschwinden. »Damit gibst du mir den Glauben an dich zurück! Viel Glück, Junge, und bleib sauber. Es ist das Beste für dich!«
»Ich versuche es, Hede«, antwortete Fridolin, der in Gedanken bereits unterwegs war.

IV.

Als Lore erwachte, lag sie in einem ihr unbekannten, abgedunkelten Raum und wusste nicht mehr, wie sie dorthin gelangt war. Ihr Gehirn war leer, als hätte ihr jemand alle Gedanken herausgesaugt. Dazu klebte ihr die Zunge am Gaumen, und ihr Nachthemd war so durchgeschwitzt, dass es sich unangenehm feucht anfühlte. Durch einen Spalt unter den Vorhängen drang grelles, weißes Licht in ihre Augen und bereitete ihr Kopfschmerzen. Die Fensterscheibe war von außen mit Schnee bedeckt, der ständig vom Wind dagegengetrieben und von der stickigen Hitze im Zimmer gleich wieder aufgetaut wurde, so dass dicke Tropfen herabrannen.

Lore wunderte sich, wieso es so warm war, denn es gab keinen Ofen im Zimmer, und der Kamin schien reine Zierde zu sein. Als sie die Beine aus dem Bett schwang, um etwas frische Luft hereinzulassen und einen Nachttopf zu suchen, berührte sie mit den Füßen eine der großen Röhren, die unter dem Fenster entlangliefen. Diese war so heiß, dass sie sich die Zehen verbrannte und vor Schreck einen Schrei ausstieß. Das musste eine jener neumodischen Dampfheizungen sein, über die sie schon in der Zeitung gelesen hatte. Die Räume auf der *Deutschland* waren mit etwas Ähnlichem beheizt worden, schoss es ihr wie ein aufflackerndes Licht durch den Kopf. Doch das war ihr und auch vielen anderen Passagieren erst in jener schrecklichen Nacht bewusst geworden, als das eindringende Wasser die Feuerung erstickt und die Kälte sich im Innern des Wracks ausgebreitet hatte. Bei dieser Erinnerung wurde ihr trotz der Hitze im Raum mit einem Mal kalt, und so kroch sie mit klappernden Zähnen rasch zurück ins Bett.
Jemand schien sie gehört zu haben, denn kurz darauf ging die Tür auf, und eine vierschrötige Frau in Schwesterntracht betrat das Zimmer. Das gab Lore einen Stich, denn hatte Onkel Thomas nicht eingewilligt, Prudence als Zofe für sie und Nati einzustellen? Augenscheinlich hatte er sich doch für eine professionelle Krankenschwester entschieden. Die Frau schimpfte sofort los, weil Lore sich aufgedeckt hatte, und stopfte das Bett um sie herum neu. In ihrer Verwirrung fand Lore nicht das richtige englische Wort für Nachttopf. So zeigte sie auf die Stelle, wo sich unter dem Plumeau ihr Bauch befand, und sagte: »Pipi.«
Zum Glück verstand die Frau sie. Sie nahm einen dicken, ganz neu aussehenden Morgenmantel aus dem Schrank, schob die Bettdecke schwungvoll zurück und wickelte Lore mit geübten Griffen in das Kleidungsstück ein. Dann zog sie ihr daunenweiche Pantoffeln über, stellte sie auf die Beine und führte sie mit festem Griff in einen kleinen Flur, von dem sechs Türen abgingen. Eine

davon war beinahe unsichtbar hinter der Garderobe angebracht und enthielt ein Bad. Lore sah eine moderne Toilette mit Wasserspülung und verschiedene Wannen und Becken vor sich. Ohne ihren Griff zu lockern, setzte die Frau Lore auf die Schüssel und hielt sie ab wie ein Kleinkind. Dann setzte sie sie auf eine Art kleines Wasserbecken, das daneben am Boden befestigt war, wusch sie und trocknete sie ab.

Es fehlt nur, dass sie mir eine Windel anlegt, dachte Lore, die vor Scham fast verging. Außer ihrer Mutter hatte sie noch nie jemand nackt gesehen, geschweige denn angefasst, noch nicht einmal Elsie. Das gehörte sich einfach nicht. Aber Krankenschwestern und Kindermädchen mussten solche Dienste wohl bei vielen Personen verrichten.

Während die Frau ihr Gesicht und Hände an einem großen Becken wusch, schwor sie sich, niemals einen in ihren Augen so demütigenden Beruf zu ergreifen. Dann fiel ihr Nathalia ein. Sie hatte dem Kind schon den gleichen Dienst erwiesen, und sie würde es auch wieder tun – sooft und solange die kleine Lady ihre Hilfe benötigte. Sie wollte die Schwester fragen, wie es der Kleinen ging, doch sie brachte nur ein Krächzen heraus, und als sie aufstehen wollte, knickten ihr die Beine weg. Die Krankenschwester nahm sie auf die Arme und trug sie zurück in das Bett, das gerade von einem Zimmermädchen frisch überzogen worden war.

Lore kuschelte sich in die trockenen, nach Lavendel duftenden Federkissen und trank gehorsam bitteren Kräutertee aus einer Schnabeltasse. Ehe sie ihre Stimme wiedergefunden hatte und nach ihrem kleinen Schützling fragen konnte, füllte sich das Zimmer mit Menschen.

Nati stürmte wie ein wild gewordenes Rehkitz herein, gefolgt von Prudence, die vergebens versuchte, das Kind davon abzuhalten, auf das Bett zu klettern und sich rittlings auf die Patientin zu set-

zen. Die Kleine umarmte Lore so stürmisch, dass die Schnabeltasse durch den Raum flog und den Rest ihres Inhalts über die weichen Teppiche verschüttete.
Die Krankenschwester zeterte, wurde aber von Onkel Thomas, der leise den Raum betreten hatte, sofort beruhigt. Mary humpelte herein, auf zwei neue, zierlichere Krücken aus Metall gestützt, gefolgt von Konrad, der einen Korbstuhl und einen großen, ebenfalls ganz neu aussehenden Nähkorb schleppte. Sogar Onkel Thomas' Kutscher und Weates, der englische Lakai, lugten durch die Tür und fragten, ob es der deutschen Miss endlich bessergehe. Onkel Thomas scheuchte sie lachend weg und sagte, sie sollten jeder ein Ale auf Lores Gesundheit trinken.
Prudence hatte Nati inzwischen von Lore heruntergehoben und es sich mit dem Kind zusammen auf dem Bettrand bequem gemacht, während Mary im Korbstuhl neben dem Kopfende Platz nahm und ihre Näharbeit auspackte. Lore sah glücklich von einem zum anderen und wusste nicht, wonach sie zuerst fragen sollte.
Onkel Thomas gab der Krankenschwester frei und drückte ihr noch ein Trinkgeld in die Hand. Dann zog er den Sessel, der am Fußende des Bettes gestanden hatte, näher heran und beantwortete Lores fragenden Blick mit einem Lächeln. »Nun, mein Fräulein, wieder unter die Lebenden zurückgekehrt? Du hast uns ja einen schönen Schrecken eingejagt.«
Lore musste sich räuspern. »Was … Was ist passiert?«
»Oh, du bist beim Aussteigen aus der Kutsche in Ohnmacht gefallen und bis heute nicht mehr richtig daraus erwacht. Nervenfieber durch Aufregung und Erschöpfung, hat der Arzt gesagt. Zum Glück ist keine Lungenentzündung dazugekommen, sonst hättest du sterben können. Es war auch so schon schlimm genug. Du hast wild phantasiert und dich im Bett herumgeworfen, so dass wir dich keinen Augenblick ohne Aufsicht lassen durften. Eben hatte die Krankenschwester gerade mal für ein paar Minuten das Zim-

mer verlassen, und da wirst du wach und willst schon herumspazieren!«
Lore hatte sofort ein schlechtes Gewissen. Sie durfte niemandem zur Last fallen, sondern musste für alles selbst Verantwortung tragen. Das hatten ihre Mutter und der Großvater ihr beigebracht.
»Es tut mir leid! Ich wollte Ihnen … eh, dir keine Arbeit machen, Onkel Thomas. Den Arzt und die Krankenschwester kann ich bezahlen, keine Sorge. Mein Großvater hat mir etwas Geld für die Reise mitgegeben!«
Onkel Thomas lachte schallend und schüttelte den Kopf. »Lore, du dummes Kind! Du hast Nati zweimal das Leben gerettet und sie zwischendurch selbstlos gesund gepflegt. Beim zweiten Mal bist du in Lebensgefahr geraten, weil du sie beschützen wolltest, und du hast dann auch noch dafür gesorgt, dass Ruppert, dieser Schuft, unverrichteter Dinge abziehen musste. Das alles kann mit Geld nicht aufgewogen werden!
Wir sind dir alle sehr, sehr dankbar dafür. Mary ist extra zu uns ins Hotel gezogen, um die Nachtwachen bei dir zu übernehmen, und sie hat Konrad, Weates und zwei Hotelpagen so gescheucht, dass die armen Kerle kein Auge mehr zumachen konnten. Derweil hat Prudence sich Tag und Nacht um Nathalia gekümmert. Glaubst du, sie erwarten von dir, dass du sie für die Extradienste bezahlst?
Nein, meine Liebe, du behältst dein Geld – oder vielmehr, du bekommst es wieder, wenn du es brauchst. Ich habe es zur Bank gebracht und ein Treuhandkonto für dich eröffnet, das jederzeit nach Amerika oder auch nach Deutschland übertragen werden kann. Das Geld soll deine Zukunft sichern, aber bis du volljährig bist, werde ich für dich sorgen. So, ich hoffe, jetzt hast du keinen Grund mehr, dir das Gemüt zu beschweren. Du willst doch gesund werden und mit uns das Weihnachtsfest feiern, oder nicht? Jetzt trink noch etwas und schlafe dann weiter!«

»Ich bin gar nicht müde«, antwortete Lore. »Wie lange liege ich denn schon im Bett?«

»Heute ist der sechste Tag«, antwortete Thomas Simmern lächelnd.

Lore erschrak zum zweiten Mal und brach in Tränen aus. »O nein! Jetzt war ich dir auch noch ein Klotz am Bein! Musstest du nicht sofort wieder nach London zurück – wegen der Strandung der *Deutschland*? Hoffentlich bekommst du meinetwegen keinen Ärger.«

»Nicht doch, Lore! Schluss mit den Tränen! Du warst für mich kein Klotz am Bein. Genauso gut könnte ich sagen, Nathalia wäre mir lästig. Schließlich bin ich ihretwegen hierhergekommen. Wenn es dich beruhigt: Ich hätte wegen der Bergung der Passagiere der *Deutschland* sowieso nach Harwich fahren müssen und konnte daher einen Großteil der Angelegenheit von hier aus abwickeln. Schließlich wurden die Schiffbrüchigen von einem hiesigen Kapitän gerettet, einschließlich unseres Ritters von der traurigen Gestalt.«

»Wer ist das?«, fragte Lore erstaunt.

»Ich meine Kapitän Brickenstein. Es ist immer schrecklich für mich, mit ansehen zu müssen, wie ein gestandener Seekapitän nach einem Schiffbruch zu einem Häufchen Unglück zusammenfällt. Die Engländer machen uns allerdings auch einen Haufen Schwierigkeiten und teilweise unberechtigte Vorwürfe, so dass ich immer wieder zwischen den Behörden hier und der Londoner Handels- und Seefahrtskammer hin und her pendeln musste. Zum Glück gibt es eine gute Verbindung mit der Eisenbahn nach London. So konnte ich regelmäßig in die City fahren, um mit den Herren dort zu verhandeln.

Wenn es dich interessiert, gebe ich dir morgen einige Zeitungsausschnitte zu lesen. Heute aber lässt du dich von Mary und Prudence verwöhnen. Du musst endlich etwas Festes essen, damit du auf die Beine kommst. Das Hotel hat Anweisung, alles zu servieren, worauf ihr vier Appetit habt. Werde schnell gesund, mein Fräulein! Wenn der Arzt Nati und dir zu reisen erlaubt, möchte ich ganz nach London umsiedeln. Mary und Prudence kommen mit und bleiben bei uns, bis wir England verlassen. Jetzt aber muss ich euch allein lassen. Versprich mir nur, dass du Nati ins Bett schickst, wenn sie dir zu sehr auf die Nerven geht!«

»O nein, Onkel Thomas! Du kannst mich doch nicht dauernd ins Bett stecken!«, protestierte Nati, die eine Weile still dagesessen und Lores Hand an ihre Wange gedrückt hatte. »Ich bin doch kein Baby mehr, und ich gehe Lore nie auf die Nerven. Schließlich ist sie meine beste Freundin! Sie wird jetzt wieder ganz gesund werden, dafür sorge ich schon. Geh du nur zu deinen dummen Verhandlungen. Konrad aber musst du hierlassen, damit er auf uns aufpasst. Ich mag die Männer nicht, die da draußen herumstehen! Sie riechen komisch!«

»Was für Männer?«, fragte Lore verwundert.

Mary lachte. »Natis großzügiger Onkel hat Leibwächter angeheuert. Ich denke, es sind verkleidete Bullen. Wenn man aus der Hafenstraße kommt, erkennt man solche Typen auf Meilen! Die Anzüge der Männer riechen nach Mottenkugeln, so als wären sie seit Jahren nicht aus der Kleidertruhe herausgekommen, und die Männer benehmen sich auch nicht wie Hotelgäste, sondern wie Leute, die gewohnt sind, eine Uniform zu tragen und überall den Ton anzugeben.«

»Kluges Mädchen!«, lachte Onkel Thomas, schob Konrad zur Zimmertür hinaus und folgte dann selbst. »Komm, alte Teerjacke! Die Damen brauchen jetzt ihre Privatsphäre«, hörten sie ihn sagen, bevor die Tür sich hinter ihm schloss.

Prudence schien nur auf diesen Augenblick gewartet zu haben. »Oh, Laurie! Endlich bist du wieder du selbst. Ich danke dir dafür, dass du dich für mich eingesetzt hast. Das werde ich dir in meinem ganzen Leben nicht vergessen! Das Hotel hier ist das schönste und gemütlichste in ganz Harwich, und Sir Thomas hat die größte Suite darin gemietet. So etwas Großartiges wie die Einrichtung hier drinnen habe ich noch nie gesehen. Ich glaube, die ist noch viel toller als bei Marys reichsten Kundinnen.«

Mary, die gerade eine Naht mit dem Daumennagel glättete, musste lachen. »Nun übertreib mal nicht, Schwesterchen! Die *living rooms* und *boudoirs* meiner Kundinnen sind oft noch schöner eingerichtet. Du hast ja bisher nur immer den Lieferanteneingang und den Küchentrakt der großen Häuser kennengelernt.«

»Komisch«, antwortete Lore nachdenklich, »ich erinnere mich noch daran, wie dieser Edwin, einer von Rupperts Handlangern, Onkel Thomas viel Glück beim Wanzenjagen gewünscht hat. Da habe ich mir vorgestellt, er hätte sich in einer scheußlichen Absteige einquartieren müssen. Apropos Edwin! Was ist mit Ruppert? Und was ist sonst noch alles passiert? Mein Kopf ist ganz wirr. Habt ihr oder hat Onkel Thomas noch etwas von dem Kerl gehört?«

»Womit wir endgültig beim Thema wären«, spottete Mary. »Frage Nummer eins: Hier stand früher mal eine ziemlich verrufene, schmutzige Schenke mit einem Gästehaus, in dem fremde Matrosen in großen Schlafsälen billig übernachten konnten. Der Name ›Fisherman's Rest‹ stammt noch aus jener Zeit. Damals ist viel geschmuggelt worden, und angeblich haben auch Piraten hier verkehrt. Jedenfalls ist die Bude vor einigen Jahren abgebrannt, und als es hieß, wir bekämen eine Dampferanlegestelle, hat ein reicher Pinkel dieses tolle Hotel hier errichtet. Dann ist der neue Hafen eine halbe Meile weit entfernt gebaut worden, und jetzt muss der Hotelbesitzer immer Vierspänner mit feinen Rössern zum neuen Hafen schicken, um Gäste zu sich zu lotsen. Uns hier im Viertel kommt das Hotel gerade recht, denn hier drinnen finden einige von uns Frauen und Mädchen Arbeit als Küchenhilfen oder Zimmermädchen.

Frage Nummer zwei: Nein, wir haben nichts mehr von dem Scheusal Ruppert und seinen Leuten gehört. Mr. Simmern hat Scotland Yard informiert und Anzeige gegen die Kerle erstattet. Die Kriminalbeamten haben Ruppert im Verdacht, in London zwei Männer ermordet zu haben, und sie wollten den Schweinekerl verhaften. Aber als sie sein Landhaus umstellt hatten, war der Vogel ausgeflogen. Jetzt hängt sein Steckbrief in allen Bahnhöfen und bei jedem Schiffsmakler. Damit darf Ruppert sich hier in England nirgends mehr blicken lassen, sonst hat man ihn am Wickel. Aber ich denke, der Verbrecher ist längst über alle Berge!«

Da Lore erlebt hatte, wie kaltblütig Ruppert von Retzmann war, teilte sie Marys Einschätzung nicht. Ein Mann, der vor aller Augen einen Mord begehen und ihn als Unfall darstellen konnte, lief nicht vor der Obrigkeit davon, sondern versteckte sich wie eine Schlange im Gras, um sofort wieder zuzubeißen, wenn er eine Chance sah. Sie erinnerte sich nur zu gut an seine Drohungen, Nati und Onkel Thomas in London umbringen zu lassen. Wenn er die Gelegenheit dazu bekam, würde er dies auch tun. Ohne eine offizielle Anklage oder Zeugen für seine Verbrechen konnte er danach seelenruhig nach Deutschland zurückkehren und das Vermögen der Retzmanns kassieren. Onkel Thomas sah das sicher genauso, denn sonst hätte er nicht die verkleideten Polizisten eingestellt.

Mary bemerkte Lores Geistesabwesenheit und hielt sie für Erschöpfung. Daher schickte sie Prudence und die empört widersprechende Nathalia hinaus, drehte die Petroleumlampe auf dem Tisch kleiner und rückte sie hinter einen kleinen Schirm, so dass das Licht nur noch auf ihre Handarbeit fiel. »Schlafe noch ein wenig, bis die Suppe kommt! Das, was du in den letzten vier Wochen mitgemacht hast, reicht für ein ganzes Leben voller Alpträume und Nervenkrisen.«

Lore reckte und streckte sich und schüttelte dann entschlossen den Kopf. »Nein, darüber muss ich hinwegkommen! Ich bin keine vornehme Dame, die sich Nervenkrisen erlauben kann, sondern muss ebenso wie du von meiner Hände Arbeit leben – oder mir einen vermögenden Mann suchen. Aber als Waise ohne angesehene Verwandte habe ich kaum Chancen, einen Ehemann zu finden, der nicht an meinem bisschen Geld interessiert, sondern willens und in der Lage ist, mich und die gemeinsamen Kinder zu ernähren. Ach, Mary … Ich wünschte, Nati wäre schon wieder zurück in Bremerhaven und ich auch. Mir graut davor, noch einmal ein Schiff zu betreten.«

Bei diesem abrupten Themenwechsel leuchteten Marys Augen auf. »Dann musst du in England bleiben, Laurie. Ich hätte nichts dagegen, im Gegenteil! Wenn du bei uns bleibst, kannst du bei mir in meiner Dachstube wohnen und mir helfen, meinen Kundenkreis zu vergrößern. In ein paar Jahren gehen wir beide dann nach London und machen mit deinem Geld und unseren Ersparnissen ein Modegeschäft auf. Nun? Hast du Lust dazu?«

Lore seufzte tief. »Lust schon, aber ich habe dem Grafen Retzmann vor seinem Tod versprochen, mich um Nati zu kümmern und sie zu beschützen, solange es nötig ist. Ihr bösartiger Vetter könnte ja ihre Gouvernanten bestechen oder ihr sonst etwas antun. Wenn ich mein Wort halten will, muss ich nach Deutschland zurückkehren, um Nati zu hüten, bis sie alt genug ist, auf sich selbst aufzupassen.«

Mary starrte Lore ungläubig an und tippte sich dann an die Stirn. »Du kennst Lady Püppchen doch erst seit zwei Wochen, und dein Versprechen galt doch eigentlich für die Zeit bis zur Rettung von dem untergegangenen Schiff. Nein, Laurie-Darling, ich glaube, du willst einfach nur nach Deutschland zurück. Du wolltest nie auswandern, stimmt's? Du bist auf diese Reise gegangen, weil dein Großvater es dir befohlen hat. Meinetwegen auch aus Angst vor diesen bösen Verwandten, von denen du mir erzählt hast. Du

weißt genauso gut wie ich, dass Sir Thomas die kleine Lady am besten beschützen kann. Wenn er nicht mit diesem Halunken fertig wird, wirst du es erst recht nicht! Wenn du Pech hast, bist du es, die umgebracht wird, während Mr. Simmern und die kleine Lady heil nach Deutschland kommen. Sie werden ein paar Jahre lang an deinem Todestag beten und Blumen für dein Grab stiften – wenn es überhaupt ein Grab gibt. Überleg dir, ob du dein Leben wirklich für ein noch nicht einmal entfernt mit dir verwandtes Kind opfern willst!« Mary kniff die Lippen zusammen und beugte sich wieder über ihre Arbeit, um ihren Unwillen zu zeigen.
Lore verstand sie, und es tat ihr auch leid, dass sie ihr Angebot zurückweisen musste. Mary erhielt für ihre Näharbeiten wesentlich weniger, als sie selbst in Heiligenbeil hätte verdienen können, wenn Malwine nicht dazwischengetreten wäre. Mit ihrer Arbeit würde sich Mary niemals so viel zusammensparen können, um ein Geschäft in einer Gegend mit gutzahlender, bürgerlicher Kundschaft eröffnen zu können, zumal es unsicher war, ob die Damen bei einer Schneiderin arbeiten lassen würden, die auf Krücken ging. Zudem war London Marys Berichten nach noch teurer als Berlin, doch dort konnte man gewiss auch mehr verdienen. Aber England war nicht Amerika, das Auswanderer mit offenen Armen empfing, und es war nicht Deutschland, wo Lore sich heimisch fühlte, sondern ein Land voller seltsamer Sitten und noch seltsamerer Vorurteile, und zudem ein Ort, in dem Ruppert, ihr Feind, viele willige Helfershelfer besaß.
Mary hatte Ruppert einen Verrückten genannt. Diesen Eindruck hatte sie ebenfalls gewonnen. So, wie dieser Mann sich benahm, konnte er nicht klar im Kopf sein. Wenn sie sich richtig erinnerte, hatte auch Natis Großvater so etwas angedeutet. Damals hatte sie es nicht begriffen, doch jetzt machte es ihr doppelt Angst. Wahnsinnige Menschen, denen man ihr Anderssein nicht ansah, galten als besonders rachsüchtig und gefährlich.

Lore wollte nicht in einem Land bleiben, in dem ein wahnsinniger Mörder sich bewegte wie ein Fisch im Wasser, selbst wenn sie dafür noch ein allerletztes Mal ein Schiff betreten musste. Es gab ja nicht immer Winterstürme, und nicht jeder Dampfer ging unter. Gäbe es Ruppert und vor allem auch Nati nicht, hätte Marys Vorschlag sie reizen können. Aber sie hatte sich entschieden, zusammen mit Nati unter dem Schutz von Onkel Thomas zu bleiben, bis sie selbst alt genug war, um sich irgendwo in Deutschland selbständig zu machen. Einen Augenblick lang dachte sie daran, dass sie sich während der nächsten fünf Jahre vor Ottokar von Trettin würde verstecken müssen, doch Bremen schien ihr weit genug von ihrem Heimatort entfernt zu sein, um dort ungefährdet leben zu können.
Außerdem konnte sie in Bremen Onkel Thomas' Verbindungen nutzen, um später ein größeres Atelier einzurichten. Mit dieser angenehmen Vorstellung schlummerte sie ein, bis ein Hotelpage das Mittagessen brachte. Der Rest des Tages verging mit Rätseln, Brett- und Fadenspielen, die Nati und Prudence vorschlugen und an denen Lore mit großem Eifer teilnahm.

V.

Die Nacht verlief ohne Störungen, und am nächsten Tag brachte Onkel Thomas Lore die Zeitungsausschnitte, die sich mit dem Untergang der *Deutschland* beschäftigten. Zu ihrer Verwunderung waren auch schon Ausschnitte deutscher Zeitungen dabei. Die ersten Artikel gaben nur kurz die Meldungen wieder, die per Unterseekabel in alle Welt gegangen waren. Die meisten davon erwähnten die fünf ertrunkenen Nonnen, und je nach Ausrichtung der deutschen Zeitungen gab es parallel dazu einen Kommentar, der sich entweder kritisch mit den Kulturkampfgesetzen oder mit der katholischen Kirche und ihrer Macht in Deutschland auseinandersetzte.

Die englischen Zeitungen schilderten ausführlich den dreißigstündigen Kampf der Menschen an Bord des Wracks gegen das Wasser und den Schneesturm und stellten die Frage, warum nicht schneller Hilfe zur Stelle gewesen war. Die *Times* hielt das für einen Skandal ersten Ranges und wetterte über die Seeleute von Harwich, die sich wegen des Unwetters nicht auf See getraut hätten. In einer der nächsten Ausgaben schimpfte der Bürgermeister von Harwich in einem langen Leserbrief über die ignoranten Londoner Zeitungsschreiber. Die Sandbank bei Kentish Knock, so erklärte er, auf die die *Deutschland* aufgelaufen sei, liege vierundzwanzig Seemeilen von Harwich entfernt, und das sechs Meilen von der Untergangsstelle entfernt ankernde Feuerschiff habe das Festland erst bei Nacht mit Signalraketen auf den Havaristen aufmerksam machen können.

Der Kapitän der *Liverpool*, John Carrington, ein Mann von über sechzig Jahren, wurde im ganzen Land als Held gefeiert. Doch er war nicht der Einzige, der trotz des Sturms nach dem Wrack gesucht hatte. Durch die Raketen des Feuerschiffs aufmerksam geworden, waren mehrere kleinere Schiffe ausgelaufen, darunter auch einige Fischkutter, die nur Segel besaßen, deren Besitzer das Gebiet der Sandbänke jedoch wie ihre Westentasche kannten. Diese waren selbst mit Mastbrüchen und zerfetzter Takelage gestrandet oder hoffnungslos abgetrieben worden. Einer der fünf Matrosen, die mit dem ersten Boot weggerissen worden waren, hatte überlebt und die Küstenwache bei Sheerness alarmieren können. Diese hatte ebenfalls Schiffe zur Rettung ausgesandt, doch deren Hilfe wäre zu spät gekommen.

Die meisten Artikel ließen kein gutes Haar an Kapitän Brickenstein, der doch recht weit von der Fahrrinne in der trompetenförmigen Mündung der Themse abgekommen war und sein Schiff mitten in ein Gebiet besonders dichter und gefährlicher Sandbänke gesteuert hatte. Viele aber waren des Lobes voll über die Umsicht, mit der die deutsche Schiffsbesatzung trotz der schwierigen Situation die meisten Passagiere lebend durch die Sturmnacht gebracht hatte.

Lore konnte den Berichten entnehmen, dass sich der Kapitän und die Offiziere der *Deutschland* vor einem Gericht der englischen Handelsmarine verantworten mussten, vor dem auch ein Vertreter der deutschen Reederei Rede und Antwort stehen sollte. Dieser Vertreter war Thomas Simmern. Allerdings bedeutete dies, dass Onkel Thomas sich noch eine Weile in London aufhalten musste, einem Ort, in dem Rupperts Handlanger nur darauf warteten, ihn und seine Schützlinge zu ermorden.

So schenkte Lore den ausführlichen Artikeln über die Beerdigung der vier geborgenen Nonnen, den Schilderungen über deren prunkvolle Aufbahrung und die vielen Besucher der Totenfeier nur halbherziges Interesse. Dafür ärgerte sie sich über die dummen Bemerkungen über die Politik Bismarcks und des deutschen Kaisers Wilhelm, die den Berichten zufolge regelrechte Kreuzzüge gegen die katholische Kirche in Deutschland veranstalteten und denen die Schuld am Tod der Klosterschwestern zugeschrieben wurde.

Dabei war das ausgemachter Unsinn. Lore wollte trotz ihres katholischen Glaubens wieder nach Hause zurückkehren, auch wenn dieses Zuhause nicht mehr Ostpreußen sein würde, sondern die Freie Hansestadt Bremen.

Drei Tage später fuhr Lore mit Onkel Thomas, Nati, Konrad und den beiden Schwestern Penn nach London. Diese Reise sollte für sie eines der schönsten Erlebnisse ihres Aufenthalts werden, denn sie saßen alle zusammen in der großen Kutsche, die mit Wärmeziegeln und Pelzdecken in verschwenderischer Fülle ausgestattet war. Das Gepäck wurde von Weates, dem englischen Lakaien, mit der Eisenbahn zu dem Londoner Hotel gebracht. Onkel Thomas aber wollte, dass seine Gäste die Stadt von ihrer besten Seite kennenlernten.

Da Weihnachten vor der Tür stand, war London wunderschön geschmückt und hell erleuchtet. So etwas hatten weder Lore noch Mary oder Prudence jemals gesehen, und sie genossen die Pracht mit leuchtenden Augen. Nati aber meinte altklug, die Helligkeit käme von den vielen Gaslaternen, die die verschwenderischen Londoner sogar am Tag brennen ließen.

Onkel Thomas schmunzelte, und Konrad tippte dem vorwitzigen Mädchen auf die Nase. »Das hat ihr Großvater ihr beigebracht«, erklärte der Diener. »Der alte Herr war großzügig, aber er hasste Verschwendung. Sein ältester Sohn hat das Geld mit vollen Händen ausgegeben und starb infolge einer völlig unsinnigen Wette. Zuvor hatte er eine geschiedene Frau geheiratet, die angeblich ein Kind von ihm erwartete. Abgesehen davon, dass diese Braut sich bereits einen Adelstitel erheiratet hatte, war sie alles andere als eine wirkliche Dame. Außerdem hat sie sich als eine geldgierige Harpyie erwiesen, die auf den Namen Retzmann einen Haufen Schulden gemacht hatte. Der alte Herr hat ihre Schulden bezahlt – und dem Ganzen dann mit Hilfe des Gerichts einen Riegel vorgeschoben. Das Weibsstück und ihr Sohn Ruppert durften ihm fortan nicht mehr unter die Augen kommen. Die Frau hat sich daran gehalten, denn sie fand bald einen dritten Ehemann, den sie ausnehmen konnte. Dem Vernehmen nach soll sie schließlich verrückt geworden und in einem privaten Sanatorium gestorben sein, in das sie von der Familie ihres dritten Ehemannes gesteckt worden war, nachdem dieser sich wegen ihrer Skandale erschossen hatte. Ruppert aber ist ein Stachel im Fleisch der gräflichen Familie geblieben. Er …«

»Danke, das reicht!«, unterbrach Mary Konrad ärgerlich. »Jetzt hast du uns mit diesem Namen die ganze schöne Weihnachtsstimmung verdorben! Schau dir doch Laurie an. Sie bricht gleich wieder in Tränen aus!«
Konrad grinste verlegen und entschuldigte sich linkisch. Inzwischen hatte Nati etwas von dem schmutzigen Schnee zusammengescharrt, der außen auf dem Kutschenschlag hing, und warf ihn dem Diener ins Gesicht. »Wenn du noch einmal meine Lore ärgerst, Konrad, dann kündige ich dir die Freundschaft!«
Während Konrad wie erstarrt dasaß, nahm Lore ein Taschentuch und wischte ihm das Gesicht ab, über das die braune Schneebrühe lief. Dabei hielt sie Nati einen kurzen, aber eindringlichen Vortrag über anständiges Verhalten.
»Entschuldige dich bei Konrad!«, verlangte sie schließlich von Nati. »Er ist ein rechtschaffener Mensch und ein treuer Diener. Diese Behandlung hat er nicht verdient. Wir denken doch alle immer wieder an das Scheu… diesen Herrn. Konrad wollte mich nicht kränken.«
»Wollte er doch …«, murrte Nati leise. Laut aber sagte sie: »Entschuldige, Konrad! Ich will so etwas nicht wieder tun. Ich weiß, du bist eifersüchtig auf Lore, aber ich habe dich immer noch genauso gerne wie früher. Denk daran, ohne Lore hättest du mich nicht wiedergesehen!«
Konrad schluckte und sah Lore verlegen an. »Unser Komtesschen hat recht, Fräulein Lore. Ich muss mich bei Ihnen entschuldigen. Ich dachte, unsere Kleine wolle nichts mehr von mir wissen, weil sie jetzt so an Ihnen hängt. Aber nun hat sie mir handgreiflich gezeigt, dass ich ihr noch etwas bedeute!«
Unter Gelächter bog die Kutsche in den mit Gaslaternen beleuchteten Hof eines großen Hotels ein. Als sie, immer noch lachend, ausstiegen, hörte Lore einen der Pagen zu einem anderen sagen: »So heiter und sorglos wie die möchte ich auch einmal sein.«

VI.

Die Worte des Pagen beschäftigen Lore noch lange. Heiter waren sie vielleicht gewesen, aber sorglos gewiss nicht, dachte sie, während sie sich immer wieder nach allen Seiten umsah. Hier in London würde es schwieriger sein, herauszufinden, ob Ruppert Spitzel hinter ihnen herschickte, denn trotz der Kälte waren viel mehr Menschen unterwegs als in Harwich. Dazu gab es zahllose Eckensteher und Bettler, die ihre Dienste anboten oder die Vorübergehenden aufdringlich anschnorrten. Jeder von ihnen konnte in Rupperts Diensten stehen.

Onkel Thomas hatte ein zentral gelegenes Hotel mit mehr als zweihundert Zimmern gewählt, in dem Tag und Nacht ein lebhaftes Kommen und Gehen herrschte, da in diesem Haus vor allem Kaufleute und Geschäftsreisende abstiegen. Diese Leute übernachteten nicht nur hier, sondern empfingen auch Kuriere, Geschäftspartner oder Handelsagenten. Deswegen hielt Lore das Hotel für einen Ort, an dem sie leicht von Rupperts Spionen beobachtet werden konnten. Sie hatte entsetzliche Angst und war ständig auf der Hut. Als Onkel Thomas sie deswegen zur Rede stellte und ihr vor Augen führte, dass er in jeder Hinsicht für ihrer aller Sicherheit gesorgt habe, bekam sie einen Wutanfall, wie man ihn sonst nur von Nati gewöhnt war.

»Und was ist, wenn Ruppert das Testament stehlen lässt und versucht, Nati durch einen künstlich herbeigeführten Unfall umzubringen?«

»Das Testament ruht, solange wir hier in England sind, im Tresor einer großen, gutbewachten Bank. Außerdem ist ein Brief an die Bremer Rechtsanwälte der Familie Retzmann unterwegs, in dem ich die Situation geschildert habe. Ich weiß allerdings nicht, ob dieses Schreiben auf einen Erbschaftsprozess Einfluss haben könnte, denn die preußischen oder vielmehr neuen deutschen Reichsgesetze sind meines Erachtens nicht so eindeutig und so streng wie unsere alten Bremer Bestimmungen. Außerdem setzen sie große Teile der Familiengesetze des Adels außer Kraft – sonst hätte Ruppert von vornherein keine Chance, das Erbe der Retzmanns antreten zu können.

Ich glaube übrigens nicht, dass der Mann, wie du behauptest, verrückt ist. Er denkt nur, er könne alles erreichen, was er sich in den Kopf gesetzt hat. Doch dazu werde ich ihm nicht die geringste Chance geben. Du aber sollst dir dein Köpfchen über diese Angelegenheit nicht weiter zerbrechen. Ich will, dass du fröhlich und so unbeschwert wie möglich bist. Dann ist Nathalia es nämlich auch. Du musst dafür sorgen, dass das Kind die schrecklichen Erlebnisse so bald wie möglich vergisst, und das geht nur, wenn du es ihr vorlebst. Verstehst du, was ich meine? Du kümmerst dich nur noch um Nati und bist ihr eine aufmunternde Gefährtin. Der Rest ist ganz allein meine Angelegenheit.«

Nach einer kurzen Pause nickte Lore. »Ich will ebenfalls, dass Nati eine glückliche Weihnachtszeit erlebt«, sagte sie und reichte Onkel Thomas die Hand.

Der nahm sie erfreut und schüttelte sie. »Dafür verspreche ich dir auch etwas: Ich habe mich entschlossen, nicht mit dem Schiff bis Bremen zu fahren, sondern nur über den Kanal überzusetzen. Ich denke, Nati dürfte im Augenblick ebenso wenig an einer längeren Schiffsreise interessiert sein wie du. Leider wird sich unser Aufenthalt in London noch bis weit in den Januar hineinziehen, und dann habe ich noch einiges für den NDL in Southampton zu erledigen. Wir bekommen dort einen eigenen Kai für unsere Bremen-Amerika-Linie, so dass unsere großen Dampfer die gefährliche Themsemündung meiden können. Von Südengland aus nehmen wir, wenn ich alles erledigt habe, eine Passage nach Frankreich und fahren von dort aus mit Postkutschen und – sooft es auf dem Weg

nach Bremen möglich ist – mit der Eisenbahn. Ist das ein Vorschlag?«
»O ja! Da bin ich aber froh!« Lore nickte erleichtert. Der Gedanke an eine erneute längere Schiffsreise hatte ihr doch schwer im Magen gelegen.
Dann blickte sie Thomas Simmern erstaunt an. »Du sagst, du musst bis in den Januar hinein in London bleiben. Heißt das, wir feiern Weihnachten hier im Hotel?«
»Ja, aber auf englische Art! Mit Mistelzweig, einem Truthahn, Plumpudding und allem, was sonst noch dazugehört. Mary hat mir schon aufgeschrieben, was ihr euch so wünscht, und ich hoffe, ihr werdet mit euren Geschenken zufrieden sein. Ich habe während der Feiertage keine Sitzungen und kann mich daher ganz und gar euch und dem Fest widmen.«
»Au fein!«, sagte Lore. »Das wird Nati freuen! Vielleicht wird es ihr ein wenig über den Verlust ihres Großvaters hinweghelfen.«
»Nun, ich hoffe, du wirst dich auch freuen und mir einen Tanz gewähren!«
»Tanzen die Engländer zu Weihnachten?«, fragte Lore.
»Ja, das tun sie, und eine Dame, die unter den Mistelzweig gerät, bekommt einen Kuss.«
»Nun, ich bin keine Dame, sondern nur ein armes Mädchen, das einem adeligen Kind Gesellschaft leistet, und die werden nicht geküsst!«, lachte sie und ging mit schwingenden Röcken aus dem Zimmer. Dabei stellte sie sich vor, wie es wäre, mit Onkel Thomas zu tanzen und ihn dabei zu küssen, und hoffte mit einem Mal, es würde wirklich dazu kommen.

VII.

Lore hielt sich an ihr Versprechen, Nati eine heitere Gefährtin zu sein, und sie stellte zu ihrer eigenen Überraschung fest, dass es ihr gar nicht so schwerfiel. Teilweise lag es daran, dass sie immer besser mit der englischen Sprache zurechtkam, zum anderen aber legte sie allmählich ihre Befürchtung ab, die vielfältigen Vergnügungen könnten sie von ihren Pflichten ablenken. Tatsächlich wirkte auch Nati viel unbeschwerter, und sie wachte nicht mehr jede Nacht weinend auf. Es war, als fielen die schrecklichen Erlebnisse von dem Kind ab wie eine alte Haut.

Zwei Tage vor Weihnachten kam Konrad auf Lore zu, während sie darauf warteten, dass die Kutsche vorfuhr, und bedankte sich bei ihr. »Verehrtes Fräulein Lore, ich glaube, ich habe unseren kleinen Engel noch nie so brav und so fröhlich gesehen wie in Ihrer Gesellschaft. Unsere kleine Prinzessin lebt richtig auf!«

»Nun, ich glaube, das ist auch Marys und Prudence' Verdienst«, gab Lore zurück und musste kichern, weil Nati darauf bestand, Marys Rollstuhl zu schieben, was von einem der Hotelpagen mit einem indignierten Blick quittiert wurde. »Aber ich fürchte, ihre vornehme Erziehung leidet ein wenig unter unserem Übermut.«

Ein leichter Schatten flog über Konrads Miene. »Um Natis Erziehung wird sich ihre Großtante Ermingarde kümmern, wenn wir wieder in Bremen sind. Sie müssen dann besonders gut aufpassen, damit unser Schatz das Lachen nicht wieder verlernt. Jetzt, da der alte Herr tot ist, wird sich wohl die ganze angeheiratete Verwandtschaft im Stadthaus der Retzmanns einquartieren, um wenigstens auf diese Weise von dem reichen Erbe profitieren zu können. Ich sage Ihnen eines, Fräulein Lore: Lassen Sie sich von denen nichts bieten! Im Zweifelsfall holen Sie sich bei Herrn Simmern Rat und Rückendeckung! Übrigens – wir holen heute zuerst den Käpt'n beim Kontor des NDL ab. Er will mit uns speisen und uns dann ins Theater begleiten.«

Als Nati den letzten Satz vernahm, brach sie in wilden Jubel aus. Dabei stieß sie den Rollstuhl so stürmisch herum, dass Mary glatt hinausgefallen wäre, hätte Konrad sie nicht im letzten Moment aufgefangen. Lore bemerkte die vielsagenden Blicke, die die beiden dabei tauschten. Sollte sich da womöglich etwas anspinnen? Auf alle Fälle würde sie ein Auge auf die beiden haben. Sie gönnte Mary die Möglichkeit, trotz ihrer Behinderung einen guten Ehemann zu finden, auch wenn dadurch aus ihren Plänen, gemeinsam einen Modesalon zu eröffnen, nichts werden konnte.

In dem Augenblick meldete ein Page die Ankunft der Kutsche. Während Nati sofort losrannte und Konrad Mary mit dem Rollstuhl hinausfuhr, folgte Lore ihnen in Gedanken versunken. Sie beschäftigte sich so intensiv mit einer möglichen Zukunft von Mary und Konrad, dass sie wenig später im Kontor des Norddeutschen Lloyd einen Mann anrempelte.

»Entschuldigen Sie vielmals«, sagte sie. Dann erst sah sie ihm in das Gesicht und erstarrte. Es war Edwin, einer von Rupperts Handlangern aus dem Cottage, in dem Nati und sie gefangen gehalten worden waren.

Er erkannte sie ebenfalls und fixierte sie mit einem höhnischen Blick. Dabei bewegte er die Lippen, als wolle er etwas sagen. Seinem Gesichtsausdruck nach konnte es nur eine Drohung sein. Jetzt hat Ruppert uns gefunden!, fuhr es Lore durch den Kopf. Panikerfüllt rannte sie davon, sah dann von der anderen Seite Thomas Simmern herankommen und klammerte sich an ihm fest.

»Dort ist Edwin, einer von Rupperts Schurken!«, stieß sie atemlos hervor und wies auf die Stelle in der Halle, an der sie den Mann erblickt hatte. Doch dort war jetzt niemand mehr zu sehen.

»Bist du sicher?«

»Es war Edwin! Ich habe ihn ganz genau gesehen. Eben war er noch hier. Er muss von dort gekommen sein«, sprudelte Lore heraus. Sie sah sich suchend um und deutete dann zur Eingangstür. »Da drüben läuft er! Der Mann mit der komischen Wollmütze und dem Schal darüber. Jetzt verschwindet er gerade durch die Tür!«

Onkel Thomas schob sie sanft Prudence in die Arme, die erschrocken näher gekommen war, und lief zur Eingangstür. Edwin sah ihn kommen und begann zu rennen. Da die Doppelflügeltür aus solidem Holz ohne Glaseinsätze bestand, konnte Lore nicht sehen, was draußen geschah. Aber sie machte sich keine großen Hoffnungen. Mit seinem feinen Schuhwerk hatte Onkel Thomas auf dem rutschigen Gehsteig keine Chance, Edwin einzuholen, und bis er die Polizei alarmieren konnte, war die Ratte bestimmt schon im nächsten Loch verschwunden.

Thomas Simmern kam erst nach einer guten Viertelstunde zurück und brachte einen Polizisten mit, der mit unbewegter Miene Lores und seine Aussage aufnahm und versprach, diese an Scotland Yard weiterzuleiten. Dadurch verstrich eine Menge Zeit, und so musste sich die Gruppe ohne Abendessen ins Theater begeben. Es wurde kein besonders erfolgreicher Abend, denn der Vorfall hatte in allen neue Ängste und wilde Vermutungen geweckt. Jedem wäre eher zum Reden zumute gewesen, als still zu schauen und zuzuhören. Doch als sie sich später über die Sache unterhielten, merkte Lore rasch, dass es zwar viele Fragen gab, aber keine einzige Antwort. Im Grunde waren sie wie blind und mussten warten, bis Ruppert zuschlug. Das war eine höchst unangenehme Vorstellung.

Auch die nächsten Tage brachten keine neuen Erkenntnisse. Edwin blieb spurlos verschwunden, und weder Onkel Thomas noch dem Inspektor von Scotland Yard gelang es herauszufinden, was Rupperts Handlanger ausgerechnet in dem Bürogebäude gesucht hatte, in dem der Repräsentant des Norddeutschen Lloyd residierte. Den Aussagen der Angestellten des NDL zufolge hatte er keinen von ihnen aufgesucht, und auch die anderen Schiffsmakler, die in dem Haus ihre Büros hatten, bestritten, den Mann empfangen zu haben.

Als Onkel Thomas diese Nachricht brachte, herrschte erst einmal Schweigen. Schließlich meldete Lore sich zu Wort: »Aber aus irgendeinem Grund muss Edwin doch in dieses Gebäude gegangen sein!«

Thomas Simmern nickte. »Da hast du recht. Aber da niemand ihn empfangen hat, glaubt die Polizei, dass er durch die Begegnung mit dir daran gehindert worden ist, sein Vorhaben auszuführen, und stattdessen Fersengeld geben musste.«

Es hörte sich so schlüssig an, dass Lore es glauben wollte. Dann aber fiel ihr ein, dass Edwin aus dem Inneren des Hauses gekommen war, und sie wurde wieder unsicher. »Sind die Schiffsmakler beim Norddeutschen Lloyd auch zuverlässig? Es könnte ja sein, dass einer von ihnen gelogen hat.«

Onkel Thomas überlegte kurz und zuckte dann mit den Schultern. »In die Köpfe der Menschen kann ich natürlich nicht hineinschauen. Aber keine Angst, junges Fräulein. Was auch immer Edwin in diesem Gebäude wollte – Scotland Yard wird es herausfinden.«

Eigentlich wollte Thomas Simmern Lore und die anderen damit beruhigen, doch er merkte rasch, dass auch er sich an diese Hoffnung klammerte. Gleichzeitig versuchte er, sich in Ruppert hineinzuversetzen. Der Mann war hier in England gescheitert und musste zusehen, in für ihn ungefährlichere Gefilde zu kommen. Daher hielt Simmern es für möglich, dass Edwin in seinem Auftrag nach einer Reisemöglichkeit hatte fragen sollen. War dies der Fall gewesen, hatte Edwins Begegnung mit Lore eher negative Folgen, da er nicht mehr dazu gekommen war. Simmern wäre es lieber gewesen, Ruppert in einem abgelegenen Teil der Welt zu wissen. Natis Verwandter war zwar ein Verbrecher, doch der Skandal, den seine Verhaftung und Verurteilung mit Sicherheit nach sich zogen, würde weite Kreise ziehen und vielleicht sogar die Reederei selbst erschüttern.

»Ihr braucht keine Angst vor Ruppert zu haben. Bis wir England verlassen, sitzt er schon längst auf irgendeinem Schrottdampfer, dessen Kapitän es mit den Papieren seiner Passagiere nicht so genau nimmt, und befindet sich auf dem Weg in ein weitentferntes Versteck.«

»Ich möchte, dass er zu den Botokuden geht«, erklärte Nati mit Nachdruck. Sie hatte den Namen dieses Volksstammes einmal von Konrad gehört und hielt ihn für einen schlimmen Ort, der so weit entfernt war, dass Ruppert nicht zurückkehren konnte.

Die anderen amüsierten sich darüber, und Mary und Prudence wetteiferten miteinander, sich möglichst abgelegene und hässliche Orte auszudenken, an die sie Ruppert schicken wollten. Schließlich blickte Prudence die anderen mit blitzenden Augen an. »Ich will, dass er nach Sankt Helena geschafft wird, wie dieser grässliche Napoleon. Dort wäre er meiner Meinung nach gut aufgehoben!«

Lore hatte sich nicht an den spielerischen Überlegungen beteiligt und schüttelte nun heftig den Kopf. »Um Ruppert irgendwo hinschaffen zu können, müssten wir erst einmal wissen, wo er sich aufhält, und dann müsste die Polizei ihn auch noch verhaften.«

»Keine Sorge! Wenn er länger in England bleibt, wird dies zwangsläufig geschehen, und das weiß er«, antwortete Onkel Thomas im Brustton der Überzeugung. »Ihm bleibt nichts anderes übrig, als in einem fernen Teil dieser Welt sein Unheil zu treiben.«

»Aber ist das den Menschen gegenüber zu verantworten, die dort seine Opfer werden? Und was ist, wenn er weiterhin Waffen schmuggelt? Sind wir dann nicht am Tod all jener schuld, die dadurch umkommen?« Lore schüttelte es bei dem Gedanken, und auch die anderen wurden für einen Augenblick still.

Dann klang Thomas Simmerns Stimme deutlich, aber auch ein wenig beschämt an Lores Ohr. »Leider hast du recht. Ich muss sagen, mir wäre es auch lieber, die Polizei würde ihn fangen und einsperren. Wir können uns nur damit trösten, dass er einer von vielen Waffenschmugglern ist und gewiss keiner der größten. Würde er die Waffen nicht liefern, täten es andere.«

Es war eine lahme Ausrede, und Lore begriff das sofort. Auch Thomas Simmern schien seine Worte so zu empfinden, denn er wirkte plötzlich müde und abgespannt. Er tat Lore leid, und sie überlegte, was sie tun konnte, um ihm zu helfen und ihn ein wenig aufzumuntern. Es musste schwer für ihn sein, so viel Verantwortung zu tragen. Die sanftmütige Art, mit der er Nati, aber auch Mary, Prudence und sie behandelte, erinnerte sie an ihren Vater, den besten Menschen, den sie je gekannt hatte. Bei dem Gedanken traten ihr die Tränen in die Augen. Gleichzeitig aber freute sie sich, in Thomas Simmern eine verwandte Seele gefunden zu haben.

Sie lächelte ihm zu und ergriff seine Hand. »Lieber Onkel Thomas, wir sollten uns von Ruppert nicht die Vorfreude auf das Weihnachtsfest verderben lassen. Gewiss wird die hiesige Polizei ihn bald fangen oder wenigstens aus England verscheuchen!«

Thomas Simmern nickte und erwiderte ihr Lächeln. »Mein Fräulein, wie so oft hast du auch diesmal recht!«

VIII.

Da Weihnachten unmittelbar vor der Tür stand und jeder noch Vorbereitungen für das Fest zu treffen hatte, trat der Vorfall schließlich in den Hintergrund und wurde nicht mehr erwähnt. Nur Lore dachte gelegentlich an die unangenehme Begegnung und versuchte sich verzweifelt zu erinnern, über welche Pläne Ruppert mit Edwin gesprochen hatte. Doch sosehr sie sich auch abmühte, es fiel ihr nicht ein.

Den Heiligen Abend feierten sie zuerst auf deutsche Art unter einem großen, mit Glaskugeln und Kerzen geschmückten Weihnachtsbaum, den Konrad und der Kutscher im Wohnzimmer der Hotelsuite aufgestellt und den Lore, Mary und Prudence mit großem Vergnügen geschmückt hatten.

Der Gabentisch quoll über. Jeder fand sich bedacht, sogar das Zimmermädchen und die beiden Hotelpagen, die ihnen zur Verfügung standen. Die Hotelleitung hatte ihnen ein älteres Hammerklavier ins Zimmer gestellt, dem Onkel Thomas nicht nur »Stille Nacht, heilige Nacht« entlockte, sondern auch die anderen Weihnachtslieder, die gerade in Deutschland populär waren, darunter das erst kürzlich entstandene Lied »Kommet, ihr Hirten«.

Nati hatte zuerst mit glockenreiner Stimme mitgesungen, starrte aber schließlich nur noch die Geschenkekartons an und schlich schließlich auf Zehenspitzen hin. Plötzlich mischte sich das Geräusch zerreißenden Geschenkpapiers unter die Stimmen der Sänger und brachte Lore dazu, sich umzudrehen.

»Aber Nati, du musst doch warten, bis wir fertig sind«, schalt sie. Thomas Simmern hob begütigend die Hand. »Lass sie, Lore! Es ist mir lieber, Nati zeigt Freude am Leben, als dass sie sich wegen ihres Großvaters die Augen ausweint.«

»Sie trauert sehr um Graf Retzmann und weint oft, wenn sie sich unbeobachtet fühlt«, sagte Lore, die glaubte, ihren Schützling verteidigen zu müssen.
»Das weiß ich doch. Umso wichtiger sind für sie Stunden der Freude. Also, Fräulein, was hat dir das Christkind gebracht?« Der letzte Satz galt Nati, die stolz eine Porzellanpuppe mit echtem Haar auspackte, die fast so groß war wie sie selbst. Sie sah die Puppe mit leuchtenden Augen an und gab ihr dann einen Kuss.
»Die gefällt mir. Die mag ich wirklich sehr gerne.«
»Noch lieber als Lore? Der hast du nämlich keinen Kuss gegeben«, fragte Konrad augenzwinkernd.
Sofort eilte Nati zu Lore und schlang die Arme um sie. »Dich mag ich am allerliebsten!« Dann küsste sie sie, kehrte aber wieder zu ihrer Puppe zurück.
»Du hast noch andere Geschenke erhalten«, mahnte Onkel Thomas sie.
Nati nickte eifrig und machte sich daran, die weiteren Pakete zu öffnen. Dabei achtete sie jedoch nicht darauf, ob diese auch für sie bestimmt waren, und starrte etwas verwirrt auf die dezent gestreifte Krawatte, die Lore für Thomas Simmern gekauft hatte.
»Die gehört mir aber nicht«, befand die Kleine folgerichtig und legte sie wieder in die Schachtel zurück, während Lore vor Verlegenheit so rot wurde wie eine reife Kirsche.
»Ich hoffe, die Krawatte gefällt dir, Onkel Thomas. Mein Vater hat ähnliche getragen.« Sie sah Simmern dabei so ängstlich an, als erwarte sie, er würde ihr das Geschenk mit einem Ausdruck der Verachtung vor die Füße werfen.
»Sie ist sehr geschmackvoll, und ich werde sie gerne tragen«, antwortete er lächelnd.
Während Lore aufatmete, entdeckte Nati die von Lore bestickten Taschentücher. »Die sind auch sehr schön«, erklärte die Kleine. »Schaut her, hier sind meine Initialen und eine Grafenkrone. Die

werde ich gerne benützen!« Sie versuchte dabei Onkel Thomas' Tonfall nachzuahmen und rief damit bei den anderen Gelächter hervor.
Nati ließ sich davon jedoch nicht beeindrucken, sondern sah Lore auffordernd an. »Jetzt musst du deine Geschenke auch auspacken!«
»Genau«, stimmte Onkel Thomas ihr zu und zeigte auf mehrere große Kartons, an denen Kärtchen mit Lores Namen hing.
Lore zögerte, doch Prudence, die gelernt hatte, dass Zögern in einer großen Familie bedeutete, immer zu kurz zu kommen, schob sie einfach auf den Tisch zu.
»Schau dir die Sachen an. Mary und ich werden es auch tun.«
»Und Konrad«, setzte Mary mit einem kurzen Blick auf Thomas Simmerns Kammerdiener hinzu.
»Freilich packen wir aus!« Konrad eilte an ihre Seite und half ihr, die paar Schritte zum Tisch ohne die Hilfe ihrer Krücken zurückzulegen. Auch nahm er gleich die beiden Päckchen, die Marys Namen aufwiesen. Allerdings wartete diese auf Lore, die mit zittrigen Händen das erste Paket öffnete und fassungslos auf einen warmen Pelzmantel starrte. Er war so modisch, wie selbst Ottokar von Trettins Frau Malwine keinen besaß. Lore wunderte sich, dass sie ausgerechnet in diesem Augenblick an ihre unangenehme Verwandte denken musste, und verscheuchte die Frau aus ihren Gedanken.
»Aber der ist doch viel zu wertvoll für mich«, entfuhr es ihr.
»Der ist gar nicht zu wertvoll für meine beste Freundin«, erklärte Nati resolut. »Außerdem hast du mein Leben gerettet, und dein alter Mantel war viel zu dünn. Also habe ich Onkel Thomas gesagt, dass du etwas Warmes brauchst!«
»Danke!« Lore wagte nicht, Thomas Simmern dabei anzusehen. Einen Menschen wie ihn hatte sie wirklich noch nicht kennengelernt. Wenn sie einmal heiraten sollte, musste es ein Mann wie

er sein. Bei dem Gedanken zuckte sie zusammen. In weniger als vier Monaten wurde sie sechzehn, und ab diesem Alter konnten Mädchen heiraten. Ihr Großvater hatte bereits angedeutet, dass er so lange zu leben wünsche, bis er sie unter die Haube bringen konnte. Das Schicksal hatte jedoch anders entschieden. Jetzt sah sie Thomas Simmern verstohlen an und fand, dass er jünger wirkte, als sie zunächst gedacht hatte. Es waren wohl doch nur die Sorgen um Nati gewesen, die ihn damals gezeichnet hatten. Sie versuchte, noch einmal sein Alter zu schätzen, und kam auf Mitte dreißig. Das war zwar gut doppelt so alt wie sie selbst, aber es war sicher kein Schaden, wenn ein Mann weise und erfahren war, um seine Ehefrau lenken zu können.

Er war ein ansehnlicher Mann, wie sie ihn sich besser nicht wünschen konnte. Gut eine Handbreit größer als sie, war er schlank, aber kräftig, er hatte Hände, mit denen er sowohl zupacken wie auch sanft streicheln konnte. Sein Gesicht wirkte mit dem modischen Backenbart angenehm, und wenn er Nati ansah, lag in seinen Augen ein so zärtlicher Schimmer, dass Lore sich wünschte, sein Blick würde ihr gelten.

Doch würde er sie überhaupt mögen?, fragte sie sich. Bis jetzt ließ nichts erkennen, dass er in ihr mehr sah als Natis große Freundin. Außerdem war sie ein Niemand und zudem arm. Er hatte gewiss etwas Besseres verdient als sie.

»Du musst auch noch die anderen Päckchen aufmachen!« Natis drängender Ruf brachte Lore dazu, ihre Gedanken bezüglich Thomas Simmerns vorerst beiseitezuschieben. Sie öffnete den zweiten Karton und fand darin eine schmale Goldkette, an der ein kleines Rubinherz hing.

»Das ist von mir«, erklärte Nati stolz. »Ich habe Onkel Thomas gesagt, was ich als Geschenk für dich haben will, und er hat es sofort gekauft!«

Lore war es geradezu peinlich, so reich beschenkt zu werden. Sie stammelte »Danke« und umarmte die Kleine, musste dabei aber mit den Tränen kämpfen, die in ihr aufsteigen wollten. Zwar hatte ihr Großvater sie früher, als er noch auf dem Gut gelebt hatte, auch ausgiebig beschenkt, aber der Mantel und die Goldkette übertrafen alles bisher Dagewesene. Daher war sie froh um die schönen Servietten, die Mary für sie bestickt hatte, denn sie gaben ihr das Gefühl von Normalität zurück, erinnerten sie sie doch an die Weihnachtsfeste zu Hause, bei denen sie sich über ähnliche Gaben riesig gefreut hatte. Doch schon beim nächsten Geschenk kehrte ihre Befangenheit zurück. Es handelte sich um modische Knöpfstiefel, um die sie jede der besseren Damen im Landkreis Heiligenbeil glühend beneidet hätte.

Jetzt öffneten auch die anderen ihre Geschenkpakete. Während Konrad zufrieden auf die festen Handschuhe und die Schachtel mit guten Zigarren schaute, wussten die Penn-Schwestern kaum mehr, wie sie ihrer Begeisterung Ausdruck verleihen sollten. Thomas Simmern hatte beide reichlich bedacht. Auch Lore hatte ihnen je eine hübsche Kleinigkeit gekauft. Mary bekam von Konrad zusätzlich noch ein kleines Päckchen gereicht. Da er wusste, dass sie katholisch war, hatte er ihr einen deutschen Katechismus besorgt.

Mary sah etwas erstaunt auf die ihr unbekannte Sprache und zupfte dann Lore am Ärmel. »Du wirst mir beibringen müssen, das zu lesen«, flüsterte sie und bedachte dann Konrad mit einem dankbaren Blick.

»Wenn ihr alles ausgepackt und angesehen habt, können wir zur Christmette fahren!« Onkel Thomas drängte ein wenig zur Eile. Um Lores willen hatte er sich für die neue deutsche Kirche in Whitechapel entschieden, die im selbstbewusst monumentalen Stil der neuen Zeit errichtet und erst vor wenigen Tagen rechtzeitig zum Weihnachtsfest geweiht worden war. Lore und die anderen, die ihn begleiteten, freuten sich sehr über diese Wahl.

IX.

Der nächste Morgen begann mit einem anglikanischen Gottesdienst in der berühmten Saint Paul's Cathedral, die, wie Onkel Thomas erklärte, nach dem Vorbild von Sankt Peter in Rom erbaut worden war, innen aber im Gegensatz zu jener im üppigen Barock ausgestattet war. Auch der Gottesdienst war ganz anders, als Lore es aus ihrer Heimat kannte. Es war alles so feierlich und pompös, dass sie kaum zu atmen wagte, und daher war sie froh, als die einschüchternde Feier hinter ihnen lag und sie das Gotteshaus wieder verlassen konnten.

Danach gab es im Hotel noch einmal eine etwas bescheidenere Bescherung auf englische Art, mit Socken am Kamin, die am Abend zuvor dort aufgehängt worden waren. Nach einem ausgedehnten Spaziergang beschloss Onkel Thomas, der seit der Rückkehr von dem englischen Gottesdienst ungewöhnlich bedrückt wirkte, das Dinner zusammen mit seinen »Damen« im prachtvoll eingerichteten und weihnachtlich geschmückten Speisesaal des Hotels einzunehmen. Der große Raum war erst kürzlich im sogenannten Dampferstil renoviert worden, der Lore fatal an den oberen Salon erster Kajüte auf der *Deutschland* erinnerte.

Neben den Hotelgästen und deren Geschäftsfreunden waren viele englische Familien der bürgerlichen Oberschicht anwesend, um sich das neue Ambiente anzusehen und die für ein englisches Hotel ungewöhnliche Speisefolge zu genießen, die ebenfalls den Sitten auf den großen Ozeandampfern nachempfunden war. Eine etwas steife Kapelle trug in gebührenden Abständen englische Weihnachtslieder vor.

Der feierlichen Stimmung, die hier herrschte, konnte sich auch die Gruppe um Onkel Thomas nicht entziehen, und zum ersten Mal spürte Lore, wie die Trauer um ihren Großvater und den Verlust

der Heimat neuen Gefühlen wichen, in denen Thomas Simmern einen bedeutenden Platz einnahm.
Als die Kapelle wieder eine Pause einlegte, hob Nati den Kopf. »Onkel Thomas, sag mal, was ist eine russische Hure?«
Sie stellte die Frage in dem etwas seltsamen, aber gutverständlichen Englisch, das sie sich im Umgang mit den verschiedenen örtlichen Dialekten angewöhnt hatte.
»Was? Wie bitte?« Thomas Simmern, der geistesabwesend dagesessen hatte, starrte sie an und wusste im ersten Moment nicht zu antworten.
»Nathalia! Schäm dich!«, rief Lore entsetzt. »So etwas fragt ein wohlerzogenes Mädchen nicht! Schau, die Herrschaften um uns herum sind ganz fassungslos. Sie müssen von uns denken, wir kämen geradewegs aus der Gosse.«
Nati sah sich um und streckte zwei Matronen, die sie eulenhaft durch vergoldete Lorgnons musterten, kurzerhand die Zunge heraus. »Unser Kutscher hat mit Weates Karten gespielt und dabei das Wort benutzt!«, antwortete sie maulend und noch immer mit beträchtlicher Lautstärke. »Ruppert, der Teufel, hat laut herausgeschrien, meine Mama sei eine russische Hure gewesen. Das ist bestimmt nicht wahr! Aber ich will wissen, was das ist. Ich habe ein Recht darauf! Wenn es etwas Schlechtes ist, dann trete ich meinen bösen Vetter ganz kräftig vor das Schienbein!«
Obwohl Thomas Simmern im privaten Kreis offen und gelöst sein konnte, hielt er in Gesellschaft sehr viel auf gute Umgangsformen. Außerdem hasste er es wie die meisten Männer seiner Gesellschaftsschicht, im Mittelpunkt skandalöser Aufmerksamkeit zu stehen. Er bedachte Nati mit einem drohenden Blick, legte das Besteck nieder, wischte sich den Mund ab und erklärte die Tafel für aufgehoben.
»Nathalia! Ich schäme mich für dich! Solange du dich nicht benehmen kannst, wie es einer Komtess Retzmann ansteht, wirst du

nicht mehr in großer Gesellschaft speisen und auch an keiner öffentlichen Veranstaltung teilnehmen! Das heißt, kein Theater mehr, kein Vergnügungspark, kein Zoobesuch und kein Einkaufsbummel! Das gilt auch für Lore und deinen restlichen Hofstaat, der es versäumt hat, dich anständig zu erziehen. Abgesehen davon hatte ich euch allen verboten, den Namen deines Vetters am heiligen Fest in den Mund zu nehmen. Wer nicht hören will, muss fühlen. Meine Damen, ab heute habt ihr Stubenarrest, bis ihr diesem ungezogenen Mädchen Manieren beigebracht habt!«
Im ersten Augenblick war Lore über seine harsche Art erschrocken, doch sie begriff rasch, dass nicht allein der Ärger über Natis Bemerkung ihn zu dieser drakonischen Strafe veranlasst hatte. Da musste mehr dahinterstecken, und das hatte gewiss mit Ruppert zu tun.
Nati aber zog ein langes Gesicht, und Prudence starrte ebenfalls missmutig drein. Für das Mädchen aus der Hafenstraße war der Aufenthalt in London ein grandioses Erlebnis gewesen, das jetzt ein abruptes Ende zu finden schien. Mary runzelte nur kurz die Stirn und zwinkerte dann Lore erleichtert zu. Für sie waren die Ausflüge in Schnee und Matsch trotz des Rollstuhls und Konrads tatkräftiger Hilfe immer mit Schmerzen in den Beinen verbunden. Daher machte ihr die Wendung der Dinge weniger aus.

X.

Das Einzige, das Lore Onkel Thomas wirklich übelnahm, war die Tatsache, dass er sie nicht ins Vertrauen zog. In der Beziehung war er auch nicht anders als andere Männer. Aber um wenigstens etwas von dem zu erfahren, was in der Welt vorging, und vielleicht auch hinter die Ursache seines Stimmungsumschwungs zu kommen, bot sie ihm ihre Hilfe bei der Bewältigung seiner umfangreichen Korrespondenz an. Entgegen ihren Befürchtungen akzeptierte er ihr Angebot dankbar. Für drei, vier Stunden am Tag war sie von nun an damit beschäftigt, Briefe aus gekritzelten Notizen in Schönschrift zu übertragen, die empfangene Korrespondenz abzuheften sowie die vielen Zeitungsausschnitte, die sich immer noch mit dem Untergang der *Deutschland* und auch anderen Schiffsunglücken beschäftigten, in Alben zu kleben und mit den von ihm vorgegebenen Texten zu versehen.

Nun erst begriff sie, welchen Wirbel die Strandung des deutschen Dampfers bei Kentish Knock und die dreißig Stunden bis zur Rettung sowohl in England wie auch in ihrem Vaterland ausgelöst hatten. Viele Zeitungen und etliche Monatsjournale beschäftigten sich mit dem Schiffbruch und seinen Folgen, die in Deutschland sogar den Reichstag heftig debattieren ließen. Man plante, strengere Gesetze zu schaffen, um die Sicherheit der Schiffe und der Schifffahrtswege zu erhöhen, und man diskutierte auch über die Gründung einer Gesellschaft zur Rettung Schiffbrüchiger. Das junge Deutsche Reich schien durch den Untergang eines Schiffes, das seinen Namen trug, besonders betroffen zu sein, denn der Kaiser setzte sich persönlich für Verbesserungen ein.

Lores Gedanken beschäftigten sich intensiv mit dem Gelesenen, bis ihr beim Aufräumen in Onkel Thomas' improvisiertem Büro ein Brief voller wilder Drohungen in die Hände fiel, dem allerdings die Unterschrift fehlte. Dennoch war sie sicher, dass Ruppert der Absender war, und er war einer Notiz Thomas Simmerns zufolge am fünfundzwanzigsten Dezember im Hotel eingetroffen.

Hatte sie vorher schon geahnt, warum Onkel Thomas Nati und ihren »Hofstaat« für den lächerlichen, kleinen Zwischenfall so hart bestraft hatte, so verstand sie seine Sorgen jetzt umso besser und gestand sich ein, dass sie an seiner Stelle auch nicht anders gehandelt hätte.

Der Schreiber beschimpfte Onkel Thomas als widerlichen Schnüffler und Wahrheitsverdreher, und er drohte ihm, ihn, das Luder Nati und seinen gesamten Anhang noch in England vom Leben zum Tode zu befördern, falls er ihm nicht das Testament des alten Leuteschinders ausliefern würde. Darüber hinaus forderte er eine von einem Notar beglaubigte Ehrenerklärung, mit der er in Deutschland jeder Verleumdung entgegentreten könnte. Damit und mit einem gefälschten Testament – das war leicht zwischen den Zeilen zu lesen – könnte Ruppert sich mühelos in den Besitz des Retzmannschen Vermögens setzen. Auch hatte er die Stirn, den verräterischen Brief zurückzufordern, den er wahrscheinlich mit der linken Hand geschrieben hatte, denn die Buchstaben sahen aus, als hätte sie ein des Schreibens ungewohnter Mensch einzeln zu Papier gebracht.
Lore schauderte bei dem Hass, der aus diesem Machwerk floss. Der Mann war ein wahnsinniges Ungeheuer, ganz gleich, was Onkel Thomas sagte. Während sie über das infame Schreiben nachdachte, kam Thomas ins Zimmer, um ihr die nächsten Briefe zum Abschreiben zu bringen. Lores erschrockenes Gesicht alarmierte ihn, doch die Frage nach dem Grund erübrigte sich, als er Rupperts Pamphlet in ihrer Hand sah.
»Habe ich den infamen Wisch etwa in den anderen Unterlagen liegen lassen?«, fragte er. »Eigentlich wollte ich euch damit nicht noch mehr ängstigen. Aber ich sehe, du nimmst das Ganze recht ruhig auf. Das erleichtert mich. Ich glaube allerdings nicht, dass dieser Erguss wirklich ernst zu nehmen ist. Es klingt eher danach, als sähe Ruppert seine Felle davonschwimmen. Ich werde diesen Brief nach den Feiertagen zu Scotland Yard bringen und den Inspektor bitten, unsere Bewacher bei uns zu lassen, bis wir die Planken eines Schiffes unter den Füßen haben. Auch wenn Ruppert diesen Brief nicht unterschrieben hat, so sind doch genug Einzelheiten darin, die ein Außenstehender nicht wissen kann.

Damit habe ich einen weiteren Beweis in den Händen, den ich in Bremen gegen ihn verwenden kann. Indirekt hat er darin den Mord an meinem Freund und Mentor Graf Retzmann zugegeben. Das wird ihm auch in Deutschland das Genick brechen!«

Simmern nahm Lore den Brief aus der Hand und steckte ihn ein, um eine zuversichtliche Miene bemüht. »Mach dir also keine allzu großen Sorgen und achte darauf, dass Nati fröhlich bleibt. Aber da du dich für die neuesten Nachrichten interessierst, solltest du dich weiterhin mit den Zeitungsausschnitten beschäftigen. Dann hast du Nati gegenüber eine Ausrede, wenn du hie und da etwas nachdenklich wirkst!«

Lore nickte. »Das werde ich tun, Onkel Thomas. Die Berichte über den NDL und die *Deutschland* interessieren mich wirklich. Glaubst du, dass Kapitän Brickenstein bestraft wird?«

»Das Urteil des Kammergerichts wird voraussichtlich Ende Januar verkündet. Aber es spricht keine Strafe aus wie ein normales Gericht, und Kapitän Brickenstein fällt auch nicht unter die englische Jurisdiktion. Sie können ihm schlimmstenfalls nur verbieten, jemals wieder ein Schiff in englischen Gewässern oder in denen englischer Kolonien zu führen. Das würde allerdings das Ende seiner Karriere als Hochseekapitän bedeuten, denn danach könnte er höchstens noch ein Ausflugsschiff oder einen Küstenfrachter in der Ostsee führen, und auch das nur, falls man ihm nicht auch in Deutschland das Patent aberkennt. Aber ich glaube nicht, dass es so weit kommen wird. Schließlich ist er in einen Wintersturm von ungewöhnlicher Heftigkeit geraten. Das wird man bei dem Urteil gewiss berücksichtigen. Ich hoffe es zumindest für ihn.«

XI.

Auch im fernen Ostpreußen war Weihnachten gefeiert worden. Ottokar von Trettin und seine Frau wurden zwar von niemandem bedroht, dennoch wirkten die Mienen der beiden an den Tagen nach dem Heiligen Abend und dem Weihnachtsball am ersten Feiertag alles andere als zufrieden.
»Es war eine Unverschämtheit der Gräfin Elchberg, uns so zu schneiden«, giftete Malwine.
Ottokar nickte verärgert. »Allerdings. Und auch der Graf hat sich nicht wie ein Ehrenmann verhalten. Wagte er doch zu behaupten, auf Elchberg werde kein Hund so begraben wie der alte Gutsherr auf Trettin. Dafür hätte ich ihn am liebsten zum Duell gefordert!«
Malwine wusste ebenso wie er, dass unter den gestandenen Gutsbesitzern Ostpreußens ein Duell als eine hauptstädtische Attitüde angesehen wurde, der sich in dieser Gegend höchstens gelangweilte Garnisonsoffiziere hingaben, die sich wenig um das gesetzliche Verbot solcher Zweikämpfe scherten. Ein Gutsherr, der sich auf so eine Sache einließ, würde von der hiesigen Gesellschaft geschnitten werden. Das aber konnten sie sich gerade in ihrer Situation nicht leisten.
»Du solltest diese Verleumder verklagen«, erklärte Malwine daher mit Nachdruck.
»Du bist gut! Mehrere unserer Nachbarn haben mich bereits aufgefordert, die Klage gegen Doktor Mütze wegen des Jagdhauses und des dazugehörigen Waldstücks zurückzuziehen. Wenn ich jetzt auch noch gegen einen der Ihren prozessiere, wären wir bei allen unten durch. Bis auf einige wenige Freunde würde uns niemand mehr einladen oder einer Einladung nach Trettin Folge leisten.«

»Und das alles nur wegen dieses alten Bocks, der dein Erbe verschleudert hat, und dessen Trampel von Enkelin! Fragt mich doch die Frau Landrat, dieses Miststück, scheinheilig, wie es denn der lieben Lore gehen würde. Dabei wissen alle, dass der Alte das Mädchen durch Wagner hat fortschaffen lassen. Ich glaube aber nicht daran, dass ihr Ziel Amerika war. Für mich wird die kleine Metze über kurz oder lang in Berlin, Hamburg, Bremen oder sonst wo in einem Bordell landen!« Malwine sah ganz so aus, als gönne sie Lore dieses Schicksal von Herzen.

Ihr Mann fuhr auf. »Bist du närrisch geworden? Wenn es dazu käme, würden wir zum Gespött des gesamten Landkreises. Für uns ist es wirklich das Beste, dass mein Onkel das Mädchen in die Neue Welt geschickt hat. Dort ist sie allen aus den Augen und wird schnell vergessen sein.«

»Und das Geld, das sie mitgeschleppt hat?«, hetzte Malwine.

Ehe ihr Mann antworten konnte, klopfte es, und sein Kammerdiener trat ein. »Ich bitte um Verzeihung, doch Florin ist eben mit den Zeitungen aus Heiligenbeil zurückgekehrt!«

»Er soll sie hereinbringen«, forderte der Gutsherr ihn auf, froh, seine Gedanken auf etwas anderes lenken zu können. Der Diener verbeugte sich und verschwand wie ein Schatten. Kurz darauf kam der Kutscher herein. Er hatte seinen Pelzmantel ausgezogen und die Stiefel gut abgeklopft, trotzdem warf Malwine ihm einen strafenden Blick zu.

Mit einer ungelenken Verbeugung wandte Florin sich an seinen Herrn, ohne diesem in die Augen zu sehen. »Ich habe die Zeitungen gebracht, Herr von Trettin.«

»Leg sie auf den Tisch!«, befahl Ottokar von Trettin und starrte neugierig auf das dicke Paket, das Florin in Wachstuch eingewickelt hatte, um zu verhindern, dass Schnee eindringen und das Papier aufweichen konnte. Jetzt entfernte der Kutscher die Umhüllung und zog sich anschließend mit einer weiteren Verbeugung zurück. Während Ottokar sein Federmesser nahm und die Schnur durchtrennte, die den obersten Packen mit den Zeitungen der letzten Woche aus dem fernen Berlin zusammenhielt, sah seine Frau hinter Florin her und krauste dabei die Stirn. Sie sagte jedoch nichts, sondern trat neben Ottokar und blickte ihm über die Schulter.

»Die Zeitungen schreiben noch immer über dieses untergegangene Schiff. War es nicht auch nach Amerika unterwegs? Ich wünschte, Lore wäre mit an Bord gewesen. Es sind doch alle Frauen mit untergegangen!«

»Nicht alle«, berichtigte ihr Mann sie. »In den Zeitungen der vorletzten Woche stand, etliche Frauen hätten überlebt. Nur diese fünf Klosterschwestern, die sich den Gesetzen in unserem Preußen nicht beugen wollten, sollen ertrunken sein.«

»Um die schwarzen Krähen ist es nicht schade«, spottete Malwine. Unterdessen schlug Ottokar die Zeitung auf und zeigte auf eine lange Liste von Namen. »Schau her! Da stehen die Überlebenden verzeichnet und hier die Toten.«

»Ein Graf Retzmann ist auch umgekommen«, rief Malwine sensationslüstern aus.

»Sein Enkel Ruppert von Retzmann und dessen Schwester oder Cousine Nathalia haben überlebt, ebenso Komtess Nathalias Kinderfrau. Aber … Das ist doch nicht möglich!« Ottokar brach ab und riss die Zeitung hoch, so dass Malwine die Zeile verlor, in der sie gerade gelesen hatte. Bevor sie sich jedoch beschweren konnte, fluchte ihr Mann wie ein Bierkutscher.

»Dieser elende Bock! Ich hätte wissen müssen, dass er uns einen so üblen Streich spielt!«

»Was ist denn los?«, fragte seine Frau verwundert.

»Weißt du, wer die Kinderfrau dieser Komtess Nathalia ist?« Ottokar sah sie dabei mit einem Ausdruck im Gesicht an, der sie erschreckte.

»Sag es schon. Woher soll ich das denn wissen?«
Statt einer Antwort legte Ottokar die Zeitung wieder hin und zeigte mit dem Finger auf die entsprechende Zeile. Malwine beugte sich vor, las den Namen und erbleichte.
»Lore Huppach! Aber wie kommt die zu dem Grafen?«
»Weiß ich es?«, schrie ihr Mann sie an und hieb mit der Faust auf den Tisch, so dass Malwine Angst um das zierliche Möbelstück bekam.
»Beruhige dich doch!«, sagte sie. »Jetzt wissen wir wenigstens, wo Lore ist, und können sie nach Trettin holen. Aber das Weibsstück wird bei mir nichts zu lachen haben, das schwöre ich dir.«
Ihr Mann drehte sich zu ihr um und klopfte sich mit der flachen Hand mehrfach gegen die Stirn. »Bist du noch bei Sinnen, Weib? Das hat der Alte ganz genau geplant. Er hat seine Enkelin einem reichen Grafen in Obhut gegeben. Dabei dürfte es sich um einen alten Freund von ihm handeln. Wenn wir jetzt hingehen und Lore von ihm fordern, werden alle den Kopf schütteln. Behandeln wir das Mädchen dann auch noch schlecht, sind wir überall Personae non gratae.«
»Aber der Graf ist doch ersoffen«, wandte Malwine verkniffen ein.
»Ich glaube kaum, dass sein Enkel Ruppert gegen den Willen seines Großvaters handeln wird. Da sie zusammen gereist sind, ist er wahrscheinlich sogar in den Plan eingeweiht. Uns bleibt wirklich nichts anderes übrig, als unsere Wut hinunterzuschlucken und dieses impertinente Ding zu vergessen. Wie es aussieht, hat mein Onkel uns auf ganzer Linie geschlagen!« Ottokar fluchte und schien seine Wut erneut am Mobiliar auslassen zu wollen.
Malwines Entrüstung war nicht geringer als die ihres Mannes, und sie schüttelte sich wie ein nasser Hund. Plötzlich wurde der Ausdruck ihres Gesichts hart. »Wenn du es noch nicht weißt: Wir haben noch ganz andere Probleme zu meistern als diese davonge-

laufene Metze. Obwohl der Pastor es ihnen verboten hat, raunen sie im Dorf noch immer, du seist damals am brennenden Lehrerhaus vorbeigefahren, ohne die Bewohner zu warnen.«

»Das ist doch nur das Gerede dieser Verrückten. Der glaubt keiner! Ich habe das lügenhafte Miststück deswegen aus der Kate gejagt, so wie du es gewollt hast. Aber jetzt lebt sie mit Kord zusammen im alten Jagdhaus meines Onkels und dreht uns eine lange Nase.« Die Stimme des Gutsherrn schwankte jedoch, und für einen Augenblick überwog eine heimliche Angst seinen Zorn.

Seine Frau aber dachte bereits über ganz andere Gefahren nach, die sie am Horizont auftauchen sah. »Mir geht es weniger um Miene und Kord. Allerdings sollten wir dem Pastor stecken, dass es sich nicht gehört, wenn zwei Leute, die nicht miteinander verheiratet sind, in einem Haus zusammenleben. Ich denke mehr an den Kutscher. Florin war damals dabei, und wenn er etwas sagt, werden die Leute ihm eher glauben als der alten Vettel. Übrigens soll er in den letzten Wochen zweimal bei den beiden im Jagdhaus gewesen sein. Worüber, glaubst du, werden die dort gesprochen haben?«

»Wahrscheinlich über uns, meinen Onkel, Lore …«

»… und über den Brand des Lehrerhauses«, stichelte Malwine. »Es ist doch eigenartig, wie der auf einmal ausbrechen konnte. Es gab in der Nacht kein Gewitter, und die Lehrersleute waren bereits zu Bett.«

»Bis auf Lore!« Dem Gutsherrn wurde auf einmal der Kragen zu eng. Er zerrte seine Krawatte auf und öffnete den obersten Knopf.

Seine Frau legte mit einem seltsamen Lächeln die Hand auf seine Schulter. »Miene hat auch behauptet, du habest beim Lehrerhaus anhalten lassen, seist dann aber weitergefahren, ohne deine Base zu warnen. Weißt du, wer anhält, kann auch aussteigen und gewisse Dinge tun. Es braucht nur ein Patenthölzchen, um trockenes Stroh genauso leicht zu entzünden wie ein Blitz!«

Ottokar fuhr wie von der Viper gestochen herum. »Was willst du damit sagen, Weib?«

»Ich? Nichts!«, antwortete Malwine mit sanfter Stimme. »Doch könnte es nicht sein, dass Florin etwas sagt? Oder findest du es nicht merkwürdig, wie er auf einmal die Nähe von Leuten sucht, die uns von Anfang an feindlich gegenübergestanden sind?«

»Aber das sind doch nur Hirngespinste!«, tat ihr Mann diesen Einwand ab.

»Was ist, wenn diese Hirngespinste Münder bekommen, die sie laut hinausschreien? Unser Ruf ist, wie du selbst gesagt hast, derzeit nicht der beste. Es muss nur noch eine Kleinigkeit geschehen, und dann werden wir wie Parias behandelt. Du warst ein Narr, deinem Onkel das Begräbnis in der Familiengruft zu verweigern. Das trägt man uns immer noch nach. Unsere Nachbarschaft und die bessere Gesellschaft in der Stadt werden daher nach jedem Bissen schnappen, den man ihnen vorwirft. Du solltest auch nicht vergessen, wie beliebt Doktor Mütze ist. Die Leute nehmen es dir übel, ihn im Zorn geschlagen zu haben, und in deren Augen ist dieser Lump Fridolin geradezu ein Held, weil er dazwischengetreten ist!«

»Pah, das wird bald wieder vergessen sein! Doch mit Florin hast du recht. Der könnte mit Kord und Miene zusammen etwas aushecken, um uns zu schaden oder uns zu erpressen.« Diese Möglichkeit war Ottokar eben eingefallen. Noch wusste er nicht so recht, was er tun konnte, doch als er mit Malwine länger darüber sprach, wurde ihm bewusst, dass er den Kutscher so bald wie möglich zum Schweigen bringen musste.

XII.

Nach dem Gespräch mit seiner Frau ließ Ottokar von Trettin den Kutscher kaum noch aus den Augen. Er stellte fest, dass Florin sich von dem restlichen Gesinde auf dem Gutshaus absonderte und dass sich auf seinem Gesicht, wenn er sich unbeobachtet glaubte, Wut, Trauer und Hass abzeichneten. Mit einem Mal wuchs die Angst des Gutsherrn ins Uferlose. Mienes Beschuldigungen allein hatten ihm bislang wenig geschadet. Doch wenn Florin in das gleiche Horn stieß und sogar verlauten ließ, dass er in jener Nacht die Kutsche verlassen hatte, dann bliebe genug an ihm hängen, um ihn in den Augen seiner Standesgenossen unmöglich zu machen. Daher sann der Gutsherr verzweifelt auf eine Lösung, diese Gefahr zu beseitigen.

Eine Möglichkeit wäre gewesen, Florin Geld zu geben und ihn weit weg zu schicken, am besten gleich in dieses Amerika, das ihm seit Lores Abreise immer wieder durch den Kopf spukte. Dies wäre jedoch gleichbedeutend mit der Anerkennung seiner Schuld am Tod der Lehrerfamilie gewesen, und dazu war Ottokar von Trettin nicht bereit. Außerdem wollte er nicht sinnlos Geld ausgeben, wie er zwei Tage später zu Malwine sagte.

Diese lachte spöttisch auf und sah ihn kopfschüttelnd an. »Ich dachte, du wärst ein Mann. Aber wie es aussieht, bist du doch nur eine Memme!«

»Willst du, dass ich ihn umbringe?« Ottokar flüsterte die Worte, doch in seinen Ohren hallten sie wie Donnerschläge.

»Weißt du eine andere Lösung?«, fragte Malwine. »Heute ist sein freier Tag, und was glaubst du, wohin er gegangen ist?«

»Zum Jagdhaus?« Als Malwine nickte, ballte ihr Mann die Fäuste. »Die drei dort brauen etwas gegen uns zusammen, das spüre ich. Es ist höchste Zeit, etwas dagegen zu unternehmen.«

»Gegen vier Uhr wird Florin sich wieder auf den Rückweg machen, weil er am Abend die Pferde versorgen muss. Es gibt genug Wilderer in den Wäldern. Wie leicht kann er da auf einen von denen getroffen sein!«
Das war Anstiftung zum Mord, aber Ottokar von Trettin war nun auch davon überzeugt, dass es keinen anderen Weg gab. Er verließ das Zimmer und kehrte gleich darauf wieder zurück. Nachdem er die Tür hinter sich geschlossen hatte, zog er einen Trommelrevolver und mehrere Patronen unter seiner Jacke hervor.
»Die Patronen stammen noch aus meiner Jugendzeit. Damals hat mein Onkel einen Wilderer gefasst und den Behörden übergeben. Ich habe mir einige Patronen genommen, weil ich in jener Zeit selbst ein großer Wilderer werden wollte. Jetzt kann ich sie gut gebrauchen, denn sie passen in meinen amerikanischen Revolver.«
Damit war eigentlich alles gesagt.
Malwine, auf die der mögliche Verlust des Ansehens bedrohlicher wirkte als ein Mord, nickte ihm aufmunternd zu. »Gut! Aber wie willst du es machen?«
»Ich werde am Nachmittag ausreiten, zuerst den Pastor aufsuchen und anschließend Florin im Forstweg abpassen. Danach reite ich nach Elchberg, um mit dem Grafen wegen der neuen Maschine zu sprechen, die er sich aus Amerika hat kommen lassen. Also wird niemand Verdacht schöpfen.« Mit den Worten machte Ottokar sich selbst Mut. Dennoch benötigte er nach dem Mittagessen und dem Nachmittagskaffee zwei Cognac, um seine flatternden Nerven zu beruhigen.
Kurz nach fünfzehn Uhr ließ er seinen Hengst satteln und ritt in die Kälte hinaus. Im Haus des Pastors wurde er wie ein König empfangen. Der Pfarrer führte ihn persönlich in die gute Stube und schenkte ihm einen Cognac ein.
»Bei der Kälte tut so eine Labe gut«, sagte er.

Ottokar von Trettin nickte nur und musste sich zwingen, den Cognac mit Genuss zu trinken, denn am liebsten hätte er ihn hinuntergestürzt und gleich den nächsten verlangt.
Unterdessen brachte die Frau des Pfarrers eigenhändig Kuchen und Kaffee, obwohl dies normalerweise die Aufgabe ihres Dienstmädchens war. Danach zog sie sich zurück und ließ die beiden Männer allein.
Zwar hatte Ottokar bereits auf dem Gut Kaffee getrunken, doch war sein Mund so ausgedörrt, dass er sich vom Pastor noch ein zweites Mal einschenken ließ. Zwischendurch aß er den Kuchen und lobte ihn über den grünen Klee, obwohl er kurz danach nicht mehr hätte sagen können, was auf seinem Teller gelegen hatte. Dabei behielt er die Schwarzwälder Uhr im Auge, die noch aus der Studentenzeit des Pastors stammte, die dieser unter anderem in Freiburg verbracht hatte. Obwohl er für seinen Besuch wenig mehr als eine Dreiviertelstunde eingerechnet hatte, fiel es ihm schwer, diese Zeit mit Gespräch zu füllen. Daher erinnerte er den Pfarrer völlig überflüssigerweise daran, dass sein ältester Sohn im nächsten Jahr konfirmiert werden sollte, und ging dann mit ihm einige Ausbesserungsarbeiten durch, die in der Dorfkirche durchgeführt werden mussten.
Als die Kuckucksuhr die volle Stunde schlug, stand der Gutsherr mit einem erleichterten Schnaufen auf. »Es tut mir leid, Pastor, aber ich will heute noch nach Elchberg hinüber, um mir die neue Maschine anzusehen. Wir werden unser Gespräch ein andermal fortsetzen.«
Er reichte dem Pfarrer die Hand und verließ das Haus. Draußen erinnerte er sich daran, dass er sich auch von der Ehefrau des Geistlichen hätte verabschieden müssen, und bat diesen, der Dame des Hauses herzliche Grüße auszurichten.
»Das werde ich tun, Herr von Trettin. Einen guten Weg noch! Möge der Segen des Herrn Sie begleiten.« Mit diesen Worten trat

der Pastor zurück und sah zu, wie der Gutsherr sich vom Pfarrkutscher in den Sattel helfen ließ.

Ottokar von Trettin hob grüßend die Hand und ritt dann im gemächlichen Tempo los. Schon bald blieb das Dorf hinter ihm zurück, und er sah bereits die Abzweigung zum Forsthaus vor sich, als ihm ein Wagen entgegenkam. Zwangsläufig trabte der Gutsherr geradeaus weiter, grüßte den Fahrer dabei freundlich und wechselte mit ihm ein paar Worte über das Wetter. Danach tat er, als wolle er in Richtung Heiligenbeil reiten. Als das Gespann hinter der nächsten Kurve außer Sicht gekommen war, machte er jedoch kehrt und bog in die Forststraße ein. Da die Zeit nun drängte, gab er dem Hengst die Sporen und war dabei froh um die Stollenhufeisen, mit denen er das Tier hatte beschlagen lassen. Sonst wäre der Weg für einen schnellen Ritt zu glatt gewesen.

Während er zwischen den uralten Tannen hindurchritt, die hier seit Generationen wuchsen, zog er sich den rechten Handschuh aus und griff in die Satteltasche.

Aufatmend spürte er das kalte Metall des Revolvers in der Hand. Er hatte ihn mit den drei alten Patronen geladen und auch mit drei neuen. Die wollte er aber nach Möglichkeit nicht verschießen, da Wilderer im Allgemeinen keine modernen, amerikanischen Patronen verwendeten.

Als die Kälte zu sehr in seine Hand biss, zog der Gutsherr den Handschuh wieder über und versuchte abzuschätzen, wie weit es noch war. Er wollte nicht bis zum Forsthaus reiten und neben Florin auch noch Miene und Kord erschießen müssen. Drei Morde und ein scheinbarer Überfall auf das Forsthaus hätten die Polizeibehörden aufgeschreckt. Ein von einem Wilderer erschossener Knecht fiel hingegen kaum ins Gewicht.

In Gedanken versunken, wurde er von Florin überrascht. Obwohl der Forstweg schnurgerade verlief, stand der Kutscher auf einmal vor dem Gutsherrn. Spuren zeigten, dass er sich an den Waldrand

gestellt hatte, um Wasser zu lassen. Als er das Pferd seines Herrn hörte, drehte er sich verwundert um.
Ottokar von Trettin streifte seinen Handschuh so hastig ab, dass dieser zu Boden fiel. Unwillkürlich bückte Florin sich und hob ihn auf. Währenddessen zog sein Herr den Revolver hervor, wartete, bis der Kutscher ihm den Handschuh gereicht hatte, und drückte dann ab.
Grenzenloses Erstaunen machte sich auf Florins Gesicht breit, und auch ein Ausdruck, der Ottokar von Trettin Angst machte. Rasch feuerte er die beiden anderen Wildererpatronen ab und sah dann zu, wie Florin langsam zusammensackte und starr liegen blieb, während sich der Schnee unter ihm rot färbte.
Für Augenblicke kämpfte der Gutsherr mit seinen vibrierenden Nerven, dann atmete er tief durch, zog seinen Hengst herum und ritt davon. Dabei trieb er das Tier so heftig an, dass es mehrmals auf dem schneeglatten Weg ins Rutschen geriet. Als er nach einer Weile die geräumte Landstraße erreichte, setzte er die Sporen ein und legte das Stück bis zur Abzweigung nach Elchberg im Galopp zurück. Erst kurz vor dem Nachbargut zügelte er den Hengst und trabte gemütlich auf das Gutshaus zu. Dort angekommen, fragte er den Majordomus als Erstes nach der Uhrzeit, damit dieser sich später erinnern konnte, wann er eingetroffen war. Zwar rechnete Ottokar von Trettin nicht, in Verdacht zu geraten, doch er wollte für Fragen der Polizei gewappnet sein und mit dem Pastor und dem Elchberger Haushofmeister Zeugen benennen können, dass er genau die Zeit zwischen Trettin und Elchberg benötigt hatte, die für einen Ritt bei diesem Wetter angemessen war.
Danach ließ er sich zu dem verwunderten Grafen führen, dem angesichts der Dämmerung nichts anderes übrigblieb, als ihn für die Nacht einzuladen.

XIII.

Ottokar von Trettins Schüsse waren im Jagdhaus gehört worden. Kord sah Miene an und schüttelte den Kopf. »Das war keine Jagdflinte! Das muss ein Wilderer gewesen sein.«
»Aber warum hat der gleich drei Mal geschossen, und das so schnell hintereinander?«, fragte die alte Frau.
»Das ist seltsam. Mit einem Gewehr geht so etwas eigentlich nicht, sondern nur mit einem Revolver, wie Ottokar von Trettin einen besitzt.«
»Aber warum sollte der Gutsherr um die Zeit im Wald herumballern?« Miene winkte ab und wollte wieder an ihre Arbeit gehen.
Aber Kord rieb sich nachdenklich über die Stirn, zog dann seine Filzstiefel und den Schaffellmantel an und trat zur Tür. »Ich sehe mal nach, ich habe auf einmal ein ganz ungutes Gefühl.« Er setzte noch seine Mütze auf und eilte dann mit langen Schritten davon. Miene blickte verwundert hinter ihm her, legte dann mit einem Achselzucken Holz nach und setzte Wasser für Grog auf, damit Kord sich aufwärmen konnte, wenn er aus der Kälte zurückkam.
Ihr Mitbewohner erschien schneller, als sie es erwartet hatte. Mit einem Gesicht so weiß wie der Schnee, der nun wieder in dicken Flocken vom Himmel fiel, stolperte Kord zur Tür herein.
»Komm schnell!«, keuchte er. »Ich habe Florin gefunden. Jemand hat auf ihn geschossen! Ich weiß nicht, ob er noch lebt. Wir müssen ihn rasch hier hereinbringen, sonst ist er auf jeden Fall bald tot. Wir nehmen den kleinen Zugschlitten. Ich brauche dich, allein schaffe ich es nicht.«
»Ich ziehe mich gleich an. Hol du inzwischen den Schlitten aus dem Schuppen.« Miene zog ihre wollene Jacke an, hüllte sich in ihr dickstes Schultertuch und schlüpfte in die mit Heu ausgepols-

terten Holzschuhe. Als sie nach wenigen Minuten aus dem Haus kam, stand der kleine Schlitten bereit. Die beiden alten Leute packten das Seil und zogen ihn hinter sich her. Im Osten wurde es bereits dunkel, und Miene jammerte, weil sie keine Laterne bei sich hatten.

»Bis es Nacht ist, sind wir wieder daheim«, wies Kord sie zurecht. Die Sorge um Florin trieb ihn vorwärts. Trotzdem wäre er beinahe an dem Kutscher vorbeigelaufen, denn der frisch gefallene Schnee bedeckte den am Rand der Straße liegenden Mann wie ein dickes Leichentuch. Zu Kords Erleichterung lag Florins Gesicht jedoch frei, und als er sich über ihn beugte, glaubte er, seinen Atem in der Kälte als leichte Fahne wahrzunehmen.

»Wir müssen uns beeilen«, sagte er zu Miene, die vor Entsetzen wie erstarrt stand und die behandschuhten Hände gegen die Wangen presste. »O Gott im Himmel, wer kann nur so etwas getan haben?«

»Hilf mir, Florin aufzuladen. Allein schaffe ich es nicht.«

Kords scharfer Ruf durchdrang die Erschütterung, die Miene in den Klauen hielt, und sie packte beherzt mit an. Es war für die beiden alten Leute nicht leicht, den Verletzten auf den Schlitten zu wuchten, mit dem sonst Brennholz oder erjagtes Wild transportiert wurde.

Als Florin endlich darauf lag, wandte Miene sich an Kord. »Sollten wir ihn nicht besser verbinden? Er verblutet uns sonst noch!«

»Wenn wir ihm die Kleidung im Freien ausziehen, erfriert er, bevor wir fertig sind«, antwortete der Knecht und packte das Zugseil. Auch Miene nahm das ihre zur Hand, und so kehrten sie, so schnell sie es vermochten, zum Jagdhaus zurück.

Als sie dort ankamen, schwitzten sie wie abgetriebene Pferde und waren so erschöpft, dass sie kaum noch in der Lage waren, den Verletzten ins Haus zu tragen und auf ein Bett zu legen. Als es geschafft war, streifte Miene ihr Schultertuch ab und warf es in

eine Ecke. Ihre Jacke und die Holzschuhe folgten, dann begann sie, Florin aus seiner Kleidung zu schälen.
Kord stand einige Augenblicke mit der Schulter gegen die Wand gelehnt da und sah ihr zu. Schließlich schüttelte er sich und schlurfte zum Herd, um das Feuer anzuschüren.
»Wir werden viel heißes Wasser brauchen und saubere Binden. Am liebsten würde ich ja gehen und den Doktor holen. Doch in der Nacht und bei dem Wetter schaffe ich es nicht bis Heiligenbeil.« Der alte Mann klang bedrückt, als mache er es sich selbst zum Vorwurf, dass ihm die Kraft früherer Jahre fehlte.
Miene zuckte mit den Achseln. »So Gott will, wird Florin die Nacht auch ohne Doktor überleben. Zum Glück blutet er jetzt nicht mehr so stark. Wenn wir ihm Rote-Rüben-Saft einflößen und ein wenig Grog, haben wir beide getan, was wir konnten. Morgen früh kannst du dann zur Landstraße gehen und sehen, ob du ein Fuhrwerk findet, das dich in die Stadt mitnimmt.«
»Das wird wohl das Beste sein.« Kord trat neben sie und half ihr, Florins Oberkörper freizulegen. Drei Einschüsse waren zu sehen.
»Wer auch immer das getan hat, wollte Florin tot sehen«, stellte Miene fest.
Kord deutete auf die Einschusslöcher. »Es ist ein Wunder, dass er noch nicht tot ist. Normalerweise überlebt das kein Mensch.«
»Noch atmet er. Hoffen wir, dass er durchhält. Wir beide werden ihn jetzt verbinden. Gib mir das Jod! Es müsste welches in dem Schrank dort sein. Ich bleibe die Nacht über auf und wache bei ihm. Du legst dich hin, denn du hast morgen einen weiten Weg zurückzulegen.« Letzteres klang drängend, weil Kord Anstalten machte, Miene zu widersprechen.
Der Knecht überlegte kurz. »Du hast recht. So erschöpft, wie ich jetzt bin, würde ich nicht einmal bis zur Landstraße kommen. Weck mich aber, wenn du mich in der Nacht brauchst.«

»Das werde ich«, versprach Miene und legte Florin die Verbände so geschickt an, als hätte sie ihr Leben lang nichts anderes getan.

XIV.

Am nächsten Tag hatte Kord Glück, denn er traf Doktor Mütze bereits auf der Landstraße an. Der Arzt hatte Patienten in einem der Nachbardörfer besuchen wollen, fuhr aber nach dem knappen Bericht des alten Knechts sofort zum Jagdhaus. Während Kord zusammen mit dem Kutscher des Arztes die Pferde in den Stall brachte, damit sie nicht dem scharfen Wind ausgesetzt waren, untersuchte Doktor Mütze den Verletzten und zog schließlich die drei Geschosse aus seinem Leib.
»Da merkt man die Jahre, die ich als Regimentsarzt in Königsberg verbracht habe«, meinte er danach mit zufriedener Miene. Anschließend gab er Florin eine Spritze, so dass der Verletzte noch eine Weile schlief und die Schmerzen nicht so spürte. Nachdem Doktor Mütze seinen Patienten verbunden hatte, wusch er sich die Hände.
»Jetzt wäre ein starker Kaffee recht. Für einen Grog ist es mir noch zu früh«, sagte er zu Miene.
»Gerne!« Die alte Magd eilte rasch in die Küche und setzte Wasser auf. Gleichzeitig füllte sie mehrere Löffel Zichorienkaffee in ein Sieb. Erst als sie das Getränk aufbrühte, erinnerte sie sich an das kleine Säckchen mit Kaffeebohnen, das der Arzt beim letzten Besuch mitgebracht hatte. Rasch mahlte sie eine Handvoll davon und gab das Kaffeemehl mit in das Sieb.
Als Doktor Mütze in die Küche kam, stand bereits eine große Blechtasse mit der dampfenden Flüssigkeit auf dem Tisch. Der

Arzt trank das eigenartige Gebräu, ohne mit der Wimper zu zucken. Dann gab er Miene noch eine Reihe Verhaltensmaßregeln und versprach, auf der Rückfahrt noch einmal vorbeizukommen.
»Florin kann es schaffen«, erklärte er noch. »Die Kugeln sind zum Glück nicht tief genug in seinen Körper eingedrungen, um ihn zu töten. Aber mir bereitet das Aussehen der Kugeln Sorgen. Die Patronen müssen sehr alt gewesen sein. Einesteils war dies Florins Glück, da den Pulverladungen die Kraft fehlte, um durchzuschlagen. Zum anderen aber waren die Kugeln schmutzig, und das kann zu Entzündungen in den Wunden führen. Ich werde auf jeden Fall noch heute jemanden schicken, der euch die nötige Arznei bringt.«
Dann sah Doktor Mütze die beiden Alten forschend an. »Wisst ihr, wer es gewesen ist?«
Miene schüttelte den Kopf, zog dabei aber ein so seltsames Gesicht, dass der Arzt misstrauisch wurde. »Wenn du etwas weißt, musst du es mir sagen!«
Miene zog die Schultern nach vorne und wollte nicht so recht mit der Sprache heraus. »Nun, Herr Doktor, es ist so … Wissen Sie, ich habe die Nacht über an Florins Bett gewacht. Er ist zwar nicht zu sich gekommen, hat aber trotz seiner Bewusstlosigkeit ein paar Worte ausgestoßen. Aber …«
»Sag es!«, drängte der Arzt.
»Florin nannte den Namen des neuen Gutsherrn auf Trettin und schrie: Nein, nicht!«
Der Arzt sah Miene an, dass es ihr nicht leichtgefallen war, sich ihm zu offenbaren, denn sie fürchtete wohl, der Lüge geziehen und aus dem Haus geworfen zu werden. Anders als die alte Frau wusste er jedoch mehr über jenen Abend, an dem Lores Familie den Feuertod gestorben war. Florin war damals zum Zeugen von Ottokar von Trettins Schurkenstück geworden und hatte dieses Wissen immer weniger ertragen können. Zwar waren die Kugeln,

die den Kutscher getroffen hatten, von einer Sorte, wie auch Wilddiebe sie verwendeten. Doch die schnelle Abfolge der Schüsse, von der Miene ihm nun berichtete, deutete eher auf eine moderne Waffe als auf eine schlichte Flinte hin. Der Arzt behielt seine Überlegungen jedoch für sich und schärfte Miene und dann auch Kord ein, nichts von Florin und seinen Verletzungen herumzuerzählen.

»Es ist besser für ihn und für euch. Wer auch immer dahintersteckt, könnte versuchen, seine Tat zu vollenden, sobald er erfährt, dass der Mann noch lebt. Sobald er transportfähig ist, werde ich ihn zu mir in die Stadt holen. Aber damit Gott befohlen. Ich muss jetzt weiter, sonst fragen meine Patienten noch, ob ich sie vergessen habe.«

Nach diesen Worten trank Doktor Mütze seinen Zichorienbohnenkaffee aus und zog den Mantel an. Kord eilte nach draußen, um den Schlitten einzuspannen. Als der Arzt schließlich losgefahren war, kehrte der alte Mann ins Haus zurück und sah Miene nachdenklich an.

»Da steckt mehr dahinter, als wir zwei ahnen, altes Mädchen, viel mehr!«

Sechster Teil

Ruppert

I.

Als Thomas Simmern an diesem Abend in die Hotelsuite zurückkehrte, wirkte er angespannt und erschöpft. Sofort rief Lore nach einem Pagen, um Kaffee zu bestellen. Nati war für dieses Getränk noch zu jung, und auch sie selbst, Mary und Prudence mieden es. Doch Onkel Thomas trank gerne eine oder zwei Tassen, und sie hoffte, dass der Kaffee seinen Ärger lindern würde.
Thomas Simmern reichte Konrad Mantel und Hut, atmete dann einmal kurz durch und sah schließlich Mary und Nati an. »Wärt ihr so lieb, mich einen Augenblick mit Lore allein zu lassen?«
Während Mary sofort nach ihren Krücken griff, zog Nati eine Schnute. »Lore hat keine Geheimnisse vor mir, ebenso wenig wie ich vor ihr.«
»Bitte, Nati!« Obwohl Thomas Simmern leise sprach, lag genug Nachdruck in seiner Stimme, um die Kleine zum Gehorsam zu bringen. Zwar zeigte Nati ihm deutlich, dass sie gekränkt war, aber sie verließ an Prudence' Hand das Zimmer.
Konrad blieb noch einen Augenblick, um seinem Herrn eine Tasse Kaffee einzugießen, und wollte dann ebenfalls gehen.
»Schenk Lore auch eine Tasse ein«, forderte Thomas Simmern ihn auf, und darüber wunderte sein Diener sich ebenso wie die Empfängerin des Getränks.
»Aber ich trinke keinen Kaffee«, antwortete sie.
»Ich glaube, du bist alt genug dafür.« Onkel Thomas' Worte ließen Lore ihren Widerstand aufgeben. Wie es aussah, hielt er sie endlich für erwachsen. Sie nickte erfreut, setzte sich dann zu ihm an den Tisch und goss sehr viel Milch in ihre Tasse. So schwarz, wie Onkel Thomas ihn verlangte, mochte sie den Kaffee nicht.
Thomas Simmern trank und schien dabei zu überlegen, wie er

anfangen sollte. Schließlich stellte er die Tasse ab und blickte Lore besorgt an. »Seit ein paar Tagen fragt ein Mann im Kontor des Norddeutschen Lloyd nach dir und lässt sich auch durch ausweichende Antworten nicht abwimmeln. Zuerst habe ich gedacht, es wäre einer von Rupperts Handlangern, doch heute konnte ich ihn selbst beobachten und bin mir nicht mehr so sicher. Es ist übrigens ein Deutscher, der behauptet, mit dir verwandt zu sein.«
»Ein Verwandter?« Lore schüttelte kurz den Kopf. »Ich habe kaum Verwandtschaft, und die wenigen, die ich kenne, würden wohl kaum im Winter nach England reisen.«
»Er behauptet, sein Name sei Trettin!«, setzte Onkel Thomas seinen Bericht fort.
»Trettin?« Es klang wie ein Aufschrei. Das kann nur Ottokar sein, schoss es durch Lores Gehirn. Wie es aussah, war er immer noch hinter ihr her, um ihr das Geld des Großvaters abzunehmen, sie nach Ostpreußen zurückzuschleppen und sie zu zwingen, als Dienstmagd auf dem Gut zu arbeiten.
Thomas Simmern bemerkte ihr Erschrecken und fasste nach ihrer Hand. »Keine Angst, hier bist du in Sicherheit. Wenn der Mann zu aufdringlich wird, lasse ich ihn verhaften. Ich nehme an, dass er doch einer aus Rupperts Bande ist und nur diesen Namen vorschiebt, um Informationen zu erlangen. Ruppert weiß ja, dass du Wolfhard von Trettins Enkelin bist.«
Diese Überlegung schien Lore schlüssig. Trotzdem wollte sie mehr über diesen Fremden wissen. »Du sagtest, du hättest ihn gesehen. Wie sieht er denn aus? Ist er etwa um die vierzig, mittelgroß, ziemlich breit gebaut und mit starkem Bauchansatz? Hat er eine Stirnglatze?«
»Dieser Mann ist es gewiss nicht. Es handelt sich im Gegenteil um einen noch ziemlich jungen Mann, etwas größer als ich, schlank, mit einem schmalen Oberlippenbärtchen. Beinahe hatte ich den Eindruck, er würde sich wirklich Sorgen um dich machen.«

Lore schüttelte ratlos den Kopf, begann dann aber vor Erleichterung zu lachen. »Das kann wirklich nicht mein Onkel Ottokar sein. Der Mann war der Grund, weswegen mein Großvater mich aus Ostpreußen weggeschickt hat. So, wie du den Fremden beschreibst, könnte es sich um meinen jüngeren Onkel Fridolin von Trettin handeln. Aber wie käme der dazu, mich hier in England zu suchen?«
»Wie mir der Mann, den er immer aufsucht, berichtete, nannte der Fremde sich tatsächlich Fridolin von Trettin.« Thomas Simmern wunderte sich über Lores Lachanfall, der so gar nicht zu ihr zu passen schien.
Dieser Meinung war wohl auch Nati, denn sie stürzte in das Zimmer, setzte sich auf Lores Schoß und griff nach deren Kragensaum. »Was lachst du denn so?«
»Hatte ich dich nicht gebeten, Lore und mich einen Augenblick allein zu lassen?«, fragte Onkel Thomas mit leichter Schärfe.
Nati winkte ab. »Ich habe euch sogar mehr als einen Augenblick allein gelassen. Aber jetzt will ich wissen, warum Lore lacht.«
»Das tun Frauen manchmal, wenn sich ihre Anspannung löst«, erklärte Onkel Thomas, während Lore noch immer vor Lachen die Tränen aus den Augen traten.
»Aber warum war Lore angespannt?«, bohrte die Kleine nach.
Lore wechselte einen kurzen Blick mit Onkel Thomas und zog dann Nati an sich. »Onkel Thomas hat geglaubt, einer von Rupperts Banditen würde nach mir suchen. Aber so wie es aussieht, ist es mein Onkel Fridolin.«
»Dein Onkel? Den schicken wir weg!« Natis missmutiger Gesichtsausdruck zeigte deutlich, was sie von Verwandten hielt, die ihren Besitzanspruch auf Lore gefährden könnten.
»Das wäre ungehörig. Der Mann wird sich sicher große Sorgen um Lore machen«, belehrte Thomas Simmern sie.
Dann wandte er sich an Lore. »Soll ich ihm die Nachricht geben

lassen, dass er dich hier erreichen kann? Lange hat er dazu nicht mehr Zeit, denn das Seegericht will morgen oder übermorgen seinen Spruch wegen des Untergangs der *Deutschland* fällen. Danach muss ich so rasch wie möglich nach Southampton reisen und von dort nach Deutschland zurückkehren.«

Lore überlegte kurz, ob Fridolin wohl in Ottokars Auftrag kam, um nach ihr zu suchen, verwarf diesen Gedanken aber sogleich. Die beiden Vettern hatten sich nie verstanden, und Fridolin würde sich gewiss nie zu Ottokars Handlanger machen lassen. Allerdings konnte er von diesem das Geld für die Reise bekommen haben. Trotzdem war sie sicher, dass er sie nicht verraten würde. Aus diesem Grund nickte sie schließlich.

»Ich würde mich freuen, wenn du Fridolin einladen würdest. Aber nur, wenn er sich auch entsprechend ausweisen kann. Einen von Rupperts Spionen will ich hier nicht sehen.«

»Wir können eigentlich niemanden gebrauchen«, setzte Nati hinzu, doch diesmal hörte keiner auf sie. Thomas Simmern war erleichtert, weil sich der vermutete Verfolger als harmlos zu erweisen schien, und Lore freute sich darauf, Fridolin wiederzusehen.

II.

Fridolin von Trettin trat mit einem Gefühl von Beklemmung in das Hotelfoyer. Das prachtvolle Portal, die hohe Halle, in der bequeme Sessel für die Hotelgäste bereitstanden, und die Pagen in ihren schmucken Uniformen zeigten ihm allzu deutlich, für welche Gesellschaftsschicht dieser Bau gedacht war. Von seiner Abkunft her gehörte auch er zu diesen Menschen, jedoch war ihm die Möglichkeit, so zu leben, durch seine Armut verwehrt.

Hier sollte Lore nach Auskunft eines Angestellten des Norddeutschen Lloyd Quartier genommen haben? Welch seltsame Umstände mochten sie hierhergeführt haben? Möglicherweise hatte ein Engländer sich den Spleen erlaubt, die arme Schiffbrüchige hier in diesem feudalen Rahmen unterzubringen.
Der Mann, der jetzt auf ihn zukam, war jedoch kein Engländer. Fridolin, der trotz seiner Jugend bereits über ein gehöriges Maß an Menschenkenntnis verfügte, hätte seine Erscheinung als hanseatisch korrekt bezeichnet.
»Guten Tag, Herr von Trettin. Mein Name ist Simmern. Ich bin der Beauftragte des NDL für die Untersuchungen des Untergangs der *Deutschland*. Fräulein Huppach befindet sich derzeit in meiner Obhut.« Thomas Simmern sah sein Gegenüber gespannt an. Fridolin von Trettin erschien ihm noch jünger, als er erwartet hatte. Auch fehlte ihm die Zackigkeit, die einem der Dienst im Militär verlieh. Wie es aussah, war Lores Verwandter ein Zivilist.
Fridolin erwiderte den Gruß und erklärte, wie froh er sei, endlich etwas über Lores Schicksal zu erfahren. Bevor er fortfahren konnte, bremste Thomas Simmern ihn. »Entschuldigen Sie, Herr von Trettin. Ich muss gleich weiter zum Seegericht. Mein Diener wird Sie in unsere Suite bringen. Ihre Nichte hat mich übrigens aus einer äußerst misslichen Lage befreit und sich meines Mündels Nathalia angenommen. Deren Großvater ist bei der Havarie ums Leben gekommen, und ich wüsste nicht, was ich ohne Fräulein Lore getan hätte.«
Das Lächeln, das Simmerns Worte begleitete, nahm Fridolin für ihn ein. »Lore kümmert sich gerne um etwas. Vor ein paar Jahren war es ein kleiner Hase, dessen Mutter von einem Wilderer gefangen worden war. Wir haben sie alle ausgelacht, als sie sich des Tierchens angenommen hat. Aber sie hat ihn durchgebracht und ihn später als strammen Burschen in die Freiheit entlassen.«
Als er den angespannten Gesichtsausdruck seines Gegenübers be-

merkte, hob Fridolin entschuldigend die Hände. »Ich will Sie nicht weiter aufhalten, Herr von Simmern.«
»Simmern genügt. Wir in Bremen haben es nicht so mit den Vons!« Onkel Thomas nickte Fridolin noch einmal zu, eilte nach draußen und bestieg die Droschke, die bereits auf ihn wartete. Er war nur geblieben, um Lores Verwandten zu empfangen und sich ein Bild von ihm zu machen. Unsympathisch war ihm dieser Fridolin nicht. Dennoch dachte er auf dem Weg zum Seegericht mehr über diesen jungen Mann nach als über das Urteil, das an diesem Tag gefällt werden sollte.
Unterdessen war Konrad auf Fridolin zugetreten. »Wenn Sie mir bitte folgen wollen, Herr von Trettin.«
»Wie geht es Lore? Ich war sehr erleichtert, als ich gleich nach meiner Ankunft in Harwich erfahren konnte, dass sie dieses schreckliche Unglück überlebt hat.« Fridolin versuchte Konrad zum Reden zu bringen, doch der frühere Seemann blieb stumm, bis sie das Zimmer erreicht hatten, in dem sich Lore, Nati, Mary und Prudence aufhielten.
»Freiherr Fridolin von Trettin!«, kündigte er dort den Besucher an.
Lore sprang auf und eilte Fridolin entgegen. »Welch eine Freude, dich zu sehen, Frido!« Für einen Augenblick sah es so aus, als wolle sie ihn umarmen, doch dann begnügte sie sich damit, ihm die Hand zu reichen.
»Die Freude ist ganz meinerseits. Um es ehrlich zu sagen, mir fällt ein Riesenstein vom Herzen. Was meinst du, was ich für eine Angst ausgestanden habe, als ich in der Zeitung lesen musste, dass ausgerechnet das Schiff, mit dem du nach Amerika fahren wolltest, untergegangen ist.«
»Hat Großvater dich geschickt?«, wollte Lore wissen.
Fridolin schüttelte den Kopf und sah dabei so bedrückt aus, dass Lore bereits wusste, was geschehen war, bevor er das erste Wort

über die Lippen brachte. »Nach deiner Abreise hat der alte Herr nur noch wenige Tage gelebt und ist zu der Zeit gestorben, in der die *Deutschland* in Bremerhaven abgelegt hat.«
»So hat er nichts mehr von dem Untergang des Dampfers erfahren. Das ist gut! Auch wenn ich wünschte, er wäre noch am Leben, so bin ich erleichtert, dass er sich nicht noch weitere Sorgen um mich machen musste.« Lore wischte sich die Tränen aus den Augen und fühlte sich in dem Moment von hinten umarmt.
Als sie sich umsah, hing Nati halb auf ihr und bedachte Fridolin mit zornigen Blicken. »Ich mag den Mann nicht, weil er dich traurig macht!«
»Mein Onkel hat mir die Nachricht gebracht, dass mein Großvater verstorben ist. Da werde ich wohl traurig sein dürfen«, wies Lore sie leise zurecht.
Nun traten Mary und Prudence zu ihr, um ihr zu kondolieren. Nati ließ sie ebenfalls los und streckte ihr die Hand hin. »Das tut mir leid. Ich weiß gut, wie es ist, den Großvater zu verlieren.«
Fridolin betrachtete die Kleine, ohne recht zu wissen, was er von ihr halten sollte. Trotz ihrer Jugend verwendete Nati einen Wortschatz, der eher einer Erwachsenen angemessen war, zeigte aber gleichzeitig Launen, als wäre sie gewöhnt, dass alles sich um sie drehen müsse.
»Willst du mir deine Bekannten nicht vorstellen?«, fragte er Lore. Diese zuckte zusammen, nickte dann aber eifrig. »Das hier«, sie schob Nati vor sich, »ist Komtess Nathalia von Retzmann, und dort haben wir Mary und Prudence Penn aus Harwich. Ihre Familie war so lieb, Nati und mir nach dem Unglück Obdach zu gewähren. Konrad hier ist der Diener und – wie ich wohl sagen kann – ein Freund von Onkel Thomas … Herrn Simmern.«
Fridolin verneigte sich vor Nati, winkte den beiden Schwestern kurz zu und klopfte Konrad leutselig auf die Schulter. Dann wandte er sich wieder an Lore. »Ich bin heilfroh, dich gesund und

munter wiederzusehen. Aber es war ganz schön anstrengend, dich zu finden. In Harwich habe ich nicht mehr erfahren, als dass du überlebt hättest. Ich habe zuerst mit allen möglichen Leuten geredet, die den Untergang ebenfalls überlebt haben, doch keiner von ihnen konnte mir Auskunft geben, wo du zu finden warst. Schließlich bin ich nach London gefahren, um bei der Dependance des NDL nachzufragen, aber dort wollte dich keiner kennen. Erst heute Morgen wurde mir geraten, in dieses Hotel zu kommen.«
Fridolin machte eine Geste, als müsse er sich den Schweiß von der Stirn wischen. »Aber ich mache dir keinen Vorwurf. Du hast die Herrschaften wahrscheinlich wegen Ottokar gebeten, nichts über deinen Aufenthaltsort verlauten zu lassen. Doch da hättest du dir keine Sorgen machen müssen. Nach der Nachricht vom Untergang der *Deutschland* werden weder mein Vetter noch dessen Angetraute sich je wieder auf ein Schiff wagen.« Er hatte Lore mit dieser Bemerkung aufmuntern wollen, doch zu seinem Erstaunen verdüsterte sich ihre Miene.
Lore betrachtete Fridolin, in dem sie nie einen richtigen Onkel gesehen hatte, und fragte sich, ob sie ihn ohne Erlaubnis von Thomas Simmern einweihen durfte.
Nati nahm ihr die Entscheidung ab. »Das haben wir nicht wegen irgendeines Ottokars gemacht, sondern wegen Ruppert, diesem Schweinekerl. Der hat nämlich meinen Großvater totgemacht und will es auch mit mir, Lore und Onkel Thomas tun.«
Nati sagte es auf Englisch, und es war zu erkennen, dass sie die verwendeten Ausdrücke nicht bei der besseren Gesellschaft, sondern bei den Domestiken gelernt hatte. Lore schämte sich ihres Schützlings, während Fridolin hellhörig wurde.
»Wie es aussieht, steckt mehr dahinter, als ich dachte. Aber die Kleine hat recht. Wegen Ottokar hättest du keinen solchen Aufwand betreiben müssen.«
»Ich bin es gewöhnt, Komtess genannt zu werden, und nicht

Kleine!« Nati passte der Neuankömmling überhaupt nicht. Was fiel diesem ein, Lore so in Beschlag zu nehmen? Sie drängte sich zwischen die beiden, doch Lore nahm sie auf den Arm und wies mit dem Kinn auf die Sessel in der Ecke.
»Setzen wir uns doch, Frido. Konrad wird so nett sein, für dich ein Glas Wein und für uns eine Limonade zu bestellen. Welche magst du denn heute, Schätzchen?« Mit dieser Frage entwaffnete sie das eifersüchtige Kind. Nati merkte, dass Lore trotz Fridolins Erscheinen auf ihr Wohl achtete, und gab sich daher gnädig. Als Lore sie auf ihren Schoß setzte und sie mit Keksen fütterte, war sie beinahe wieder versöhnt.
Unterdessen überlegte Lore, wie sie beginnen sollte. Da kam Fridolin ihr mit einer Frage zuvor. »Was ist eigentlich mit Elsie geschehen? Ist sie auf dem Schiff umgekommen?«
Er lieferte Lore damit einen Anknüpfungspunkt. Sie berichtete in kurzen Worten, wie sie von Elsie und Wagners Angestelltem Gustav bestohlen und im Stich gelassen worden war, und erzählte dann, wie sie Nati kennengelernt hatte.
»Ohne sie und ihren Großvater, Graf Retzmann, wäre ich auf dem Schiff verzweifelt. Der Graf hat mir erlaubt, Natis Gouvernante zu ersetzen, die kurz vorher gekündigt hatte«, setzte sie hinzu.
»Lore ist nicht nur meine Gouvernante, sondern auch meine Freundin und Lebensretterin«, mischte Nati sich ein.
Fridolin machte nicht den Fehler, die Kleine zu ignorieren oder gar zurechtzuweisen, sondern sah sie aufmerksam an. »Das klingt aber sehr dramatisch.«
»Das war es auch«, erklärte Nati und legte ihm nun ihre Sichtweise der Ereignisse dar. Von Zeit zu Zeit musste Lore eingreifen und ihre Aussagen präzisieren, doch im Grunde fand Fridolin am Bericht der Kleinen nichts auszusetzen.
»Du bist ein kluges Kind!«, lobte er sie. Den Zusatz »und ein wenig vorlaut« behielt er jedoch für sich. Trotzdem fand er Nati nett.

Gegen den jüngeren Sohn seines Vetters Ottokar war sie auf jeden Fall ein Engel, und seinen älteren Neffen nannte er schon lange das Teufelsbalg.
Nati war stolz auf das Lob und trank brav die Limonade, die Konrad ihr hinstellte. Als sie fertig war, sah sie Fridolin Aufmerksamkeit heischend an. »Verstehst du jetzt, dass wir uns vor dem Schweinehund Ruppert in Acht nehmen müssen?«
»Der Kerl scheint ja ein äußerst übler Schurke zu sein. Ein so kaltblütiger Mord an seinem Großvater …«
»Der wahrscheinlich gar nicht sein Großvater war«, unterbrach Konrad ihn. »Verzeihen Sie, wenn ich mich einmische, doch es bestehen erhebliche Zweifel, dass Ruppert wirklich ein Nachkomme des ältesten Sohnes von Graf Retzmann ist. Seine Mutter hatte nicht den besten Leumund. Mehr will ich wegen der anwesenden Fräuleins nicht sagen.«
»War seine Mutter auch eine russische Hure?«, fragte Nati und vergaß dabei ganz, dass sie wegen dieses Ausspruchs schon einmal zu Zimmerarrest verurteilt worden war.
Lore wollte sie zurechtweisen, doch da legte Konrad ihr mit einem Zwinkern die Hand auf den Arm. »Nein, Komtess Nathalia, das war Rupperts Mutter nicht. Sie war etwas noch viel Schlimmeres, das man noch weniger erwähnen darf als das andere.«
Nati nickte beeindruckt. »Auf alle Fälle ist Ruppert ein Schweinekerl!«, wiederholte sie und überließ es dann Lore, Fridolin die genauen Informationen zu geben.

III.

Es war bereits Essenszeit, als Lore ihren Bericht beendet hatte. Daher lud sie Fridolin ein, bei ihnen zu bleiben, und ließ in der Suite servieren. Auf ihre Weisung musste sich auch Konrad hinzusetzen und von den Hotelpagen bedienen lassen. Während des Essens beobachtete Fridolin mit einem gewissen Vergnügen Nathalias ausgezeichnete Tischmanieren, die zu kopieren sich Prudence sichtlich bemühte. Auch Lore benahm sich so, als wäre sie es gewohnt, in hohen Kreisen zu verkehren. Im Grunde war sie es auch, berichtigte er sich. Solange der alte Herr der Besitzer des Gutes gewesen war, hatte er streng auf gutes Benehmen geachtet, und selbst im Jagdhaus hatte Lore aller Armut zum Trotz so tun müssen, als befänden sie sich auf einem Adelssitz.

In jedem Fall erschien sie ihm weitaus selbstsicherer und erwachsener als früher. In wenigen Monaten würde sie sechzehn sein und damit ein Alter erreicht haben, in dem andere Mädchen Bälle besuchen durften. Aber sie würde nie die Vergnügungen kennenlernen, die ihr als Nachkommin eines alten Geschlechts eigentlich zustanden. Es war ein Trauerspiel, wie die Familie zerfiel, sagte Fridolin sich. Daran war im Grunde nur Ottokars Gier schuld. Wäre dieser der Neffe gewesen, den der alte Herr verdient hatte, so könnte Lore noch immer vergnügt in Ostpreußen leben und müsste nicht vor einem verrückten Waffenschmuggler auf der Hut sein. Er überlegte, ob er ihr berichten sollte, was er von Florin über den Tod ihrer Eltern und Geschwister erfahren hatte, entschloss sich dann aber, es vorläufig nicht zu tun. Lore hatte genug Schwierigkeiten, da sollte sie nicht auch noch diese Last tragen müssen.

Das Mittagessen verlief harmonisch. Fridolin beging nicht den Fehler, Nati wie ein kleines Kind zu behandeln, sondern hörte ihr aufmerksam zu, wenn sie etwas sagte. Zwar war sie vorlaut und

arg besitzergreifend, aber sie besaß einen natürlichen Charme und hing wirklich an Lore. Da beide Waisen waren, trösteten sie sich wohl gegenseitig über den Verlust der geliebten Angehörigen und in Lores Fall auch der Heimat hinweg.
Mary beteiligte sich ebenfalls an dem Gespräch, und da auch Konrad hie und da etwas einwarf, ging die Zeit rasch dahin, und ehe sie es sich versahen, kehrte Thomas Simmern zurück. Dieser wunderte sich ein wenig über die fröhliche Schar, freute sich aber gleichzeitig darüber und dankte Fridolin im Geheimen dafür, dass er Nati, Lore und die anderen aufgeheitert hatte.
»Darf ich mich dazusetzen?«, fragte er, während ein Hotelpage den von ihm bestellten Kaffee brachte. »Sie bleiben doch hoffentlich noch ein wenig«, bat er Fridolin, der sein Auftauchen als Signal ansah, aufbrechen zu müssen.
»Wenn es Ihnen recht ist, sehr gerne.« Fridolin sah dabei Lore an, doch diese wartete, bis Thomas Simmern Antwort gab.
»Es macht uns selbstverständlich nichts aus. Sonst hätte ich Sie doch nicht darum gebeten. Page, einen Kaffee für Herrn von Trettin!«
Während der Hotelangestellte verschwand, lächelte Onkel Thomas Lore an.
»Das Gericht der Londoner Handelskammer, das über diesen Schiffbruch zu urteilen hatte, ist zu dem Schluss gekommen, dass Kapitän Brickenstein trotz des schweren Sturms hätte wissen müssen, dass der Dampfer vom Kurs abgekommen war. Man wirft ihm vor, die Gezeitenströme in der Nordsee nicht beachtet und daher die Abdrift des Schiffes falsch berechnet zu haben. Zudem hätte er zur Messung der Schiffsgeschwindigkeit nicht auf das moderne Patentlog zurückgegriffen, sondern die alte Methode verwendet, die auf Segelschiffen üblich ist.«
»Auf diese Weise hat er uns alle in Gefahr gebracht und die Schuld am Tod von mehr als fünfzig Menschen auf sich geladen!« Lores

Bemerkung zeigte deutlich, dass sie dem Kapitän die Abfuhr vor Gericht gönnte.

Thomas Simmern hob beschwichtigend die Hand. »Mein liebes Fräulein, du solltest nicht so vorschnell urteilen! Ich dachte, du wärst ein vernünftig denkendes Frauenzimmer, das dafür sorgt, dass Nathalia später auch einmal mehr als nur Stroh im Kopf hat.«

»Entschuldigung«, sagte Lore mit nicht ganz echter Zerknirschung. »Ich mag den Kapitän nicht, und da …«

»Du solltest dich wirklich nicht von Vorurteilen leiten lassen. Ich sagte dir schon zu Beginn unserer Bekanntschaft, dass gute Dampfschiffskapitäne schwer zu finden sind. Wäre er während der Katastrophe nicht so besonnen gewesen und hätte die Übersicht behalten, wärt ihr jetzt alle tot, das kannst du mir glauben. Brickenstein hat mutig und entschlossen gehandelt und seine Mannschaft in guter Zucht und Ordnung gehalten, so dass jeder der Männer – und auch die beiden Stewardessen – ihr Bestes gegeben haben, um so viele Menschen wie möglich zu retten. Fehler macht jeder, aber nur wenige strengen sich so an, sie wiedergutzumachen. Ich habe hier einen Brief des Vorsitzenden des Handels- und Seegerichts an die Direktion des NDL. Ich lese euch ein paar Sätze daraus vor, damit ihr sehen könnt, wie Kapitän Brickensteins Handeln von den maßgeblichen Leuten beurteilt wird. Mister Rothertby schreibt uns: *Die Energie, die Kapitän Brickenstein nach der Strandung entfaltete, hat in so außerordentlichem Grade meine Bewunderung erregt, dass es mir leidgetan hat, über einen so guten Seemann das Urteil auszusprechen, das nach Lage der Dinge nicht zu umgehen war. Ich hoffe sehr, dass die Direktion des Norddeutschen Lloyd Kapitän Brickenstein das Vertrauen nicht entziehen, sondern ihn für den Dienst behalten wird, umso mehr, als die traurige Erfahrung ihn für die Folge bestimmt noch vorsichtiger machen dürfte.*«

Thomas Simmern legte eine Pause ein, um seine Worte wirken zu lassen, und trank dabei Kaffee. Währenddessen beobachtete er seine Schutzbefohlenen. Lore wirkte betroffen, doch Nati schob kämpferisch die Unterlippe vor.

»Wenn der Kapitän richtig gesteuert hätte, würde mein Opa noch leben!«

»Um dir hier ein endgültiges Urteil zu erlauben, solltest du einmal einen Dampfer wie die *Deutschland* bei einem solchen Dezembersturm in die Themsemündung hineinsteuern. Nicht umsonst wollen wir den Halt in London aufgeben und den Hafen von Southampton für die Fahrten nach Übersee nutzen!« Obwohl seine Worte in freundlichem Ton gesprochen worden waren, brachten sie Nati dazu, den Kopf einzuziehen.

»Das Urteil des Handelsgerichts konnte zwar nicht anders lauten, aber Kapitän Brickensteins Können wurde letztlich nicht in Zweifel gezogen. Schiffe sind nun einmal den Launen der Elemente stärker ausgeliefert als alle anderen Werke von Menschenhand, und es gehört neben einem großen Können auch immer eine gewisse Portion Glück dazu, sie in schwierigen Situationen wieder zurück in den sicheren Hafen zu bringen. Ich hoffe, du wirst in Zukunft daran denken!«

»Das werde ich!«, antwortete Lore mit einem bekräftigenden Nicken. »Darf ich noch etwas fragen?«

»Aber ja! Frage nur!«, forderte Thomas Simmern sie auf.

»Warum hast du uns das jetzt so eingehend erklärt, Onkel Thomas?«

»Nathalia ist die Erbin eines großen Anteils am NDL, und daher werden im Haus der Retzmanns immer wieder einmal Empfänge für Anteilseigner, Kapitäne und Offiziere der Reederei stattfinden. Nati und du, ihr werdet bei diesen Empfängen dabei sein, und ich möchte, dass ihr Kapitän Brickenstein freundlich begegnet und es nicht zu einem Eklat kommen lasst!«

»Oh! Ja, natürlich. Nati würde ihm klar und deutlich sagen, was sie von ihm hält, und das würde ihrer Verwandtschaft wohl ganz und gar nicht gefallen, nicht wahr?«
»Ihre Großtante Ermingarde würde einen Anfall bekommen!«, antwortete Onkel Thomas mit einer gespielt säuerlichen Miene. »Du wirst die Dame schon bald kennenlernen und dir selbst ein Bild von ihr machen können. Doch nun zu etwas anderem. Da meine Mission in London vorüber ist, können wir morgen aufbrechen. Welche Pläne haben Sie, Herr von Trettin?«
»Jetzt, wo ich weiß, dass Lore in Sicherheit ist und es ihr gutgeht, hält mich nichts mehr in England«, antwortete Fridolin.
»Haben Sie bereits eine Überfahrt gebucht, oder wäre es Ihnen möglich, uns zu begleiten?«, fragte Thomas Simmern weiter.
»Also, ich habe bis jetzt keinerlei Vorbereitungen getroffen. Wenn es Ihnen recht ist, würde ich gerne mit Ihnen kommen.«
»Ich würde mich freuen!« Onkel Thomas schenkte dem enttäuschten Gesicht, das Nati zog, keine Beachtung und reichte Fridolin die Hand. »Sie könnten mir übrigens einen Gefallen tun. Lore hat Ihnen sicher von Natis Vetter Ruppert erzählt. Der Mann ist zwar wie vom Erdboden verschluckt, dennoch will ich nichts riskieren. Daher möchte ich Sie bitten, während der Reise einen gewissen Abstand zu uns zu wahren und dabei die Augen offen zu halten.«
»Das mache ich sehr gerne!«
»Ich danke Ihnen. Hoffen wir auf eine glückliche Heimreise nach Bremen.« Thomas Simmern atmete auf, denn mit einem heimlichen Verbündeten auf seiner Seite fühlte er sich Ruppert eher gewachsen.
Fridolin verabschiedete sich nun und kehrte in sein weitaus weniger feudales Hotel zurück. Obwohl er die Gefahr, die Nati, Lore und den anderen durch Ruppert drohen mochte, nicht ganz ernst nahm, zerlegte und reinigte er seine Taschenpistole und lud sie

neu. Als er etwas später im Bett lag, überkam ihn plötzlich eine seltsame Enttäuschung.
Er war in dem Glauben nach England gefahren, er käme als Retter seiner gestrandeten Nichte, die sich freuen würde, ihn zu sehen, und die glücklich wäre, in seinem Schutz nach Amerika zu reisen, weit weg von Ottokar und seiner raffgierigen Malwine. Nun fragte er sich, ob es gut war, wenn Lore wieder nach Deutschland zurückkehrte. Bremen war nicht Ostpreußen. Anders als etwa in Berlin würde man einen ostpreußischen Junker nicht mit aller Kraft bei der Suche nach einem Mädchen unterstützen. Aber wenn sein Vetter dennoch erschien und Lore zurückschleppen wollte, konnte er nur hoffen, dass es Thomas Simmern gelang, sich gegen den adeligen Gutsherrn durchzusetzen. Er selbst hatte aus mehreren Gründen keine Chance gegen Ottokar.

IV.

Kaum hatten sie London hinter sich gelassen, geriet die kleine Reisegesellschaft in einen Wolkenbruch, in dem man die Hand kaum vor Augen sehen konnte. Trotz aller Vorsichtsmaßnahmen war es im Innern der Kutsche bald genauso nass wie draußen. Es war die schlimmste Fahrt, die selbst der reisegewohnte Mr. Simmern je erlebt hatte. So trostlos, wie die Reise verlaufen war, so trist begrüßte sie die Stadt Southampton. Die spärlich vorhandene Straßenbeleuchtung war wohl nur für die schwärzeste Nacht bestimmt, oder sie hatte vor dem Unwetter kapituliert, denn es brannte keine einzige Laterne. Auch erwies sich die Suche nach dem Hotel als schwierig. Der Kutscher musste zuletzt einen der Eckensteher zusätzlich zu einer Halfpennymünze noch mit drei

Flaschen Ale bestechen, damit dieser seinen trockenen Platz unter einer nicht eingezogenen Markise aufgab und ihnen als Führer diente.

Als das Gebäude vor ihnen auftauchte, erschien es Lore wie zu Stein gewordener Nebel, der sich kaum von dem ebenso grauen Hintergrund abhob. Auch das Innere des verstaubt wirkenden Gebäudes war farblos und abweisend. Kein warmer, anheimelnd prasselnder Kamin begrüßte die Reisenden, sondern eine lauwarme Dampfheizung, die kaum gegen die Kälte und die Nässe ankam. Auch wirkte das Personal in seinen strengen Livreen wie eine Ansammlung von Gespenstern.

Lore gewann den Eindruck, das Hotel und die Stadt darum herum seien in einer von Feuchtigkeit getränkten Melancholie versunken, und sie fragte sich, wie es Fridolin bei diesen Verhältnissen gelingen sollte, ihnen zu folgen. Im Gegensatz zu ihnen hatte er nicht auf eine Mietkutsche zurückgreifen können, sondern musste die Eisenbahn nehmen, und sie bezweifelte, dass die bei so schlechten Wetterverhältnissen verkehren konnte.

Allen schlugen die Kälte und der Dauerregen aufs Gemüt. Nati wachte nachts schreiend aus Alpträumen auf, und tagsüber jammerte sie in einem fort. Durch nichts ließ sie sich aufheitern, obwohl sich alle die größte Mühe gaben, sie zu unterhalten. Auch Lore zog sich von Zeit zu Zeit zurück, um unbeobachtet ihren Tränen freien Lauf zu lassen, doch am schlimmsten litt Mary unter der trüben Stimmung.

Sie hatte sich schon den ganzen Vormittag mit Konrad gezankt, obwohl dieser alles tat, um es ihr bequem zu machen. Auch als sie nun aufstand und mit Hilfe ihrer Krücken in Richtung des Badezimmers gehen wollte, war er sofort bei ihr, um ihr zu helfen.

Mit einem wütenden Aufschrei stieß sie ihn zurück. »Auf die Toilette werde ich wohl noch allein gehen dürfen!« Danach humpelte sie an dem konsternierten Diener vorbei, stolperte und fiel hin.

Konrad schluckte den bissigen Ausspruch hinunter, der ihm über die Lippen wollte, und wollte Mary aufhelfen.
»Lass mich!«, kreischte sie. »Ich weiß selbst, was für ein elender Krüppel ich bin. Das musst du mir nicht auch noch mit jeder Geste und jedem Blick sagen.«
»Aber ich habe doch gar nichts getan!« Jetzt platzte auch Konrad der Kragen, und er blieb mit vor der Brust verschränkten Armen neben ihr stehen.
Mary kroch auf allen vieren zum Tisch und zog sich an einem von dessen Beinen hoch. Ihr verzerrtes Gesicht und die flackernden Augen warnten jeden, ihr zu nahe zu kommen.
»Bitte, Mary, beruhige dich doch«, bat Lore sie. Die junge Engländerin war ihr in den letzten Wochen zu der Freundin geworden, die sie sich immer gewünscht, aber nie gehabt hatte. Doch das schien für Mary nicht mehr zu zählen. Kaum stand sie wieder auf den Beinen, humpelte sie weiter und verschwand im Badezimmer. Kurz darauf hörten die anderen das Geräusch der Wasserspülung.
Lore hoffte, die paar Minuten würden reichen, Mary zur Vernunft kommen zu lassen. Doch als ihre Freundin aus dem Badezimmer zurückkehrte, hatte sich der verbissene Ausdruck ihres Gesichts noch verstärkt. Ohne die anderen auch nur eines Blickes zu würdigen, ging sie auf Thomas Simmern zu und blieb vor ihm stehen.
»Sir, wenn Sie so gut sein würden, meine Schwester und mich nach Hause reisen zu lassen, wäre ich Ihnen sehr verbunden. Ich kann mit einem solchen Menschen wie Ihrem Diener nicht mehr unter einem Dach leben!«
Bei dieser Forderung verschlug es Lore die Sprache. Noch während sie verzweifelt nach Worten suchte, sah sie Onkel Thomas' bittende Geste, still zu sein. »Ich werde dem Kutscher Bescheid geben, dass er die Pferde anspannen soll. Er wird euch nach Harwich bringen!«

»Müssen wir wirklich weg?«, fragte Prudence, der es überhaupt nicht passte, aus dem angenehmen Dienst als Natis Pflegerin entlassen zu werden. Daheim in Harwich würde sie wieder fester mit anpacken müssen, und mit dem Luxus des Hotellebens wäre es auch vorbei.

Mary ließ sich auf keine Diskussion ein, sondern bedankte sich bei Thomas Simmern und bat ihn um Verzeihung, weil sie ihm so viele Umstände bereitete.

»Aber es ist doch selbstverständlich, dass ich dich und deine Schwester nach Hause bringen lasse. Ihr habt in den letzten Wochen gute Arbeit geleistet. Dafür danke ich euch. Ihr habt euch ein hübsches Extrageld über euren Lohn hinaus verdient. Außerdem werde ich euch beiden ein gutes Zeugnis schreiben. Es mag euch auf eurem weiteren Lebensweg helfen.«

Trotz ihrer Krücken knickste Mary. »Danke, Sir! Sie sind so lieb zu uns. Dabei habe ich das gar nicht verdient.« Da sie erneut in Tränen ausbrach, machte Onkel Thomas, dass er in sein Zimmer kam.

Unterdessen kam Nati auf Mary zu. »Du bist gemein! Ich habe gedacht, du würdest mit uns nach Deutschland kommen. Aber Lore und ich bedeuten dir nichts.«

»Das stimmt nicht«, sagte Mary schluchzend. »Es ist nur …«

Sie brach ab, doch der Blick, mit dem sie Konrad bedachte, sagte Lore genug. Ihre Freundin hatte sich in den Diener verliebt, glaubte aber wegen ihrer Behinderung, nicht die Frau für ihn sein zu können, die er ihrer Ansicht nach erwartete. Es tat Lore leid, dass alles so enden musste, zumal auch Konrad aussah, als überkomme ihn das heulende Elend. Doch sie verstand auch Marys Angst, in ein fremdes Land zu reisen und dort an einen Mann gefesselt zu sein, der schnell bereute, sie geheiratet zu haben. Zwar glaubte sie Konrad gut genug einschätzen zu können, um anzunehmen, dass er Mary auf Händen tragen würde. Doch das hatte er auch hier getan und sie gerade damit in dem Glauben bestärkt, als ein ebenso hilf- wie nutzloses Wesen angesehen zu werden.

»Ich glaube, Prudence und ich sollten jetzt packen. Ich will Sir Thomas' Kutscher nicht warten lassen.« Mary winkte ihrer Schwester zu, mitzukommen, und verließ den Raum.

»Ich habe zu arbeiten«, sagte Konrad knurrig und rieb sich dabei über die Augen, in denen es feucht schimmerte. Mit einem tiefen Schnaufen ging auch er und schloss die Tür hinter sich zu.

Lore und Nati blieben allein zurück. Sofort klammerte die Kleine sich weinend an Lore. »Warum will Mary weg? Ich habe gedacht, sie hätte uns lieb.«

»Das hat sie auch. Aber sie hat auch Heimweh nach ihren Eltern, ihren Schwestern und Brüdern. Das musst du verstehen.«

Nati schüttelte den Kopf, dass ihre Haare nur so flogen. »Das verstehe ich nicht. Ich habe nämlich keine Eltern mehr, und Schwestern und Brüder habe ich nie gehabt.«

Da Lore das Temperament ihres Schützlings kannte, verschwieg sie Nati, wer der eigentliche Grund für Marys Entscheidung gewesen war. Auch wenn die Kleine Konrad mochte, bestand sonst die Gefahr, dass sie ihre Enttäuschung an ihm auslassen würde. Mit viel Mühe beruhigte sie das Kind und erklärte ihm, dass sie sich ja sowieso bald von Mary und Prudence hätten trennen müssen, da sie selbst in wenigen Tagen auf ein Schiff steigen und zum Kontinent hinüberfahren würden.

V.

Als Mary zurückkehrte, war sie dick eingepackt. Ihr bleiches Gesicht und die Tränen, die ihr über die Wangen liefen, verrieten Lore, wie verzweifelt ihre Freundin war, und sie wünschte sich, ihr helfen zu können. Aber die Macht hatte sie nicht. Daher blieb ihr nur, Mary fest in die Arme zu schließen.

»Es ist so schade, dass du gehst«, sagte sie mit schwankender Stimme.

»Es ist besser so«, flüsterte Mary. Dann versuchte sie, trotz ihrer Tränen zu lachen. »Vergiss mich nicht, Laurie. Wenn es dir bei deiner kleinen Countess nicht mehr gefällt, dann kommst du zu mir. Gemeinsam eröffnen wir in Harwich einen Modesalon und werden damit so viel verdienen, dass wir innerhalb weniger Jahre nach London umsiedeln können. Na, was hältst du davon?«

»Davon hält Lore gar nichts«, giftete Nati. »Sie bleibt bei mir, bis ich groß bin! Das hat sie mir versprochen.«

Thomas Simmern, der eben den Raum betrat, hatte Natis Ausbruch gehört. »Greifst du da nicht ein wenig weit in die Zukunft vor, meine Liebe? Lore hat bis jetzt nur versprochen, uns nach Bremen zu begleiten. Wenn du aber weiterhin so ungezogen bist, wird sie wohl kaum Lust haben, länger bei uns zu bleiben!«

Seine sonst so sanfte Stimme klang scharf. Der Aufenthalt in London mit den bisherigen Problemen und jene, die er vor seiner Heimreise noch lösen musste, zerrten an seinen Nerven.

Nati sah ihn erschrocken an. »Ich will nie mehr ungezogen sein! Ich möchte doch nur, dass Lore bei mir bleibt.« Nun flossen auch bei ihr die Tränen, so dass Lore sie an sich zog und streichelte.

»Komm, mein Schätzchen! Onkel Thomas hat das nicht so gemeint. Du bist doch brav.«

»Gelegentlich«, warf Thomas Simmern ein und reichte Mary und Prudence zwei Umschläge. »Hier ist euer Geld. Passt gut darauf auf! Und hier habe ich die Zeugnisse. Ich wünsche euch viel Glück und eine gute Heimreise.«
Die Penn-Schwestern knicksten. »Danke schön, Sir. Wir werden Sie und die anderen hier niemals vergessen«, sagte Mary mit brechender Stimme. Dann drehte sie sich zu Nati um und streckte ihr die Hand entgegen. »Mach's gut, kleine Lady!«
Zuerst sah es aus, als wolle Nati sich nicht von ihr verabschieden, doch der Gedanke, dass sie damit Lore traurig machen würde, brachte sie dazu, Marys Hand zu ergreifen.
»Auf Wiedersehen!«
Dasselbe sagte sie auch zu Prudence, während Mary zu Lore weiterging und diese zum Abschied noch einmal in die Arme schloss.
»Oh, Laurie!«, brachte sie noch hervor, dann zerfloss sie ein weiteres Mal in Tränen.
»Viel Glück, Mary, und auf Wiedersehen. Ich schreibe dir, sobald wir in Bremen sind. Wir bleiben in Kontakt, nicht wahr?« Lore atmete auf, als Mary nickte.
Vielleicht, so sagte sie sich, nahm vielleicht doch noch alles ein gutes Ende. Es gab gute Ärzte in Deutschland, die Mary bestimmt helfen konnten. Am Geld sollte es jedenfalls nicht scheitern. Ihr Großvater hatte laut Onkel Thomas ein hübsches Sümmchen auf amerikanische Banken überwiesen. Darauf war er in Lores Papieren gestoßen. Es war genug Geld, um einen Modesalon in einer großen Stadt und in guter Lage einrichten zu können. Doch wie Mary schon gesagt hatte, konnten sie auch bescheidener anfangen und das so gesparte Geld für Marys Gesundheit ausgeben. Konnte Mary sich erst einmal auf den Beinen halten, stand einer Heirat mit Konrad nichts mehr im Weg. Nicht zuletzt aus dieser Überlegung heraus belastete der Trennungsschmerz Lore nicht allzu sehr.

Auch Mary begriff, dass ihre Freundin nicht ganz aus ihrem Leben verschwinden würde, und nickte eifrig. »Ja, schreib mir! Ich werde sofort antworten, sobald ich deine Adresse weiß.«

»Die kann ich dir aufschreiben, Mary, denn Lore wird mit Nati zusammen im Palais Retzmann in Bremen leben. Zwar würde ich die beiden lieber in meinen Haushalt aufnehmen, doch ich kann Natis Großtante Ermingarde nicht völlig übergehen. Die Dame wird überaus enttäuscht sein, weil Graf Retzmann mich zum Vormund und Sachwalter seiner Enkelin gemacht hat, und nicht ihren Sohn!« Noch während er es sagte, trat Thomas Simmern an den Tisch, nahm einen Stift und schrieb die Adresse auf die Rückseite einer Visitenkarte.

»Hier, Mary! Und schreib recht oft! Lore wird sich darüber freuen, und Nati kann mit Hilfe deiner Briefe ihr Englisch verbessern.«

»Ich kann sehr gut Englisch«, verteidigte sich die Kleine.

»Sprechen ja! Und das beinahe zu gut. Aber mit dem Lesen und Schreiben hapert es noch ein wenig.« Onkel Thomas strich ihr mit einer zärtlichen Geste über den Kopf und begleitete dann Mary und Prudence nach draußen. In der Tür drehte er sich noch einmal um.

»Was ist los mit dir, Konrad? Willst du den beiden Damen nicht die Koffer tragen?«

Es wirkte beinahe lächerlich, wie der Diener losstürmte, um dem Befehl seines Herrn Folge zu leisten. Lore aber hatte die Verzweiflung in Konrads Augen bemerkt und war sicher, dass sich ihre Hoffnungen bezüglich Mary und ihm doch noch erfüllen würden.

VI.

Nach allem, was sie beobachtet hatte, wunderte Lore sich nicht darüber, dass Konrad noch am gleichen Abend von ihr wissen wollte, was Mary zu ihr gesagt habe. »Ich meine, über mich?«, setzte er unglücklich hinzu.

»Kein Wort«, antwortete Lore und sah, wie seine Schultern herabsanken. »Aber ihre Blicke haben mir genug verraten. Sie hat sehr viel für dich übrig und weiß auch, dass du sie magst …«

»Aber warum ist sie dann fortgegangen?«, unterbrach Konrad sie.

»Gerade deshalb! Sie glaubt nicht, dass du sie genug liebst, um auf Dauer über ihre Krücken hinwegsehen zu können.«

Konrad starrte Lore verdattert an. »Aber mir macht das nichts aus! Ich mag sie so, wie sie ist.«

»Wenn du willst, werde ich ihr das schreiben. Aber du darfst sie niemals enttäuschen, verstehst du? Ich will nicht, dass sie deinetwegen traurig ist.«

»Ich kenne Konrad gut genug, um zu wissen, dass er zu seinem Wort stehen wird«, sagte Thomas Simmern, der gerade ins Zimmer trat. »Bis jetzt hat er sich nur wenig aus Frauen gemacht. Mary ist meines Wissens die Erste, die ihm wirklich gefallen hat. Es würde mich freuen, wenn die beiden zusammenfinden. Schreib Mary und frage sie, ob sie nicht doch kommen will. Ich werde ihr dann umgehend das Reisegeld schicken.«

»Das ist nicht nötig, Käpt'n«, wandte Konrad ein.

Simmern klopfte ihm auf die Schulter. »Lass mich nur machen. Außerdem ist ja gar nicht sicher, ob Mary so ein Rauhbein wie dich überhaupt haben will.«

Simmern wirkte auf Lore etwas munterer als noch am Vormittag. Allerdings brachte er eine Nachricht mit, die nicht gerade nach ihrem Sinn war.

»Ich werde leider noch ein, zwei Wochen hier in Southampton bleiben müssen. Die englischen Behörden machen uns Schwierigkeiten mit der neuen Anlegestelle. Auch aus diesem Grund ist es schade, dass Mary und ihre Schwester uns verlassen haben. Ich fürchte, jetzt wirst du dich allein um Nati kümmern müssen, Lore.«

»Ich helfe ihr dabei. Schließlich kann ich nicht einfach hier herumsitzen, während Sie auf wichtigen Sitzungen sind«, versprach Konrad sofort.

»Danke!« Lore lächelte dem Diener zu, während Onkel Thomas sich ein Glas Cognac einschenkte und es dann langsam und mit Genuss trank.

»Habt ihr denn schon etwas von Herrn von Trettin gehört?«, fragte er dann.

Sowohl Lore wie auch Konrad schüttelten den Kopf. »Nicht das Geringste«, antwortete Lore. »Ich hoffe, er ist bei dem Unwetter nicht krank geworden.«

»Das hoffe ich auch, vor allem, weil wir kaum die Möglichkeiten haben, ihn ausfindig zu machen. Aber jetzt zu euch: Ich bitte euch alle, bleibt, so gut es geht, hier im Hotel. Zwar glaube ich nicht, dass Ruppert sich noch im Land aufhält, aber ich will nichts riskieren.« Thomas Simmern seufzte, denn ihm lag die Sache mit Natis Vetter immer noch schwer auf der Seele. Auch deswegen hätte er die Heimreise lieber sofort angetreten. Doch er weilte nun einmal als Beauftragter des NDL in England und durfte seine Pflichten nicht versäumen.

Lore und Konrad versprachen, sich an seine Anordnungen zu halten. Das regnerische Winterwetter lud ohnehin nicht dazu ein, sich im Freien aufzuhalten, und Naschereien konnte ihnen ein Hotelpage besorgen.

VII.

Obwohl Lore sich Mühe gab, Nati zu unterhalten, wurden die Tage nach Marys und Prudence' Abreise noch farbloser. Weates versuchte zwar, deren Dienste zu ersetzen, soweit er es mit seiner männlichen Würde vereinbaren konnte, und das Zimmermädchen half ebenfalls aus. Doch Nati kränkelte und wollte nur von Lore bedient und umsorgt werden, und das möglichst vierundzwanzig Stunden am Tag. Dazu machte Lore sich Sorgen um Onkel Thomas. Er wirkte nicht so, als verliefen seine Verhandlungen sehr erfolgreich, und deswegen erwies auch er sich nicht als unterhaltsamer Gesprächspartner. Konrad tat seine Arbeit schweigsam und in sich gekehrt, weil er sich heftige Vorwürfe machte, dass er Mary wie ein hilfloses Wesen behandelt hatte, statt ihr zu helfen, ihre Unabhängigkeit zu beweisen, was sie wohl in die Flucht getrieben hatte. Der einzige Lichtblick für Lore war die Tatsache, dass Fridolin endlich in Southampton aufgetaucht war und Onkel Thomas mit ihm gesprochen hatte.

Als sie schon glaubte, die Trübsinnigkeit dieses Aufenthalts nicht mehr ertragen zu können, kehrte Thomas Simmern früher als gewöhnlich ins Hotel zurück. Er ließ sich von Konrad aus seinem nassen Mantel helfen und trank einen Schluck Limonade aus dem Glas, das der Hotelpage gerade für Lore gebracht hatte.

»Bitte entschuldige, aber ich habe Durst«, sagte er mit einem um Verständnis bittenden Lächeln.

Lores Herz klopfte bis zum Hals. »Ich freue mich doch, wenn ich dir irgendwie helfen kann!«

Konrad bemerkte jetzt das erste Mal den Blick, den das Mädchen seinem Herrn zuwarf, und zog ein Gesicht, als hätte er Zahnschmerzen. Offensichtlich hatte Lore sich in Thomas Simmern verliebt. Probleme dieser Art hatten ihnen gerade noch gefehlt. Ich

werde ihr den Kopf zurechtsetzen müssen, so wie sie es mit mir getan hat, dachte er, schob den Gedanken aber beiseite, als sein Herr weitersprach.
»Die Verhandlungen sind so weit gediehen, dass ich den Rest unserem Residenten in London überlassen kann. Daher werden wir übermorgen die Heimreise antreten. Allerdings fahren wir nicht von hier aus und auch nicht mit einem NDL-Dampfer.«
Etwas in seiner Stimme hinderte Lore daran, in Jubel auszubrechen, denn Onkel Thomas sah sehr ernst, ja beinahe enttäuscht aus, als er weitersprach. »Wir haben herausgefunden, dass einer der Angestellten des NDL in London Spielschulden hatte und deswegen erpresst wurde. So etwas kommt leider ab und an vor. Nur hat man die Schuldscheine des Mannes zufällig in der Hand eines illegalen Geldverleihers gefunden, dem die Polizei unter anderem Verbindungen zu einer Schmuggler- und Waffenschieberbande nachweisen konnte, die von einem Horris Blandon geführt wurde.«
»Horris Blandon? Aber das war einer der Männer, von denen Ruppert gesprochen hat«, platzte Lore heraus.
»Und einer derer, die er umgebracht hat. Also hat es mit Blandon keinen Falschen getroffen. Da Ruppert unzweifelhaft mit einigen von Blandons früheren Kumpanen in Kontakt steht, möchte ich nicht wie geplant auf den Kontinent zurückkehren. Aus diesem Grund werden wir England auf einem englischen Frachtschiff verlassen, und zwar von Dover aus. Ich habe die Passage sicherheitshalber bei einem kleinen, unbekannten englischen Schiffsagenten gekauft!«
»Dover? O nein! Heilige Muttergottes, hilf!« Lore stolperte vor Aufregung und fiel Konrad, der hinzusprang, direkt in die Arme.
Onkel Thomas lachte, aber es klang unecht. »Gut, dass Mary nicht sieht, wie innig du unsere Lore an dich drückst!«
Konrad lächelte etwas gezwungen und stellte Lore auf die Füße.

Sie aber ging wie eine Furie auf Thomas Simmern los. »Das ist nicht zum Lachen! Ruppert wollte in Dover sein neues Hauptquartier aufschlagen! Von da aus geht es doch nach Le Havre, oder nicht?«
Onkel Thomas wurde schlagartig ernst. »Von dort kann man zu mehreren französischen Hafenstädten fahren. Aber die Ozeandampfer legen in der Regel in Le Havre an. Das ist der größte französische Überseehafen gegenüber der englischen Küste. Das Schiff, auf dem ich unsere Passagen gebucht habe, geht auch nach Le Havre. Aber bist du dir sicher, dass Ruppert nach Dover wollte?«
»Ja! Absolut! Ich habe mich in dem Augenblick daran erinnert, als du Dover erwähnt hast. Als du bei Rupperts Leuten warst, um Nati herauszuholen, haben diese gerade die Kutsche beladen, um dorthin zu fahren. Von dort aus wollte Ruppert seine dunklen Geschäfte weiterführen, weil es, wie er sagte, in London zu viele Schnüffler gebe. Aus diesem Grund sollten Nati und ich noch vor der nächsten Nacht sterben. Bitte, Onkel Thomas! Ich möchte nicht nach Dover. Ich habe Angst!«
Thomas setzte sich in einen Sessel und ließ sich von Konrad einen Cognac reichen. Er bot auch Lore einen an, aber sie lehnte vehement ab. Für ein paar Augenblicke herrschte Schweigen. Konrad packte Nati, die von den lauten Stimmen aus ihrem Mittagsschlaf gerissen worden war und nun im Nachthemd und mit bloßen Füßen hereinspaziert kam, drückte sie Weates in die Arme und schloss die Tür hinter ihnen.
Schließlich schüttelte Onkel Thomas den Kopf. »Es geht nicht anders. Wir müssen am Siebzehnten fahren, denn ich werde Ende des Monats in Bremen erwartet. Dort stehen wichtige Entscheidungen an. Du hast der Korrespondenz doch entnehmen können, dass der NDL im Dezember noch ein Schiff verloren hat, nämlich die *Mosel*. Sie wurde durch eine Bombe mit Zeitzünder im Hafen

zerstört. Offensichtlich sollte das Schiff erst auf hoher See explodieren, und es steht jetzt einwandfrei fest, dass ein Amerikaner namens William Thomas auf diese Weise Versicherungsbetrug begehen wollte. Nachdem die Bombe bereits im Hafen hochgegangen war, hat er sich erschossen.
Für uns ist die Situation fatal. Die *Mosel* war einer unserer ganz neuen Dampfer, und nach ihrem Verlust und dem der *Deutschland* benötigen wir dringend Ersatz, um den Liniendienst nach Amerika störungsfrei aufrechterhalten zu können.
Wenn du partout nicht über Dover fahren willst, gibt es einen anderen Weg, den wir nehmen können. Der NDL-Dampfer *Feldmarschall Moltke* legt vier Tage später von New York kommend hier in Southampton an und fährt direkt nach Bremerhaven weiter. Aber das wird Ruppert von uns erwarten. Um ihn zu täuschen, habe ich bereits eine Passage erster Kajüte, oberer Salon, auf diesem Schiff reservieren lassen. Deshalb ist es meines Erachtens besser, wir nehmen die *Strathclyde* von Dover nach Le Havre. Ich habe die Überfahrt auf Konrads Namen gebucht, und darauf wird Ruppert wohl kaum kommen.«
Lore senkte den Kopf und blickte auf ihre ineinander verkrampften Finger. »Das wird er wahrscheinlich nicht. Aber ich habe trotzdem ein schlechtes Gefühl dabei.«
»Das brauchst du nicht. Ich glaube, Dover wird ein sehr sicherer Ort für unsere Einschiffung sein. Sobald ich deine Information über Rupperts Pläne weitergereicht habe, wird das Hafengebiet von Dover von Polizisten wimmeln, und Ruppert dürfte sich dort weder bei Tag noch bei Nacht sehen lassen können. Sicherheitshalber werden wir erst morgen früh von hier abreisen. Wenn wir nicht in Dover übernachten, sondern dort direkt zur Wartehalle der englischen Reederei fahren, können Rupperts Informanten ihm nichts weitertragen. Die *Strathclyde* ist ein alter und leider recht unbequemer Frachter, der nur zehn oder zwölf einfache

Kabinen für Passagiere besitzt. Der Schiffsmakler hat mir aber versichert, dass eine Stewardess mitfährt und sich um die Damen kümmern wird. Außerdem ist es nur eine Tagesfahrt für uns. Ich sehe da keine Probleme. Du doch sicher auch nicht mehr, Lore. Oder?«

Gegen ihre Überzeugung schüttelte Lore den Kopf und schenkte Onkel Thomas ein scheues Lächeln.

»Dann ist es ja gut«, antwortete dieser sichtlich zufrieden mit seinen Planungen. »Ich werde Konrad gleich zu Fridolin schicken, damit er sich auf den Weg machen kann. Kümmere du dich bitte um Nati, bevor sie wieder nach dir schreit. Du darfst sie von mir aus mit ins Büro nehmen, aber pass auf, dass sie nicht wieder die Truhe mit meinen Unterlagen ausräumt, nur weil sie meint, sie hätte eine Maus darin gehört!«

»Keine Sorge!«, antwortete Lore, wobei sie versuchte, ihrer zittrigen Stimme einen festen Klang zu geben. »Ich passe schon auf, dass Nati nichts anstellt. Sie will ja nur helfen und hat eben ihre eigenen Vorstellungen davon, was gut und was richtig ist.«

»Dann solltest du dafür sorgen, dass sie einige ihrer Vorstellungen revidiert«, gab Thomas Simmern zurück.

»Ich habe dich gehört, Onkel Thomas!«, sagte Nati in dem Augenblick hinter seinem Sessel. Wie so oft war es ihr gelungen, Weates zu entwischen und sich in den Salon zu schleichen. Aber nun war sie wenigstens ordentlich angezogen.

Lore hob sie hoch, stellte sie auf die Mansardentreppe und gab ihr einen leichten Klaps. »Der Lauscher an der Wand hört seine eigene Schand! Hopp, wir müssen in unser Zimmer und einen Brief an die Polizei schreiben!«

»Weiß schon! Ruppert verpfeifen!«, grinste Nati. »Bin schon dabei.«

»Was bin ich froh, wenn wir endlich zu Hause sind und Nathalia wieder in geordnete Verhältnisse kommt!«, stöhnte Thomas Sim-

mern. »Ich werde ein paar besonders strenge Hauslehrerinnen für sie engagieren.«
Doch die beiden hörten ihn schon nicht mehr.

VIII.

Nati und Lore waren sich aus verschiedenen Gründen einig, die Rückreise auf den Nimmerleinstag zu wünschen. Doch die Zeit verstrich trotz der regnerisch-grauen Langeweile viel zu schnell, und der nächste Tag rückte unaufhaltsam näher. Bevor sie abreisen konnten, wurden beide noch einmal von der Polizei wegen ihrer Entführung durch Ruppert und über alles befragt, was sie dort gehört und gesehen hatten. Man griff auch Graf Retzmanns Tod noch einmal auf. Der freundliche Inspektor, der sich mit Lore und Nati unterhielt, kam ebenfalls zu der Überzeugung, dass hier ein Mord geschehen war, und trug dies in die Akten ein. Allerdings verscherzte er sich Natis Freundschaft, weil er ihr nicht fest versprechen konnte, dass Ruppert als Strafe für den Tod ihres Großvaters gevierteilt oder wenigstens geköpft würde.
Am Vormittag des sechzehnten Februars riss ein steifer Wind die Wolkendecke auf, und die Sonne tauchte das kahle Land in hellen Glanz. Die erste Frühlingssonne vertreibt die Grillen und Sorgen des Winters, hatte Lores Mutter früher gerne gesagt. Lore hingegen fühlte sich von ihren Sorgen beinahe erdrückt. Sie wusste nicht, ob sie mehr Angst vor dem Schiff hatte, das sie am nächsten Tag betreten musste, oder vor dem Teufel Ruppert, der jede Nacht durch ihre Träume geisterte und sie mit sich in eine wirbelnde, schwarze Tiefe reißen wollte. Mit zusammengebissenen Zähnen packte sie ihre und Natis Sachen, die durch die vielen Geschenke

und Käufe drei große Überseekoffer füllten. Diese sollten mit dem NDL-Dampfer *Feldmarschall Moltke* nach Bremerhaven reisen, genau wie der größte Teil von Onkel Thomas' Gepäck. Für die eigentliche Reise gab es für jeden nur einen *carpetbag*, eine Reisetasche aus Teppichgewebe, die man gut im Innern der Kutsche verstauen konnte. Nur Onkel Thomas besaß zusätzlich einen kleinen, mit einem sicheren Schloss versehenen Aktenkoffer aus feinem, rotem Leder, der seine wichtigsten Unterlagen enthielt, darunter auch das Testament und die letzten Briefe des Grafen Retzmann.

In Lores Augen war dieser Koffer so verräterisch, dass sie das Ding in einem kleinen, schon recht abgeschabten *carpetbag* versteckte. Trotzdem war ihr, als würde das rote Leder noch durch den Teppichstoff seiner Umhüllung leuchten und Rupperts Spitzeln signalisieren, dass hier etwas Besonderes vorging.

Bis zuletzt hoffte sie auf eine Nachricht der Polizei, die von Rupperts Verhaftung berichtete. Doch es geschah nichts dergleichen. Ihre Phantasie gaukelte ihr vor, sie würde seine schnarrende Stimme selbst hier im Hotel hören. Doch jedes Mal, wenn sie den Mut aufbrachte, nachzusehen, war der Sprecher nur ein harmloser Gast. Das alte, ständig knackende und knarzende Hotel verzerrte jeden Ton, und so war sie schließlich doch froh, das Gebäude verlassen zu können.

Nati erging es ähnlich. Sie hing Lore buchstäblich am Rockzipfel und war so brav, dass man glauben mochte, eine gute Fee hätte die kleine Teufelin in einen sanften Engel verwandelt. Kurz vor dem Einsteigen in die Kutsche verwischte sich der Eindruck aber wieder.

Nati zog Lores Ohr zu sich herunter. »Du, Lore«, flüsterte sie so laut, dass es jeder der Umstehenden hören konnte. »Ich glaube, Onkel Thomas hat auch Angst! Er sieht so aus, als hätte er Pipi in die Hose gemacht!«

Thomas Simmern, der Konrad gerade seine beiden Reisetaschen reichte, drehte sich konsterniert um und versuchte, die kleine Nervensäge mit seinen Blicken zu durchbohren. Hinter ihm wackelte die Kutsche, als hätten Konrad und der Kutscher einen Lachkrampf. Lore spürte, wie sie blutrot wurde, aber auch sie konnte das Lachen nicht zurückhalten.

Schließlich musste auch Onkel Thomas grinsen. »Kutschfahrten scheinen etwas Erheiterndes an sich zu haben!«, spottete er, hob Nati hoch und schob sie durch den Wagenschlag. Nur Lore sah, dass er ihr dabei eine kleine Kopfnuss gab, die das Kind mit einem lautstarken »Aua!« quittierte.

Doch der kleine Zwischenfall hatte die Anspannung vertrieben. Konrad riss ein paar gutmütige Witze, die sein Herr mit kurzweiligen Anekdoten ergänzte, und so drang immer wieder Kichern und Gelächter aus der Kutsche. Die gute Laune hielt sogar an, als sie spätabends den verräucherten und nicht besonders sauberen Warteraum des Schiffsmaklers betraten, der die Frachtschiffe mehrerer kleiner Reedereien betreute. Hier war nichts von dem gediegenen Luxus des NDL zu spüren. Es gab keine Erfrischungen, und die umlaufende Bank aus einfachen Holzrippen war denkbar unbequem. Onkel Thomas bereute sofort, die Kutsche wieder nach Southampton zurückgeschickt zu haben. Deren Wagenkasten war zwar eng gewesen, aber gut gepolstert, so dass Lore und Nati bequem darin hätten schlafen können. Doch die beiden wussten sich zu helfen. Lore bettete sich mit ihrem neuen Seiden-Lamm-Mantel auf die Bank und legte den Kopf auf eine Reisetasche. Dann zog sie Nati an sich und hüllte sie mit in das weiche Fell. Nach kurzer Zeit waren beide eingeschlafen und wachten erst auf, als am Morgen die ersten Frachtwagen über das Kopfsteinpflaster rollten.

»Ich muss Pipi machen«, erklärte Nati. Lore stand auf und nahm sie bei der Hand. Auf einen Wink von Onkel Thomas folgte Konrad ihnen und blieb in der Nähe der Toiletten stehen, bis Lore und ihr Schützling zurückkehrten.

Auf dem Weg zur Bank erinnerte Lore sich an Fridolin und blickte sich um, aber er war nirgendwo zu sehen. Konrad stieß ein mahnendes Hüsteln aus, um sie davon abzuhalten, zu neugierig zu erscheinen, dabei hielt auch er nach Fridolin Ausschau, wenn auch weniger auffällig.

Fast schien es, als wäre Lores Onkel ihnen auf dem Weg von Southampton nach Dover verlorengegangen, doch nach einer Weile betrat ein in einen lächerlichen gelben Mantel gehüllter junger Mann die Halle und setzte sich ans andere Ende der Bankreihe. Seine Miene wirkte gelangweilt, und er gab auch kein Zeichen des Erkennens von sich, als sein Blick über die Gruppe mit Thomas Simmern, Lore und Nati glitt.

Lore hingegen musste an sich halten, um sich ihre Erleichterung nicht anmerken zu lassen. Gleichzeitig begriff sie, dass Fridolin diesen auffälligen Mantel gewählt hatte, damit sie ihn an Bord der *Strathclyde* im Auge behalten konnten.

Vom Wartesaal aus konnte man das Schiff in voller Größe betrachten. Es war sicher um ein Drittel kleiner als die *Deutschland*, hatte aber wie diese zwei hohe Masten. Damit hörte die Ähnlichkeit mit dem gestrandeten Ozeandampfer jedoch auf. Das Frachtschiff war rostig und ungepflegt, und sein Deck war voll von Kisten und Ballen, die mit großen Planen abgedeckt waren, und immer noch wurden große und kleine Frachtstücke an den quietschenden Ladekränen hochgezogen und entweder an Deck verstaut oder durch eine große Luke auf dem Vorschiff in den Bauch des Schiffes hinabgelassen. Der Schornstein rauchte jedoch schon so kräftig, dass Lore annahm, die *Strathclyde* müsste jeden Moment ablegen.

Onkel Thomas lachte über ihre diesbezügliche Bemerkung. »Meine liebe Lore, über Schiffe musst du noch einiges lernen. Die Feuerungen unter den Maschinen aller Dampfer müssen mindestens sechsunddreißig Stunden vor der Abfahrt angeheizt werden, sonst ist der Dampfdruck nicht hoch genug. Wie du siehst, wird gerade die hintere Gangway herabgelassen, damit der Teil der Mannschaft, der in Dover übernachtet hat, wieder an Bord gehen kann. Wir selbst werden die *Strathclyde* frühestens in ein bis zwei Stunden betreten dürfen.«

»Bis dahin bin ich verhungert und verdurstet«, antwortete Nati an Lores Stelle.

Konrad rieb sich lachend die Hände. »Das werde ich zu verhindern wissen, kleine Lady! Hörst du die Ausrufer da draußen? Das sind fliegende Händler mit Bauchläden und Handkarren, die hier im Hafengebiet leckere Sachen für hungrige Mäuler feilbieten. Bei denen besorge ich jetzt ein opulentes Frühstück für uns alle! Das habe ich als Matrose auf Landgang morgens vor der Rückkehr an Bord auch immer so gemacht, wenn ich nach einer langen Nacht noch einen Rest Heuer in der Tasche hatte.«

Immer noch lachend, schlenderte er in den Sonnenschein hinaus. Als er zurückkam, war er jedoch still und nervös. Kaum hatte er die heißen Fleischpasteten und die Becher mit dampfendem Tee verteilt, kehrte er zur Tür zurück, stellte sich hinter den Türstock und spähte vorsichtig hinaus.

Lore bereitete dies größte Sorge, dennoch biss sie hungrig in eine der Pasteten und spülte sie mit Tee hinunter. Dabei ließ sie ebenso wie Onkel Thomas Konrad nicht aus den Augen. Nur Nati kümmerte sich nicht um das, was um sie herum geschah, sondern aß mit gutem Appetit.

»He, Konrad!«, rief sie. »Komm, nimm dir die letzte Pastete, ehe ich sie dir wegfuttere!«

Lore bedeutete ihr, still zu sein, und trug dann ein Sandwich mit Gurken und gebratenem Speck zu Konrad hinüber.

»Hier! Das magst du doch sonst so gerne«, sagte sie laut. Leise

aber setzte sie hinzu: »Was hast du? Du siehst aus, als wärst du dem Teufel persönlich begegnet.«
Konrad nickte. »Das bin ich auch, und zwar Ruppert! Er trägt die Uniform eines Stewards und hat sich seinen Bart bis auf einen dünnen Schnauzer abrasiert. Aber ich habe ihn trotzdem erkannt.«
»Also treibt er sich doch hier herum! Komm! Das musst du Onkel Thomas sagen. Wir müssen zur Polizei …«
»Was macht ihr zwei bei dem schönen Wetter denn für lange Gesichter?«, fragte Onkel Thomas, der leise hinter sie getreten war.
»Konrad hat Ruppert entdeckt! In irgendeiner Uniform!«
Onkel Thomas sah Konrad dann ungläubig an. »Bist du sicher? In was für einer Uniform?«
»Aye, aye, Käpt'n! Ich bin mir ganz sicher. Der Kerl hatte sich ausstaffiert wie ein Steward«, brummte Konrad.
»Von welchem Schiff?«
»Weiß ich nicht! Er hatte keine Mütze auf. Sonst hätte ich ihn wohl auch gar nicht erkannt. Den Bart hat er sich abrasiert und die Haare rotbraun gefärbt. Das war sicher wegen des Steckbriefs!«
Lore nahm Nati, die, mit vollen Backen kauend, herbeigelaufen kam, auf den Arm. »Wir müssen unbedingt die Polizei benachrichtigen!«, forderte sie aufgeregt.
Onkel Thomas hob die Hand. »Kommt weg von der Tür und setzt euch! Weates meint sonst noch, wir würden davonspazieren und ihm das ganze Gepäck überlassen.«
Verblüfft gehorchten die drei. Onkel Thomas zupfte sich an seinem modischen Backenbart und kniff die Lippen zusammen. »Nein!«, sagte er dann laut. »Konrad, glaubst du, dass Ruppert dich erkannt hat – ich meine, wenn es wirklich Ruppert war?«
»Ich denke, ja! Er hat mich einen Moment angestarrt, ganz kurz nur, und hat dann schnell weggesehen und so getan, als wäre er in ein Gespräch mit dem anderen Steward vertieft, der neben ihm ging.«

»Noch ein Steward? Von welchem Schiff?«
Konrad zuckte hilflos mit den Achseln. »Ich weiß es nicht. Es tut mir leid, Käpt'n. Ich bin ein alter Dummkopf! In meiner Aufregung habe ich einfach nicht darauf geachtet.«
»Ist ja schon gut. Du hast getan, was du konntest. Hm …« Thomas Simmern überlegte kurz und schüttelte dann den Kopf. »Nein! Wir werden unsere Pläne nicht ändern. Wenn wir jetzt zur Polizei gehen, fährt die *Strathclyde* ohne uns ab. Dann müssen wir nach Southampton zurückfahren und uns auf der *Feldmarschall Moltke* einschiffen, auf der Rupperts Handlanger vielleicht schon auf uns warten.«
»Meinst du nicht, dass er jetzt denkt, wir würden mit diesem englischen Frachter fahren?«, fragte Lore.
»Möglich ist es. Der alte Kahn ist das einzige Dampfschiff, das von hier aus in den nächsten Tagen den Kanal überquert und Passagiere mitnimmt. Aber das Schiff dürfte in wenig mehr als einer Stunde ablegen. Was soll Ruppert da noch unternehmen? Nein, den Mann können wir jetzt endgültig der englischen Polizei überlassen. Schaut mal, da kommt schon der Zahlmeister, um die Passagiere zusammenzurufen. Wahrscheinlich sind wir neben Fridolin die Einzigen, die auf seinem Pott mitfahren. Aber um euch zu beruhigen, schreibe ich noch schnell eine Notiz für die Polizei und lasse sie durch den Kontorvorsteher des Schiffsmaklers weiterleiten. Danach gehen wir in aller Ruhe an Bord.«
Onkel Thomas atmete einmal tief durch und sah dann Lore ein wenig gequält an. »Ich bin zum ersten Mal in meinem Leben froh, England zu verlassen, denn ich habe es satt, mich immer wieder von Ruppert jagen zu lassen.«
Thomas Simmern überließ es Konrad, die Formalitäten mit dem Zahlmeister zu regeln. Er selbst bat im Kontor um ein Blatt Papier, schrieb darauf die Information, dass Ruppert sich im Hafengelände von Dover herumtreiben würde, und forderte den Kontorvor-

steher auf, das Schreiben umgehend zum nächsten Polizeiposten bringen zu lassen. Dann kehrte er zu den anderen zurück und verließ mit ihnen zusammen die Halle, um sich auf das Schiff zu begeben.

IX.

Während Lore mit Nati an der Hand die Gangway betrat, sah sie ein Stück vor sich Fridolin gehen. Am liebsten wäre sie ihm nachgerannt, um ihm zu sagen, dass Ruppert in der Nähe war. Er selbst würde Natis Vetter aufgrund der Beschreibung, die sie ihm in London gegeben hatte, mit Sicherheit nicht erkennen. Gleichzeitig hatte sie das unangenehme Gefühl, selbst beobachtet zu werden, und das wich auch nicht, als sie unter Deck gingen, um ihre Kabinen zu beziehen.

Die Räume für die Passagiere waren eng, spärlich ausgestattet und rochen, als wären Säcke mit Dünger darin transportiert worden. Da sich die verrosteten Schrauben der Bullaugen nicht öffnen ließen und die Luft im Gang ganz widerwärtig nach Chemikalien stank, beschloss Onkel Thomas, den größten Teil der Überfahrt an Deck zu verbringen. Der gleichmütige Weates, der in Thomas Simmerns Diensten bleiben wollte, wurde zum Wächter des Gepäcks ernannt. Konrad erklärte sich im Gegenzug bereit, ihm in der Kombüse einen steifen Grog zu besorgen, da sich der Lakai unterwegs eine hartnäckige Erkältung zugezogen hatte.

»Ich beneide Weates beinahe um seinen Schnupfen«, raunte Lore Nati zu. »So merkt er nichts von dem scheußlichen Gestank. Riecht es auf Frachtschiffen eigentlich immer so schlimm?«

Die Frage galt Onkel Thomas, der gerade Graf Retzmanns Testament und die wichtigsten Papiere an sich nahm, um sie während der Zeit an Deck bei sich zu haben. Er schob die Dokumente in die Innentasche seines Jacketts, schloss den Mantel wieder und wandte sich erst dann Lore zu.

»An Bord von hölzernen Segelschiffen stinkt es meist noch viel schlimmer, besonders, wenn sie Fisch oder Walrat transportieren. Bei Dampfschiffen ist das meist nicht der Fall. Aber der Kapitän dieses Kahns hier hat wahrscheinlich in den unbesetzten Kabinen Pharmazeutika und Chemikalien verstaut. Jetzt ist mir auch klar, warum der Schiffsmakler so unverschämt gegrinst hat, als ich darauf beharrte, mit diesem Trampschiff übersetzen zu wollen. Aber die andere Passage, die er mir anzubieten hatte, war auf einer französischen Zweimastbark – und das wollte ich denn doch nicht wagen. Seit die Zahl der Dampfschiffe zunimmt, ist der Kanal für Segelschiffe ein gefährliches Pflaster geworden. Die Dampfer können einem Segler bei schlechter Sicht nicht rechtzeitig ausweichen und haben schon manchen Kahn versenkt. Segelschiffe sind leider Gottes vom Aussterben bedroht …«

Es klang, als bedaure Thomas Simmern eine Entwicklung, die Seereisen nicht mehr zu einer Frage des Windes machte, sondern zu einer von dröhnenden Maschinen, die schwarze, übelriechende Qualmwolken ausstießen.

Als sie an Deck kamen, wunderte Lore sich über Onkel Thomas' Einschätzung. Im Hafenbecken von Dover wimmelte es nämlich von Segelschiffen aller Größen, und auf dem Meer herrschte reger Verkehr. Auf zwei, drei Dutzend Segler kam ein Schiff, das einen Schornstein trug, und selbst von denen fuhren einige zusätzlich unter Segeln.

Da sie so begeistert die Schiffe betrachtete, reichte Thomas ihr sein Taschenfernrohr, mit dem er kurz das Hafengelände abgesucht, aber wie erwartet nicht die geringste Spur von Ruppert gefunden hatte.

Lore richtete das Fernrohr auf ein paar Segler in der Nähe und schließlich auf eine Rauchfahne am Horizont, die langsam größer wurde. Sie stammte von einem Dampfer, der geradewegs auf den Hafen zuhielt. Sie wollte Onkel Thomas schon darauf aufmerksam machen, doch da forderte Nati das Fernglas für sich. Gleichzeitig erschien die Stewardess und sprach Thomas an.
»Mr. Simmern? Weates schickt mich, Ihr Lakai. Ihr Kammerdiener ist bis jetzt nicht zurückgekehrt, und er macht sich Sorgen um ihn!«
»Vielleicht ist Konrad noch in der Kombüse.«
»Nein!«, entgegnete die Stewardess. »Dort war ich schon. Weates sagte, Ihr Kammerdiener habe dorthin gehen wollen. Aber da ist er nicht aufgetaucht! Soll ich den dritten Offizier bitten, nach ihm suchen zu lassen?«
Thomas Simmern schüttelte den Kopf. »Jetzt, mitten unterm Auslaufen, wo jeder Offizier und Matrose gebraucht wird? Der Mann würde sich bedanken. Mein Kammerdiener ist lange Jahre Seemann gewesen, der geht auf einem Schiff nicht so schnell verloren. Ich danke Ihnen für Ihre Mühe.«
Die Stewardess schenkte ihm ein Lächeln und entfernte sich. Gleichzeitig zog Nati Onkel Thomas kräftig an den Rockschößen. »Eben habe ich Konrad noch gesehen. Er war ganz vorne auf dem Deck und ist, glaube ich, hinter einem Matrosen hergeschlichen, der den Niedergang neben der großen Luke hinabgestiegen ist.«
»Hinter einem Matrosen? Oder einem Steward, einem Mann in weißer Uniform?«, fragte Lore gespannt.
Nati zuckte mit den Schultern. »Hm, kann sein! Ich habe nur noch einen Kopf mit rötlichen Haaren vorne untertauchen gesehen.«
Lore schüttelte sich und spürte, wie ihre Hände vor Aufregung feucht wurden. Onkel Thomas versuchte, sie zu beruhigen. »Sieh doch nicht überall Rupperts Schatten! Konrad hatte vielleicht

ganz harmlose Gründe, diesem Mann zu folgen. Bringe du jetzt bitte Nati zu Weates in die Kabine. Ich werde nachsehen, was Konrad dort vorne treibt.«
Widerwillig nickte Lore, nahm Nati auf den Arm und raffte ihre Röcke. Zuerst rannte sie auf den Niedergang zu, als sei der Teufel hinter ihr her. Als sie jedoch unter Deck stieg, wurde sie langsamer und schlich so vorsichtig durch die schmierigen Gänge, als erwarte sie jeden Augenblick, angesprungen zu werden. Angesteckt von ihrer Furcht, krallte Nati sich an ihr fest und presste das Gesicht gegen ihre Schulter.
Im Gang vor den Kabinen setzte Lore das Kind ab. »Als Ruppert uns gefangen hatte, sagte er doch etwas von Waffen, die er von Dover nach Le Havre schmuggeln wollte. Wahrscheinlich ist er hier an Bord, zusammen mit dem Zeug, das er zu den Königen Afrikas bringen will, und Konrad muss ihn gesehen haben. Weißt du, was? Du gehst jetzt in unsere Kabine, schlüpfst in die Sitzbank und bleibst dort, bis ich dich heraushole oder bis das Schiff wieder angelegt hat. Wenn ich nicht zurückkomme, schleichst du dich in Le Havre von Bord, suchst einen Polizisten und erzählst ihm alles. Hast du mich verstanden?«
Nati blickte skeptisch drein. »Ich verstehe aber nicht viel Französisch, denn ich habe die Mademoiselle hinausgeekelt, die es mir beibringen sollte. Sie war so dumm!«
»Es wird schon jemand Deutsch oder Englisch verstehen. Hauptsache, du bist in Sicherheit! Außerdem hast du ja noch Fridolin. Am liebsten würde ich dich zu ihm bringen und ihn bitten, auf dich aufzupassen.« Lore wollte Nati schon nehmen und mit sich ziehen, da fiel ihr ein, dass sie ja gar nicht wusste, in welcher Kabine ihr Verwandter einquartiert worden war. Nach ihm zu suchen, wagte sie nicht, denn sie fürchtete, dabei auf Rupperts Handlanger zu stoßen. Entschlossen blickte sie dem Kind in die Augen. »Machst du das, was ich dir gesagt habe? Ich will Onkel Thomas

folgen und schauen, ob etwas mit Konrad passiert ist. Vielleicht kann ich unterwegs auch den Kapitän alarmieren, damit er uns gegen Ruppert hilft.«

Nati nickte mit ängstlicher Miene. »Ja, geh nur! Ich verstecke mich in der Bank der Kabine dort drüben, wo es ganz schlecht riecht. Schau, die Tür schließt nicht richtig. Da drinnen sucht Ruppert mich bestimmt nicht.«

Lore bückte sich, gab ihr einen Kuss und wischte sich die Tränen mit dem Ärmel ab. »Ich wünschte, ich wäre so tapfer wie du!«, sagte sie und half Nati, in den Kasten der Sitzbank zu klettern. Dann eilte sie, so schnell es ihre Röcke erlaubten, wieder an Deck. Doch dort war weder von Konrad noch von Onkel Thomas etwas zu sehen.

Stattdessen rannten zwei Offiziere mit Fernrohren und ein paar aufgeregt schreiende Matrosen umher. Ihr Interesse galt dem großen Passagierschiff, das Lore vorhin am Horizont gesehen hatte und das immer näher kam. Der Bug zeigte genau auf den der *Strathclyde*. Lore hörte die Kommandos, die der Kapitän hinter ihr im Ruderhaus hinausbrüllte, und spürte, wie der Frachter sich leicht zur Seite legte und nach links schwenkte, nach Backbord, wie Konrad zu sagen pflegte. Dann schrillte die Dampfpfeife am Schornstein und übertönte die lautstarken, aber unverständlichen Kommentare der Seeleute. Gleichzeitig zogen zwei Matrosen am vorderen Mast mit hektischen Griffen verschiedene Fahnen hoch.

X.

Lore warf einen kurzen Blick auf das ankommende Schiff, dessen Dampfpfeife ebenfalls ohrenbetäubend aufheulte. Für einen Augenblick hatte sie den Eindruck, sein Bug zeige immer noch auf den Frachter, und sagte sich, dass die beiden Schiffe wohl sehr dicht aneinander vorbeifahren würden.

Aber sie hatte jetzt Wichtigeres zu tun, als einem Ausweichmanöver auf See zuzusehen.

Sie musste herausfinden, was Konrad und Onkel Thomas entdeckt hatten, und da nun alle Augen auf den anderen Dampfer gerichtet waren, konnte sie ungehindert in den vorderen Niedergang schlüpfen. Anders als auf der *Deutschland* gingen hier die Stufen schon bald in eine nicht sehr stabil wirkende hölzerne Treppe über, die steil in den Laderaum hinabführte.

Für Lore hatte es ganz den Anschein, als befände sie sich hoch über einer riesigen Halle, die von ein paar schmutzigen Bullaugen dicht unter der Decke nur spärlich erhellt wurde und Hunderte von Frachtstücken enthielt. Da waren Kästen, so groß wie eingepackte Häuser, sowie eine schier unendliche Masse von Kisten, Tonnen und Ballen, die sich wie eine düstere Landschaft unter ihr ausbreiteten.

Die leiterähnliche Treppe endete auf einem dunklen Band, das sich auf halber Höhe um den Laderaum herumzog und teilweise unter der Fracht verschwand. Es war ein Steg ohne Geländer, auf dem sich zwei schattenhafte Gestalten hastig heckwärts bewegten und durch eine Tür hinter einer Zwischenwand verschwanden, die die Seeleute Schott nannten. In dem Licht, das kurz durch die Tür fiel, sah Lore, dass es sich um einen Matrosen und einen Steward in heller Uniform handelte, aber keiner von beiden sah Ruppert ähnlich.

Als ihre Augen sich ein wenig an das Dämmerlicht gewöhnt hatten, entdeckte sie zwei reglose Gestalten, die unter ihr mit dem Rücken gegen Säcke gelehnt auf dem Steg lagen, als hätten sie sich dicht nebeneinander hingesetzt und wären eingeschlafen. Trotz der schlechten Beleuchtung brauchte Lore keinen zweiten Blick, um Onkel Thomas und Konrad zu erkennen.
Da die steile Treppe nur ein an wenigen Stellen befestigtes Tau als Handlauf besaß, krallte sie sich an diesem und einem weiteren, vom Niedergang herabhängenden Seil fest und kletterte hastig hinunter. Dabei dankte sie der Muttergottes für ihre Entscheidung, für die Reise die bequemen Knöpfstiefel gewählt zu haben, die Onkel Thomas ihr zu Weihnachten geschenkt hatte. Darin hatten ihre Füße auch auf den schmalen, abgetretenen Stufen festen Halt.
Jetzt hätte sie Fridolins Hilfe brauchen können, fuhr es ihr durch den Kopf. Doch der hatte anscheinend seinen Auftrag ganz vergessen, oder er lag in seiner Kabine und war bereits im Hafen seekrank, dachte Lore verärgert. Rasch verdrängte sie ihren Verwandten wieder aus ihren Gedanken und konzentrierte sich auf die Füße, um nicht abzurutschen und in die Tiefe zu stürzen. Wenn sie sich einen Arm oder gar ein Bein brach, war sie für Onkel Thomas und Konrad keine Hilfe mehr. Gleichzeitig fragte sie sich, weshalb die beiden Männer so leichtsinnig in Rupperts Falle gegangen waren. Die beiden hätten doch wissen müssen, wozu der Kerl fähig war. Nun konnte sie nur hoffen, dass Nati sich gut genug versteckte, um nicht von dem Schurken gefunden zu werden.
Während sie weiter in die Tiefe stieg und vor Sorge um die beiden wie leblos Daliegenden fast verging, schrillte die Dampfpfeife des Schiffes laut auf. Gleichzeitig hörte sie die Menschen an Bord brüllen, als gäben sich sämtliche bösen Geister der See auf dem Schiff ein Stelldichein.

Lore zuckte erschrocken zusammen, erreichte dann aber die beiden Leblosen und beugte sich über sie. Onkel Thomas lag ganz friedlich da, als ob er wirklich schlafe. Konrad aber glich einer zerbrochenen, in Blut getauchten Gliederpuppe, der die Haare wie Stacheln über die Augen ragten.
Tot!, fuhr es Lore durch den Kopf. Armer, tapferer Konrad! Mary wird untröstlich sein.
In dem Moment schlug Konrad die Augen auf und starrte sie an. Er wollte etwas sagen, brachte aber nur ein paar lallende Laute hervor. Gleichzeitig ging eine Tür am Ende der Halle wieder auf, und ein Mann betrat den Laufgang, der auf sie zuführte. Er hielt eine Petroleumlampe in der Hand, deren Licht auf eine helle, blutbefleckte Uniform fiel, und trug einen großen Ballen Segeltuch und eine Taurolle auf der Schulter. Bei Lores Anblick schleuderte er seine Last mit einem Fluch von sich, stellte die Laterne ab und rannte auf sie zu.
Lore erkannte Ruppert trotz des fehlenden Bartes und der unmodisch kurzgeschorenen, gefärbten Haare. Sein Blick ließ keinen Zweifel daran, dass es jetzt um Leben und Tod ging. Sie wirbelte herum, griff nach dem Tau, das ihr als Handlauf gedient hatte, und kletterte mit einem letzten Blick auf Konrad und Thomas wieder nach oben, um den Kapitän und dessen Mannschaft zu alarmieren. Rasch begriff sie, dass Ruppert sie eingeholt haben würde, ehe sie die Hälfte des Wegs zurückgelegt hatte. Da brachte sie eine Schlinge in dem zweiten Tau, das neben der Treppe herunterhing, auf eine Idee.
Sie schlüpfte mit dem rechten Arm und dem Kopf hinein, so dass die Schlinge schräg über ihrer Schulter lag, drehte sich mit einem Ruck herum und klemmte ihren linken Absatz hinter der Kante einer Treppenstufe fest. Den anderen Fuß zog sie ganz leicht unter ihre Unterröcke. Mit einem Gesicht, als sei sie vor Angst erstarrt und kraftlos geworden, sah sie Ruppert entgegen.

Er war schon dicht hinter ihr und begann nun zu grinsen. »Zum Aufgeben ist es zu spät, meine Liebe. Jetzt wirst du genauso zu den Fischen wandern wie diese beiden Narren hier und dieses kleine Miststück Nati. Übrigens kannst du ruhig schreien. Bei dem Lärm da draußen hört dich eh keiner.«
Ruppert hatte recht. Selbst er musste brüllen, damit sie ihn verstand. Während er sprach, war er weitergeklettert und streckte nun die Hand aus, um sie zu packen.
In dem Moment trat Lore zu. Sie hatte auf das Gesicht gezielt, traf jedoch nur die Brust.
Durch den heftigen Schlag verlor er den Halt, schnappte aber nach Lores Fuß und bekam ihn zu fassen. Für einen Augenblick sah sie sein wütendes Gesicht, dann wurde sie von seinem Gewicht von der Treppe gerissen und stürzte ein Stück mit ihm in die Tiefe. Die Seilschlinge um ihre Schulter hielt ihren Fall jedoch auf. Lore spürte einen stechenden Schmerz in der Schulter, als sei ihr der Arm halb abgerissen worden, und hing dann hilflos am Seil. Noch immer umklammerte Ruppert ihren rechten Knöchel. Sie zog den anderen Fuß hoch und trat nach seinen Händen.
»Elendes Miststück!«, keuchte er und begann hin und her zuschwingen, um die Treppe zu erreichen.
Während Lore fürchtete, zwischen seinem Gewicht und dem Seil in zwei Teile gerissen zu werden, hörte sie auf dem Laufgang hastige Schritte und hoffte schon, Hilfe zu bekommen. Doch als sie nach unten sah, erkannte sie Rupperts Kumpane Edwin und William. Einer von ihnen hielt ein Messer in der Hand, der andere eine Pistole.
»Wir sind gleich da, Chef!« William hangelte sich die Treppe hinauf und streckte die Hand aus, um Ruppert zu packen, sobald der Schwung diesen zu ihm tragen würde. Dabei äugte er feixend zu Lore hin.

»Dich werde ich mit noch mehr Vergnügen in einen Sack stecken und ins Meer werfen als die beiden Trottel dort!«
»Ich glaube nicht, dass du das tun wirst!«, rief in diesem Moment ein dritter Mann.
Es war Fridolin, der ebenfalls die Tür im Schott benutzt hatte und nun den Steg entlangrannte. Noch im Laufen griff er in seine Tasche.
Während Lore eine ganze Steinlast vom Herzen fiel, sah sie, dass Edwin hinter eine Kiste zurückwich und seine Pistole hob.
»Vorsicht, Frido! Er wird gleich schießen!«, schrie sie, so laut sie konnte.
»Verfluchtes Weibsbild!«, rief Edwin und drückte ab.
Fridolin warf sich zu Boden und spürte, wie die Kugel über ihn hinwegstrich. Zu einem zweiten Schuss ließ er den Mann nicht mehr kommen. Seine Taschenpistole knallte zweimal kurz hintereinander. Während Edwin wie ein nasser Sack zusammenfiel, kippte William von der Treppe und stürzte mit einem gellenden Schrei in die Tiefe.
In dem Augenblick verstummte die Dampfpfeife, und das Geschrei erstarb ebenfalls. Für einige Sekunden wurde es so still, dass Rupperts Keuchen und Schnauben überlaut an Lores Ohren drang. Dann traf ein gewaltiger Schlag das Schiff. Unter einem schier nicht enden wollenden Kreischen wurde der gegenüberliegende Teil des Schiffsrumpfes wie von einer Riesenfaust eingebeult und riss auf.
Am Seil hängend, wurde Lore durch den Stoß weit über die Tiefe des Laderaums hinausgetragen. Ruppert hing noch immer an ihr und versuchte, sich an ihrem Bein nach oben zu ziehen. In dem Augenblick rissen die obersten Knöpfe ihres Stiefels auf, und Ruppert stieß einen panikerfüllten Schrei aus. Seine verzweifelten Versuche, ihr zweites Bein zu fassen, dehnten ihre Gelenke so, dass der Schmerz schier unerträglich wurde. Doch sie brachte

keinen Laut über die Lippen, sondern starrte wie hypnotisiert auf Ruppert hinab.
Seine sonst so überhebliche Miene verzerrte sich vor Todesangst, und Lore spürte, wie der Stiefel, an den er sich klammerte, langsam an ihrem Bein hinabrutschte. Verzweifelt versuchte er mit der anderen Hand nach oben zu greifen. Doch Lore zog den linken Fuß und ihr Kleid noch weiter hoch, auch wenn sie das Gefühl hatte, ihr Körper würde dadurch gedrillt wie ein Gummiband. Ruppert erwischte nur den Schaft des rechten Stiefels und riss auch die restlichen Knöpfe auf. Im gleichen Moment stürzte er wie ein Stein in die Tiefe.
Lore vernahm noch seinen Schrei, dann versank er in dem wirbelnden Strom des Wassers, das in die *Strathclyde* eindrang.
Von Grauen geschüttelt, wandte Lore den Blick ab. Sie hörte Fridolin brüllen, ohne zunächst zu begreifen, was er von ihr wollte. Erst als er das wild tanzende Ende des Seiles einfing und sie auf die Treppe zuzog, kehrte wieder Leben in sie zurück. Sie streckte den rechten Arm aus und bekam das Tau neben der Treppe zu fassen. Sekunden später stand sie auf den schmalen, glitschigen Stufen und mühte sich ab, die Seilschlinge zu lösen, die sich in ihre Brust und die höllisch schmerzende Schulter eingegraben hatte. Ihr Blick war dabei jedoch starr auf den Bug des Schiffes gerichtet, das die Bordwand ihres Dampfers aufgerissen hatte. Tageslicht drang herein und erhellte den Raum, so dass Lore mit erschreckender Klarheit sehen konnte, wie das Wasser mit aller Macht in den Rumpf drang. Schon jetzt hatte die *Strathclyde* Schlagseite und kippte immer stärker.
»Wir müssen raus, schnell!«, hörte sie Fridolin rufen.
»Aber wir können Onkel Thomas nicht einfach hierlassen!« Lore starrte mit entsetzensweiten Augen nach unten. Dort richtete Konrad sich gerade auf, schüttelte sich wie ein nasser Hund und schien nicht zu begreifen, was um ihn herum geschah.

»Kannst du auf eigenen Beinen stehen?«, fragte ihn Fridolin. Als Konrad nickte, versetzte er ihm einen Stoß.
»Dann sieh zu, dass du nach oben kommst. Ich trage Herrn Simmern.«
»Aber Sie sind doch nur ein Handtuch«, wandte Konrad ein, begriff jedoch im selben Moment, dass er nicht in der Lage war, seinen Herrn zu tragen, und begann mühsam, die Treppe hochzusteigen. Fridolin wuchtete sich den bewusstlosen Simmern auf die Schulter und folgte Konrad auf dem Fuß.
Inzwischen war es Lore gelungen, sich aus dem Seil zu befreien. Für einen Augenblick starrte sie nach unten. Das Wasser stieg immer höher, und einmal glaubte sie sogar eine Gestalt zu sehen, die von der Wucht des eindringenden Wassers gegen die Schiffswand geschleudert wurde und dann wieder versank. Ihre Phantasie gaukelte ihr vor, es handele sich um Ruppert, und sie hoffte, dass er tot war, auch wenn dies ein sündhafter Gedanke war.
»Jetzt mach schon!«, fuhr Fridolin sie an. Er war bereits knapp unter ihr und hörte die Rufe, mit denen die Besatzung und die Passagiere aufgefordert wurden, rasch in die Boote zu steigen.
Lore gehorchte und stieg nach oben. Da das Schiff schräg lag, war es kaum möglich, sich festzuhalten. Doch mit Verbissenheit kämpfte sie sich mit dem unverletzten Arm hinauf.
Konrad folgte ihr, warf dabei aber kurz einen Blick auf das Leck. Es war riesig, und es floss immer mehr Wasser herein. Lange würde die *Strathclyde* sich nicht mehr halten können. Mit dem Wissen, dass er sich beeilen musste, kletterte er hinter Lore her. Fridolin, der ihnen folgte, war so weiß wie ein Handtuch, und für kurze Zeit sah es so aus, als würde er unter der Last des Bewusstlosen zusammenbrechen und abstürzen. Doch er arbeitete sich zielstrebig auf den Niedergang zu.

XI.

Lore wusste später nicht mehr zu sagen, wie sie es geschafft hatte, an Deck zu klettern. Oben herrschte schiere Panik. Nur ein Stück von der *Strathclyde* entfernt entdeckte sie den Schnelldampfer *Franconia,* der den alten Frachter gerammt und zum Sinken verurteilt hatte.

Alle an Bord strebten zu den Booten. Auch Fridolin schleppte Simmern in diese Richtung. Lore wollte ihm schon folgen, da dachte sie mit Schrecken an Nati, die sich in einer der Kabinen versteckt hatte.

So schnell sie es mit einem Schuh vermochte, rannte sie zum Heck und hastete die Treppe zu den Passagierkabinen hinunter. Im Korridor gab es kaum ein Durchkommen. Die in den Kabinen gelagerte Fracht hatte die dünnen Wände durchschlagen und sich über den Gang ergossen. Das Erste, was Lore wahrnahm, waren Weates' tote Augen. Der Alarm hatte ihn wohl aufgeschreckt, und er war direkt in einen umstürzenden Stapel schwerer Kisten gelaufen.

Lore wandte den Kopf von dem erbarmungswürdigen Toten ab und rief nach Nati. Es kam keine Antwort. Verzweifelt arbeitete sie sich weiter, bis sie die Kabine erreichte, in der sie das Mädchen zurückgelassen hatte, und versuchte, trotz der Schieflage des Schiffes an die Sitztruhe zu gelangen. Zu ihrem Entsetzen war der Kasten eingedrückt und ganz rot.

Dann sah sie die Kleine. Nati hing hustend und spuckend in einem Berg roter Farbe und versuchte verzweifelt, sich aus dem aufgeplatzten Kasten zu befreien. Lore stürzte auf sie zu und holte das Kind heraus.

»Jetzt bist du auch ganz rot«, kommentierte Nati.

»Komm, schnell! Das Schiff geht unter!«, schrie Lore. »Halt dich an mir fest! Ich kann dich nicht auf den Arm nehmen. Ich glaube, meine Schulter ist ausgerenkt.«

»War das Ruppert, der Teufel?«, fragte Nati. Dann sah sie Weates auf dem Flur liegen.

»Du musst ihm die Augen zudrücken! Das gehört sich so«, befahl sie Lore und trippelte selbst weiter auf die Treppe zu.

»Das ist kein Kind, sondern ein gefühlloses Monster«, dachte Lore und schämte sich im nächsten Moment dafür. Rasch bückte sie sich und erfüllte Natis Wunsch. Dann rannte sie hinter dem Kind her, das auf allen vieren die Treppe hinaufkroch.

Mehrere Stöße erschütterten jetzt die *Strathclyde*, und mit jedem Schlag kam die Wasseroberfläche ein Stück näher. Schreckensschreie hallten aus dem Wasser herauf. Lore sah unwillkürlich über die Reling und sah gerade noch, wie ein vollbesetztes Rettungsboot von dem rollenden Schiffsrumpf unter Wasser gedrückt wurde.

»Waren Onkel Thomas und Konrad dort unten?«, fragte Nati entsetzt.

»Ich weiß es nicht«, sagte Lore. Im selben Moment bekam sie einen Stoß in den Rücken. Ein Matrose packte sie und schob sie auf das zweite Rettungsboot zu, das gerade zu Wasser gelassen wurde. Ein anderer hob sie hoch und warf sie hinein. Nati folgte ihr und landete schmerzhaft auf ihren Rippen. Im nächsten Augenblick klatschte das Boot auf dem Wasser auf, und Lore hielt den Atem an. Würde es jetzt auch in die Tiefe gezogen? Ein Offizier, der breitbeinig über ihr stand, stemmte sich laut fluchend mit einem Ruder gegen den Rumpf, und wie durch ein Wunder glitt das Boot auf der Wasseroberfläche davon.

In den ersten Minuten wagte Lore nicht, sich zu rühren. Sie umklammerte Nati und starrte die Männer an, die sich wie die Wahnsinnigen in die Riemen warfen. Hinter ihnen erklangen verzweifelte Hilferufe. Dann begann das Boot wild zu tanzen.

»Jetzt ist sie unten! Gott sei den armen Seelen in ihr gnädig!«, sagte ein Mann in Lores Rücken. Dann bewegte sich etwas unter ihr, und eine halberstickte Männerstimme fragte, ob sie ihm noch ein klein wenig Luft zum Atmen gönnen wolle. Mit einem Schrei fuhr Lore hoch. Es war die Stimme von Onkel Thomas. Sie rutschte zwischen die Füße eines Ruderers, der sie mit einem strafenden Blick bedachte, und drehte sich um. Da lag tatsächlich Thomas Simmern, bleich wie ein Laken, aber wieder recht lebendig. Neben ihm saß Fridolin und versuchte, Konrads klaffende Kopfwunde zu verbinden.
»Wir haben es geschafft, Lore«, sagte er kläglich grinsend.
Thomas Simmern nickte. »Das war knapp! Aber so ein Schiffsunglück habe selbst ich noch nicht erlebt, und ich bin doch etliche Jahre zur See gefahren!«
»Ich habe das Gefühl, dass solche Unfälle eher die Regel als die Ausnahme sind«, wandte Lore mit bleichen Lippen ein. »Zuerst die *Deutschland* und nun die *Strathclyde*. Ich will kein drittes Schiff mehr betreten, sonst geht das auch noch unter!«
»Du meinst wohl, aller guten Dinge sind drei. Aber das will ich nicht hoffen. Außerdem ist es mir ein wenig zu weit, um zum Kontinent zu schwimmen!« Trotz seiner Worte sah Fridolin ganz so aus, als wenn ihm dies lieber wäre. Auch Thomas Simmern schüttelte sich ein wenig und sah Lore bittend an, dabei ähnelte er einem kleinen Jungen, der etwas ausgefressen hat. »Es tut mir leid, dass Nati und du zusätzlich zu dieser Schiffskollision in eine solch gefährliche Situation durch Ruppert geraten seid. Ich bin wirklich ein Idiot, dass ich mich auf eine so dumme Weise habe übertölpeln lassen.«
»Ich bin ein noch größerer Idiot, weil ich hinter Ruppert her bin, ohne euch vorher zu warnen. Ich habe euch alle in Gefahr gebracht.« Konrad kamen vor Beschämung beinahe die Tränen.
Lore versuchte, ihn zu trösten. »Es ist verständlich, dass du her-

ausbringen wolltest, was der Kerl hier macht. Außerdem sind wir durch dein Verschwinden gewarnt worden.«
»Womit wir wieder bei mir wären«, sagte Thomas Simmern. »Ich hätte den Vorschlag der Stewardess befolgen und den dritten Offizier informieren müssen. So aber bin ich sehenden Auges in Rupperts Falle getappt. Wenn er mir jetzt auch noch meine Papiere abgenommen hat, gerate ich vollends in die Bredouille. Nati wird kein Wort mehr mit mir wechseln, wenn das Testament ihres Großvaters verschwunden ist und sie unter die Vormundschaft des Sohnes ihrer Großtante gerät.«
»O nein!«, kreischte die Kleine auf. »Ich will nicht unter Tante Ermingardes Fuchtel kommen. Ich will bei dir bleiben und bei Lore.«
Thomas Simmern griff in die Innentasche seiner Jacke, zog ein dickes Bündel hervor und steckte es aufatmend wieder ein. »Es ist noch da! Ruppert hat sich anscheinend nicht vorstellen können, dass ich diese wichtigen Sachen bei mir trage, sonst hätte er mich durchsucht.«
»Dem Himmel sei Dank!« Lore schlug vor Erleichterung das Kreuz. Das, was Nati und Onkel Thomas ihr über Ermingarde Klampt berichtet hatten, war nicht dazu angetan, ihr die Dame sympathisch zu machen.
Fridolin hingegen dachte an das Nächstliegende und sah Thomas Simmern fragend an. »Und wie kommen wir jetzt nach Hause?«
»Mit einem unserer NDL-Dampfer! Der ist sicherer, und ich hatte auch schon mehrere Kabinen für uns reserviert, um Ruppert zu täuschen.«
Onkel Thomas brachte es so trocken hervor, dass alle lachen mussten. Einige Engländer im Rettungsboot starrten sie zwar pikiert an, doch das tat ihrer Erleichterung keinen Abbruch.

Siebter Teil

Bremen

I.

Als Lore erwachte, schwankte und rollte ihr Bett, und das Licht, das durch die runden, messingumrahmten Bullaugen fiel, wanderte im gleichen Rhythmus über die Bettdecke. Verwirrt krampfte sie ihre Hände in den Seidenbezug und sah sich um. Eben war sie doch noch auf der *Deutschland* gewesen und in Gefahr, mit dem Schiff unterzugehen. Nein, meldete sich ihr Gedächtnis. Die Havarie der *Deutschland* lag schon eine Weile zurück. Onkel Thomas hatte mit der *Strathclyde* übersetzen wollen, doch dieses Schiff war nicht einmal aus dem Hafen gekommen. Ein deutscher Schnelldampfer, die *Franconia,* hatte den Frachter gerammt und versenkt.
»Na, endlich wach?«, hörte sie Natis erleichterte Stimme.
Drei besorgte Gesichter beugten sich über sie, und sie erkannte Nati und Konrad. Das andere, das von einem Schwesternhäubchen gekrönt wurde, war ihr unbekannt. Die Krankenschwester reichte ihr eine Schnabeltasse mit kaltem Kamillentee, einem Getränk, dem Lore noch nie etwas hatte abgewinnen können. Aber sie trank, räusperte sich dann und hob die Hand. »Nein! Nein! Sagt nichts! Ihr habt mich schon wieder auf ein Schiff verschleppt, diesmal auf die *Feldmarschall Moltke!*«
Konrad kratzte sich an dem Verband, der nur Augen, Nase und Mund frei ließ. An seiner Hand hing noch die grüne Wolle des Fädchenspiels, das er eben mit Nati gespielt hatte. »Woher weißt du das?«
»Der Name steht auf den Vorhängen«, antwortete Lore bissig.
Nati, die sich inzwischen die Schuhe ausgezogen hatte, kroch zu ihr unter die Bettdecke. »Das Schiff hier geht bestimmt nicht unter!«, sagte sie im Brustton der Überzeugung. »Es ist eines der ganz neuen NDL-Schiffe, und jetzt bist du auch in der ersten

Kajüte, oberer Salon, untergebracht. Die Kabine ist ganz allein für dich.«

Lore schnaubte. »Wie tröstlich. Und seid ihr auch sicher, dass hier nicht irgendwo ein anderes Schiff lauert, das in euren neuen Dampfer hineinfahren will?«

»So einen ausgemachten Esel wie Kapitän Keyn von der *Franconia* gibt es selbst bei der HAPAG-Linie nicht noch einmal«, brummte Konrad. »Steuert der Kerl doch beim Ausweichmanöver nach Steuerbord statt nach Backbord und spießt die arme *Strathclyde* auf. Es ist ein Wunder, dass wir noch leben. Nachdem unser Boot von dem Wrack freikam, ist das alte Mädchen wie ein Stein gesunken. Soweit wir wissen, konnte kein weiteres Boot mehr zu Wasser gelassen werden. Allerdings sollen noch ein paar Überlebende von Fischerbooten und anderen Seglern gerettet worden sein. Nun, sein Versagen wird Kapitän Keyn das Patent und die HAPAG eine saftige Entschädigungssumme kosten, ganz abgesehen von den Schäden an ihrer *Franconia!* Hamburger, sage ich da nur!«, setzte Konrad voll Bremer Lokalpatriotismus hinzu.

»Ein Wunder war es sicher«, sagte Lore mehr zu sich selbst. »Wahrscheinlich sogar mehr als nur eins. Ich glaube, ich schulde der Muttergottes mindestens drei große Kerzen!«

»Dafür werde ich dir Geld geben, auch wenn ich kein Katholik bin«, versprach Konrad. »Ohne dich läge ich jetzt auch unten in der abgesoffenen *Strathclyde* und hätte als Gesprächspartner nur die Fische oder diesen elenden Ruppert und seine Kumpane.

Übrigens, bevor du nach Herrn Fridolin fragst: Der war bis vor kurzem hier und hat mit an deinem Bett gewacht. Aber er ist eben doch nicht ganz seefest und hat sich daher in seine Kabine zurückgezogen. Ein braver Bursche, muss ich sagen. Wenn er Rupperts Spießgesellen nicht ausgeschaltet hätte …« Konrad ließ den Rest das Satzes unausgesprochen, aber Lore und Nati verstanden ihn auch so.

»Jetzt bin ich doch froh, dass Fridolin dir nachgereist ist«, erklärte Nati mit einer großspurigen Geste. »Am Anfang habe ich ihn nicht so gemocht, aber er hat sich als sehr nützlich erwiesen.«
Lore musste über die Ausdrucksweise der Kleinen lachen. Dennoch empfand sie beim Gedanken an Fridolin mehr als nur Dankbarkeit. Wäre er nicht gewesen, lägen sie alle tot im Bauch der *Strathclyde*. Doch so heldenhaft, wie Konrad ihn darstellte, schien er ihr nicht zu sein. Helden lagen schließlich nicht mit Seekrankheit in der Kabine.
Sie schob den Gedanken beiseite und blickte Konrad tadelnd an. »Du wirst keine Kerzen stiften, sondern Mary schreiben, sobald wir in Bremen sind, und sie zu uns einladen. Ich werde dasselbe tun. Später könnt ihr beide euch überlegen, ob ihr nicht doch heiraten wollt. Allerdings wirst du ihr in ein paar Jahren erlauben, mit mir zusammen ein Modegeschäft aufzumachen. Ich brauche ihre geschickten Hände.«
Während dieser fordernden Worte trat Thomas Simmern in die Kabine. Auch er trug einen gewaltigen Verband um den Kopf und wirkte angeschlagen.
Die Krankenschwester schob ihm einen Stuhl hin. »Setzen Sie sich bitte, Herr Simmern. Oder wollen Sie hier zusammenklappen? Dann müsste ich den Steward holen, damit er mir hilft, Sie wieder in Ihre Kabine zu schaffen.«
»Danke!« Onkel Thomas ließ sich aufatmend nieder und streckte Lore die Hand entgegen. »Auch dir will ich danken! Bei Gott! Ich kann mein Glück, am Leben zu sein, immer noch nicht fassen. Konrad und ich haben uns benommen wie heurige Hasen. Wenn wir dich und Fridolin nicht gehabt hätten …«
»… würden wir jetzt alle bei den Fischen liegen«, fiel Nati ihm ins Wort.
»Das ist zwar etwas drastisch ausgedrückt, aber richtig.« Onkel Thomas bat die Krankenschwester, ihm ein Glas Wasser, mit

Wein vermischt, zu bringen, dann wandte er sich wieder an Lore. »Kannst du mir erklären, was da unten passiert ist? Hast du wirklich mit Ruppert gekämpft, wie Konrad behauptet? Das kann ich nicht glauben!«

Lore schob Natis Kopf von ihrer festverbundenen Schulter und bettete sie auf ihr Kissen. »Die Knöpfstiefel, die du mir zu Weihnachten gekauft hast, haben mich gerettet. Ruppert hatte sich an meinem Fuß festgeklammert, gerade als sich der Bug des anderen Schiffes in den Laderaum bohrte. Jedenfalls sind die Knöpfe unter seinem Griff aufgegangen, und Ruppert hat den Halt verloren. Ich hoffe, er ist dort unten zugrunde gegangen, wie er es verdient hat!«

»Er ist ein Teufel und eine Ratte. Solche finden immer ein Schlupfloch, sagt Anna, die Köchin«, wandte Nati ein.

Onkel Thomas beugte sich über das Bett und zupfte das Kind am Ohr. »Du bist ein vorwitziges und unerzogenes kleines Mädchen. Ich glaube, ich muss Großtante Ermingarde bitten, dich fest an die Kandare zu nehmen. So freche Mädchen bekommen nämlich nie einen Ehemann!«

Nati schob die Unterlippe vor. »Ich will nicht zu Großtante Ermingarde. Sie hasst mich, und sie hat feuchte Hände! Außerdem bekomme ich von Opa genug Geld, um mir zehn Ehemänner kaufen zu können.«

»Hat das auch die Anna gesagt?«, fragte Lore mit halbunterdrücktem Lachen.

»Nein, der alte Zitter-Klaus, der wie Opa auf der *Deutschland* ertrunken ist. Ich habe gehört, wie er das zu einem anderen Domestiken gesagt hat«, verteidigte die Kleine sich.

Lore und Onkel Thomas tauschten einen langen Blick und waren sich auch ohne Worte einig, dass Natis Erziehung in liebevolle, aber feste Hände gehörte. Ob diese Großtante jedoch die richtige Person war, wagte Lore nach allem, was sie über die Dame gehört hatte, zu bezweifeln. Zuerst wollte sie jedoch ihre Neugier stillen.

»Ich bin zwar gespannt darauf, Tante Ermingarde kennenzulernen, aber noch mehr interessiert mich, was euch zugestoßen ist! Wieso hat Ruppert euch beide erwischt?«
Konrad breitete in einer hilflosen Geste die Arme aus. »Auf dem Weg zur Kombüse bin ich praktisch in ihn hineingelaufen. Er hat losgeflucht wie ein Fuhrkutscher und mir sofort einen Kinnhaken verpasst. Der Schwinger war jedoch viel zu schwach, um mich ins Reich der Träume zu schicken. Das war wohl auch nicht seine Absicht gewesen. Er wollte mich nur reizen, und das ist ihm bestens gelungen. In meiner Wut bin ich ihm in den Laderaum gefolgt. Dort sind seine beiden Kumpane aufgetaucht, und die haben mich mit einem Belegnagel niedergeschlagen. Ich bin erst wieder wach geworden, als du dich über mich gebeugt hast.«
»Jetzt komme wohl ich ins Spiel«, setzte Onkel Thomas den Bericht fort. »Ich habe mich genauso an der Nase herumführen lassen wie Konrad. Als ich oben am Laderaum stand, hörte ich plötzlich jemand auf Deutsch um Hilfe rufen. Er sagte, er sei gestürzt und habe sich den Fuß angeknackst. Allein käme er die Treppe nicht hoch. Da er mich ›Käpt'n‹ nannte, war ich mir sicher, dass es Konrad war. Ich rannte sofort hinunter und sah plötzlich Ruppert vor mir, der seine Stimme verstellt hatte, und dann wurde es schwarz um mich. Ich bin erst wieder aufgewacht, als ich ins Rettungsboot geschafft wurde.«
Thomas Simmern erhielt sein Getränk, trank gierig und nickte zufrieden, als Konrad Lore die Hand reichte.
»Ich weiß nicht, wie ich dir danken kann!«, sagte der Diener. »Eines aber will ich dir versprechen: Ich werde in Zukunft auf dich aufpassen und dafür Sorge tragen, dass die Dienstboten im Hause Retzmann dir die Achtung zukommen lassen, die dir als unser aller Lebensretterin gebührt.«
Onkel Thomas lachte. »Lore, ich glaube, du hast einen ergebenen Sklaven gewonnen.«

»Er soll lieber Marys ergebener Sklave werden«, gab Lore zurück. »Wenn er unfreundlich zu ihr ist, werde ich ihn an die *Strathclyde* und an all seine Versprechungen erinnern.«
»Konrads Angebot, Natis Dienstboten dazu zu bringen, dich zu achten und deinen Anweisungen zu gehorchen, ist nicht zu verachten. Wenn Natis Großtante und ihr Anhang die Leute gegen dich aufhetzen, werden sie dir das Leben zur Hölle machen. Jemand wie Konrad hat mehr Möglichkeiten als ich, das Gesinde zu beeinflussen. Dieses Angebot solltest du auf jeden Fall annehmen! Nun schlaf aber noch ein wenig. Meinst du, du könntest später aufstehen und am Abendessen im Salon teilnehmen? Das Schiff wird zu dem Zeitpunkt schon in der Wesermündung ankern, so dass das Stampfen der Maschinen und die Vibrationen erträglicher sein werden. Morgen werden wir mit dem ersten Tageslicht Bremerhaven anlaufen. Dann bringe ich dich und Nati zum Stadthaus der Retzmanns und lasse Konrad bei euch. Ich selbst muss mich endlich wieder zu Hause sehen lassen, sonst glaubt meine Frau noch, ich hätte sie verlassen.«
»Deine Frau?« Das Zimmer begann sich um Lore zu drehen, und sie sank wie erschlagen zurück. Thomas Simmern war verheiratet! Für Augenblicke wünschte sie, sie wäre mit der *Strathclyde* untergangen oder besser noch mit der *Deutschland*. Wie sehr hatte sie gehofft, Thomas Simmern würde sie, sobald sie sechzehn war, als erwachsene Frau wahrnehmen und vielleicht sogar heiraten. Nun aber hatten sich all ihre Träume in nichts aufgelöst. Tränen stiegen ihr in die Augen, doch der Wille, sich nichts anmerken zu lassen, war stärker.
»Du bist verheiratet? Ja, richtig – du trägst einen Ehering! Seltsam, dass ich nie darauf geachtet habe.« Es gelang ihr sogar, ein wenig zu lachen.
Thomas Simmern litt zu sehr unter den Folgen seiner Verletzung, um ihre Gefühlsschwankungen zu bemerken, daher verabschiede-

te er sich etwas kläglich mit dem Hinweis, dass er sich müde fühle. Da die Krankenschwester ihn fürsorglich begleitete, blieb Lore mit Nati und Konrad zurück.

Konrad beobachtete Lore besorgt, bewunderte aber auch ihre Selbstbeherrschung. Sie hatte sich in seinen Herrn verliebt und würde sicher eine Weile brauchen, bis sie darüber hinwegkam. Doch dieser Schmerz, so nahm er an, würde sie nur stärker machen.

»Ja, die Gattin des Käpt'n, das ist schon eine patente Frau«, begann er, um zu verhindern, dass Lore Simmerns Ehefrau zu hassen begann. Er kannte die Dame gut und wusste, dass Dorothea Simmern eine ähnlich starke Frau war wie Lore, auch wenn das Außenstehenden meist verborgen blieb.

Lore wunderte sich über Konrad, der ihr nun beinahe überschwenglich die feine, wenn auch etwas kränkliche Dame beschrieb, die sein Herr geheiratet hatte.

Auch Nati wusste nur Gutes über Onkel Thomas' Frau zu berichten und seufzte zuletzt entsagungsvoll. »Ich würde lieber bei Tante Dorothea wohnen, aber leider ist sie nicht meine richtige Tante. Das ist Ermingarde, oder, besser gesagt, die ist meine Großtante, weil sie den Bruder meines Opas geheiratet hat. Aber die mag ich überhaupt nicht. Sie ist eine ekelhafte Person, die mir alles verbieten will.«

»Bei Frau Simmern ist Nati ein Engel, so dass man sich wundern muss, wie vorlaut sie manchmal sein kann. Dabei habe ich noch nie gehört, dass Onkel Thomas' Frau ein scharfes Wort zu ihr sagt«, bekräftigte Konrad die Ansicht des Kindes.

»Nati kann also wegen ihrer Verwandten nicht bei Onkel Thomas und dessen Frau bleiben«, stellte Lore fest und atmete insgeheim auf. Am Vortag hätte sie dies noch bedauert. Aber nun war sie froh darüber. Da Thomas Simmern verheiratet war, würde sie ungern in seinem Haus wohnen.

Konrad und Nati berichteten ihr nun von dem Stadthaus der Retzmanns, in dem sie und Nati von nun an leben würden. Dabei erfuhr Lore einiges über die anderen Familienmitglieder, deren unumstrittenes Oberhaupt nach dem Tod des alten Grafen dessen Schwägerin geworden war. Der Rest des Tages verging in einem kurzweiligen Gespräch über die Spitzen der Bremer und Bremerhavener Gesellschaft. Irgendwann kehrte die englische Krankenschwester zurück, setzte sich in eine Ecke und begann, einen Strumpf zu stricken. Man konnte ihr ansehen, wie zufrieden sie war, dass niemand ihre Dienste in Anspruch nahm.

II.

Nachdem Konrad und Nati gegangen waren, quoll das heulende Elend in Lore hoch, und sie wäre am liebsten in der abgedunkelten Kabine liegen geblieben, um sich ganz ihrem Kummer hinzugeben. Doch sie beruhigte sich schnell wieder und bat die Krankenschwester, ihr beim Ankleiden zu helfen. Kurz darauf nahm sie an der prächtig geschmückten Tafel im oberen Salon Platz. Sie trug eines der neuen Londoner Kleider, die Onkel Thomas aus den Seekoffern geholt hatte, und fühlte sich unter all den feinen Leuten um sie herum nicht mehr fehl am Platz.

Das ungewohnt reichhaltige Essen bekam ihr jedoch nicht. Erschöpft und mit Magenschmerzen kehrte sie, sobald sie es unauffällig tun konnte, in ihre Kabine zurück, machte sich ohne Hilfe für die Nacht zurecht und legte sich ins Bett. Entgegen ihrer Befürchtung schlief sie rasch ein, wachte aber mitten in der Nacht mit einer furchtbaren Übelkeit auf. Plötzlich geriet sie in Panik.

Da sie im Halbschlaf aufschrie und dann stöhnte und würgte, war

die Krankenschwester sofort bei ihr, schüttelte sie und rief etwas in ihrem zerquetschten Englisch. Ehe Lore ihr antworten konnte, stürmten Onkel Thomas und Konrad in die Kabine. »Lore! Ist dir etwas passiert?«, fragten beide wie aus einem Mund.
Lore schob die Krankenschwester vorsichtig beiseite und schüttelte sich. »Nein – und euch auch nicht, nicht wahr? Ich glaube, ich hatte einen Alptraum. Ich habe Leute mit großen Planen herumschleichen sehen, die uns einwickeln und ins Wasser schmeißen wollten. Die Kerle hatten lange Messer bei sich, und einer war wie ein Steward gekleidet.«
Onkel Thomas schüttelte freundlich lächelnd den Kopf. »Glaub mir, hier schleicht niemand herum, der uns etwas antun will. Das sind nur deine Nerven. Du hast in den letzten Monaten mehr mitgemacht, als manch ein erwachsener Mann in seinem ganzen Leben ertragen kann.«
Lore holte tief Luft und setzte sich auf, um Nati zu entkommen, die heimlich wieder in ihr Bett gekrochen war und sich ohne Rücksicht auf ihren schmerzenden Arm an sie klammerte. Dabei stieß sie ihren Atem zwischen den zusammengebissenen Zähnen heraus, um ein wenig von der Wut abzulassen, die in ihr hochstieg. Sie hasste es, wenn man sie wie ein dummes, kleines Mädchen behandelte.
»Himmelherrgott! Onkel Thomas, du selbst hast vor unserer Abreise aus Southampton gesagt, dass uns auf diesem Schiff hier Gefahr durch Rupperts Handlanger drohen könne. Deswegen sind wir doch mit der *Strathclyde* gefahren. Also hat Ruppert auch hier auf der *Feldmarschall Moltke* Kumpane. Warum tust du jetzt so, als wäre alles in Ordnung? Ich habe ein Recht darauf, zu erfahren, was geschehen ist. Schließlich bin ich keine zerbrechliche Puppe, von der man alles fernhalten muss!«
Konrad nickte. »Sie hat recht, Käpt'n! Wir hätten ihr alles erzählen müssen.«

»Ja, das ist richtig«, sagte Thomas Simmern, der mit einem Mal sehr ernst wurde. Er schickte die Krankenschwester hinaus und wartete, bis sie die Tür hinter sich geschlossen hatte. Dann kniete er neben Lores Lager nieder, nahm ihre Hand und entschuldigte sich bei ihr. Auf Lores unwirschen Ausruf hin zog er einen Sessel heran. »Die Frauen, die ich bisher kennengelernt habe, wollten von den realen Gefahren und Schwierigkeiten des Lebens abgeschirmt und auf Händen getragen werden. Daher habe ich meine Probleme noch nie mit einer Frau geteilt und bin so viel weibliche Tatkraft auch nicht gewohnt.

Ruppert hatte tatsächlich auf diesem Schiff einen Anschlag geplant. Auf meine Anweisungen hin haben unsere NDL-Leute zwei Matrosen, die in Southampton anheuern wollten und die ihnen verdächtig erschienen, der englischen Polizei übergeben. Dabei stellte sich heraus, dass Ruppert bereits einen weiteren Helfershelfer auf dem Schiff hatte, nämlich einen Steward der zweiten Kajüte. Dieser Mann wurde ebenfalls verhaftet und hat gesungen, wie man das bei der Polizei nennt. Seiner Aussage nach war Ruppert ein führendes Mitglied in einer internationalen Verbrecherorganisation, die sich neben Erpressungen im großen Stil auf Waffenschmuggel spezialisiert hat.

Durch die Verbindung seiner Familie zum Norddeutschen Lloyd, zu den Kreisen der Schiffsmakler und den Agenturen für Dienstpersonal auf See konnte Ruppert seine Leute an Bord etlicher französischer, englischer und deutscher Ozeandampfer im Liniendienst und auch auf einigen Trampschiffen unterbringen.

Als Stewards hatten seine Banditen viele Möglichkeiten, Dinge über wohlhabende Passagiere zu erfahren, die von Ruppert zu Erpressungen und anderen Verbrechen verwendet werden konnten. Auch ist es in diesen Positionen den Kerlen leichter gefallen als gewöhnlichen Seeleuten, geheime Nachrichten weiterzugeben oder heiße Ware an und von Bord zu schmuggeln. Mit ihrer Hilfe

und der einiger unehrlicher Schiffsmakler hat Ruppert im Auftrag englischer und amerikanischer Waffenhändler Gewehre und leichte Kanonen in Krisengebiete in aller Welt schaffen können.«
Thomas Simmern schwieg einen Augenblick, als hätte sein langer Vortrag ihn erschöpft, und wies dann in einer unwillkürlichen Bewegung auf Nati, die wieder eingeschlafen war und wie ein Engel neben Lore schlummerte.
»Auf die Dauer war Ruppert nicht damit zufrieden, nur der Handlanger anderer Schurken zu sein, sondern wollte einen größeren Anteil des Kuchens für sich haben. Dafür aber hätte er viel Geld gebraucht, um sich mehr Einfluss erkaufen zu können. Aus diesem Grund hat er auch Natis Großvater ermordet. So stand zuletzt nur noch Nati seinem Zugriff auf das Retzmann-Vermögen im Weg. Wäre es ihm gelungen, das Kind zu beseitigen, hätte er sich wahrscheinlich innerhalb weniger Jahre zum führenden Waffenlieferanten für Rebellen und Freischärler auf der ganzen Welt aufgeschwungen. Gott sei Dank konnten wir ihn stoppen. Nun ist alles gut, und ich glaube, du solltest jetzt wieder schlafen.«
»Mir ist schlecht«, flüsterte Lore matt.
»Ich hoffe nicht, dass es dir so übel ergeht wie Fridolin! Der hat wirklich keine Seemannsbeine, von einem seefesten Magen ganz zu schweigen!« Konrads Versuch, Lore aufzumuntern, ging völlig daneben, denn sie stand wimmernd auf und verschwand am Arm der Krankenschwester im Bad.
»Ich glaube, wir sollten jetzt gehen, Käpt'n«, schlug Konrad vor.
»Gleich! Ich möchte Lore lieber jetzt sagen, was sie in Bremen erwarten wird. Das ist besser, als wenn sie von der Situation überrascht wird.«
»Hat das nicht Zeit bis morgen? Sonst wird es ihr nur wieder auf den Magen schlagen.«
Thomas Simmern schüttelte den Kopf und zog ein Gesicht, als

könne er es nicht erwarten, alles loszuwerden, was ihm auf der Seele lag.
Daher wartete auch Konrad, bis Lore aus dem Badezimmer zurückkehrte. Sie war noch immer arg blass, aber ihre Augen glänzten wieder, und nachdem sie aufgestoßen hatte, konnte sie sogar ein wenig lauwarmen Tee trinken. Danach blickte sie gequält zu Thomas Simmern auf. »Aber jetzt gibt es hoffentlich niemanden mehr, der Natis Leben bedroht, oder hat sie noch weitere mörderische Verwandte?«
»Oh, nein!« Onkel Thomas lachte über ihre Befürchtung.
Aber Konrad verzog das Gesicht, und da Thomas Simmern nicht so recht zu wissen schien, wie er anfangen sollte, übernahm er es, Lore zu informieren. »Nati ist die letzte Retzmann, und keiner ihrer noch lebenden Verwandten hat ein begründetes Anrecht auf das Familienerbe. Aber die Herrschaften werden jetzt das tun, was sie zu Lebzeiten des alten Grafen nicht konnten – sie werden sich in der Stadtvilla und auf dem Landgut einnisten, um so viel wie möglich von Natis Reichtum zu profitieren. Ihre Großtante Ermingarde Klampt und ihren Anhang muss der Käpt'n dort sogar dulden, denn die Dame gehört zur tonangebenden Gesellschaft von Bremen, und es gäbe viel böses Gerede, wenn er sie vor die Tür setzen würde.
Als Graf Retzmanns einzige noch lebende Schwägerin hat sie nun einmal in den Augen der Leute das Recht, sich um Nati zu kümmern und das Haus Retzmann in der vornehmen Gesellschaft zu vertreten. Die Dame war die Frau des jüngeren Bruders. Zwar hat die Ehe nur drei Jahre gedauert, denn ihr Mann ist mit so einem neumodischen Hochrad verunglückt und hat sich den Hals gebrochen. Aber die Zeit hat dem Paar ausgereicht, sein Erbe bis auf den letzten Groschen zu verjubeln und einen Haufen Schulden zu machen, die Natis Großvater begleichen musste.
Ermingarde ist nicht lange Witwe geblieben, sondern hat sich

einen bürgerlichen Handschuhfabrikanten angelacht, und aus dieser Ehe stammen ihre beiden Kinder. Ihr Sohn und ihre Tochter sind also nicht mit Nati verwandt. Allerdings hatte Ermingarde auch mit diesem Gatten nicht viel Glück, denn da sie gewohnt war, auf großem Fuß zu leben, schmolz dessen Vermögen wie Schnee in der Sonne. Der Mann ging pleite und hat sich zuletzt eine Kugel in den Kopf geschossen. Aus diesem Grund dürfte es Ermingarde und ihren Anhang freuen, dass sie sich jetzt bei Nati festsetzen und wie Maden im Speck leben können.«

»Schluss jetzt mit dem Geschwätz, Konrad!«, unterbrach Onkel Thomas seinen Diener. »Ab morgen kann Lore sich selbst ein Bild von den Verhältnissen machen. Du stopfst ihr ja den Kopf mit Vorurteilen voll!« Dann beugte er sich über Lore und gab ihr einen Handkuss. »Schlafe noch ein paar Stunden, meine tapfere, energische junge Dame. Ab morgen beginnt ein neues, ruhigeres Leben für dich. Und du, Nati, solltest eigentlich in deinem eigenen Bett schlafen!«

Die letzten Worte galten der Kleinen, die durch das Gespräch wieder aufgewacht war. Statt einer Antwort kroch das Kind nur noch tiefer unter die Decke, bis es ganz darunter verschwunden war.

»Lass sie, Onkel Thomas. Das Bett ist ja wirklich breit genug für uns zwei. An ihrer Stelle würde auch ich nach alle dem, was passiert ist, nicht allein schlafen wollen. Ich aber danke dir für das Vertrauen, das du mir geschenkt hast, und wünsche dir für den Rest der Nacht noch einen guten Schlaf.«

»Wir dir auch«, antwortete Onkel Thomas und schob den zögernden Konrad mit gewohntem Griff aus der Kabine. Kurz darauf schlüpfte die Krankenschwester herein, setzte sich auf ihren Platz im Sessel bei der abgeschirmten Lampe und nahm ihre Strickarbeit wieder auf.

Lore strich Nati über die wirren Haare. »Ich bin wirklich gespannt darauf, deine Verwandten kennenzulernen.«

Nati brummte etwas Undeutliches, das sich anhörte wie: »Die sollen Ruppert in die Hölle folgen.«
Eine Antwort darauf verkniff Lore sich. Auch sie fühlte sich unendlich müde und schlief trotz der Schmerzen in ihrer Schulter bald ein.

III.

Lore erwachte erst, als die Gongs am nächsten Morgen zum Frühstück riefen. Die Sonne schien hell durch die Bullaugen, und das Schiff vibrierte und dröhnte im Takt der stampfenden Maschinen. Lore glaubte, sich mittlerweile daran gewöhnt zu haben, und hoffte, dass es Fridolin ebenfalls besserging. Sie fühlte sich zumindest frischer als am Vortag.
Trotzdem gab ihr die Schwester erst nach einer gründlichen Untersuchung die Erlaubnis, aufzustehen. Als Lore das Deckhaus aufsuchte, in dem bei schönem Wetter für die Passagiere der ersten Klasse das Frühstück serviert wurde, war ihr, als seien über Nacht alle Schrecken und Ängste von ihr gewichen. Zum ersten Mal seit Tagen aß sie mit gutem Appetit, und sie freute sich darauf, bald wieder festen Boden unter die Füße zu bekommen.
Noch während des Frühstücks erreichte die *Feldmarschall Moltke* die Geestemündung und wurde von den Schleppern an ihren Platz vor der großen Wartehalle des NDL bugsiert. Lore blickte immer wieder durch das Fenster und spürte eine grenzenlose Erleichterung. Nach Wochen der Anspannung und der Gefahr lag ein sonniger Wintertag vor ihr, an dem weder Ruppert sie bedrohen noch ein Schiff mit ihr untergehen würde.
Während die ersten Passagiere zur Gangway eilten, kehrte Lore in

ihre Kabine zurück, um ihre Koffer zu packen. Es schien an Bord jedoch Heinzelmännchen zu geben, denn es stand schon alles bereit. Auch Natis Sachen lagen schon in den Koffern. Wie es aussah, war die Kleine diesen Service gewohnt, denn sie forderte Lore auf, der Krankenschwester und der Stewardess ein Trinkgeld zu geben.
»Vergiss auch den netten Steward nicht, der uns gleich die Gepäckträger besorgen wird«, setzte sie mit großem Stolz auf ihre Reiseerfahrung hinzu.
Lore zögerte. Zwar hatte Onkel Thomas ihr eine Börse mit einigen Münzen und ein paar Banknoten gegeben, doch sie hatte keine Vorstellung davon, wie viel Trinkgeld angemessen war. Nati half ihr aus der Klemme, indem sie ihr die Summen zuraunte. In gewisser Hinsicht war die Kleine ihren Altersgenossen tatsächlich weit voraus. Sie benahm sich nun auch wie eine kleine Dame, als sie neben Lore hertrippelte und hinter Onkel Thomas an Land stieg.
Eine schlanke, blasse Frau um die dreißig erwartete sie vor dem Kontor. Thomas Simmerns Blick hellte sich auf, als er sie sah, und er trat mit ausgebreiteten Armen auf sie zu, als wolle er sie umarmen. Aber er beherrschte sich und küsste ihr nur die Hand.
»Guten Tag, meine Liebe. Du hättest den anstrengenden Weg von Bremen hierher wirklich nicht antreten müssen.«
»Es ist ein schöner Tag, und der Arzt sagte, ich solle ins Freie gehen. Was lag da näher, als hierherzufahren und dich zu begrüßen? Du bist doch hoffentlich bei guter Gesundheit, mein Lieber? Ich habe mir Sorgen um dich gemacht. Man hat allerlei Unschönes aus England gehört.«
Thomas Simmern ging mit einer wegwerfenden Handbewegung über diese Bemerkung hinweg. »Die Zeitungen bauschen alles gewaltig auf. Wir selbst hatten nur ein wenig Ärger mit Ruppert von Retzmann. Doch der dürfte jetzt Ruhe geben. Auf jeden Fall freue

ich mich, dich wiederzusehen. Darf ich dir Fräulein Lore Huppach vorstellen? Graf Retzmann hat sie kurz vor seinem Tod als Gesellschafterin seiner Tochter eingestellt. Das war eine glückliche Wahl, denn sie hat Komtess Nathalia in jener Schreckensnacht an Bord des Havaristen das Leben gerettet und auch Konrad und mir sehr geholfen!«

»Oh? Guten Tag!« Dorothea Simmern kam auf Lore zu und reichte ihr die Fingerspitzen. »Es freut mich, dass Sie gut mit Nathalia auskommen. Sie ist ein liebes Kind, kann aber manchmal ein wenig schwierig sein.«

»Bin ich nicht!«, rief Nati dazwischen.

Lore drückte das Kind sanft an sich und musterte die ätherisch schöne Frau, die sie eben lächelnd begrüßte. Jetzt verstand sie, warum Thomas Simmern Schwierigkeiten mit ihrer burschikosen Art hatte. Frau Dorothea Simmern war ein zartes Wesen, das von jedem lauten Ton und jedem harten Wort verletzt werden konnte. Die Anstrengungen einer gewöhnlichen Reise würden sie wohl umbringen, geschweige denn die Kette von Gefahr und Gewalt, die sie selbst in den letzten zweieinhalb Monaten erlebt hatte. Dennoch war die Dame ihrem Gemahl von Bremen aus entgegengefahren, und sie wirkte auf sie auch nicht so kränklich, wie es nach Konrads Worten zu erwarten gewesen war.

Dorothea Simmern musterte ihr Gegenüber ebenfalls genau. Zwar wirkte Lore blass und erschöpft, doch Dorothea begriff, dass ihr ein hübsches, gesundes Mädchen an der Schwelle zur Frau gegenüberstand, das einmal eine Schönheit zu werden versprach. Sie bemerkte auch den Schmerz in Lores Blick, als dieser ihren Mann streifte, und musterte Thomas rasch. Nein, zwischen den beiden war nichts Ungebührliches geschehen, das fühlte sie. Dennoch beschloss sie, auf der Hut zu sein. Das hinderte sie jedoch nicht daran, Lore freundlich zuzulächeln und Nati zu streicheln.

Nun gesellte sich auch Fridolin zu der Gruppe. Sein Gesicht zeigte noch eine grünliche Färbung, und er sah aus, als würde er vor Erleichterung, festen Boden unter den Füßen zu haben, am liebsten das Pflaster zu seinen Füßen küssen. Doch er hatte sich trotz seiner Unpässlichkeit sorgfältig angezogen und dabei auf den auffälligen, gelben Mantel verzichtet.

Thomas Simmern fasste ihn am Arm und führte ihn zu seiner Frau. »Darf ich dir noch einen Reisegefährten vorstellen, meine Liebe? Das hier ist Freiherr Fridolin von Trettin. Ich habe ihm sehr viel zu verdanken und Konrad ebenfalls.«

Dorothea Simmern reichte Fridolin die Hand, die er mit vollendeter Eleganz küsste. »Es ist mir eine Freude, Sie begrüßen zu dürfen«, sagte sie.

»Herr von Trettin ist mit Lore verwandt«, erklärte ihr Mann und fachte damit ihr Interesse noch mehr an.

»Sie sind ein Verwandter? Wie schön! Dann werden Sie gewiss noch eine Weile in Bremen bleiben wollen. Darf ich Sie zu uns einladen? Natürlich könnten Sie auch im Stadthaus der Retzmanns bleiben, doch das halte ich wegen der dort herrschenden Trauer um das Familienoberhaupt nicht für angeraten.«

»Herzlichen Dank! Ich würde mich freuen, noch einige Tage in Bremen bleiben zu können.« Fridolin dachte mit Schrecken an seine Berliner Hauswirtin, die seine Sachen wahrscheinlich längst auf den Speicher gestellt und sein Zimmer weitervermietet hatte.

Durch einen leisen Unterton in der Stimme seiner Frau alarmiert, hob Thomas Simmern den Kopf. »Ich glaube, wir sollten aufbrechen, sonst verpassen wir den Zug nach Bremen. Wenn wir auf den nächsten warten müssen, wird es arg spät. Konrad, kümmerst du dich um unser Gepäck?«

»Aye, aye, Käpt'n!« Konrad erledigte diese Aufgabe, indem er eine Gruppe von Dienstmännern herbeirief und sie anwies, die Sachen zum Zug zu bringen. Sein Herr reichte Dorothea den Arm und führte sie zum Bahnsteig. Lore wollte ihnen mit Nati folgen, doch da streckte ihr Fridolin die Hand entgegen.

»Schönes Fräulein, darf ich's wagen …«

»Da der andere Arm verletzt und verbunden ist, habe ich leider nur eine Hand zur Verfügung, und mit der muss ich Nati halten.«

Fridolin lachte jedoch nur und sah auf Nati herab. »Darf ich um deine Hand bitten?«

»Also, zum Heiraten ist Nati noch etwas zu jung, falls dir ihr Vermögen ins Auge gestochen haben sollte«, spottete Lore.

»So habe ich es auch nicht gemeint!« Ohne sich aus der Ruhe bringen zu lassen, nahm Fridolin die Kleine bei der anderen Hand und ging mit ihr und Lore hinter Thomas Simmern und dessen Frau her.

Dorothea drehte sich kurz um und musterte die drei. Dabei gingen ihre Gedanken ganz eigene Pfade, und mit einem Mal trat ein Lächeln auf ihre blassen Lippen. Sie wusste jedoch selbst, dass sie erst einige andere Dinge klären musste, bevor sie ihre Idee in die Tat umsetzen konnte.

IV.

Lore fühlte sich wie erschlagen, als sie das einem Palast gleichende Stadthaus der Retzmanns vor sich sah. Gegen dieses Gebäude war selbst das Gutshaus auf Trettin nur eine Hütte. Beklommen folgte sie Dorothea Simmern in die Eingangshalle, die mit Trauerflor und bleichen Chrysanthemen geschmückt war. Doch die Weise, die eben von einer Kapelle tiefer in den Räumlichkeiten gespielt wurde, klang nicht nach einem Trauermarsch.

Mit zusammengekniffenen Lippen winkte Dorothea Lore und

den anderen, mit ihr zu kommen, und betrat einen farbenfroh dekorierten Saal. Die Mienen der Gäste, die dort an einer großen Tafel saßen und schmausten, wirkten alles andere als traurig oder düster. Sie prosteten einander zu, und ein junger Mann forderte die Kapelle gerade auf, einen Walzer zu spielen.
»Wir wollen tanzen!«, rief er und verbeugte sich vor seiner Tischnachbarin. Noch während diese kichernd aufstand, entdeckte ihr Kavalier Dorothea Simmern und deren Anhang.
»Ich glaube, wir haben Gäste«, stotterte er und machte die Feiernden auf die Gruppe aufmerksam.
Dorothea Simmern zog ein goldenes Lorgnon aus einem Beutel, ähnlich jenen, welche die vornehmen englischen Matronen bei dem Weihnachtsessen in London benutzt hatten, hob es vor ihre Augen und musterte damit eine füllige Dame, die am Kopfende der großen Tafel thronte. Sie trug ein lachsfarbenes Gewand und fünf Reihen erbsengroßer Perlen um den Hals. Auch sonst hatte sie mit Armbändern und Broschen nicht gespart. Das einzige Zeichen der Trauer waren zwei schwarze Tüllstreifen, die von der Brosche unterhalb ihres recht tiefen Ausschnitts herabhingen. Ihr jugendlicher Aufzug passte wenig zu einer Frau im fortgeschrittenen Alter mit zahllosen Falten im Gesicht, das sich eben dunkelrot färbte, während ihr Mund sich lautlos öffnete und schloss.
Auf den Wink des Mannes, der eben noch hatte tanzen wollen, erstarb die Musik mitten im Lied. Dorothea Simmern schwebte förmlich auf die Gastgeberin zu und bat sie mit schwacher Stimme um Verzeihung, weil sie ihr Fest gestört habe. »Oh, das tut mir ja so leid! Aber ich habe nicht erwartet, in einen großen Ball hineinzuplatzen. Ich nahm an, ein stilles Trauerhaus vorzufinden, in das ich die junge Hausherrin und ihre Lebensretterin bringen wollte.«
Jedes ihrer Worte stellte eine Ohrfeige für die hakennasige Dame dar. Eine Frau zwischen dreißig und vierzig, die wie eine jüngere

Ausgabe von Ermingarde Klampt wirkte, zog den Kopf ein, während ein Mann, der der jüngeren Dame ähnlich sah, so wirkte, als wünsche er Dorothea Simmern und ihre Begleitung in das Land, in dem der Pfeffer wächst. Doch auch er wagte nichts zu sagen, sondern sah betreten zu, wie einige Gäste, je nach Temperament mit betretenen Mienen oder einem spöttischen Lachen, den Saal verließen und draußen nach ihren Mänteln riefen.
Die meisten Besucher traten jedoch auf Nathalia zu, um zu kondolieren. Das Mädchen nahm die Beileidsbekundungen mit überraschender Anmut und Würde entgegen. Aber Lore sah sehr wohl, dass ihre Mundwinkel zuckten, wenn sie zwischendurch einen Blick auf ihre Großtante warf.
Diese hatte sich inzwischen wieder in der Gewalt und segelte nun ebenfalls auf das Kind zu, um es bei der Hand zu nehmen. Dabei übersah sie Dorothea Simmern, als bestände diese aus Luft. Bevor sie jedoch ein Wort sagen konnte, trat Thomas Simmern auf sie zu und kondolierte.
»Mein herzliches Beileid zum Tode Graf Retzmanns. Wie ich sehe, sind hier ja alle schwer in Trauer versunken. Allerdings möchte ich Sie darauf aufmerksam machen, dass Sie Festlichkeiten dieser Art in absehbarer Zeit in Ihren eigenen vier Wänden abhalten sollten. Dies hier ist ein Trauerhaus, und Komtess Nathalia Sophia Alexandra Elisabeth von Retzmann sind häufige Gäste und Feiern nicht zuzumuten.«
»Ich ... Wir wussten nicht, dass Sie schon aus England zurück sind. Es hieß, Sie würden länger bleiben«, würgte Ermingarde Klampt mühsam hervor.
»Sollte ich das so auffassen, dass die Mäuse auf den Tischen tanzen, sobald die Katze aus dem Haus ist?« Thomas Simmerns Stimme klang ätzend und brachte weitere Gäste dazu, das Palais umgehend zu verlassen. Einige von denen, die blieben, klatschten jedoch demonstrativ Beifall.

Thomas Simmern ging einmal um Ermingarde Klampt herum und zwang diese damit, sich um die eigene Achse zu drehen, um ihn im Auge behalten zu können.
»Wie kommen Sie dazu, mir als Nathalias nächster Verwandter Vorschriften machen zu wollen?«, fragte sie giftig.
»Wie ich Ihnen schon brieflich mitgeteilt habe, bin ich testamentarisch von Graf Retzmann als Vormund und Vermögensverwalter der Komtess eingesetzt worden. Daher werde ich auch die Ausgaben kontrollieren, die hier gemacht werden, und die Summe festsetzen, über die Sie als Repräsentantin des Hauses verfügen können. Da ein Trauerjahr vor Ihnen liegt, wird diese nicht sonderlich hoch sein.«
»Verdammter Krämer!«, schimpfte Ermingarde Klampt.
Thomas Simmern zuckte mit den Schultern. »Sie kennen meine Anweisungen. Darf ich Ihnen Fräulein Lore Huppach vorstellen, die Enkelin des Freiherrn von Trettin auf Trettin aus Ostpreußen, eines alten Freundes Ihres verstorbenen Schwagers? Diese tapfere, junge Dame ist von Graf Retzmann vor seinem Tod zu Natis Gesellschaftern bestimmt worden und hat unserer Komtess auf dieser schlimmen Reise dreimal das Leben gerettet. Sie ist auch meine Lebensretterin. In Zukunft wird sie hier wohnen, und nach dem Willen des Verstorbenen ist nur sie allein für Nathalias Erziehung verantwortlich. Außerdem ist sie mein verlängerter Arm in diesem Haus. Was sie sagt, wird hier von Gewicht sein. Also sollten Sie und Ihre Familie sich gut mit ihr stellen!«
Der Dame quollen buchstäblich die Augen aus dem Kopf, und die Blicke, mit denen sie Lore bedachte, waren eine einzige Kriegserklärung.
Der Kampf begann schon kurze Zeit später an der Tafel, an der in weitaus bescheidenerem Rahmen zu Abend gegessen wurde, als Ermingarde Klampt es geplant haben mochte. Da Lore ein bestimmender Teil des Retzmannschen Haushalts werden sollte, bat

Ermingarde sie, sich rechts neben sie zu setzen, und erklärte sie auf der Stelle zu ihrer »lieben Lore«.
Doch kaum hatten sie Platz genommen, begann sie sie in unverschämter Weise auszufragen. Ihre Tochter und ihr Sohn, die sich auf ein unbeschwertes Leben auf Natis Kosten eingerichtet hatten, assistierten ihr dabei nach Kräften.
Lore durchschaute das unsympathische Trio rasch. Sie wollten sie als Hochstaplerin hinstellen, die sich das Vertrauen Graf Retzmanns erschlichen hatte und vor der es nun Nati zu schützen galt. Das Kind wurde mit den süßesten Kosenamen bedacht, aber es reagierte kein einziges Mal darauf. Es schien fast, als sei es für die Stimmen seiner Verwandten taub. Seine Tischmanieren waren jedoch ausgezeichnet, wie Lore zufrieden feststellte. Wenn Nati wollte, wusste sie sich zu benehmen. Doch sie missachtete ihre angeheiratete Großtante und deren Nachwuchs, sondern redete nur mit Onkel Thomas, Dorothea Simmern und Lore.
Ermingarde Klampt bedachte das Kind mit einem wütenden Blick, zauberte dann aber ein Lächeln auf ihre Lippen. »Nehmen Sie … ach, als Hausgenossen können wir ruhig du zueinander sagen! Nimm ruhig noch ein wenig von den gefüllten Wachteln, liebste Lore. Sie schmecken äußerst delikat. Aber was mich interessiert: Du bist also die Enkelin eines Freiherrn von Trettin? Diesen Namen habe ich wirklich noch nie gehört, dabei gehört der Gotha zu meiner Lieblingslektüre.«
Bevor Lore etwas erwidern konnte, machte Dorothea Simmern dem bösen Spiel ein Ende. »Du musst dich irren, liebste Ermingarde. Soviel ich gehört habe, war der Herr von Trettin jener gutaussehende Adelige, der dir in Berlin für kurze Zeit den Hof gemacht hat. Das war noch vor deiner Heirat mit Nathalias Großonkel. Du müsstest dich an ihn erinnern können!«
»Ach ja, jetzt dämmert es mir! Er wollte mich heiraten, aber sein Stand und sein Vermögen entsprachen nicht meinen Vorstellun-

gen. Ein richtiger Bauer, muss ich sagen. Und das ist also dein Großvater, liebste Lore.« Trotz der bissigen Bemerkung war es ein Rückzugsgefecht. Ermingarde Klampt schwieg von nun an eisern, und ihre Nachkommenschaft tat es ihr mit Leidensmienen gleich. Dennoch verlief der Rest des Abends nicht erfreulicher. Daher war Lore schließlich froh, als sie sich verabschieden konnte, um Nati ins Bett zu bringen.

Zu ihrer Verwunderung stand Dorothea Simmern auf und begleitete sie. Im Obergeschoss blieb sie stehen und reichte Lore beide Hände.

»Mach nicht so ein verbiestertes Gesicht, mein Kind!«, sagte sie lächelnd. »Es wird alles nicht so heiß gegessen, wie es gekocht wird. Ermingarde kann deiner Stellung nicht gefährlich werden, nicht nach dem heutigen Tag. Es war ein großer Fehler von ihr, vor Ablauf der Trauerzeit in diesem Haus ein Fest zu geben, auch wenn es sich um den Geburtstag ihres Sohnes handelte. Sie weiß, dass ich, wenn ich wollte, sie jetzt in Bremen gesellschaftlich unmöglich machen könnte. Sollte sie dich schlecht behandeln, bittest du die Wirtschafterin, die ich dir gleich vorstellen werde, einen Diener mit einer Nachricht zu mir zu schicken. Dann werde ich der Dame ordentlich den Kopf waschen und dafür Sorge tragen, dass sie dir jeden Wunsch von den Augen abliest. Versprichst du mir das?«

»Ja, gewiss, ich …«, stammelte Lore, von Frau Simmerns Hilfsbereitschaft überwältigt.

»Ich biete dir meine Hilfe nicht nur aus Dankbarkeit an, weil du meinem Mann das Leben gerettet hast oder weil ich dich für ein nettes Mädchen halte, sondern auch aus reinem Eigennutz. Bitte halte Nathalia davon ab, mir lebende Mäuse in die Unterröcke zu stecken oder Regenwürmer in meine Handtasche! Ich will nichts gegen das Kind sagen. Nathalia kann ein Engel sein, wenn sie will. Glaubt sie jedoch, man wolle sie ärgern, oder ist sie unglücklich, wird sie zur Teufelin. Und glaube mir, Ermingarde würde sie sehr unglücklich machen.«

»He! Ihr redet über mich, als wenn ich nicht dabei wäre oder keine Ohren hätte«, beschwerte sich Nati.

»Wir reden über dich, weil wir wollen, dass du glücklich und zufrieden aufwachsen sollst. Das möchtest du doch auch, oder nicht?« Mit dieser Frage setzte Dorothea den kleinen Plagegeist schachmatt, und sie vermochte sich wieder Lore zuzuwenden.

»Kurz gesagt, ich wünsche, dass du dein Möglichstes tust, um aus Nathalia ein nettes Mädchen zu machen. Ich habe nichts dagegen, wenn sie Ermingardes unmöglicher Tochter Spinnen ins Haar setzt – aber das sollte sie bitte nicht bei offiziellen Anlässen tun!« Dorotheas Seufzen zeigte Lore, dass Nati das schon getan haben musste. Da sie mittlerweile wusste, wie viel Wert die bessere Gesellschaft auf Konventionen legte, würde dies, wenn es öfters geschah, Nati in einen schlechten Ruf bringen.

»Ich werde mein Bestes tun«, antwortete Lore und fragte sich gleichzeitig, ob sie dieser Aufgabe überhaupt gewachsen war. Immerhin war sie selbst fast noch ein Kind. Dann aber sagte sie sich, dass Onkel Thomas sein Vertrauen in sie setzte, und ihn wollte sie unter keinen Umständen enttäuschen.

V.

Nachdem Lore Nati ins Bett gebracht hatte, weinte die Kleine, weil ihre große Freundin nicht gleich bei ihr bleiben wollte, gab sich aber mit der Versicherung zufrieden, dass sie bald kommen und im zweiten Bett übernachten würde. Dann führte Dorothea Lore durch ein ganzes Gewirr von Korridoren und Treppen in

den Raum, in dem die Dienerschaft auf den Ruf ihrer Herrschaft wartete.
»Das ist Inge Busz, die Wirtschafterin. Sie ist seit fünfundzwanzig Jahren im Hause Retzmann und kennt es in- und auswendig. Sie wird dir eine große Stütze sein.« Bei diesen Worten lächelte Dorothea der untersetzten Wirtschafterin freundlich zu.
»Inge, das ist Lore Huppach, Nathalias Gesellschafterin und Lebensretterin. Konrad wird dir ja schon das Nötigste berichtet haben, nicht wahr?«
Die Frau in einem strengen, dunkelblauen Kleid mit einer weißen Schürze nickte eifrig. »O ja, gnädige Frau. Er hat mir alles erzählt. Liebes Fräulein Lore – so darf ich Sie doch nennen, ja? –, ich heiße Sie herzlich im Hause Retzmann willkommen und hoffe, Sie werden sich hier bald ganz wie zu Hause fühlen. Ich darf Ihnen versichern, dass alle Dienstboten schon Bescheid wissen und bis auf die Zofe und die beiden Lakaien, die Frau Klampt mitgebracht hat, auf Ihrer Seite stehen. Konrad hat uns versichert, dass Sie gewillt sind, unserer kleinen Komtess all die Liebe zu geben, die sie dringend braucht, und sie dennoch so zu erziehen, dass ihr Großvater stolz auf sie wäre. Wir freuen uns, dass es jemanden gibt, der unser kleines Teufelchen liebt, es versteht und gewillt ist, ihm eine gute Hüterin und eine treue Freundin zu sein, bis es eines Tages eine feine, junge Dame geworden ist.
Frau Klampt und ihre Kinder wohnen übrigens im Westflügel des Hauses, den sie ganz in Beschlag genommen haben. Sie werden ihnen also nicht ständig über den Weg laufen müssen.«
Lore schüttelte Frau Busz die Hand und versprach ihr, Nati wie ihren Augapfel zu hüten und alles zu tun, um aus dem Kind ein wohlerzogenes Fräulein zu machen.
»Das wirst du, meine Liebe, das wirst du.« Dorothea verabschiedete sich von Frau Busz und klopfte Lore sacht auf den Rücken. »Mein Mann wird gewiss schon ungeduldig sein, liebe Lore.

Erlaube, dass ich dich jetzt verlasse. Du musst nicht mitkommen und adieu sagen. Deine Pflichten bei Nati entschuldigen dich.« Sie schenkte Lore noch ein Lächeln, dann entschwebte sie.
Lore blickte ihr einen Augenblick nach, winkte anschließend der Wirtschafterin zu und stieg wieder nach oben, um in ihr und Natis Schlafzimmer zu gelangen. Auf der Treppe kam ihr eine junge Frau in einem schwarzen Kleid, weißer Schürze und weißem Käppchen entgegen. Lore wollte an ihr vorbeigehen, da presste die andere die Hände gegen die Schläfen und wich mit flackernden Augen zurück.
»Fräulein Lore? Das gibt es nicht!«
Es dauerte einen Moment, bis Lore ihr Gegenüber erkannte. »Elsie! Was machst du denn hier?« In diesen wenigen Worten lag ihre ganze Enttäuschung über ihr einstiges Dienstmädchen.
»Ich ... ich bin als Zofe in Frau Klampts Diensten«, stotterte Elsie, die noch immer nicht fassen konnte, die Person vor sich zu sehen, die sie so schmählich im Stich gelassen und bestohlen hatte.
Lore erinnerte sich nur zu gut an die furchtbaren Stunden, die sie durchlebt hatte, nachdem Elsie mit Gustav verschwunden war. Die beiden hatten ihr nicht nur die Seekiste mit ihren Sachen entwendet, sondern auch das gesamte Geld gestohlen, welches für die ersten Monate in Amerika hätte reichen sollen. Inzwischen wusste sie zwar, dass ihr Großvater die wirklich wertvollen Sachen in dem alten Schiffermantel versteckt hatte. Und laut Onkel Thomas' Auskunft sollte sie eine beträchtliche Summe bei einer amerikanischen Bank besitzen. Doch das löschte nicht die Enttäuschung aus, die Elsie ihr bereitet hatte.
»Wie kommt es, dass du wieder als Zofe arbeiten musst? Mein Großvater hatte dir viel Geld für einen neuen Anfang in Amerika gegeben. Außerdem hast du einige hundert Taler gestohlen, die mir gehört haben!« Lores Stimme klang scharf, und sie überlegte, ob sie ihre diebische Zofe nicht der Polizei übergeben sollte.

Elsie sank demütig vor ihr auf die Knie. »Verzeihen Sie mir, Fräulein! Ich wollte Sie nicht bestehlen! Aber ich hatte einfach zu viel Angst vor dem Schiff. Ich wollte nicht mitten auf dem Meer sterben, wie es so vielen Menschen auf der *Deutschland* ergangen ist. Das müssen Sie doch verstehen!«

Während sie vorgab, vor Reue und Verzweiflung zu vergehen, beobachtete Elsie Lores Gesichtsausdruck. Früher war das Mädchen unsicher und leicht bereit gewesen, die Meinung anderer höher zu achten als die eigene. Doch die Lore, die ihr nun gegenüberstand, war aus einem anderen Holz geschnitzt.

»Gustav war schuld! Er allein!«, schrie Elsie panikerfüllt. »Er hat mir noch mehr Angst vor dem Meer gemacht, als ich ohnehin schon hatte, und mir versprochen, sich um mich zu kümmern. Er hat die Seekiste nicht auf das Schiff bringen lassen, sondern sie gestohlen, weil er glaubte, darin läge Geld, welches Ihr Großvater Ihnen mitgegeben hat. Ich wollte es wirklich nicht, Fräulein Lore. Sie müssen mir glauben!«

Nun löste Elsie sich schier in Tränen auf. Sie fasste nach Lores Hand und drückte sie gegen ihre nasse Wange. »Er hat mir das ganze Geld abgenommen und mich sitzenlassen, der Schuft! Wir hatten uns in einer schäbigen Pension eingemietet, und eines Morgens war er dann weg, und mit ihm das ganze Geld. Er war sogar die Miete schuldig geblieben! Die musste ich zuerst abarbeiten, und dann hat man mich einfach auf die Straße gesetzt. Ich wäre in der Gosse gelandet, wenn nicht eine Verdingerin dringend eine Zofe für Frau Klampt gesucht hätte. Es war keine angesehene Verdingerin, und ich bekomme auch nicht mehr Lohn als ein Küchenmädchen, muss aber Frau Klampt und ihrer Tochter Zofendienste leisten und sie auch noch bedienen wie eine Magd. Bitte, zeigen Sie mich nicht bei der Polizei an! Es ist Ihnen doch alles zum Guten ausgeschlagen, im Gegensatz zu mir. Ich hätte in Amerika ein neues Leben anfangen können, mit genug Geld, um

ein Geschäft aufzumachen. Aber jetzt bin ich noch schlechter dran als bei Herrn von Trettin.«
Lore sah auf Elsie nieder und entzog ihr die Hand. Nach allem, was geschehen war, würde sie kein Vertrauen mehr in das Dienstmädchen setzen. Außerdem war sie sicher, dass Elsie schon früher etwas angestellt haben musste. Als Zofe einer Dame aus höheren Kreisen hätte sie sonst eine bessere Arbeit als die einer Dienstmagd in Ostpreußen finden müssen. Einen Augenblick lang kämpfte sie noch mit sich, dann zuckte sie mit den Schultern.
»Du bist Frau Klampts Zofe und gehörst nicht zu den Bediensteten im Haus. Daher habe ich mit dir nichts zu schaffen!« Sie ging weiter, ohne sich umzudrehen, denn das Kapitel Elsie war für sie erledigt. Ins Gefängnis wollte sie die Frau nicht bringen, aber wie sie Ermingarde Klampt einschätzte, war der Dienst bei ihr alles andere als ein Zuckerschlecken, und das gönnte sie diesem verräterischen Weibsstück.

VI.

Elsie sah Lore nach und wusste nicht, ob sie erleichtert sein sollte, weil diese nicht vorhatte, sie als Diebin bei den Behörden anzuzeigen, oder sich ärgern, weil es ihr nicht gelungen war, sich wieder bei ihr einzuschmeicheln. Dabei hatte sie bereits gehofft, sich als Zofe der kleinen Komtess Retzmann andienen zu können, denn die Arbeit bei Ermingarde Klampt war weitaus härter als im Forsthaus, wurde aber ebenso schlecht bezahlt.
Nachdenklich kehrte sie in den Westflügel zurück, in dem Familie Klampt Quartier bezogen hatte. Auf dem Weg zu Ermingarde traf sie auf deren Sohn Gerhard. Beim Anblick der Zofe verlor

sich der mürrische Ausdruck auf seinem Gesicht, und er sah sich hastig um, um festzustellen, ob jemand sie beobachtete. Da dies nicht der Fall war, packte er Elsie am Arm und zerrte sie in sein Zimmer. Rasch schloss er ab und wies mit dem Kopf auf sein Bett.

»Los, zieh dich aus! Nach dem Tag heute brauche ich ein wenig Freude!«

Elsie gehorchte, obwohl es sie ärgerte, dass Gerhard Klampt im Bett nur seine eigene Befriedigung suchte. Hinterher musste sie oft in ihre Kammer gehen und mit den Fingern vollenden, was er angefangen hatte. An diesem Tag war es besonders schlimm. Er riss sich die Oberbekleidung vom Körper, behielt aber Unterhemd und Unterhose an und schob sich auf sie, als wäre er ein Bulle und sie eine Kuh. Es tat weh, und sie wimmerte.

»Hab dich nicht so!«, herrschte der Mann sie an und steigerte sich in einen kaninchenhaften Takt hinein. Kurz darauf biss er die Zähne zusammen, um nicht zu laut zu stöhnen und draußen gehört zu werden. Und schon war er fertig.

Noch während sein Glied zusammenfiel, forderte er Elsie auf, sich anzukleiden und zu verschwinden.

Das Mädchen streckte die Hand aus. »Glauben Sie nicht, dass ich eine Belohnung verdient habe, Herr Gerhard?«

Der Mann hob seine Hose vom Boden auf, langte in die Tasche und zückte sein Portemonnaie. »Hier, das wird wohl reichen!« Mit diesen Worten steckte er ihr ein paar Groschen zu.

Elsie war empört. In den letzten Wochen, in denen Klampt davon geredet hatte, demnächst Natis Vermögen verwalten zu können, hatte er sich weitaus großzügiger gezeigt. Sie schnaubte und stampfte wütend auf. »Für die paar Pfennige mache ich nicht länger die Beine breit!«

Gerhard Klampt fuhr verärgert herum. »Verdammt noch mal! Jetzt, wo dieser elende Simmern uns den Brotkorb hochhängen will, muss ich bei allem sparen. Warum musste der alte Retzmann ausgerechnet diesen Geizkragen als Vormund einsetzen? Als naher Verwandter wäre ich weitaus besser geeignet, dieses Haus repräsentabel zu führen. Meine Mutter ist außer sich vor Wut, und ich bin es ebenfalls! Man behandelt uns so schofel, als wären wir Bettelvolk und keine nahen Verwandten der Komtess. Setzt uns dieser Simmern doch ein halbes Kind vor die Nase, das noch nicht trocken hinter den Ohren ist. Ich halte diese Lore immer noch für eine Schwindlerin, gleichgültig, was Simmern und dessen Frau behaupten. Für mich ist sie ein ganz normaler Dienstbolzen, der sich bei Simmern lieb Kind gemacht hat. Vielleicht ist sie auch zu ihm unter die Decke gekrochen! Diesem Heimtücker traue ich alles zu, und seine Angetraute, diese ach so feine Dame, kneift lieber alle Augen zu, als ihn zur Rede zu stellen. Es könnte ja zu einem Skandal kommen!« Beim letzten Satz versuchte Klampt, Dorothea Simmerns Stimme zu imitieren.

Dann fluchte er und ballte die Faust. »Aber die werden wir schon los, sagt meine Mutter. Sobald das geschehen ist, sorge ich dafür, dass Simmern uns genug Geld zuteilt, um wie Menschen leben zu können. Dann kannst du wegen mir ein paar Kröten mehr für das bisschen Stillhalten bekommen.«

Unterdessen war Elsie in ihre Kleider geschlüpft und sah ihn forschend an. Wie es aussah, wussten weder er noch seine Mutter, wer Lore wirklich war, und hielten den adeligen Großvater für ein Märchen, das Thomas Simmern ihnen aufgetischt hatte. Ostpreußen war weit, und hier in Bremen würde so leicht niemand das angebliche Mitglied einer Krautjunkerfamilie als Schwindlerin entlarven können.

Mit einem Mal formte sich Elsies Mund zu einem Lächeln. Das Wissen um die kleine Huppach war ein Pfund, mit dem sie zu wuchern gedachte. Sie schloss ihre letzten Knöpfe, blieb dann aber neben der Tür stehen.

»Meine frühere Herrschaft hatte Verwandte in Ostpreußen. Daher kenne ich mich ein wenig in dieser Gegend aus.« Sie warf Gerhard Klampt diesen Köder hin, und er sprang sofort darauf an.
»Du kennst den Freiherrn von Trettin?«
Elsie nickte lächelnd. »Und seine Enkelin!«
Jetzt riss es Klampt herum. »Du kennst diese Lore?«
Ein erneutes Nicken war die Antwort, gefolgt von einer unmissverständlichen Geste. Elsie tat so, als wolle sie Geld zählen.
»Das muss meine Mutter erfahren. Komm mit!« Gerhard Klampt wollte Elsie packen und mit sich ziehen, doch sie entwischte ihm mit einem Lachen.
»Vorher sollten Sie Ihre Hose und Ihr Hemd anziehen, Herr Klampt. Sonst denkt Ihre Frau Mutter noch Gott weiß was von uns!«
»Werde ja nicht frech!«, knurrte der Mann und zog sich an. Nach einem prüfenden Blick in den Flur verließen die beiden das Zimmer und gingen etliche Türen weiter zu dem Raum, den Ermingarde Klampt als ihren privaten Salon in Beschlag genommen hatte. Ihr Sohn klopfte und trat erst ein, als er die Aufforderung dazu vernahm.
Seine Mutter saß auf einem Sessel, ein Riechfläschchen in der Hand, und starrte mit brennenden Augen in die Richtung, in der der Haupttrakt des Palais Retzmann lag. Langsam drehte sie sich um, sah ihren Sohn auf sich zukommen und bemerkte dann Elsie, die ihm unmittelbar folgte. »Was willst du?«
Gerhard Klampt stellte sich vor seiner Mutter in Positur und zeigte auf die Zofe. »Elsie kennt die Aufpasserin, die Simmern uns ins Haus gesetzt hat, von früher.«
Ermingarde Klampt durchbohrte Elsie förmlich mit ihren Blicken. »Stimmt das?«
Die Zofe nickte etwas zögerlich. »Ja, ich kenne sie und weiß, wo sie herkommt.«

»Dann raus mit der Sprache! Du musst uns alles sagen, was du weißt!« Erregt fasste Ermingarde sie und zog sie näher zu sich heran.

Elsie zog eine Grimasse. »Ich denke, das ist eine Information, die Ihnen etwas wert sein sollte.«

Als Antwort versetzte Ermingarde ihr eine schallende Ohrfeige. »Fang nicht so an, du Hure! Ja, Hure! Oder glaubst du, ich wüsste nicht, dass du zu meinem Sohn ins Bett steigst? Ich sollte dich ohne Lohn und Zeugnis hinauswerfen und verlauten lassen, was für ein verkommenes Miststück du bist.«

Jetzt kamen Elsie die Tränen. Wenn Ermingarde Klampt ihre Drohung wahr machte, würde sie niemand mehr als Zofe oder auch nur als Dienstmädchen einstellen. Dann blieb ihr nur noch der Weg ins Bordell.

»Nein, Frau Klampt! Bitte, tun Sie das nicht«, rief sie verzweifelt. »Ich will doch gar kein Geld, oder höchstens ein bisschen als Belohnung, wenn Sie mit mir zufrieden sind.«

Ermingarde begriff, dass sie Elsie ein wenig füttern musste, um sie zum Reden zu bringen, und wenn es vorerst nur mit Versprechungen war. »Also gut, ich werde darüber nachdenken«, sagte sie daher und winkte ihrem Sohn, einen Stuhl heranzubringen.

»Setz dich hierher und erzähle mir alles, was du über Simmerns Spionin weißt!«, forderte sie Elsie auf.

Diese nahm Platz, sah dann aber zu ihrer Herrin auf und spielte ihren ersten Trumpf aus. »Lore ist tatsächlich die Enkelin des Freiherrn Wolfhard Nikolaus von Trettin.«

»Dieses elenden Kerls, der mir ein paar Wochen den Hof gemacht und mich dann doch nicht um meine Hand gebeten hat?« Ermingarde Klampt klang so erbost, als habe sie diese Zurückweisung selbst nach vier Jahrzehnten noch nicht vergessen oder gar verziehen. Bevor sie jedoch mehr sagen konnte, wurde die Tür aufgerissen, und ihre Tochter platzte herein.

»Mama, das musst du sofort erfahren! Dieser elende Simmern hat uns eine einfache Schneiderin als Aufpasserin ins Haus gesetzt. Ich habe gehört, wie Inge Busz zur Köchin gesagt hat, Lore werde später, wenn die Kröte Nathalia alt genug wäre, einen Modesalon aufmachen.«

»Das ist sicher der Lohn, den Simmern ihr zahlen will, damit sie uns überwacht und aushorcht!«, rief Ermingarde Klampt empört aus.

»Das Geld für dieses Geschäft soll sie bereits haben«, berichtete ihre Tochter.

»Dann hat er sie im Voraus bezahlt!« Ermingarde Klampt grollte, sah dann aber, wie Elsie den Kopf schüttelte.

»Du scheinst ja einiges zu wissen, also mach endlich den Mund auf!«

Die Zofe äugte nach der Weinflasche und den Gläsern, die auf dem Tisch standen, denn ihr Mund fühlte sich trocken an. Gerhard bemerkte ihre Geste und schenkte ihr unter dem missbilligenden Schnauben von Mutter und Schwester ein. »Hier! Trink, und dann raus mit der Sprache!«

Elsie nahm das Glas in die Hand und ließ den Inhalt genießerisch die Kehle hinabrinnen. Es war ein guter Tropfen aus dem Weinkeller des Palais, denn Ermingarde sah es als ihr gutes Recht an, sich an seinem Inhalt zu bedienen, wie sie auch vieles andere in diesem Haus wie ihr persönliches Eigentum behandelte.

»Also, es ist so …«, begann die Zofe, während ihre Zuhörer immer näher kamen, um ja kein Wort zu verpassen. »Lore ist tatsächlich die Enkelin des alten Trettin. Da das Gut jedoch Majorat ist und er nur eine Tochter hatte, war der nächste Erbe sein Neffe Ottokar von Trettin. Wolfhard von Trettin wollte diesen jedoch betrügen und hat dem Gut sehr viel Geld entzogen, um es seiner Tochter zuzuschanzen. Herrn Ottokar ist zuletzt nichts anderes übriggeblieben, als seinem Onkel das Gut per Gerichtsbeschluss aus den Händen zu nehmen, sonst hätte dieser es zugunsten seiner eigenen Nachkommenschaft vollkommen ruiniert.«

Elsie wusste genau, was ihre Herrin und deren Kinder von ihr hören wollten, und wurde durch Ermingardes zufriedenes Schnauben belohnt. Dieser schien der Verlust des Gutes die gerechte Strafe für den Mann zu sein, der sie einst verschmäht hatte. Ihre Zufriedenheit steigerte sich noch, als Elsie ihr von dem schweren Schlaganfall erzählte, der den alten Trettin auf das Krankenbett geworfen hatte. Als sie zu dem Punkt kam, wie Lores Großvater deren Flucht nach Amerika geplant hatte, um das dem Majoratserben entzogene Geld in Sicherheit zu bringen, horchte sie auf.

»Hat Ottokar von Trettin sich das so einfach gefallen lassen?«, fragte sie.

Heftig schüttelte Elsie den Kopf. »Natürlich nicht! Aber gegen die Heimtücke des Alten ist er nicht angekommen. Dieser hat Lore nämlich noch zu seinen Lebzeiten in aller Heimlichkeit losgeschickt. Wie Ottokar von Trettin darauf reagiert hat, weiß ich nicht, da ich Ostpreußen etwa zu der gleichen Zeit verlassen habe.«

»Es würde mich interessieren, warum du das getan hast. Ich habe dich doch vorhin mit Lore zusammenstehen und mit ihr reden hören«, erklärte Ermingardes Tochter, die anscheinend nicht nur die Gespräche unter Dienstboten belauschte.

Elsie wurde im ersten Moment bleich, fing sich dann aber wieder und musterte die Frau, die nur wenig über dreißig Jahre zählte und bereits verblüht aussah. Bisher hatte mangels einer Mitgift noch kein Mann um sie geworben, und ihrer Hoffnung, sich mit Hilfe eines Teils des Retzmannschen Vermögens einen Gatten an Land zu ziehen, hatte Thomas Simmern zumindest vorerst einen Riegel vorgeschoben. Daher war Armgard Klampt beinahe noch mehr als ihre Mutter daran interessiert, die unerwünschte Aufpasserin loszuwerden. Ihren Plänen zufolge sollte Lore zunächst aber der Hebel sein, mit dem sie Thomas Simmern stürzen wollten.

»Denkt doch nur, was das für einen Skandal geben dürfte, wenn die Leute erfahren, dass der von Graf Retzmann eingesetzte Vormund und Vermögensverweser das arme Kind der Obhut einer Diebin anvertraut hat, die ihrem Vormund davongelaufen ist«, trumpfte Armgard auf.

Ihre Mutter nickte und lächelte vergnügt. »Es würde Simmern das Genick brechen. Das vergönne ich seiner impertinenten Frau. Führt die sich doch auf, als wäre sie die tonangebende Dame der Bremer Gesellschaft. Wenn das aufkommt, kann sie sich nirgends mehr sehen lassen.«

Während die beiden Frauen bereits ihren Triumph auskosteten, hob Gerhard Klampt die Hand. »Vielleicht sollten wir versuchen, uns mit Simmern gütlich zu einigen, und darauf verzichten, die Gesellschaft zu informieren, wenn er mir die Vormundschaft über Nathalia und die Verfügungsgewalt über ihr Vermögen überträgt.«

»Bist du verrückt?«, rief seine Mutter aus. »Wenn wir das tun, werden Simmern und seine Frau immer als Mahner im Hintergrund stehen und darauf achten, wie viel Geld wir dem Retzmann-Vermögen entziehen. Nein, die beiden müssen ebenso verjagt werden wie ihre Spionin. Nur wenn wir freie Hand haben, können wir Armgard die Mitgift zukommen lassen, die sie benötigt, um einen besseren Herrn für sich zu gewinnen. Außerdem musst du auch an dich denken, Gerhard. Die paar Taler, die dir als Vermögensverwalter zustehen, reichen doch nicht aus, um aus dir einen wohlbestallten Herrn zu machen. Dabei ist das Vermögen dieser kleinen Bestie Nathalia groß genug, dass sie nicht einmal merken würde, wenn die Hälfte davon wegkäme. Unser Herrgott im Himmel hat seine Gaben wirklich ungerecht verteilt. Und jetzt lasst mich allein! Ich habe einen Brief an den Freiherrn Ottokar von Trettin zu schreiben. Halt, Elsie! Du bleibst hier und wirst den Brief anschließend zur Post bringen.«

Sogleich ließ Ermingarde sich von Elsie Papier, Tinte und Schreibfeder bringen und begann, einen Brief aufzusetzen, in dem sie die hiesigen Verhältnisse sowie das, was ihre Tochter über Lore in Erfahrung gebracht hatte, bei weitem übertrieb. Doch um Mäuse zu fangen, brauchte es Speck, und für reiche Leute wie Ottokar von Trettin hieß dieser Speck Geld.

VII.

Ohne zu ahnen, welche Intrigen im Westflügel des Palais gegen sie gesponnen wurden, kehrte Lore in das Schlafzimmer zurück, das sie für die nächste Zeit mit Nati teilen würde. Die Kleine erwartete sie aufrecht sitzend im Bett und grinste.

»Na, hast du Inge Busz kennengelernt? Ich mag sie beinahe ebenso gerne wie Anna, die Köchin. Die steckt mir immer Leckereien zu, wenn sie wieder einmal etwas Besonderes gebacken oder gekocht hat. Mit den beiden wirst du bestimmt gut auskommen. Sie lassen sich von Tante Ermingarde nichts sagen! Wir lassen uns von ihr auch nichts sagen, nicht wahr?«

Damit stürzte Nati Lore in ein Dilemma. Immerhin galt Ermingarde Klampt als die Dame des Hauses, und da war es schwer, ihren Einfluss auf die Erziehung der Kleinen gänzlich beiseitezuschieben. Außerdem wollte sie keinen Dauerkrieg gegen die Frau führen müssen. »Weißt du, was?«, sagte sie daher. »Wir warten erst einmal ab, was Tante Ermingarde zu sagen hat.«

Der Kleinen traten Tränen in die Augen. »Ich wollte, mein Opa wäre noch da! Der würde gut aufpassen, dass dieses olle Weib uns nicht ärgert. Ach, ich vermisse ihn so!«

Lore nahm sie in die Arme und wiegte sie sanft. »Dein Opa ist

jetzt im Himmel, aber er blickt gewiss auf dich herab, ob es dir gutgeht und du auch brav bist, damit er stolz auf dich sein kann.«
»Ich will, dass Opa stolz auf mich ist, und du sollst es auch sein!«
Jetzt weinte Nati wirklich, und es dauerte eine Weile, bis Lore das Kind so weit beruhigt hatte, dass es sich wieder in sein Bett kuschelte und die Decke hochzog.
»Gute Nacht, Schätzchen«, sagte sie zu der Kleinen.
»Gute Nacht, Lore!« Es klang bereits sehr müde, trotzdem dauerte es noch einige Minuten, bis Nati endlich eingeschlafen war.
Lore zog die Bettdecke zurecht. Dann stand sie vorsichtig auf, warf sich den dicken Morgenrock über, den Onkel Thomas ihr in Harwich gekauft hatte, und trat ans Fenster. Tief unten breitete sich ein parkähnlicher, noch winterlich kahler Garten aus, der wegen der geplanten und dann geplatzten Feier von Gaslaternen erhellt wurde. Von der Dienerschaft hatte niemand daran gedacht, die Flammen abzudrehen. Lore spürte, dass es nicht einfach sein würde, dieses Haus zu leiten, und sie fühlte sich für diese Aufgabe noch zu jung. Dennoch würde ihr nichts anderes übrigbleiben, als Thomas Simmerns Wunsch zu erfüllen. Ermingarde Klampt war nicht die Frau, der sie ein Kind wie Nathalia anvertrauen würde. Aber wenn sie hierblieb, würde sie genau das sein, was sie nach dem Willen ihres Großvaters niemals hätte werden sollen, nämlich eine bezahlte Dienstbotin.
Natürlich bestand ein großer Unterschied darin, ob sie als arme Verwandte galt, die um Gottes Lohn schuften und sich dazu noch anhören musste, dass sie dankbar sein müsse, weil man ihr ein anständiges Zuhause gegeben habe, oder als hochbezahlte Gesellschafterin und Erzieherin einer reichen Erbin. Aber in Amerika wäre sie … ja, was wäre sie dort gewesen?
Nach allem, was sie auf dieser aufregenden und gefahrvollen Reise gehört und gesehen hatte, versuchte sie sich vorzustellen, wie ihr Leben nach der Ankunft in den Staaten verlaufen wäre, wenn der

Schiffbruch sie nicht aus der von ihrem Großvater vorgezeichneten Bahn geworfen hätte. Zuerst einmal wäre sie ganz allein dagestanden, ohne Freunde und ohne Erfahrung mit fremden Städten und Ländern. Zwar hätten die Nonnen sie bei sich aufgenommen und sich um sie gekümmert. Aber dann wäre sie wirklich eine Dienstbotin geworden, die im Namen Gottes ihre Arbeit tun musste – und das auch nur um Gottes Lohn. Ob sie dort, in diesem fremden Land und nach Jahren eines eingeschränkten Lebens unter frommen Frauen wirklich den Mut und die Kraft gefunden hätte, sich auf eigene Füße zu stellen, bezweifelte sie. Hier aber hatte sie Freunde gefunden, und an diesem Ort wurde sie gebraucht. Sie würde sich durchbeißen und Nati – ihr neues Schwesterchen – beschützen, ganz gleich, wie schwer es ihr auch fallen mochte.

»Ich habe mich entschieden«, sagte sie etwas zu laut. »Ich bleibe!«

»Lore?«, fragte Nati schlaftrunken. Instinktiv spürte sie die Zweifel, die an Lore nagten. Sie sprang aus dem Bett, lief zu ihr und umarmte sie. »Hast du etwa Angst vor Tante Ermingarde? Das musst du nicht. Ich bin ja da und beschütze dich vor ihr!«

VIII.

In den nächsten Tagen sah es jedoch nicht so aus, als müsse Nati Lore beschützen. Ermingarde Klampt behandelte Lore freundlich, geradezu zuckersüß, und stimmte ihr in allem zu, was Natis Wohl betraf. Nati selbst wurde von ihr abwechselnd als »unser liebes Kind« und »unser Augapfel« bezeichnet und musste sich mindestens fünf Mal am Tag von Tante Ermingarde und deren Tochter herzen und küssen lassen. Selbst als die Kleine einmal kurz Lores

Aufsicht entschlüpfte und die Gelegenheit nutzte, einen noch nicht ausgenommenen Hering in Armgards Bett zu plazieren, tat diese den Streich nach einem scharfen Blick ihrer Mutter als lustigen Scherz ab.

Doch gerade diese Nachsicht erregte Natis Misstrauen. Das Mädchen hatte nicht vergessen, wie verbissen Ermingarde bei ihrem Großvater darum gekämpft hatte, mit ihren Kindern im Retzmann-Haus aufgenommen zu werden, um Natis angeblich völlig unzureichende Erziehung zu übernehmen. Graf Retzmann hatte dieses Ansinnen jedoch abgelehnt und lieber die wechselnden Gouvernanten in Kauf genommen. Da diese sich von Ermingarde und ihrer Tochter gegen den Grafen und das Kind hatten aufhetzen lassen, waren sie ihres sehr gut bezahlten Postens stets rasch wieder enthoben worden.

Ermingarde Klampt versuchte auch Lore zu umgarnen und in Sicherheit zu wiegen. Dabei dachte sie unentwegt an den ostpreußischen Freiherrn, der ihren Brief inzwischen erhalten haben musste, und zählte die Tage, die dieser für die Reise nach Bremen benötigen würde. Dabei freute sie sich bereits auf den Skandal, der sie von Lore und Simmern befreien und zur unumschränkten Herrin im Hause Retzmann machen würde.

Obwohl Lore froh war, dass Ermingarde Klampt ihr nicht feindselig entgegentrat, flößte die Frau ihr ein ungutes Gefühl ein. Immer wenn sie sich mit der Dame unterhielt, hatte sie das Gefühl, ausgehorcht zu werden. Dabei galt Ermingardes Neugier nun weniger ihr selbst als Ruppert.

»Soweit man weiß, ist er nicht der Neffe unseres lieben Toten, sondern ein Kuckuck, den die Mutter in das ehrwürdige Nest derer von Retzmann gelegt hat«, erklärte sie mehr als einmal mit Nachdruck.

Um Lores Lippen spielte ein Lächeln. Thomas Simmern hatte ihr geraten, Rupperts Tod erst einmal für sich zu behalten. Natis Vetter sollte so lange als verschollen gelten, bis die englischen Behörden seinen Leichnam geborgen und seinen Tod gemeldet hatten. Ein Zusammenhang zwischen Lore, Simmern und Rupperts Ableben hätte genau den Skandal verursacht, den Onkel Thomas vermeiden wollte.

Daher ging Lore nicht auf das Gerede Ermingardes ein, sondern erklärte freundlich, dass es an der Zeit sei, eine Hauslehrerin für Nati einzustellen.

»Aber selbstverständlich! Ich werde mich sofort darum kümmern«, versprach Ermingarde und dachte für sich, dass sie dafür einen weiblichen Dragoner aussuchen würde, der gleich als Natis Gouvernante fungieren konnte.

»Das ist sehr aufmerksam von Ihnen«, antwortete Lore. »Doch Frau Simmern hat sich bereits angeboten, dafür Sorge zu tragen. Ich wollte Sie nur informieren, dass wir bald ein neues Haushaltsmitglied haben werden.« Damit nickte sie Ermingarde zu und erklärte, sich wieder um Nati kümmern zu müssen.

Während Lore nach oben ging, sah Ermingarde Klampt ihr mit giftigen Blicken nach. »Das hättest du gerne, was? Aber wenn hier eine Lehrerin hereinkommt, dann eine, die ich ausgesucht habe.«

»Was ist, Mama?« Ihre Tochter war den Korridor entlanggekommen und hatte ihre letzten Worte gehört.

Ermingarde Klampt drehte sich verärgert um. »Dorothea Simmern will eine Lehrerin für das kleine Balg einstellen. Dabei ist das mein Recht! Ich bin für die Erziehung des Kindes zuständig, und sonst keiner.«

»Wo bleibt denn nun dieser ostpreußische Krautjunker? Wenn er nicht bald kommt, ersticke ich noch an der Freundlichkeit, die ich Nathalia und dieser impertinenten Lore gegenüber an den Tag legen muss. Wir haben es doch eigentlich gar nicht nötig, diese Diebin wie unsersgleichen zu behandeln!« Armgard warf einen bösen Blick in die Richtung des Hauptflügels.

»Wir tun es, um Simmern und seine Spionin in Sicherheit zu wiegen«, antwortete ihre Mutter mit erzwungener Ruhe. »Die Menschen sollen glauben, wir würden uns Simmerns Diktat unterwerfen! Doch sobald der Skandal da ist, stehen wir vor allen als arme, getäuschte Verwandte da, die, von so viel Ruchlosigkeit entsetzt, die Erziehung unserer lieben kleinen Nathalia in die eigenen Hände nehmen werden. Ich glaube, ein Internat in der Schweiz wäre der geeignete Ort für das kleine Scheusal. Dort wird der Rohrstock ihm schon Manieren beibringen. Wir hingegen können hier behaglich wohnen und den Lebensstil pflegen, der uns angemessen ist.« Ermingarde wollte ihrer Tochter noch ein paar Verhaltensmaßregeln geben, doch da wurde draußen der Klingelzug betätigt.

»Das wird bloß wieder diese olle Simmern sein!«, rief Armgard und machte, dass sie fortkam. Ihre Mutter hingegen lenkte ihre Schritte zur Treppe und blickte von oben in die Eingangshalle hinab.

Einer der Diener hatte eben geöffnet und ließ einen gutaussehenden jungen Mann ein. »Guten Tag, wen darf ich den Herrschaften melden?«, fragte er dabei.

Zu Ermingardes Leidwesen nannte der Besucher seinen Namen nicht, sondern reichte dem Diener seine Karte. »Melden Sie mich Fräulein Huppach!«

»Sehr wohl, Herr Baron.«

Fridolin hätte dem Mann erklären können, dass seine Familie auf der Bezeichnung Freiherr und Freifrau beharrte und das moderne Baron und Baronin ablehnte. Er beließ den Mann jedoch in seinem Irrtum und lockte damit, ohne es zu wissen, Ermingarde auf eine falsche Spur. Diese maß den Besucher mit abschätzigem Blick und fand, dass er zwar modisch, aber nicht übermäßig teuer gekleidet war, und tat ihn mit einem Achselzucken ab. Dies hinderte sie jedoch nicht, nach unten zu gehen und zu warten, bis der Diener zurückgekommen war.

»Wer war das?«, fragte sie, kaum dass dieser um die Ecke bog.
Der gute Mann war von Konrad eingehend instruiert worden und dachte deswegen nicht daran, ihr eine richtige Antwort zu geben.
»Ein Bekannter von Herrn Simmern. Wie ich hörte, wohnt er derzeit bei diesem!« Er log nicht, führte aber Ermingarde weiter auf die falsche Spur.
»Wie es aussieht, ist der Herr Baron in arg verbesserungswürdigen Umständen. Wahrscheinlich lockt ihn das Geld, das Lore von ihrem Großvater erhalten hat«, höhnte sie.
Der Diener zog die Augenbrauen hoch. »Die junge Dame besitzt ein Erbe? Davon wusste ich nichts. Darf ich wieder an meine Arbeit gehen, gnädige Frau?« Ohne auf eine Antwort zu warten, verbeugte er sich und schlurfte davon.
Ermingarde winkte verächtlich ab. Dieser Besucher brauchte sie nicht zu interessieren. Mit diesem Gedanken kehrte sie in den Westflügel zurück und läutete gleich darauf Sturm, da noch keine neue Weinflasche gebracht worden war, obwohl sie das bereits am Mittag befohlen hatte.

IX.

Lore musterte Fridolin eingehend und atmete erleichtert auf. »Es scheint dir wieder besserzugehen.«
»Gott sei Dank! Das habe ich Frau Simmern zu verdanken. Sie hat sich rührend um mich gekümmert. Eine Weile hatte ich noch mit den Auswirkungen der Seekrankheit zu kämpfen, und dann bekam ich auch noch diese dumme Erkältung. Daher konnte ich dich nicht eher aufsuchen. Ich wollte doch nicht, dass du und Komtess Nathalia euch ansteckt.«

»Das war lieb von dir!« Lore lächelte und bat Fridolin, sich zu setzen. Während dieser ihrer Aufforderung folgte, schlich Nati um ihn herum und klatschte direkt neben seinem Ohr in die Hände.

»Jetzt habe ich dich erschreckt«, rief sie, als er zusammenzuckte.

»Aber nur, weil ich schwach und krank bin«, antwortete Fridolin mit einem Lächeln, das ihn nicht wenig Anstrengung kostete. Seiner Meinung nach hatte der kleine Plagegeist ein paar Klapse auf das Hinterteil verdient. Doch mit diesem Vorschlag, das war ihm klar, brauchte er Lore nicht zu kommen. Um sich vor weiteren Angriffen dieser Art zu schützen, griff er in seine Jacketttasche, zog eine Tafel Schokolade heraus und reichte sie dem Kind mit einer Verbeugung.

»Hier, die ist für dich!«

Nun war Schokolade nichts, auf das Nati hätte verzichten müssen. Trotzdem hellte sich ihre abweisende Miene auf, und sie nahm die Schokolade mit einem Knicks und einem »Dankeschön!« entgegen.

»Sie kann sogar höflich sein«, sagte Fridolin fröhlich zu Lore.

»Nati ist zu allen Menschen höflich, die sie mag!«

»Dann will ich hoffen, dass sie mich ebenfalls in die sicher wachsende Zahl ihrer Freunde aufnimmt.« Fridolin warf einen zweifelnden Blick auf Nati, die eben den Karton aufriss, in dem die Süßigkeit verpackt war, und dann mit zufriedener Miene zu essen begann.

»Ich werde dir ein Glas Wein bringen lassen.« Lore stand auf und läutete nach der Dienerschaft.

Sofort kam ein junges Mädchen herein und knickste. »Sie wünschen, gnädiges Fräulein?«

»Ein Glas Wein für unseren Gast und ein feuchtes Tuch für Komtess Nathalia!« Die Kleine hatte bereits schokoladeverschmierte Finger und Wangen, die dringend gesäubert werden mussten.

Das Mädchen nickte und verschwand. Die Flasche Wein, die eben in die Räume Ermingarde Klampts gebracht werden sollte, wurde in der Küche kurzerhand umgeleitet. Während die Dame im Westflügel weiter auf ihr Getränk warten musste, kam Konrad in Lores Zimmer und kredenzte Fridolin den Wein.

»Wohl bekomm's!«, sagte er lächelnd und blickte dann Nati auffordernd an. »Wollen wir zwei in die Küche gehen und nachsehen, was es heute zum Abendessen gibt?«

Aber Nati wollte sich um nichts in der Welt vertreiben lassen. »Es ist ungehörig, wenn eine Dame mit einem Herrn allein in einem Zimmer bleibt!«

Dem wusste Konrad nichts entgegenzusetzen, nahm Nati auf den Arm und trat mit ihr ans Fenster, um Lore und Fridolin die Möglichkeit zu geben, wenigstens ein paar Worte zu wechseln, ohne dass das Kind lauschte.

»Du musst mich für einen ganz armseligen Burschen halten, weil ich nach der ganzen Sache krank geworden bin«, sagte Fridolin geknickt, weil ihm klar war, dass er keine besonders glorreiche Figur gemacht hatte.

»Aber dafür kannst du doch nichts«, versuchte Lore ihn zu beruhigen.

Fridolin seufzte. »Es war nicht nur die Krankheit, die mich aufs Lager geworfen hat. Weißt du, bis jetzt habe ich noch nie auf einen Menschen geschossen in der Absicht, ihn umzubringen. Aber auf dem Schiff musste ich es tun, sonst hätten die beiden Schurken dich getötet. Dennoch war mir hinterher speiübel – und dann kam die Seekrankheit dazu. Die allein hätte mir nicht so viel ausgemacht.«

»Aber du hast doch schon Duelle ausgefochten«, sagte Lore verblüfft.

»Ein Duell, um es genau zu sagen! Aber das ist etwas anderes. Da zielt man auf Kommando und hofft, um einen Tick schneller zu

schießen als der Gegner. Außerdem war mein Kontrahent nicht gerade als guter Schütze bekannt und schoss daneben, genau wie ich vermutet hatte. Meine Kugel hat ihn hoch in der Schulter getroffen – und das war keine schlimme Verletzung! Er hat schon am Tag darauf seine Frau in die Oper begleiten können.«
»Ging es um diese Frau?«, fragte Lore, obwohl sie wusste, dass schon ihr Interesse für diese Dinge ungehörig war.
»Um Gottes willen, nein!« Fridolin riss erschrocken die Arme hoch. »Der Mann war betrunken und ist ausfällig geworden. Dann gab ein Wort das andere, und schließlich kam es zum Duell. Ich glaube, er hatte noch mehr Angst davor als ich.«
Fridolin brachte das so drollig hervor, dass Lore lachen musste. »Bei der Heiligen Jungfrau, da hätte ich dabei sein mögen.«
»Lieber nicht! Das ist kein Anblick für eine Frau.« Fridolin musste unwillkürlich daran denken, wie er mit seinem Duellgegner in Hede Pfefferkorns »Le Plaisir« aneinandergeraten war. Der Adelige hatte sich eines der Mädchen ausgesucht, war aber zu betrunken gewesen, seinen Mann zu stehen. Statt das einzusehen, hatte er der Frau die Schuld dafür gegeben und sie aus dem Zimmer geohrfeigt. Draußen hatte Fridolin Schlimmeres verhindert, und nach einem Austausch von Beleidigungen war es zu jenem Duell gekommen. Doch das war keine Geschichte, die er Lore erzählen durfte, und er war daher erleichtert, als sie das Thema wechselte.
»Was wirst du jetzt tun? Kehrst du nach Berlin zurück?«
»Wahrscheinlich«, antwortete Fridolin, denn er wusste selbst, dass es nur dort genügend Narren gab, die bereit waren, sich von ihm die Attraktionen der nächtlichen Stadt zeigen zu lassen.
Lore seufzte. »Eigentlich schade! Ich wünschte, du könntest hierbleiben.«
»Das würde ich nur allzu gerne, aber dann müsste ich eine Arbeit annehmen, die es mir unmöglich machen würde, die Freiherrenkrone auf meine Visitenkarte drucken zu lassen. Niemand stellt

einen Handelskommis oder Bürogehilfen an, der dem Adel angehört, und eine Stellung, die es mir erlauben würde, meinen Titel weiterhin zu führen, gibt mir so leicht keiner.«

»Und warum legst du dann deinen Freiherrentitel nicht ab, wenn er dir so hinderlich ist?«, fragte Lore.

»Er ist der einzige Besitz, den ich vorweisen kann. Das Leben eines kleinen Angestellten zu führen, der von seinem Dödel von Vorgesetzten jederzeit geschurigelt werden kann, ist nicht gerade erstrebenswert. Früher habe ich mir immer gesagt, ich warte, bis ich volljährig bin, und heirate dann die fette Erbtochter eines Emporkömmlings, der sich freut, seine Enkel als Freiherren und Freiinnen von Trettin aufwachsen zu sehen. Vielleicht mache ich es tatsächlich!«

»Ich wünsche dir Glück!« Lore verschränkte die Hände ineinander und sah ihn dann fragend an. »Warum bist du mir eigentlich bis England nachgereist?«

»Ich habe Angst um dich gehabt! Was meinst du, was das für ein Gefühl war, als ich lesen musste, dass das Schiff, mit dem du gefahren bist, in der Themsemündung untergegangen sei? Ich konnte nur hoffen, dass du überlebt hattest, und wollte dir helfen, für den Fall, dass du mittellos geworden warst.«

Lore wusste, wie wenig Geld Fridolin besaß, und sah ihn gerührt an. »Du bist ein Schatz!«

»Um an das Reisegeld zu kommen, habe ich das erste Mal in meinem Leben absichtlich beim Spiel betrogen. Ich habe natürlich keinen Armen ausgenommen, sondern einen von diesen Neureichen, die glauben, mit ihrem Geld könnten sie die ganze Welt kaufen. Außerdem war die Summe nicht einmal so groß wie die, die er in Feierlaune an einem Abend verschwendet. Das Geld sollte notfalls reichen, um mit dir nach Amerika zu fahren und dort ein neues Leben beginnen zu können. Aber nun ist mir gerade noch so viel geblieben, dass ich meine Zimmerwirtin bezahlen, meine restlichen Habseligkeiten auslösen und mir eine neue Unterkunft suchen kann.«

»Du wärst mit mir nach Amerika gefahren?« Lore musste schlucken, und während sie Fridolin musterte, begriff sie, dass er die Wahrheit gesagt hatte. Dabei ging ihr auf, dass sie beide in Amerika hätten heiraten müssen. Vor ihrer Abreise aus Ostpreußen wäre ihr dieser Gedanke seltsam erschienen, aber nun sah sie Fridolin in einem neuen Licht. Er mochte leichtsinnig sein und seine Fehler haben, doch er war bereit, sich für andere einzusetzen. Außerdem schien er sie zu mögen, sonst hätte er keinen solchen Entschluss gefasst. Lore dachte an Thomas Simmern, dem ihre erste, erwachende Liebe gegolten hatte und der für sie unerreichbar war. Sie litt immer noch ein wenig an dieser Enttäuschung, und da war es gut, zu wissen, dass sie einem anderen Menschen etwas bedeutete. Etwas in ihr wollte glauben, dass Fridolin wohl nicht nur aus Mitleid und verwandtschaftlicher Fürsorge so freundlich zu ihr war.

»Es ist wirklich schade, dass du nach Berlin zurückmusst«, wiederholte sie und war dann froh, dass Nati, der es am Fenster zu langweilig geworden war, zurückkam und unbedingt spielen wollte.

X.

Ottokar von Trettin musterte den Brief mit finsterem Blick. In den letzten drei Tagen hatte er den Wisch mindestens zehnmal in die Hand genommen und durchgelesen. Nun warf er ihn auf den Tisch und drehte sich zu seiner Frau um. »Rate du mir, was ich tun soll!«

Malwine nahm das Schreiben an sich und überflog es noch einmal, obwohl sie den Inhalt ebenso wie ihr Mann mit geschlossenen Augen zitieren konnte. »Was gibt es da noch zu zögern?«, erklärte sie mit gepresster Stimme. »Die verwitwete Frau von Retzmann teilt uns mit, dass Lore sich beim Vormund ihrer Großnichte angebiedert hat, um von diesem mit der Aufsicht über das Kind betraut zu werden.«

»Daran ist nichts auszusetzen. Wenn wir unseren Nachbarn erklären können, dass Lore sich bei der Familie des Grafen Retzmann befindet und dort als Gesellschafterin für dessen Enkelin tätig ist, wird uns keiner mehr vorwerfen, wir hätten das arme Mädchen in die Flucht getrieben!« Ottokar knirschte mit den Zähnen, denn dieser Vorwurf war ihnen schon ein paarmal gemacht worden. Gräfin Elchberg hatte ihm sogar erklärt, wenn Lore in der Ferne verderben würde, wäre dies allein seine und Malwines Schuld.

»Dieser Brief könnte uns helfen, einige Nachbarn zu überzeugen und diejenigen als Verleumder hinzustellen, die uns jetzt schneiden! Graf Elchberg hatte letztens die Unverfrorenheit, uns nicht zum Maskenball auf sein Schloss einzuladen!«

»Und was ist mit dem Geld? Die ehemalige Gräfin Retzmann – wie kann man nach dem Tod eines solchen Gatten einen bürgerlichen Fabrikanten heiraten! – schreibt, dass Lore viel Geld besitzen soll! Das muss die Summe sein, die dein Onkel dem Gut entnommen hat. Willst du darauf verzichten?« Malwines Stimme wurde schneidend.

Anders als ihr Mann sah sie nur eine Möglichkeit, dem Gerede in der Nachbarschaft ein Ende zu bereiten, nämlich Lore nach Trettin zurückzuholen. Natürlich würde sie das Mädchen nicht in die Küche stecken und als Spülmagd benutzen können, wie sie es am liebsten getan hätte. Aber niemand würde etwas daran aussetzen, wenn Lore ihre Garderobe schneiderte. Malwine war schon einige Male um das Kleid beneidet worden, das Lore im Auftrag der

Schneiderin de Lepin genäht hatte, und sie hatte jedes Mal bedauert, dass es ihnen nicht gelungen war, das Mädchen rechtzeitig auf den Gutshof zu holen. Jetzt sah sie eine Chance, Lore in die Hände zu bekommen – und mit ihr das vom alten Trettin unterschlagene Geld. Wie groß die Summe war, die der frühere Gutsherr zusammengerafft hatte, wusste sie nicht, doch in ihrer Phantasie war es eine ganze Menge.

»Du wirst nach Bremen fahren und mit dieser Ermingarde Klampt sprechen. Wie es aussieht, will sie Lore loswerden. Daher wird sie dir gerne helfen, dieses pflichtvergessene Geschöpf auf den rechten Weg zu führen – und der führt hierher zu uns! Du tust damit sogar ein gutes Werk, denn unerfahren, wie Lore ist, könnte sie an schlechte Menschen geraten und dabei ihr Vermögen verlieren. Dann würde sie gar zu einer gefallenen Frau! Was meinst du, was die Nachbarn sagen würden, wenn dieses Miststück in einem Berliner oder Bremer Bordell zu finden wäre?«

Malwine ließ keinen Zweifel daran, dass es so zu geschehen hatte, wie sie wollte.

Im Gegensatz zu ihrem Mann war sie nicht bereit, vor der Nachbarschaft einzuknicken und auf die Summe zu verzichten, die Lores Großvater an sich gebracht hatte. Außerdem war es billiger, wenn Lore ihre Kleider fertigte, als wenn sie sie bei Madame de Lepin anfertigen ließ und doch nie ganz zufrieden war.

»Das Geld wäre wirklich ein Grund, Lore zurückzuholen. Laut Hausvertrag hätte sie zwar das Anrecht auf dieselbe Summe, die auch ihrer Mutter zugestanden hätte …« Weiter kam Ottokar nicht, da ihm seine Frau sogleich ins Wort fiel.

»Dieses Erbgeld ist Leonore Huppach, geborene von Trettin, bei ihrer Heirat ausbezahlt worden! Darauf hatten wir uns beide geeinigt. Lore steht kein einziger Groschen aus dem Vermögen des Gutes zu. Oder willst du wegen dieses renitenten Weibsbilds unsere eigenen Söhne an den Bettelstab bringen?«

Das Leben auf Trettin war nicht gerade mit einem Bettelstab zu vergleichen, das wusste Malwine ebenso gut wie ihr Mann. Doch anders als ihn quälten sie keine Sorgen außer jenen, die sie sich um die Zukunft ihrer beiden Söhne machte. Sie litt auch nicht unter Alpträumen oder zuckte bei jedem Windstoß zusammen.
Ottokar aber hatte ganz andere Probleme als das Geld, das Lore angeblich besitzen sollte. Er schüttelte sich unter der Wucht nagender Erinnerungen und starrte gedankenverloren durch das Fenster ins Freie. Da nahm er einen Schatten am Waldrand wahr und trat unwillkürlich zurück.
»Es gefällt mir nicht, dich und die Jungen ausgerechnet jetzt allein zu lassen. Ich habe ein schlechtes Gefühl!«
»Hast du wieder dein Waldgespenst gesehen?«, fragte seine Frau höhnisch. »Bei unserem Heiland, was bist du nur für eine Memme!«
»Da war jemand! Ich habe ihn deutlich wahrgenommen.«
Malwine verzog verächtlich das Gesicht. »Da war höchstens ein wenig Schnee, der von einem Baum gefallen ist. Aber du machst ein Gesicht, als hättest du dem Tod ins Auge geblickt!«
Bei diesen Worten schlug Ottokar die Hände vors Gesicht. Seit seinen Schüssen auf Florin verspürte er eine Angst davor, noch einmal in das Rad des Schicksals einzugreifen. Dies versuchte er jetzt auch seiner Frau klarzumachen. »Ich habe das Gefühl, ich sollte die Sache mit Lore auf sich beruhen lassen. Das Gut steht ausgezeichnet da, und wir sind nicht auf das Geld angewiesen, das Lore bei sich hat. Unseren Jüngsten können wir auch ohne die paar Groschen in die Kadettenanstalt schicken und später standesgemäß versorgen. Also sollten wir den Nachbarn unseren guten Willen zeigen und Lore bei dieser angesehenen Familie lassen.«
Es waren ganz neue Töne, die Malwine von ihrem Mann zu hören bekam. Fassungslos schüttelte sie den Kopf und trat erregt auf ihn

zu. »Du fährst nach Bremen und holst Lore her, verstanden? Tust du es nicht, mache ich es! Wegen ein paar neidischer Nachbarn geben wir nicht nach. Spätestens im Sommer wird die Beerdigung des alten Bocks vergessen sein, und die Einladungen aus der Nachbarschaft werden auch wieder bei uns abgegeben werden.«
Ottokar wusste, wann er geschlagen war, und senkte den Kopf. »Du bekommst deinen Willen, Weib, auch wenn alles in mir schreit, ich sollte besser hierbleiben und Lore in Ruhe lassen. Das Ganze wächst mir über den Kopf.«
Malwine strich ihm über die Wange und hauchte dann einen Kuss darauf. »Gerade deshalb solltest du diese Reise unternehmen. Du siehst andere Menschen, kannst unterwegs mit Standesgenossen reden und zeigst gleichzeitig unseren Nachbarn, wie sehr du dich um Lore sorgst.«
»Seit der Sache mit Florin ist mir, als lauere irgendwo das Verderben auf uns!«
»Bei Gott, was kümmert dich das Verschwinden des Kerls? Du hast jetzt einen neuen Kutscher, und der läuft nicht ständig mit einem sauertöpfischen Gesicht herum.«
»Wenn man ihn wenigstens gefunden hätte!« Ottokar wischte sich kurz über die Stirn, blickte dann noch einmal zum Fenster hinaus und sah nichts. Aufatmend wandte er sich wieder seiner Frau zu. »Du hast recht. Es sind Grillen! Ich werde fahren.«
Im Stillen beschloss Ottokar, ein paar Tage in Berlin haltzumachen und jenes Bordell zu besuchen, in das Fridolin ihn einmal geführt hatte. Das war erst ein Jahr her, und doch hatte sich in dieser Zeit viel für ihn geändert. Nun war er der Gutsherr auf Trettin, sein Onkel lebte nicht mehr, und Fridolin – nun, der ließ sich wahrscheinlich immer noch von Landpomeranzen aushalten, die in der Hauptstadt etwas erleben wollten.
»Vielleicht suche ich Fridolin auf und nehme ihn mit nach Bremen. Er ist mit Lore immer gut zurechtgekommen und wird sie

sicher davon überzeugen können, dass es das Beste für sie ist, nach Trettin zurückzukehren.« Er sprach seinen Gedanken laut aus und erntete sofort heftigen Widerspruch.
»Du wirst dich von diesem verkommenen Subjekt fernhalten! Fridolin ist ein Lump und wird noch in der Gosse enden.«
Malwine begriff durchaus, dass ihr Mann mit seinem Besuch in Berlin gewisse Absichten verband. Aber das störte sie wenig. Männer brauchten gelegentlich sexuelle Freiheit, um sich hinterher schuldig zu fühlen und die Wünsche ihrer Ehefrauen umso eilfertiger zu erfüllen.

XI.

Hätte Ottokar ein wenig später noch einmal durch das Fenster geblickt, wäre ihm erneut der Schatten am Waldrand aufgefallen. Es handelte sich um Florin, seinen einstigen Kutscher, den er erschossen zu haben glaubte und dessen Leichnam nie gefunden worden war. Der Mann bewegte sich langsam und hustete dabei immer wieder. Als es zu schlimm wurde, zog Florin ein Tuch aus der Tasche und wischte sich über den Mund. Er warf einen Blick auf das Tuch, das nun rot gesprenkelt war.
»Das verdanke ich dir, Ottokar von Trettin! Aber diese Rechnung werde ich noch eintreiben.«
Florin zuckte unter dem heiseren Klang der eigenen Stimme zusammen. Gleichzeitig griff er sich an die Brust, die wieder zu schmerzen begann. Die Schussverletzungen waren noch lange nicht ausgeheilt, und der Mann wusste, dass er niemals mehr ganz gesund werden würde. Er blieb am Waldrand stehen und beobachtete das Gutshaus, bis sich im Osten die ersten Schatten der

Dämmerung über das Land legten. Dann machte er kehrt und wanderte quer durch den Wald zu der Forststraße, die zum ehemaligen Jagdhaus des alten Herrn von Trettin führte.
Die Dunkelheit hatte ihren Mantel längst über das Land gelegt, und als er sein Ziel erreichte, öffnete ihm die alte Miene kopfschüttelnd die Tür. »Dass es dir nicht zu viel wird, immer wieder zum Gut zu laufen! Irgendwann wird Ottokar von Trettin deinen Spuren folgen und dich hier finden.«
Florin winkte ab. »Da gebe ich schon acht. Ich mache auch keine neuen Spuren, sondern benütze die, die von den Gutsleuten stammen.«
»Du solltest es trotzdem nicht mehr tun«, warf Kord ein. »Es tut dir nicht gut, hier nicht und da auch nicht!« Der alte Mann wies zuerst auf die Brust, deren Narben immer noch schmerzen, und dann auf den Kopf.
Der Kutscher lachte bitter auf. »Ottokar von Trettin wird für alles bezahlen, sowohl für die Toten vom Lehrerhaus wie für den alten Herrn und auch für das hier!«
»Du sollst dich nicht über Gott erheben. Er wird ihn bestrafen«, mahnte Miene.
Florin schüttelte mit verkniffener Miene den Kopf. »Gottes Wege sind unergründlich! Weshalb hat er dafür gesorgt, dass ich Ottokar von Trettins Schüsse überlebt habe, wenn nicht, um mir diese Aufgabe zu übertragen?«
»Du lebst, weil das Pulver in den alten Patronen nicht stark genug war, dich zu töten«, antwortete Kord tadelnd.
Florin trat an den Herd, nahm einen Schöpfer und goss heißes Wasser in einen Becher, den er dann mit Kords starkem Wacholderschnaps auffüllte. »Die Kugeln hatten nicht die Kraft, mich umzubringen. Doch der Grünspan, der an den Patronenhülsen klebte, hat mich vergiftet. Ihr habt den Doktor gehört! Nur bei einem Aufenthalt in einem milden Klima, wie es in Italien herrscht,

könnte meine Lunge heilen. Doch eine Reise nach Italien ist etwas für feine Herrschaften, nicht für einen alten Knecht wie mich. Ich werde Italien niemals sehen, sondern hier sterben. Doch ich schwöre, dass ich diesen Weg nicht allein gehen werde.«
Florins Worte waren ein Todesurteil für Ottokar von Trettin. Daher waren Kord und Miene froh, als sie am nächsten Tag erfuhren, dass Ottokar von Trettin sich auf eine längere Reise begeben habe und die Zeit seiner Rückkehr unbestimmt sei. Sie hofften, Florin in der Zwischenzeit überzeugen zu können, seinen Wunsch nach Rache aufzugeben, und wollten Doktor Mütze bitten, ihm ebenfalls ins Gewissen zu reden. Dessen Wort galt bei dem früheren Kutscher doch etwas mehr als das ihre.

XII.

Die Straße, in der Fridolin nun wohnte, wirkte noch verkommener als die, in der Ottokar von Trettin ihn beim letzten Mal angetroffen hatte. Daher zögerte er, auf die Tür des Hauses zuzugehen und zu klopfen. Doch der Wunsch, sich von seinem Vetter in das »Le Plaisir« führen zu lassen, war stärker als seine Bedenken. Er war bereit, Fridolin ein paar Taler zu geben, wenn dieser mit ihm ins Bordell ging, und er wollte ihm sogar das Geld für eines der Mädchen spendieren. Dann würde ihm die eigene Sünde etwas leichter vorkommen.
Der Gedanke, ein sündiger Mensch zu sein, war ihm bislang noch nie gekommen. Selbst nach dem Feuertod seiner Cousine hatte er sich damit herausgeredet, dass er nur den Heuschober hatte verbrennen wollen. Doch seit er auf Florin geschossen hatte, spürte er so etwas wie ein Gewissen. Diesen Mann hatte er absichtlich

getötet, und in schlaflosen Nächten sann er darüber nach, wohin der tote Körper des Kutschers verschwunden sein könnte. Eine Möglichkeit war, dass Raubtiere ihn verschleppt oder gefressen hatten. Allerdings konnten auch die Bewohner des Jagdhauses ihn gefunden und heimlich begraben haben. Vielleicht, sagte Ottokar sich, hatten Kord und Miene ihn sogar gesehen und waren Zeugen seines Mordes gewesen.
Verärgert, weil er seinen Kopf schon wieder mit diesen Gedanken belastete, schlug er den Türklopfer an. Es dauerte eine Weile, bis eine ältere Frau in einem schlichten Kittelkleid öffnete und mit schräg gehaltenem Kopf zu dem ungewöhnlichen Besucher aufblickte.
»Was wollen Sie?«
Ein wenig mehr Freundlichkeit würde nicht schaden, dachte Ottokar von Trettin, bemühte sich aber dennoch, verbindlich zu bleiben. »Ich möchte Herrn Fridolin von Trettin sprechen.«
»Zu dem wollen Sie? Da hätten Sie sich den Weg sparen können. Der ist schon vor Weihnachten fort und hat nicht einmal seine letzten zwei Monatsmieten bezahlt. Wenn Sie ihn sehen, können Sie ihm ausrichten, ich hätte die Sachen, die er zurückgelassen hat, auf den Speicher geschafft. Er kann sie wiederhaben, sobald er seine Schulden bei mir bezahlt hat. Oder sind Sie gekommen, das Zeug zu holen?« Ein Funken Hoffnung glomm in den Augen der Frau auf.
Dieser erstarb sofort wieder, als Ottokar von Trettin den Kopf schüttelte. »Nein, ich … werde wohl jetzt wieder gehen.«
Er nickte der Alten kurz zu, drehte sich um und schritt eilig davon. Seine Gedanken überschlugen sich. Wie es aussah, war sein Vetter kurz nach der Beerdigung ihres Onkels verschwunden. Für einen Augenblick vermutete er, es könnte mit Lore zusammenhängen. Dann aber schob er diesen Gedanken weit von sich. In dem Fall würde Lore nicht als Gesellschafterin einer jungen Kom-

tess in Bremen leben. Wahrscheinlich waren Fridolins Gläubiger zu aufdringlich geworden, und der junge Mann hatte keine andere Möglichkeit mehr gesehen, als schnellstens Fersengeld zu geben. Ottokar von Trettin schnaubte vor Verachtung für seinen jüngeren Vetter und nannte sich selbst einen sentimentalen Narren, weil er diesen hatte aufsuchen wollen. Mit einer herrischen Bewegung winkte er eine Droschke zu sich, stieg ein und befahl dem Kutscher, ihn in die Straße zu bringen, in der sich Hede Pfefferkorns Freudenhaus befand.

Dort bezahlte er den Mann und klopfte an die Tür. Diesmal wurde ihm sofort aufgemacht. Ein älterer Mann, der in einer Art Uniform steckte, musterte ihn und grüßte dann freundlich.

Hedes Türsteher Anton erkannte in Ottokar von Trettin einen Landadeligen, der in der Stadt etwas erleben wollte, und bat ihn herein. Der neue Gast reichte ihm Stock, Mantel und Hut und betrat anschließend das große Empfangszimmer. Dort schäkerten bereits mehrere schneidige Offiziere mit den jungen Frauen. Im Hintergrund unterhielt sich ein alter Mann mit Ziegenbart mit einem von Hedes besonderen Schützlingen. Das Mädchen sah jung genug aus, um die strenge Kleidung einer Internatsschülerin zu tragen, und kicherte auch so albern wie ein Backfisch. Mehrere Herren in ziviler Kleidung saßen auf weichen Plüschsesseln, ein Glas Wein in der Hand, und rauchten Zigarren, während die Mädchen, die sich um sie versammelt hatten, artig warteten, bis die Wahl auf sie fiel.

Der rote Plüsch, der das Zimmer beherrschte, etliche Bilder freizügig gekleideter Frauen, die griechische Göttinnen darstellen sollten, der betörende Duft der Parfüms und die knappen Kostüme der Frauen, die mehr enthüllten als verbargen, entfachten in Ottokar von Trettin eine ungewohnte Leidenschaft, und er leckte sich die Lippen im Vorgefühl der Wonnen, die er hier zu erleben hoffte.

Zunächst aber sah er sich einer jungen Frau gegenüber, deren züchtiges, streng wirkendes Kleid sich stark von den Gewändern der auf Kunden wartenden Mädchen unterschied. Hede Pfefferkorn liebte es, gediegen aufzutreten, damit jeder sofort begriff, wer hier die Chefin war. Im Gegensatz zu ihrem Türsteher erkannte sie Ottokar sofort, obwohl dieser ihr Bordell nur ein Mal in Fridolins Begleitung aufgesucht hatte.
»Guten Abend, Herr von Trettin. Ich freue mich, Sie zu sehen! Darf ich Ihnen ein Glas Wein anbieten?« Hede lächelte freundlich, so wie sie es bei jedem wohlhabenden Kunden tat, der über ihre Schwelle trat. Gleichzeitig winkte sie einem ihrer Mädchen, zwei volle Weingläser zu bringen. Eines davon reichte sie an den Gutsherrn weiter.
»Auf Ihr Wohl!«, sagte sie, und stieß mit ihm an.
Ottokar trank und schnalzte anerkennend mit der Zunge. »Der Wein ist gut!«
»Ich lasse nur die besten Sorten kommen – und auch nur die besten Mädchen.« Hede wies stolz auf ihre Untergebenen, die auf Ottokar ebenso jung wie erregend wirkten. Bevor er sie jedoch näher in Augenschein nehmen konnte, stellte Hede die Frage, die sie am meisten bewegte.
»Haben Sie etwas von Ihrem Vetter Fridolin gehört? Er war vor etwa zwei Monaten das letzte Mal hier, und seitdem habe ich ihn nicht mehr gesehen.«
»Ich habe keine Ahnung, wo sich der Bengel aufhält!«
Hede zuckte bedauernd mit den Schultern. »Schade! Ich hatte gehofft, Sie könnten mir Auskunft geben.« Sie sah, dass sein Blick ein besonders hübsches Mädchen verschlang, doch genau dieses konnte sie ihm nicht überlassen. An diesem Abend wollte ein höherer Herr der Regierung vorbeikommen, und für den war die Schöne reserviert.
Daher lenkte sie sein Augenmerk auf Gerda, die an diesem Abend

noch keinen Kunden zu verzeichnen hatte. »Wie gefällt Ihnen die Kleine dort, Herr von Trettin? Sie ist frei und könnte Ihnen in den nächsten Stunden zur Verfügung stehen.«
Auf einen für Außenstehende unbemerkbaren Wink ihrer Herrin erhob Gerda sich mit einer lasziven Bewegung und tat so, als müsse sie ihr Strumpfband richten. Dabei beugte sie sich leicht nach vorne, so dass Ottokar von Trettin nicht nur ihr bis zu den Oberschenkeln entblößtes Bein sehen, sondern auch einen tiefen Einblick in ihr Dekolleté tun konnte.
»Nun, ich wäre nicht abgeneigt«, sagte er, berichtigte sich dann aber. »Eigentlich hatte ich mir überlegt, mich mit zwei Mädchen zu vergnügen. Mit einer Frau allein kann ich auch zu Hause ins Bett gehen.«
Seine Sprache klang etwas rüder, als Hede es sonst von ihren Gästen gewohnt war, dennoch tadelte sie ihn nicht. »Haben Sie besondere Wünsche?«
»Nun, ich würde gerne mehr tun, als einfach nur mit dem Mädchen zu schlafen. Die Art der Franzosen könnte mir zum Beispiel gefallen.«
Wenn ich schon hier bin, dann soll es sich auch lohnen, fügte er in Gedanken hinzu. Er brauchte dringend Entspannung, um das Grauen zu vergessen, das ihn seit seinen Schüssen auf Florin in den Klauen hielt.
Hede vervierfachte in Gedanken den Preis, den sie diesem Mann für eine Nacht mit ihren Mädchen abnehmen wollte, und nannte ihm ganz geschäftsmäßig die Summe. Bei einem Stammkunden hätte sie mehr Diskretion geübt, doch dieser Krautjunker war kein regelmäßiger Gast und sollte nicht glauben, ihre Mädchen wären so billig zu haben wie Straßendirnen oder die Bauerntrampel aus seiner Heimat.
Als er die Summe vernahm, musste Ottokar von Trettin schlucken. Hede erklärte ihm jedoch rasch, dass er mit den beiden Mädchen

ungestört bis zum Morgen im Séparée bleiben könne und der Wein und die Knabbereien mit inbegriffen seien.
Für einen Augenblick schwankte der Gutsherr, ob er so viel Geld ausgeben oder wieder gehen sollte. Ein weiterer Blick auf Gerda machte ihm die Entscheidung leicht.
»Also gut«, sagte er. »Machen wir es so. Soll ich gleich bezahlen oder später?«
»Sie sind ein Mann von Welt, Herr von Trettin, daher vertraue ich Ihnen. Bezahlen Sie, wenn Sie mein Haus verlassen wollen. Bis dorthin wünsche ich Ihnen unvergessliche Stunden mit Gerda und Reinalde.«
»Ihre Huren haben aber sehr deutsche Namen!«, wunderte sich Ottokar von Trettin. »In Königsberg heißen sie Paulette, Nanette und Ninon und kommen aus Paris.«
»Können Sie mir sagen, warum ein französischer Unterleib besser sein soll als ein deutscher?«, fragte Hede spöttisch. »Mein lieber Trettin, die französischen Spitzenkönnerinnen in diesem Geschäft bleiben in der Heimat, denn sie haben es nicht nötig, ins Ausland zu gehen. Die, die das tun, sind meistens abgehalfterte Schlampen, die zu Hause nur noch als Soldatenhuren arbeiten könnten. Meine Mädchen hingegen sind jung, gesund und sauber. Doch das werden Sie gleich selbst erleben.« Hede schob den Gutsherrn auf Gerda und Reinalde zu, die ihn in die Mitte nahmen und mit ihm nach oben verschwanden.
Ein Offizier trat mit einem Glas Cognac in der Hand auf Hede zu und verzog spöttisch den Mund. »Das war wohl wieder so ein Provinzler, der hier seinen heimischen Ehedragoner vergessen will!«
»Auf alle Fälle ist er ein Mann mit Geld, Herr Major, was man nicht von jedem Gast sagen kann.«
Der Offizier wusste genau, dass er gemeint war, lachte aber nur und prostete Hede zu.

Unterdessen hatten die beiden jungen Huren ihren Gast in eines der freien Zimmer geführt. Dieses wurde von einem großen Bett mit Messinggestänge und rotem Samtbezug beherrscht. Dazu gab es noch eine kleine Anrichte sowie einen Kleiderständer, damit die Gäste und die Mädchen ihre Sachen nicht einfach auf die Teppiche werfen mussten, die lückenlos den Boden bedeckten. Auch hier hingen Bilder von griechischen Göttinnen an den Wänden. Doch diese waren nun völlig unbekleidet und in Posen dargestellt, als wollten sie den Gast am liebsten zu sich holen und sich mit ihm zwischen den Marmorstatuen der Tempelanlagen vergnügen.

Ottokar von Trettin gingen bei dem Anblick schier die Augen über, und er konnte es kaum erwarten, seine beiden Begleiterinnen nackt zu sehen.

Doch Gerda schenkte ihm zuerst ein Glas Cognac ein und reichte es ihm mit einer unterwürfigen Geste. »Wir haben noch die ganze Nacht Zeit«, sagte sie lächelnd.

»Sie werden mit uns beiden zufrieden sein«, setzte Reinalde hinzu. Sie hatte kurz zuvor noch einer Kollegin assistiert, die einen Stammkunden als strenge Herrin dressiert und ihm dabei zu einem Genuss sondergleichen verholfen hatte. Bei diesem Freier würde sie jedoch mehr tun müssen, als nur die Peitsche zu halten, und sie hoffte auf ein großzügiges Trinkgeld für besondere Dienste.

Um den Gast nicht zu verärgern, begann sie, sich aus ihrer Kleidung zu schälen, aber so, dass er sie zunächst nur von hinten sehen konnte. Ottokar von Trettin streckte die Hand aus, um sie am Hintern zu fassen, erhielt aber von Gerda einen Klaps auf die Finger.

»Das tut man doch nicht«, tadelte sie ihn und ließ nun ihr Kleid langsam an sich herabgleiten. Darunter trug sie nichts als blanke Haut, und so starrte Trettin, als sie sich umdrehte, auf wohlgeformte Brüste und ein blondes Dreieck auf dem Unterleib, welches langsam enthüllt wurde. Die Gier drohte ihn zu übermannen, und er zerrte an seiner Kleidung. Sofort waren die beiden Frauen bei ihm, lösten seine Hände von den Knöpfen, die er beinahe abgerissen hätte, und entkleideten ihn auf eine Weise, die ihn beinahe um den Verstand brachte.

»Wie wünscht es der Herr? Soll ich mich züchtig auf den Rücken legen wie eine brave Ehefrau, oder wollen Sie den Hengst spielen?« Reinalde ließ sich dabei auf Knie und Ellbogen nieder und reckte ihm den Hintern entgegen.

Nun verlor Ottokar endgültig die Beherrschung. Malwine war ebenso vergessen wie sein verschollener Vetter Fridolin oder Lore. Für ihn zählte nur noch die Befriedigung seiner Lust. Während er in Reinalde eindrang und sein Becken keuchend vor- und zurückschob, wusste er, dass er sich noch lange an diese Nacht erinnern würde.

XIII.

In Bremen fiel es Ermingarde Klampt zusehends schwerer, eine freundliche Miene zu wahren.

Thomas Simmern hatte ihr die nicht gerade geringe Summe vorgehalten, die von ihr und ihren Kindern unberechtigt ausgegeben worden sei, und ihnen jeden weiteren Zuschuss für Kleidung, Schmuck und ähnliche Ausgaben für das nächste halbe Jahr gestrichen. Gleichzeitig drang seine Frau darauf, dass Ermingarde und ihre Familie sich so verhielten, wie es sich für ein Trauerhaus geziemte. Für Gerhard Klampt hieß dies, sich von Gasthäusern, Rennbahnen und Ähnlichem fernzuhalten, während seine Schwester Armgard auf Bälle und Tanzabende verzichten musste.

Dazu zeigte Nati ihre Abneigung gegen die aufdringliche Verwandtschaft allzu offen und ließ sich in dieser Beziehung auch von Lore nicht bremsen. Diese rätselte immer noch, wie es der Kleinen gelungen war, an die tote Ratte zu kommen, die Armgard am letzten Abend in ihrem Bett vorgefunden hatte.

Nun saß Ermingardes Tochter mit Mutter und Bruder zusammen und zog trotz des teuren Bohnenkaffees, den sie gerade trank, ein Gesicht, als müsse sie Essig schlürfen.

»Dieses kleine Biest muss weg, und zwar unverzüglich!«, schäumte sie, nachdem sie ihre Tasse wieder auf das Beistelltischchen zurückgestellt hatte.

»Wenn es nach mir ginge, säße Nathalia heute noch in einem Zug in die Schweiz«, erklärte ihre Mutter grimmig. »Doch solange Simmern das Heft in der Hand hält, sind mir die Hände gebunden.«

»Wann kommt denn endlich dieser Krautjunker aus Ostpreußen?«, wollte Armgard wissen.

Ihre Mutter zuckte mit den Schultern. »Ich weiß es nicht. Leider hat er immer noch nicht auf meinen Brief geantwortet.«

»Vielleicht ist er froh, sein Mündel so billig losgeworden zu sein und es nicht versorgen zu müssen«, warf Gerhard Klampt ein.

»Aber Lore soll doch mit sehr viel Geld aus Ostpreußen verschwunden sein, das diesem Junker gehört«, trumpfte Armgard auf.

»Es muss nicht alles stimmen, was Elsie erzählt. Ich habe sie noch zweimal verhört, und sie hat sich mehrfach widersprochen. Trotzdem wundert es mich, dass dieser Trettin nichts von sich hören lässt. Elsies Worten zufolge soll er bereits zu Lebzeiten seines Onkels versucht haben, das Verfügungsrecht über das Mädchen zu erlangen.« Ermingarde Klampt tröstete sich mit einem kräftigen Schluck aus ihrem Weinglas und verschluckte sich, als es in dem Moment an die Tür klopfte und ein Diener eintrat.

»Freiherr Ottokar von Trettin auf Trettin wünscht den Damen seine Aufwartung zu machen.«

»Endlich!«, jubelte Armgard auf.

Ihr Bruder klopfte seiner verzweifelt nach Luft schnappenden Mutter auf den Rücken. »Geht es?«, fragte er, nachdem Ermingarde wieder zu Atem gekommen war.
Diese nickte und wandte sich dann dem Diener zu. »Worauf wartest du noch? Führe den Herrn herein!«
»Sehr wohl, gnädige Frau!« Der Diener verbeugte sich und fragte sich dabei, wie der schmucke Herr Fridolin zu einem so bäuerisch aussehenden Verwandten gekommen war. Während er das Zimmer verließ, um den Besucher hereinzubitten, strich Ermingarde ihr Kleid glatt und setzte sich so, dass sie möglichst hoheitsvoll wirkte.
Als Ottokar von Trettin eintrat und ihre Blicke sich trafen, wusste sie sofort, dass ein Verbündeter erschienen war. Sie begrüßte ihn freundlich, bot ihm einen Stuhl an und erklärte dann dem wartenden Lakaien, dass er gehen könne.
»Halt«, rief sie, als der Mann bereits die Tür hinter sich schließen wollte. »Sende eine Nachricht an Herrn Simmern, dass ich ihn und seine Frau um sechs Uhr heute Abend hier in meinem Salon erwarte. Fräulein Lore soll um diese Zeit ebenfalls kommen. Und nun geh!«
»Ich werde es veranlassen, gnädige Frau!« Der Diener verneigte sich und schloss dann leise die Tür hinter sich.
Ermingarde atmete tief durch und schenkte dann dem Gast eigenhändig ein Glas mit ihrem Lieblingswein ein. »Auf Ihr Wohl, Herr von Trettin!«, sagte sie dabei voll heimlicher Vorfreude auf die dummen Gesichter, die Thomas Simmern und seine Frau bald machen würden.

XIV.

Ermingardes Einladung kam Thomas Simmern reichlich ungelegen, denn er musste einen Geschäftstermin verschieben, um ihr folgen zu können. Am liebsten hätte er sie abgelehnt, doch eine Nachricht von Konrad, die der Bote gleichzeitig überbracht hatte, kündigte Ärger an.

»Wir hätten die gesamte Sippschaft aus Natis Haus werfen und die Kleine zu uns nehmen sollen«, erklärte er seiner Frau, während er die Schreiben auf den Tisch warf.

Dorothea nahm das Blatt mit Konrads Neuigkeiten an sich. »Ottokar von Trettin? Das ist doch Fridolins Vetter.«

»Und Lores Vormund«, erwiderte ihr Mann grollend. »Ich mache mir Vorwürfe, das Mädchen wieder nach Deutschland zurückgebracht zu haben. In England wäre sie vor diesem Mann in Sicherheit gewesen.«

»Mein Lieber, du vergisst Lores Alter. Sie hätte niemals allein in England leben können. Was diesen Vormund betrifft, so werden wir uns anhören, was er zu sagen hat. Würdest du so lieb sein und Fridolin bitten, uns zu begleiten.«

Thomas Simmern entging das feine Lächeln auf den Lippen seiner Frau nicht, und ihn beschlich nicht zum ersten Mal der Verdacht, Dorothea wäre gar nicht so schwach und hilflos, wie es oft den Anschein hatte. Aber er wurde auch diesmal nicht schlau aus ihr. Obwohl er größeren Ärger wie eine Gewitterwand am Horizont auftauchen sah, tat sie völlig unbekümmert und fragte ihn sogar noch, welches von den Kleidern, die sie ihm nannte, für ein Treffen mit einem ostpreußischen Gutsherrn angemessen sei.

»Nimm irgendeines. Ich glaube nicht, dass so ein Krautjunker weiß, was in diesem Jahr gerade in Mode ist!« Thomas Simmern gab sich keine Mühe, seine Gereiztheit zu verbergen, doch um die

Lippen seiner Frau schwebte immer noch dieses ominöse Lächeln.

Dorotheas gute Laune hielt auch dann noch an, als sie Punkt achtzehn Uhr vor dem Palais Retzmann aus der Kutsche stieg und an der Hand ihres Mannes die Freitreppe zum Eingang hochtrippelte, während Fridolin ihnen mit einer Miene folgte, als würde er seinen Vetter am liebsten eigenhändig erwürgen.

Konrad erwartete sie bereits an der Tür, und sein Gesicht verriet, dass auch er bereit war, einen Mord zu begehen. »Der Kerl wird seine Pfoten von Lore lassen, Käpt'n, sonst lernt er uns kennen«, sagte er statt einer Begrüßung.

»Hast du herausgebracht, was der Mann wirklich will?«, fragte Thomas Simmern.

Konrad schüttelte den Kopf. »Er hat sich zu Frau Klampt in den Westflügel führen lassen und dort auch zu Mittag gegessen. Von anderen Bediensteten habe ich nur gehört, dass er und die Klampt-Sippschaft äußerst zufrieden gewirkt hätten.«

»Das lässt nichts Gutes erwarten. Weiß Lore schon von dem Besuch?«

»Nein, denn sie ist mit Nati ausgefahren und gerade erst zurückgekehrt.«

»Dann wird es eine unschöne Überraschung für sie werden. Jetzt sollten wir hinübergehen, sonst trifft sie noch vor uns auf den unerwünschten Gast.«

Thomas Simmern stieg mit schwerem Herzen die Treppe hoch und wandte sich dem Westflügel zu. Von der anderen Seite sah er Lore und Nati kommen. Beide wirkten nervös und schienen krampfhaft bemüht, Haltung zu bewahren. Also hatte die Dienerschaft sie bereits informiert, welch unliebsamer Besucher im Hause war.

Lore eilte auf Onkel Thomas zu und fasste seine Hand. »Was soll ich machen?«, fragte sie mit zitternder Stimme.

»Contenance wahren!«, antwortete Dorothea an seiner statt und forderte Konrad auf, sie anzumelden.
Kaum hatte die Tür den Blick in das Innere des Salons freigegeben, wurde den Eintretenden klar, dass Ermingarde Klampt die Situation zu zelebrieren gedachte.
Umgeben von ihrer Nachkommenschaft, saß sie auf der rechten Seite des Zimmers. Ihr gegenüber hatte Ottokar von Trettin Platz genommen und sah aus wie ein Kater, der eben eine volle Sahneschüssel ausgeleckt hatte.
»Da bist du ja, du ungezogenes Ding«, begrüßte er Lore, während er Dorothea, deren Mann und Fridolin geflissentlich übersah.
Lore blieb bei der Tür stehen und verkrampfte die Finger ineinander, ohne etwas darauf zu antworten.
»Wären Sie vielleicht so freundlich, uns diesem Herrn vorzustellen, liebste Ermingarde«, flötete Dorothea.
»Das«, rief die Witwe in theatralischem Tonfall, »ist Freiherr Ottokar von Trettin auf Trettin, der Vormund dieses Mädchens, das Ihr Mann als Gouvernante unseres Lieblings Nathalia eingestellt hat. Sie ist von zu Hause ausgerissen!«
Wenn Ermingarde Klampt erwartet hatte, Dorothea würde bei dieser Enthüllung in Ohnmacht fallen, sah sie sich getäuscht. Thomas Simmerns Frau lächelte freundlich, als sie Antwort gab. »Das, meine Liebe, ist nicht ganz richtig. Lore wurde von ihrem Großvater auf die Reise geschickt. Nach unserem Wissensstand weilte Wolfhard von Trettin noch unter den Lebenden, als die *Deutschland* in Bremerhaven ablegte, und als er starb, hatte das Schiff bereits die deutschen Hoheitsgewässer verlassen. Da Fräulein Lore durch den Diebstahl, den ihre Zofe begangen hatte, mittellos war, hat Graf Retzmann, ein Freund ihres Großvaters, sich ihrer angenommen und ihr Nathalia anvertraut. Mein Mann hat die Verpflichtung, für Lore zu sorgen, von seinem väterlichen Freund übernommen. Wir hatten gehofft, auch den Freiherrn von Trettin

auf Trettin zufriedenstellen zu können, indem wir ihm die Sorge für eine mittellose Angehörige von den Schultern nahmen.«
»Was heißt hier mittellos?«, polterte Ottokar von Trettin los. »Lore hatte sehr viel Geld bei sich! Das gehört dem Gut. Ich will es wiederhaben.«
»Wenn Lore Geld bei sich hatte, dann ist es leider bei Kentish Knock untergegangen. Es steht Ihnen frei, das Wrack der *Deutschland* zu suchen und zu heben, um an dieses Geld zu kommen.«
Thomas Simmern hatte die elegante Verteidigungsrede seiner Frau so verblüfft, dass er tief Luft holen musste, bevor auch er sich in das Gespräch einmischte. Er spürte die Geldgier des Gutsherrn und beschloss, Lores kleines Vermögen vor ihm in Sicherheit zu bringen.
»Sie muss aber Geld haben!«, polterte Ottokar von Trettin los. »Womit sollte sie sich sonst den Modesalon einrichten, wie sie es geplant hat?«
»Mit der Belohnung, die Graf Retzmann ihr für die Rettung seiner Enkelin versprochen hat und die mein Mann ihr getreulich auszahlen wird«, erläuterte Dorothea im leichten Plauderton.
»Ich will dieses Geld haben!«
»Laut dem letzten Willen des Grafen erhält Lore es an dem Tag, an dem sie volljährig wird.« Dorothea schien die Wut und das schlechte Benehmen des Besuchers gar nicht wahrzunehmen, sondern tat so, als befände sie sich in einer vornehmen Konversationsrunde. Damit verblüffte sie nicht nur ihren Mann, sondern auch Lore, Konrad und besonders Nati, die Ermingarde und deren Gast mit bitterbösen Blicken bedachte.
Lore stand bleich an der Wand und war einer Ohnmacht nahe. Ihre Gedanken wirbelten, und sie machte sich den Vorwurf, dass sie über Nati und deren Gefährdung durch Ruppert ihre eigene Situation aus den Augen verloren hatte. Ihr Großvater hatte sie ja gerade deswegen aus Deutschland fortlotsen wollen, damit Otto-

kar seine Macht über sie nicht ausspielen konnte. Wäre ich doch in England bei Mary geblieben!, dachte sie verzweifelt. Doch für Reue war es zu spät. Sie konnte nur hoffen, Ottokar würde sich von Thomas Simmern überzeugen lassen, dass es besser war, sie in Bremen zu lassen.

Genau das aber wollte Ermingarde verhindern. Sie verteidigte Ottokar von Trettins Rechte vehement und erklärte, dass er als gesetzlicher Vormund gewiss am besten geeignet sei, für Lore zu sorgen.

Der Gutsherr kaute auf seinen Lippen herum und fragte sich, was er tun sollte. Am liebsten hätte er alles so belassen, wie es war, doch er wusste nur zu gut, dass er nicht ohne Lore nach Hause kommen durfte. Außerdem zweifelte er an Simmerns Behauptung, das Geld des alten Trettin sei mit der *Deutschland* untergegangen. Und falls dieses Vermögen noch existierte, würde er nur dann seine Hand darauf legen können, wenn Lore unter seinem Dach lebte.

Nach diesen Überlegungen plusterte er sich auf und musterte Simmern und dessen Frau verkniffen. »Ich werde Lore mit nach Hause nehmen. Daran kann mich keiner hindern.«

»Du irrst, Vetter«, mischte sich jetzt Fridolin ein, der dem Geschehen bislang schweigend gefolgt war. »Bevor du Lore nach Ostpreußen verschleppen kannst, werde ich dich niederschießen!« Er griff in seine Tasche, um die Pistole hervorzuholen, doch da legte Dorothea ihm die Hand auf den Arm.

»Bitte, Herr Fridolin! Wir wollen doch keinen Skandal verursachen.«

»Aber das wird einer!«, keifte Ermingarde.

»Tun Sie sich keinen Zwang an, meine Liebe. Nur wird es sich dann zeigen, wer den Schaden davonträgt.« Dorothea blieb weiterhin verblüffend souverän. »Und Sie, Herr von Trettin, müssen selbst entscheiden, ob Sie Lore unter unserer Obhut lassen oder sie nach Ostpreußen mitnehmen wollen.«

»Ich nehme sie mit. Morgen früh reisen wir ab!«
»Nein!«, rief Lore empört.
Doch auch hier griff Dorothea ein. »Wenn dein Vormund sagt, du musst mit ihm kommen, dann darfst du dich nicht sträuben. Komm mit! Wir wollen deine Sachen packen.«
»Aber was ist mit Nathalia?«, brachte Gerhard Klampt mühsam hervor. »Sie sollte mein Mündel werden und ich ihr Vermögensverwalter!«
»Ich glaube kaum, dass mein Ehemann die Pflicht, die sein Freund Graf Retzmann ihm aufgetragen hat, aus der Hand geben wird. Und nun adieu! Ich werde, wenn Lore und ich mit dem Packen fertig sind, nicht noch einmal hierherkommen, um mich zu verabschieden. Ach ja, Thomas, du und Herr Fridolin, ihr braucht nicht auf mich zu warten. Ich werde eine Droschke nehmen.«
»Ich schicke dir den Wagen zurück!« Onkel Thomas' Stimme versprach ihr einen heftigen Ehekrach für ihre Rückkehr, doch auch das schien sie nicht zu berühren. Sie fasste Lore unter und führte sie zur Tür. »Komm! Wir haben noch einiges zu tun.«
Simmern sah den beiden nach und wandte sich dann mit grimmiger Miene an Ottokar von Trettin. »Hier ist das letzte Wort noch nicht gesprochen. Sie werden noch von mir hören.«
Dann winkte er Fridolin, ihm zu folgen. Auf dem Flur blieb er kurz stehen und stieß die angehaltene Luft aus der Lunge. »Wenn ich noch länger geblieben wäre, hätte ich dieses intrigante Biest Ermingarde erwürgt und Ottokar von Trettin dazu!«
»Ich werde Lore nicht diesem Mörder überlassen«, stieß Fridolin aus.
Da mischte sich Konrad ein. »Käpt'n, bevor Sie beide irgendetwas unternehmen, sollten Sie mit Ihrer Frau Gemahlin sprechen. Sie hatte eben so einen schelmischen Blick!«

XV.

Lore warf sich auf ihr Bett, vergrub das Gesicht im Kissen und schluchzte, Nati aber blieb mitten im Raum stehen und funkelte Dorothea wütend an.

»Du bist eine ganz böse Frau, weißt du das?«

»Ganz im Gegenteil, ich bin eine ganz liebe Frau«, antwortete die Gescholtene mit einem amüsierten Glucksen. »Nach dem Gesetz ist dein Vormund im Recht, Lore. Dich gegen seinen Willen hierzubehalten würde einen Skandal nach sich ziehen, der meinen Mann zwingen könnte, die Vormund- und Treuhänderschaft über Nati und ihr Vermögen aufzugeben. Darauf lauern Ermingarde und ihre Bagage doch nur. Außerdem würde auch an dir einiges hängenbleiben und es dir unmöglich machen, jene Stellung einzunehmen, die dir angemessen ist.«

»Ich werde nicht auf Trettin bleiben«, antwortete Lore hart.

»Natürlich nicht. Konrad und Fridolin werden dir mit dem nächsten Zug folgen und zur Flucht verhelfen. In zwei Monaten bist du sechzehn und damit heiratsmündig. Zudem nimmt man es in den skandinavischen Ländern nicht so genau mit Vormündern und Ähnlichem. Also kannst du Fridolin dort heiraten. Damit geht deine Vormundschaft auf ihn über, und wenn ihr zurückkommt, kann Ottokar von Trettin sich vor Wut auf den Kopf stellen, aber er hat keine Gewalt mehr über dich. Als Fridolins Frau kannst du nach Bremen zurückkehren und weiterhin Nathalias Gouvernante, Gesellschafterin und Freundin in einer Person sein. Du magst ihn doch, oder nicht?«

Lore nickte zaghaft. Sie hätte jeder Lösung zugestimmt, die sie vor Ottokar von Trettin und dessen Frau retten konnte, und eine Heirat mit Fridolin schien ihr eine der angenehmeren Alternativen zu sein.

Nur Nati war mit dieser Planung nicht einverstanden. Sie wollte Lore für sich haben und sie nicht mit einem anderen Menschen teilen müssen, wie sie lautstark verkündete. Dorothea bat sie, leiser zu sein, und legte ihr mit wenigen Worten dar, dass dies die einzige Möglichkeit war, Lore als Gefährtin zu behalten. Während sie Nati beruhigte, suchte sie die Sachen zusammen, die Lore mitnehmen sollte, und verstaute sie in einem Koffer. Zuletzt umarmte sie das Mädchen und küsste es auf die Wangen.
»Du wirst sehen, es wird alles gut!«
»Hoffentlich!« Lore dachte mit Schrecken daran, dass eine gemeinsame Flucht mit Fridolin bedeutete, sich erneut an Bord eines oder sogar mehrerer Schiffe begeben zu müssen. Doch ehe sie in Malwines Gewalt blieb, würde sie trotz der sie immer noch quälenden Schrecken, die sie auf der *Deutschland* und der *Strathclyde* erlebt hatte, eine Flucht über das Meer antreten.
»Ich gehe jetzt! Da wir uns vorerst nicht mehr sehen, wünsche ich dir alles Glück der Welt, Lore. Vertraue auf Gott, auf mich und auf Fridolin! Bald sehen wir uns wieder.« Damit küsste Dorothea Lore noch einmal, nahm Nati kurz in die Arme und verließ anschließend mit beherrschter Miene den Raum. Die Heiterkeit, die sie erfüllte, durfte ihr niemand ansehen, damit Ermingarde und Ottokar von Trettin nicht gewarnt wurden.
Dorothea war mit der gesamten Entwicklung höchst zufrieden. Zwar mochte sie Lore, sah sie aber nach wie vor als eine mögliche Gefahr für ihre Ehe an. Auch wenn Lore Thomas nicht mehr so verliebt ansah wie bei ihrer Ankunft, war sie froh, dass das Mädchen sich zu einer Ehe mit Fridolin bereit erklärt hatte. Der junge Mann war zwar nicht frei von Fehlern, doch Dorothea war sicher, dass sie und ihr Mann ihm diese austreiben konnten.

XVI.

Ottokar von Trettin lag bereits im Bett, als es draußen klopfte.
»Wer da?«, fragte er nicht gerade freundlich.
»Ich, Herr von Trettin, die Elsie! Ich muss Ihnen etwas sagen«, kam es leise zurück.
Nach kurzer Überlegung stand der Gutsherr auf und öffnete die Tür. Das Dienstmädchen schlüpfte sofort herein und fasste nach seiner Hand.
»Lieber Herr von Trettin. Sie werden doch eine Zofe für Lore brauchen, wenn Sie Ihr Mündel nach Ostpreußen mitnehmen.«
Tatsächlich war eine Zofe das Letzte, das seine Frau Lore zugestehen würde. Aber der Gutsherr begriff, dass er übler Nachrede Vorschub leisten würde, wenn er mit dem minderjährigen Mädchen allein, also ohne Gesellschafterin oder Zofe, zu Hause einträfe. Einige Nachbarn würden ihm böse Absichten unterstellen und sich zu anzüglichen Bemerkungen hinreißen lassen, die er gerade jetzt nicht brauchen konnte. Dennoch war er nicht bereit, das frühere Dienstmädchen seines Onkels in seine Dienste zu nehmen.
»Ich werde Frau Klampt bitten, mir eine ihrer Dienerinnen mitzugeben«, sagte er barsch.
So leicht gab Elsie sich nicht geschlagen. »Die übrige Dienerschaft gehört zum Haus und ist Thomas Simmern verpflichtet. Von denen wird Sie niemand begleiten. Außerdem kann ich auf Trettin auch andere Aufgaben übernehmen. Ich wäre eine gute Zofe für Ihre Frau Gemahlin, und ich könnte auch für Sie etwas tun.«
»Was denn?«, fragte der Gutsherr spöttisch.
Da kniete Elsie vor ihm nieder, hob sein Nachthemd hoch und griff forsch darunter. Er stöhnte, als sich ihre kühlen Finger um sein Glied legten, es leicht massierten, bis es fest und steif wurde,

und dann dort weitermachten, wo Reinalde im »Le Plaisir« aufgehört hatte.
»Also gut, du kannst mitkommen!«, versprach er keuchend und nahm sich vor, all das an Elsie auszuprobieren, was Hede Pfefferkorns Mädchen ihm gezeigt hatten. Das kam ihn auf alle Fälle billiger, als wenn er jedes Mal nach Berlin fahren musste, um sein Vergnügen zu finden. Noch während er überlegte, wie er es am geschicktesten deichseln konnte, dass auf Trettin niemand etwas von den Diensten mitbekam, die Elsie ihm leisten sollte, übermannte ihn die Leidenschaft, und er vergaß alles um sich herum bis auf die junge Frau, die zu allem bereit war, um den Schlägen und dem kargen Lohn zu entkommen, die sie von Ermingarde Klampt erhielt. Da es der Dame nicht gelungen war, Thomas Simmern als Vormund und Vermögensverwalter der kleinen Komtess aus dem Sattel zu heben, konnte Elsie auch nicht mehr auf ein Zusatzeinkommen für besondere Dienste bei Gerhard Klampt hoffen.
Für Lore interessierten sich die beiden nicht weiter. Um die würde sich Malwine von Trettin kümmern, und das vergönnte Elsie dem Mädchen von Herzen.

Achter Teil

Wieder zu Hause

I.

Es war keine Heimkehr, wie Lore sie sich gewünscht hätte. Ottokar von Trettin brachte sie nicht heimlich zurück, sondern auf eine Weise, als wolle er aller Welt zeigen, dass sie sich nun in seiner Gewalt befand. Schon in Heiligenbeil liefen die Leute an der Straße zusammen und starrten sie und den Gutsherrn an. Das Drama von Trettin war hier Tagesgespräch gewesen, und nun interessierte es viele, wie es mit dieser Familie weiterging. Unter den Neugierigen stand auch Senta, das Hausmädchen von Doktor Mütze. Lore winkte ihr kurz zu und sah gerade noch, wie die Frau erschrocken zusammenzuckte und dann in Richtung Arzthaus davonrannte. Sicherlich wollte sie sofort den Doktor und seine Frau informieren. Doch auch die beiden würden ihr nicht helfen können. Sie musste darauf vertrauen, dass Konrad und Fridolin sie befreiten und in Sicherheit brachten. Der frühere Steuermann würde sie gewiss nicht im Stich lassen.

Fridolin auch nicht, berichtigte sie sich. Schließlich war er bis nach England gereist, um ihr beistehen zu können. Allerdings fragte sie sich, wie er sich zu Frau Simmerns Plan stellte, sie beide zu verheiraten. Würde er, ein feiner Herr aus Berlin, sich mit einem ostpreußischen Landmädel zufriedengeben, dessen höchstes Ziel es war, später Kleider für feine Damen zu schneidern? Ganz so einfach, das wurde ihr schmerzhaft klar, würde ein Zusammenleben mit ihm nicht werden. Dennoch hoffte sie auf ein gutes Ende und darauf, dem griesgrämigen Ottokar und seiner Malwine ein Schnippchen schlagen zu können.

Lore vergaß nicht, dass sie sich ihre hoffnungsfrohe Stimmung um Himmels willen nicht anmerken lassen durfte. Aus diesem Grund hatte sie ihrem Onkel von Beginn der Reise an die kalte Schulter

gezeigt und war weder auf seine noch auf Elsies Versuche eingegangen, mit ihr ein Gespräch anzufangen. Vor allem Elsies Begleitung machte ihr die Rückkehr beinahe unerträglich. Führte sich dieser betrügerische Dienstbolzen doch auf, als wäre Lore eine Gefangene, die es zu bewachen galt. Elsie sperrte sie jeden Abend in das Zimmer ein, das ihr zum Schlafen zugewiesen worden war, während sie selbst in einer Nebenkammer schlief. Doch Lore entging nicht, dass das Dienstmädchen ihr Bett stets erst spät am Abend aufsuchte, und da sie bei weitem nicht mehr so unerfahren war wie vor ihrer Flucht, begriff sie, was die Blicke zu bedeuten hatten, die Elsie und Ottokar von Trettin miteinander wechselten. Zwischen den beiden spielte sich offensichtlich mehr ab, als es bei Herr und Dienerin statthaft war.
Die Ankunft der Trettiner Kutsche riss Lore aus ihren Gedanken. Auf dem Kutschbock saß nicht mehr Florin, der damals als einer der Ersten zu Ottokar von Trettin gehalten hatte, sondern ein Knecht, den sie nicht kannte. Der stieg so hastig ab, als fürchte er sich vor dem Gutsherrn, und öffnete den Schlag.
Ottokar von Trettin wollte als Erster einsteigen, besann sich dann aber und drehte sich zu Lore um. »Los, hinein mit dir, du Ausreißerin!«
Lore gehorchte ohne Widerspruch und nahm mit dem Rücken zur Fahrtrichtung Platz, um nicht neben ihrem Verwandten sitzen zu müssen. Ihr Vormund setzte sich breitbeinig hin, wie er es gewohnt war, während Elsie ein wenig zögerte. Sie wagte jedoch nicht, neben dem Gutsherrn Platz zu nehmen, sondern wählte, wie es sich gehörte, den Platz an Lores Seite.
»Bald sind wir in Trettin, gnädiger Herr!« Elsie schnurrte wie ein Kätzchen, es war nicht zu übersehen, wie zufrieden sie war. Zwar würde sie sich vor Malwine in Acht nehmen müssen, doch an Heimlichkeiten war sie gewöhnt. Wenn sie es geschickt anfing und Ottokar von Trettin so zufriedenstellte, wie er es sich wünschte,

konnte sie ihm genug Geld aus den Taschen ziehen, um in ein oder zwei Jahren ein neues Leben zu beginnen. In Gedanken spottete sie über die Männer, die sich nicht mit ihrer angetrauten Ehefrau begnügten, sondern sich im Bett Dinge wünschten, die eine anständige Frau nur als ekelhaft bezeichnen konnte. Ihr verlieh die Bereitschaft, auf Trettins absonderliche Wünsche einzugehen, eine Macht über ihn, die sich in Zukunft ganz gewiss auszahlen würde.

Ottokar von Trettin ahnte nichts von den Gedanken der Magd, sondern genoss die Blicke, die ihnen in Heiligenbeil folgten. Spätestens am nächsten Tag würde jeder im Landkreis wissen, dass er seine Pflicht erfüllt und sein Mündel zurückgeholt hatte. Also würde Malwine mit ihm zufrieden sein, auch wenn er keine Nachrichten über den Verbleib des Geldes brachte, das sein Onkel beiseitegeschafft hatte. Gab es dieses Geld noch, würden sie es irgendwann erfahren und es sich holen. War es, wie Thomas Simmern behauptet hatte, mit der *Deutschland* untergegangen, mochte dies zwar bedauerlich sein, würde ihren Triumph über Lore und deren Großvater jedoch nicht schmälern.

Auch Lore machte sich ihre Gedanken, während die Kutsche auf der teilweise noch von Schneematsch bedeckten Landstraße heimwärts fuhr. Ihr ganzes Leben hatte sie in dieser Gegend verbracht und den Landkreis vor einem guten Vierteljahr zum ersten Mal verlassen.

Dennoch erschien ihr alles so fremd, als sei sie jahrelang fort gewesen. Sie fragte sich, wie es dazu hatte kommen können, dass ihr England und Bremen auf einmal vertrauter zu sein schienen als das Land ihrer Kindheit. Sie übersah sogar die Einmündung der Forststraße, die zum Jagdhaus führte, und starrte überrascht auf das Dorf, an dessen Rand ihr Elternhaus gestanden hatte. Dort kündeten noch einige Mauerreste und verkohlte Balken von dem Feuer, in dem sie ihre Familie verloren hatte. Lore schlug das Kreuz

und sprach ein Gebet für ihre Eltern und Geschwister, in das sie ihren Großvater mit einschloss.
Die Dorfkirche, zu der sie früher staunend aufgeschaut hatte, wirkte nun klein und unbedeutend, und das Pfarrhaus glich einer besseren Bauernkate. Ottokar von Trettin ließ davor anhalten und rief den Pastor heraus.
»Guten Tag, Pastor! Wie Sie sehen, habe ich die Enkelin meines Onkels gefunden und hierhergebracht, um sie vor den Gefahren der Großstadt zu bewahren, denen so ein junges Ding ausgesetzt ist«, erklärte er stolz.
»Dem Herrn im Himmel sei Dank! Wenn Sie erlauben, Herr von Trettin, werde ich ab morgen regelmäßig zum Gut kommen, um ihr Mündel wieder dem richtigen Glauben zuzuführen.«
Sie reden über mich, als wäre ich irgendein Gegenstand und kein lebender Mensch, dachte Lore und blickte starr vor sich hin, ohne den Pfarrer auch nur eines Blickes oder gar eines Grußes zu würdigen.
Ottokar von Trettin ließ die Kutsche wieder anfahren und winkte dabei den Dorfbewohnern zu, die neugierig aus ihren Katen getreten waren, denn sie alle sollten wissen, dass er Lore zurückgebracht hatte. Er bedauerte es, dass die Jahreszeit es ihm unmöglich machte, ein offenes Gefährt zu benutzen, dann hätte jedermann das Mädchen sehen können. So blieb ihm nur, dem Kutscher zu befehlen, langsam zu fahren, damit die Leute durch die offenen Fenster in die Kutsche spähen konnten. Kurz vor dem Gutshaus wanderte sein Blick in den Wald, und er spottete über sich selbst, weil er dort wieder einen Schatten zu sehen geglaubt hatte. Nun war er froh, dem Rat seiner Frau gefolgt und nach Bremen gereist zu sein. Seit jener erregenden Nacht in dem Berliner Bordell quälten ihn keine schlechten Träume mehr, und die Geister der Toten, die ihn verfolgt hatten, schienen sich davongemacht zu haben.

II.

Malwine von Trettin erwartete ihren Mann und den eingefangenen Flüchtling auf der großen Freitreppe des Gutshauses. Als die Kutsche vorfuhr und sie einen Blick durch das offene Fenster im Schlag werfen konnte, lächelte sie triumphierend und machte ein paar Schritte auf den Wagen zu.

Der Gutsherr verließ die Kutsche, griff dann nach innen und zerrte Lore heraus. Elsie folgte ihr auf dem Fuß, doch Malwine beachtete die Magd gar nicht, sondern blieb vor Lore stehen und blickte sie höhnisch an. »Da ist ja unsere Ausreißerin!«, sagte sie und schlug ohne Vorwarnung zu.

Lore nahm die Ohrfeige mit einem kaum merklichen Zusammenzucken hin, genau wie die zweite, die Malwine ihr auf die andere Wange setzte.

»So, damit das ein für alle Mal klar ist!«, erklärte die Gutsherrin. »Komm mit! Ich zeige dir dein Zimmer. Die Fenster sind vergittert, und die Tür wird zugesperrt, wenn du dich darin befindest. Wir wollen doch nicht, dass du noch einmal davonläufst.« Dann packte sie Lore mit einem harten Griff am Oberarm und schob sie ins Haus.

Es zwickte Lore in den Fingern, der unverschämten Frau zu sagen, was sie von ihr hielt. Damit aber hätte sie nur weitere Ohrfeigen riskiert und sich dann gewiss zur Wehr gesetzt. Sie erinnerte sich an das, was über Malwine erzählt wurde, und begriff, dass die Frau sie ebenso wie ihre Dienstmägde mit dem Stock verprügeln würde, bis sie nicht mehr ohne Schmerzen sitzen oder liegen konnte. Daher ließ sie sich in eine kleine Kammer unter dem Dach stoßen, in der sich außer einem einfachen Bett, einem Gestell für die Waschschüssel und einem Stuhl nur noch ein kleiner Tisch mit einem Nähkästchen befand.

»Das ist jetzt dein Zimmer. Du wirst es nur mit meiner Erlaubnis verlassen!«
Lore ahnte, dass es Malwine vor allem darum ging, ihre Macht über sie auszukosten. Zu anderen Zeiten hätten die Drohungen sie geängstigt, doch sie vertraute Konrads Findigkeit und Fridolins Mut. Hier würde sie nicht lange bleiben müssen.
»Dir hat es wohl die Sprache verschlagen, was?« Malwine ärgerte sich, weil sie keine Antwort erhielt, und hob erneut die Hand zum Schlag.
Als Lore sich duckte, lachte sie und wies dann auf das Nähkästchen. »Das wird deine Beschäftigung in den nächsten Wochen sein. Ich benötige eine neue Sommergarderobe. Also hurtig ans Werk! Ich werde dir gleich die Schnittzeichnungen bringen, die ich aus Berlin habe kommen lassen.«
Malwines höhnische Worte erinnerten Lore an die beschämende Szene in Madame de Lepins Modesalon. Damals hatte sie geschworen, niemals für ihre angeheiratete Tante zu nähen. Sie wusste nicht, wie lange Fridolin und Konrad brauchen würden, um sie zu befreien, und sie wollte nicht erleben müssen, dass Malwine sich mit einem von ihr gearbeiteten Kleidungsstück brüsten konnte. Daher wandte sich mit einem verächtlichen Blick zu ihr um. »Ich werde nicht für dich nähen, Malwine. Du kannst mir befehlen, Feuerholz zu holen, Ställe auszumisten oder in der Küche Rüben zu schälen. All das werde ich machen. Aber du wirst mich nicht dazu bringen, auch nur einen Nadelstich für dich zu tun!«
»So? Das werden wir ja sehen! Zunächst einmal bleibst du hier drinnen. Zu essen bekommst du erst wieder, wenn du bereit bist, genau das zu tun, was ich will. Hast du mich verstanden?« Malwine nahm Lores Sträuben nicht ernst. Zwei, drei verweigerte Mahlzeiten, und das Mädchen würde klein beigeben. Mit dieser Vorstellung verließ sie die Kammer und schob draußen den Riegel vor.

Ihr Mann erwartete sie auf dem Flur. »Ist es nötig, Lore so schroff zu behandeln?«, fragte er. »Die Nachbarn werden gewiss darüber reden, und dann kommen wir noch mehr in Verruf.«
Um Malwines Mundwinkel huschte ein überlegenes Lächeln. »Mein Guter, in spätestens einem Jahr werden die meisten ringsum vergessen haben, dass es je eine Lore Huppach gegeben hat, und wir werden bei allen so angesehen sein, wie es den Gutsherren von Trettin gebührt.«
Ottokar war nicht davon überzeugt, fühlte sich aber nicht in der Lage, stärker auf seine Frau einzuwirken, als er es bereits getan hatte. »Du musst wissen, was du tust«, sagte er nur und wollte wieder gehen. Da fiel ihm ein, dass er seiner Frau noch etwas beichten musste.
»Ich habe das Dienstmädchen mitgebracht, das damals für meinen Onkel gearbeitet und sich dann mit Lore auf die Reise gemacht hat. Sie war früher eine gute Zofe, bis sie durch einen unglücklichen Umstand gezwungen wurde, die Arbeit einer schlechtbezahlten Magd zu tun. Ich glaube, sie könnte deiner Zofe noch einiges beibringen, denn sie hat früher für eine Gräfin gearbeitet und ist mit dieser kreuz und quer durch Europa gereist.«
»Ich werde mir das Weibsstück ansehen«, versprach Malwine und behielt ihren Mann dabei scharf im Auge, denn er wirkte so, als drücke ihn das Gewissen.
Das nährte ihr Misstrauen gegenüber der neuen Magd, und sie erinnerte sich an Gerüchte, die Elsie in keinem guten Licht erscheinen ließen. Sie hätte das Frauenzimmer nicht in ihre Dienste genommen. Andererseits konnte die Magd ihr helfen, Lore zu bewachen und zur Räson zu bringen. Was ihren Mann betraf, so war sie ganz froh, wenn sie seine rauhen Umarmungen in der Nacht und das, was danach kam, nicht so oft ertragen musste. Wegen ihr sollte er ruhig sein Vergnügen bei der Magd suchen. Sie würde sein schlechtes Gewissen auszunützen wissen und sich mit ein

paar hübschen Schmuckstücken und einigen anderen Dingen für seine Untreue entschädigen lassen. Später konnte sie Elsie immer noch davonjagen.

Unterdessen richtete Lore sich in ihrem Zimmer ein. Zu ihrer Erleichterung fand sie unter dem Bett einen Nachttopf vor, so dass sie nicht gegen die Tür klopfen und betteln musste, zum Abort gelassen zu werden. In Ermangelung eines Schrankes faltete sie ihren Mantel fein säuberlich zusammen und legte ihn auf den Stuhl. Ihre Ersatzwäsche und alles, was Dorothea ihr eingepackt hatte, blieb im Koffer, der als Ersatzkommode herhalten musste.

Trotz ihrer Anspannung und der im Augenblick nicht gerade angenehmen Situation musste sie sich das Lachen verkneifen. Jemand wie sie, der dreißig Stunden auf der sinkenden *Deutschland* überstanden hatte, ließ sich von Malwines Drohungen gewiss nicht einschüchtern.

Sie trat ans Fenster und öffnete es, um sich das Gitter anzusehen. Da der Raum als Abstellkammer gedient hatte, waren die Eisenstäbe schon lange nicht mehr überprüft worden. Mit etwas Mühe konnte sie zwei der Stangen entfernen und hätte nun hinaussteigen können.

Sie blickte jedoch nur an der Hauswand hinab, um festzustellen, ob es eine Möglichkeit gab, hinunterzuklettern. Ihr Bruder Wolfi war damals einige Male am Haus hoch bis auf das Dach geklettert und wieder herabgestiegen. Wenn es sein musste, würde sie das ebenfalls bewältigen. Schnell zog sie sich zurück, bevor jemand das kaputte Gitter von unten erkennen konnte, und schob die beiden Stangen wieder in ihre alte Lage. Da sie keinen Platz in der Nähe wusste, an dem sie unbemerkt Zuflucht finden und auf Fridolin und Konrad warten konnte, wollte sie eine Weile ausharren, bis sich einer von beiden bemerkbar machte. Als sie noch einen Blick zum Fenster hinauswarf, entdeckte sie am Waldrand den Umriss eines Mannes. War das schon einer ihrer beiden Helfer?

Leider verschwand die Person sofort wieder, bevor sie sie genauer in Augenschein nehmen konnte. Daher setzte sich auf das Bett und wartete.

III.

Die Nachricht, dass Ottokar von Trettin Lore zurückgeholt hatte, machte schnell die Runde und erreichte schon nach kurzer Zeit das Jagdhaus im Wald. Während Kord, der die Kutsche gesehen hatte und es den anderen berichtete, mit den Tränen kämpfte und Miene zu jammern begann, nahm Florin das Jagdglas des Doktors und verließ das Haus. Er lief quer durch den Forst, ohne darauf zu achten, ob er Spuren hinterließ, und blieb schließlich hinter dürrem Gestrüpp unter den Bäumen am Waldrand stehen. An dieser Stelle hatte er oft stundenlang auf Ottokar von Trettin gelauert, um den Gutsherrn zu beobachten. Als er nun das Fernglas ansetzte, hatte er jedoch ein anderes Ziel. Er suchte die gesamte Front des Gutshauses ab und entdeckte schließlich Bewegungen hinter einem der vergitterten Fenster im Dachgeschoss.

Bei genauerem Hinsehen erkannte er Lore und trat unwillkürlich einen Schritt zurück. Er beobachtete noch, wie sie das Fenster wieder schloss, steckte das Fernglas weg und kehrte mit müden Schritten und hängendem Kopf zum Jagdhaus zurück.

Dort hatten Kord und Miene sich inzwischen gegenseitig in die Verzweiflung getrieben. Florin hörte sich ihr Gejammer kurz an, dann schlug er mit der Faust auf den Tisch. »Schluss jetzt! Auf die Weise werden wir dem Mädchen bestimmt nicht helfen.«

»Was können wir schon tun?«, fragte Kord mutlos. »Fast könnte man den Worten des Pastors glauben, Lores Schicksal sei wirklich das Ergebnis der Sünden ihres Großvaters.«

»Pfaffengeschwätz!«, fuhr Florin ihn an. »Wäre der Pastor ein wahrer Hirte seiner Herde, hätte er schon lange den Mund aufgemacht. Der Pfarrer drüben in Elchberg, der ist schon ein paarmal mit dem Grafen zusammengerumpelt, dass es nur so gescheppert hat. Doch unser Pastor kriecht Ottokar von Trettin in den Hintern.«

»Vielleicht setzt er sich dennoch für Lore ein, wenn wir ihn recht bitten«, schlug Miene vor.

Florin schüttelte grimmig den Kopf. »Er wird höchstens versuchen, ihr den Katholizismus mit Ohrfeigen auszutreiben, und ihr ansonsten sagen, es sei Gottes Wille, dass sie Malwine gehorcht. Nein, der Mann ist keiner, der Gottes Wort predigt! Der redet nur den Mächtigen nach dem Mund.«

»Aber irgendetwas müssen wir doch tun!«, rief Kord entmutigt aus.

»Ihr beide macht gar nichts! Wenn ihr wollt, könnt ihr beten. Diese Sache geht nur mich etwas an«, erklärte Florin mit Nachdruck.

Die beiden anderen starrten einander erschrocken an. »Was hast du vor?«, fragte Kord.

»Nichts, was euch bedrücken sollte!« Florin kehrte den beiden den Rücken zu und öffnete die Tür des Raumes, in dem Wolfhard von Trettin seine Jagdutensilien aufbewahrt hatte und der nun von Doktor Mütze zum selben Zweck benutzt wurde. Kord streckte noch den Arm aus, als wolle er ihn aufhalten, doch ein Blick in Florins versteinertes Gesicht ließ ihn zurückzucken.

»Um Himmels willen, tu nichts, was du später bereuen wirst!«

»Sei versichert, ich werde hinterher gar nichts mehr bereuen.« Florins Stimme klang fast vergnügt, als er Kord auf die Schultern klopfte. Dann trat er in das Zimmer und verschloss die Tür hinter sich.

IV.

Obwohl das Bett nur einen schlichten Strohsack als Matratze aufwies und das Bettzeug muffig roch, war Lore rasch eingeschlafen und wachte erfrischt auf. Während der Nacht hatte sie von Fridolin und Konrad geträumt, die mit immer komplizierter werdenden Methoden versucht hatten, sie zu befreien, und dabei über deren Fehlschläge schallend gelacht. Spuren dieser Erheiterung mussten sich noch auf ihrem Gesicht widerspiegeln, als die Tür geöffnet wurde und mehrere Mägde, von Elsie beaufsichtigt, das Waschwasser und ein Handtuch brachten.

Die Frauen streiften Lore mit teils neugierigen, teils mitleidigen Blicken und sahen so aus, als würden sie am liebsten das Wort an sie richten. Doch Elsie unterband jede Unterhaltung im Ansatz, indem sie die Mägde wieder aus dem Zimmer trieb. Danach lehnte sie sich mit spöttischer Miene gegen den Türrahmen.

»Du solltest dich waschen, bevor das Wasser ganz kalt wird.«

Lore hatte bereits einen Finger hineingesteckt und festgestellt, dass das Wasser so kalt war, wie es im Winter aus dem Brunnen geschöpft wurde. Früher hatte ihr das kaum etwas ausgemacht, denn zu Hause hatte sie sich unter der Woche auch nur kalt waschen können. Warm hatte man im Lehrerhaus nur am Sonnabend gebadet. Die letzten Wochen in den besseren Hotels von Harwich, London und Southampton hatten sie in der Hinsicht verwöhnt.

Da sie die Umstände hier jedoch so nehmen musste, wie sie waren, zuckte sie mit den Schultern und putzte sich die Zähne, bevor sie begann, sich Gesicht und Hände zu waschen. Sich nackt auszuziehen, wie die Gutsmägde es im Waschhaus ungeniert taten, mochte sie in Elsies Anwesenheit nicht.

»Mal…, die gnädige Frau ist ziemlich böse auf dich. Du solltest

ihr besser gehorchen«, riet die frühere Zofe mit gespielter Freundlichkeit.
»Sie wird mich so oder so schlecht behandeln. Warum also sollte ich etwas tun, das ihr zugutekommt?«, antwortete Lore.
»Du bist schon immer stur gewesen. Aber diesmal wird es dir nichts nützen. Die Gnädige kriegt dich schon klein«, setzte Elsie ihre Sticheleien fort.
Lore kehrte ihr den Rücken zu und zog ihr Hemd aus, um sich doch gründlicher zu waschen, und da die Magd begriff, dass sie nichts mehr erreichen konnte, verließ sie den Raum. Draußen schob sie mit hämischer Zufriedenheit den Riegel vor und begab sich in die Räume des Gutsherrn, angeblich, um dort aufzuräumen. In Wirklichkeit würde sie Ottokar von Trettin auf die Weise befriedigen müssen, die dem Gutsherrn am besten gefiel. Elsie fand es erniedrigend, aber in ihrer Lage konnte sie sich keine Skrupel leisten. Sie brauchte Geld, wenn sie dieses Hinterwalddorf je wieder verlassen und einen neuen Anfang wagen wollte.
In Gedanken drehte sie Gustav, der sie dazu überredet hatte, Lore zu bestehlen und mit ihm in Deutschland zu bleiben, den Hals um. Der Kerl hatte sie eingewickelt wie ein Weihnachtspaket, in einem billigen Hotel in Bremen noch einmal kräftig von hinten genommen und sich dann samt dem Geld und der Seekiste in die Büsche geschlagen. Wäre die *Deutschland* nicht gesunken, sondern mit Lore heil nach Amerika gelangt, würde sie noch immer der verschenkten Chance nachweinen.
»Ist unsere Gefangene heute zugänglicher?«
Malwines Stimme riss Elsie aus ihren Gedanken. Sie knickste und schüttelte den Kopf. »Leider nein, gnädige Frau. Aber ich glaube, dass sie bald kuschen wird.«
»Ich will sie in einer Stunde in meinem Salon sehen. Bis dorthin mach deine Arbeit, und zwar ordentlich!« Während Malwine davonrauschte, verzog Elsie spöttisch den Mund. Was würde die

Dame sagen, wenn sie wüsste, welche Arbeit sie gleich verrichten musste? Mit diesem Gedanken betrat sie den Trakt, den Ottokar von Trettin bewohnte, und ging gleich weiter in die Kleiderkammer. Diese war nicht besonders groß und wurde zudem von wuchtigen Kleiderschränken beherrscht. Da es kein Fenster gab, konnte niemand zufällig sehen, was hier geschah.

Elsie musste nicht lange die Jacken, Hosen und Hemden des Gutsherrn sortieren und zum Ausbürsten zurechtlegen, denn er kam kurz nach ihr herein und öffnete bereits im Gehen die Hose. »Mach schnell! Wir müssen gleich zu meiner Frau in den Salon. Sie hat auch nach dem Pastor geschickt, damit er Lore ins Gewissen reden soll.«

Elsie hatte den Eindruck, als bedaure er die Strenge, mit der seine Frau Lore behandelte, und hoffte darauf, dass der Pfarrer nicht nur dem renitenten Mädchen, sondern auch Malwine ins Gewissen redete. Wenn es nach ihm geht, wird Lore hier bald wie ein Familienmitglied behandelt und nicht wie ein Dienstbolzen, dachte sie, während sie sich hinkniete und begann, den Gutsherrn zu befriedigen. In ihren Augen war der Kerl ein Schwein. Er zwang sie dazu, heimlich Dinge zu tun, die in den Augen seiner Frau, des Pastors und gewiss der meisten Leute ringsum abscheulich waren. Nach außen hin aber wollte er als ehrbarer und integrer Standesherr erscheinen. Dazu gehörte auch, dass Lore besser behandelt werden sollte, als es in Malwines Sinn war.

Ich werde seine Frau noch stärker gegen Lore einnehmen müssen, fuhr es Elsie durch den Kopf. Wenn das Mädchen hier erst Oberwasser bekam, würde es sie gewiss als Diebin hinstellen, und die meisten würden ihr allein deswegen Glauben schenken, weil sie die Enkelin eines Freiherrn war. Vielleicht mochte auch der eine oder andere durch dieses Gerede neugierig werden und jenen Eintrag im Polizeiregister von Danzig ausfindig machen, der es ihr unmöglich gemacht hatte, weiterhin als Zofe für hochgestellte

Damen zu arbeiten. Wäre sie damals geschickter gewesen oder hätte sie die Finger von dem Schmuck der Toten gelassen, sähe sie sich nun nicht gezwungen, für einen perversen Kerl Dinge zu tun, für die sie sich tief in ihrem Innern schämte.

V.

Das Tribunal kann beginnen, fuhr es Lore durch den Kopf, als Elsie sie in den Salon der Hausherrin führte. Neben Malwine und Ottokar von Trettin hatten sich noch der Pastor, der neue Schullehrer und mehrere Gutsbeamte versammelt. Draußen auf dem Flur standen einige Dienstboten, die vorgaben, für Handreichungen zur Stelle zu sein. In Wahrheit aber wollten sie nichts von dem verpassen, was drinnen vor sich ging.

Lore war sich darüber im Klaren, dass Malwine sie den anderen als trotziges Ding vorführen wollte, das es zu erziehen galt. Dafür sprach schon die Auswahl der Anwesenden. Jeder von ihnen hatte sich von Anfang an bei dem Streit zwischen ihrem Großvater und seinem Erben auf Ottokars Seite gestellt. Nun würden sie Malwine nach dem Mund reden und das im Umland verbreiten, was ihre angeheiratete Tante den Leuten zu Ohren bringen wollte.

Noch bevor Lore etwas sagen konnte, fuhr Malwine sie an. »Guten Tag könntest du wenigstens sagen! Immerhin ist der Herr Pastor hier.«

»Guten Tag!« Lore deutete einen Knicks an, der keinem direkt galt, und hüllte sich wieder in Schweigen.

»Wir müssen mit dir reden«, fuhr Malwine fort. »Dein Ausreißen …«

»Entschuldige, aber ich bin nicht ausgerissen«, fiel Lore ihr ins

Wort. »Mein Großvater hat mich weggeschickt. Elsie kann dies bestätigen. Will sie es nicht, könnt ihr auch den Fuhrunternehmer Wagner, Doktor Mütze und Onkel Fridolin fragen.«
Malwines Gesicht lief dunkel an, und sie hätte Lore am liebsten geohrfeigt. So leicht, wie sie gehofft hatte, ließ das Mädchen sich nicht einschüchtern. Mühsam unterdrückte sie ihren Groll und setzte ihre nächste Spitze.
»Ein anständiges Mädchen hätte sich niemals auf eine solche Sache einlassen dürfen! Stattdessen hättest du zu uns nach Trettin kommen müssen. Immerhin war dir bewusst, dass mein Gatte dein Vormund sein wird.«
»Du hättest auch zum Pfarrhaus kommen können. Meine Frau und ich hätten dir gewiss geholfen«, meldete sich nun der Pastor zu Wort.
Lore lächelte, obwohl sie diesem Mann am liebsten ins Gesicht gespuckt hätte. »Verzeihen Sie, Herr Pastor, aber Ihr Vorgänger hat mich gelehrt, Vater und Mutter und besonders meinen Großvater als Familienoberhaupt zu ehren und ihnen zu gehorchen. Da mein Großvater mir befohlen hatte, nach Amerika zu reisen, konnte ich mich nicht dagegen sträuben.«
»Welch ein Unsinn! Selbst du hättest wissen müssen, dass ein Kind deines Alters in diesem unzivilisierten Land nur vor die Hunde gehen kann«, rief der Gutsherr aus.
»Oh, diese Gefahr glaubte mein Großvater ausschalten zu können, indem er mich in die Obhut der frommen Nonnen gab, die leider vor England ihr nasses Grab gefunden haben. Ich hätte bei ihnen bleiben sollen, bis ich volljährig geworden bin.«
Es war eine seltsame Situation, dachte Lore. Da stand sie den Menschen gegenüber, die sie am meisten hasste, und verspürte weniger Unbehagen als Amüsement wegen der verzweifelten Versuche, sie ins Unrecht zu setzen. Dennoch hoffte sie, dass sie dieses Spiel nicht allzu lange würde mitmachen müssen, denn Malwines

Miene verkündete ihr bereits, dass dieses Weib sie für ihr festes Auftreten büßen lassen würde.
Der Pastor begann nun einen Vortrag, der darin gipfelte, sie solle Gott dafür danken, wieder in der Heimat zu weilen, in der es Menschen gab, die für sie sorgen wollten. Malwine und einige der Anwesenden nickten eifrig, während Ottokar von Trettin einen Cognac brauchte, um die Rede des Pfarrers zu überstehen.
»Du wirst Frau von Trettin in allem gehorchen und ihr für Unterkunft und Brot, die sie und ihr Herr Gemahl dir zukommen lassen, von ganzem Herzen danken!« Mit diesen Worten schloss der Pastor seine Predigt und blickte sehnsüchtig zu der Cognacflasche hinüber.
Ottokar von Trettin kümmerte sich jedoch nicht um ihn, sondern starrte Lore nachdenklich an und fragte sich, ob er sie nicht mit einigen kleineren Zugeständnissen dazu bringen konnte, seiner Frau zu willfahren. Ein Blick in Malwines Gesicht ließ ihn jedoch davon Abstand nehmen. Seine Frau würde sich mit nichts weniger als mit Lores vollständiger Unterwerfung zufriedengeben.
Danach sah es derzeit jedoch nicht aus. Lore musterte die Menschen im Raum, rieb sich dabei unbewusst über die Stirn und setzte zur Gegenrede an. »Ich bedauere, nicht die Dankbarkeit fühlen zu können, die man von mir erwartet. Doch ich wäre durchaus in der Lage gewesen, meinen Lebensunterhalt selbst zu verdienen. Der auf der *Deutschland* umgekommene Graf Retzmann hat in der Stunde der Not seine Enkelin meiner Obhut anvertraut, und deren jetziger Vormund, Herr Thomas Simmern, Anteilseigner und hoher Repräsentant des Norddeutschen Lloyd, hat mich gebeten, mich auch weiterhin der armen Waise anzunehmen. Ich sollte als deren Gouvernante und Gesellschafterin wirken, und zum Dank dafür hat er mir versprochen, mir später, wenn die Komtess mich nicht mehr benötigt, das nötige Geld zu geben, um ein Geschäft eröffnen zu können.«

Jetzt sahen sich einige Zuhörer erstaunt an. So hatte Malwine ihnen die Angelegenheit nicht dargestellt. Ottokars Frau begriff, dass sie etwas tun musste, um nicht als Megäre dazustehen, die dem Mündel ihres Mannes aus Bosheit eine angenehme Zukunft verbaut hatte.

»Das ist doch Unsinn!«, rief sie. »Soviel ich weiß, ist dieser Thomas Simmern längst nicht mehr der Vormund der Komtess, sondern Herr Klampt aus Bremen. Dieser hat uns schriftlich aufgefordert, dich zurückzuholen, da du dich als Erzieherin der Komtess als völlig ungeeignet erwiesen hast.«

Dieser Trumpf stach. Die meisten Zuhörer nickten, und auch Ottokar von Trettin atmete auf. Die Gefahr, bei den Nachbarn noch mehr an Kredit zu verlieren, schien vorerst gebannt. Nun stellte er sich in Positur, als wolle er seine Autorität unterstreichen. »Ich habe mit Herrn Klampt und auch mit dessen Frau Mutter, einer verwitweten Gräfin Retzmann, gesprochen. Sie waren beide der Meinung, dass Lore nicht der richtige Umgang für ihre junge Verwandte sei. Aus diesem Grund haben sie mich gebeten, das Mädchen zurückzuholen. Wären sie nicht um Lores Wohl besorgt gewesen, hätten sie dies nicht tun müssen, denn im Allgemeinen setzt man einen unliebsamen Dienstboten vor die Tür!«

Malwine schenkte ihrem Mann einen anerkennenden Blick, der ihn aufatmen ließ, und trat auf Lore zu. »Als mittelloses Ding solltest du froh sein, bei uns freie Unterkunft und Kost zu erhalten.«

»Wohl gesprochen!«, stimmte der Pastor ihr zu.

Lores Augen flammten rebellisch auf. »Unterkunft und Verpflegung würde ich auch auf Gut Elchberg erhalten, wenn ich mich dort als Magd verdinge, und dazu sogar noch Lohn für die Arbeit, die ich hier umsonst leisten soll.«

»Du verstocktes Ding!« Jetzt vermochte Malwine sich nicht mehr zu beherrschen und schlug Lore ins Gesicht.

»Schläge würde ich dort auch nicht erhalten«, setzte diese ungerührt hinzu.
Voller Wut holte Malwine ein zweites Mal aus. »Du, du … Ich werde dich schon kleinkriegen, und wenn ich dich jeden Tag züchtigen muss!«
Alle Anwesenden starrten wie gebannt auf die Gutsherrin und ihr Opfer. Daher entging ihnen der vornübergebeugt gehende Mann mit dem schmerzverzerrten Gesicht und dem Gewehr unter der Achsel, der draußen auf der Terrasse auftauchte. Erst als die Scheibe in der Tür unter dem Gewehrkolben klirrte und die Scherben zu Boden fielen, drehten sich die Leute erschrocken um.
»Florin? Nein, das ist unmöglich!« Ottokar wurde weiß wie frisch gefallener Schnee und wich mit nach vorne gestreckten Armen zurück.
Sein ehemaliger Kutscher griff durch die zerbrochene Scheibe nach innen, öffnete die Terrassentür und trat ein. Die Glasscherben knirschten unter seinen Sohlen, als er die Waffe auf seinen einstigen Herrn richtete.
»Ich bin aus der Hölle zurückgekehrt, in die Sie mich schicken wollten, Herr von Trettin. Sie hätten besser nachsehen sollen, ob ich auch wirklich tot bin, als Sie auf mich geschossen haben. Haben Sie sich denn nicht gewundert, dass mein Leichnam nicht gefunden wurde? Das hätten Sie aber tun sollen! Jetzt bin ich hier im Namen der himmlischen Gerechtigkeit, um Sie für Ihre Untaten bezahlen zu lassen.« Florin trat noch einen Schritt auf Trettin zu und krümmte den Zeigefinger.
»Mann, was soll der Irrsinn? Lege die Waffe nieder!«, schrie der Pastor, dem der Schreck in die Glieder gefahren war.
Florin warf ihm nur einen kurzen Blick zu. »O nein! Beinahe hätte ich vergessen, zu sagen, weshalb ich diesen Mann richten werde. Er hat nicht nur mich umbringen wollen, sondern auch die Familie aus dem Lehrerhaus auf dem Gewissen. Ottokar von Trettin ist

nicht einfach an dem brennenden Haus vorbeigefahren, ohne die Bewohner zu warnen! Er hat mir befohlen, dort anzuhalten, damit er das Haus anzünden konnte. Ich habe ihm zugesehen und es nicht gewagt, Wolfhard von Trettins Tochter und deren Familie zu warnen oder gar meinem Herrn in den Arm zu fallen. Weil ich Zeuge dieser ruchlosen Tat war, wollte er mich schließlich umbringen. Gott der Herr hat mich jedoch gerettet. Aber bis gestern war mir nicht klar, weshalb ich noch lebe. Doch nun weiß ich, dass der Herrgott mich ausersehen hat, diesen Mann zu töten, bevor er auch noch die letzte Nachkommin meines alten Herrn umbringen kann. Und das würde er, denn er hasst die Familie, seit Lores Mutter einen braven Schullehrer ihm vorgezogen hat!«

Die Stimme des Kutschers steigerte sich mit jedem Satz, den er herausschrie. Sein Blick flackerte und zeugte von beginnendem Irrsinn. Die Einzige, die ihn vielleicht noch hätte stoppen können, wäre Lore gewesen. Doch die war so erschüttert von den Anklagen, die Florin dem Gutsherrn an den Kopf warf, dass sie kein Wort hervorbrachte. Wie zur Salzsäule erstarrt, sah sie zu, wie der Kutscher den Lauf der Waffe noch ein wenig hob und feuerte.

Die Wirkung des für die Elchjagd gedachten Geschosses war auf diese kurze Entfernung verheerend. Ottokar von Trettin wurde wie von einer Titanenfaust nach hinten geschleudert und blieb dann verkrümmt liegen. Auf seiner Brust war ein daumendickes, schwarzes Loch zu sehen, während sich unter ihm eine wachsende Blutlache bildete.

Noch bevor jemand einen Ton herausbrachte, steckte Florin sich die Mündung der Doppelflinte in den Mund und drückte ein zweites Mal ab.

Malwine stand mitten im Raum, das Gesicht zu einer Maske des Entsetzens verzerrt, und schrie, dass es Lore durch Mark und Bein ging. Der Pastor ging schließlich auf Ottokars Frau zu. Selbst bleich wie ein Leintuch und zitternd, versuchte er sie zu beruhigen.

Unterdessen beugte sich der Gutsinspektor über die beiden am Boden liegenden Männer. Florin hatte die Kugel den halben Kopf weggerissen und Blut und Gehirn auf den umliegenden Möbeln verteilt. Auch bei Ottokar von Trettin schüttelte er den Kopf.
»Die beiden sind mausetot. Da ist nichts mehr zu machen. Wir werden die Gendarmen holen müssen.«
Malwine sah ihn mit trüben Augen an. »Nein, das tun wir nicht. Denkt nur an den Skandal, der dann über uns kommen würde.«
Die anderen verstanden, was sie meinte. Die Behörden würden sich dafür interessieren, was genau hier geschehen war, und dabei auf die Aussagen stoßen, die Florin gemacht hatte. Die Anklage, Ottokar hätte das Lehrerhaus angezündet und damit Lores ganze Familie auf dem Gewissen, schwang noch im Raum. Die Dienstboten erinnerten sich nun an Mienes Worte, tuschelten miteinander und entfernten sich möglichst unauffällig vom Schauplatz des Geschehens. Der Pastor blieb neben dem Toten stehen und sprach ein Gebet, das der Seele des Ermordeten galt, aber auch seiner Überzeugung Ausdruck gab, Florin habe nur eine üble Verleumdung von sich gegeben. Dies hoffte auch der neue Lehrer, der bislang voller Ehrfurcht zu dem Gutsherrn aufgeschaut hatte und es auch jetzt nicht wagte, ein Wort zu sagen.

VI.

Lore wurde nicht weniger von Entsetzen geschüttelt als die Dienstboten, die wie Schatten verschwunden waren. Nun begriff sie die Zusammenhänge, die ihr bisher verborgen geblieben waren, und in ihren Augen wuchs Ottokar von Trettin sich zu einem Monster aus, das in seiner Gier, den Besitz derer von Trettin an sich zu bringen, über Leichen gegangen war. Eines aber erleichterte sie: Nach diesem Tag würde niemand mehr von ihr verlangen können, hierzubleiben. Sie überlegte, ihre Sachen zu holen und das Gut stehenden Fußes zu verlassen, doch sie zögerte, denn ohne Geld und mit der Aussicht, bei dem nasskalten Wetter möglicherweise bis Heiligenbeil zu Fuß gehen zu müssen, schien ihr das wenig erstrebenswert. Daher klammerte sie sich an die Vorstellung, Fridolin und Konrad müssten jeden Moment auftauchen und sie von hier fortbringen.

Während die meisten Menschen um sie herum beinahe lautlos den Salon verließen, versuchte Lore, den Schock zu überwinden. Zu vieles war seit dem Mord an ihrer Familie auf sie eingestürzt, und es war, als öffneten sich Schleusen in ihrem Innern, die all die schrecklichen Erlebnisse, die über sie hereingebrochen waren, wieder freigaben. Schließlich raffte sie sich auf und wollte das Zimmer verlassen, um einen Ort zu finden, an dem sie mit ihren Tränen allein sein konnte.

Da fiel Malwines Blick auf sie. Das Gesicht der Frau verzerrte sich vor Hass und Abscheu, und bevor jemand sie aufhalten konnte, stürzte sie sich auf Lore und schlug wie von Sinnen auf sie ein. »Du bist schuld! Du hast Florin zu dieser Tat aufgehetzt!«

Diese Beschuldigung war selbst dem Pastor zu viel. Er packte Malwine und zerrte sie von Lore weg. »Nehmen Sie doch Vernunft an, Frau von Trettin. Lore war doch bis gestern fort! Wie hätte sie da mit diesem Mann sprechen oder ihn gar zu einem solch scheußlichen Mord überreden können?«

»Sie war es, sie war es!«, kreischte Malwine wie von Sinnen.

Der Pastor schob sie schließlich Elsie und einer kräftigen Magd in die Arme. »Bringt sie in ihr Zimmer und bleibt bei ihr. Jemand sollte den Arzt holen, damit er Frau von Trettin ein Beruhigungsmittel gibt. Außerdem muss er den Totenschein für die beiden Männer ausstellen.«

»Ich habe Doktor Mütze vorhin nach Elchberg fahren sehen. Ich schicke rasch einen Knecht hinüber, damit er ihm Bescheid sagt!« Der Gutsinspektor vergaß ganz, dass der neue Gutsherr und dessen Frau ihnen allen streng verboten hatten, diesen Arzt zu rufen, weil er Wolfhard von Trettins Freund gewesen war. Stattdessen hatten sie nach dem alten Mediziner aus Zinten schicken lassen. Doch im Augenblick hinterfragte niemand seine Entscheidung.
Lore war erleichtert, den ihr bekannten Namen zu hören, denn Doktor Mütze würde ihr hoffentlich für ein paar Tage Asyl gewähren, bis ihre Helfer erschienen.
Kaum hatte Elsie mit Unterstützung zweier Mägde die Gutsherrin weggebracht, wandte der Pastor sich an Lore. »Ich glaube, es ist besser, wenn du vorerst ins Pfarrhaus umziehst, damit du Frau von Trettin in den nächsten Tagen nicht unter die Augen kommst. Wie es scheint, hat ihr Geist unter dieser schrecklichen Tat gelitten, und es wird einiger inniger Gebete bedürfen, damit Gott sie aus der Finsternis zurückholt.«
Lore sah sich schon unter der Knute des Pfarrers für Malwine beten und schüttelte sich innerlich. Aber sie ließ sich nichts anmerken, sondern nickte, als sei sie mit allem einverstanden, und verließ den Raum. Doktor Mütze würde auf dem Rückweg gewiss am Haus des Pfarrers vorbeifahren, und dort konnte sie den Arzt abpassen.
Mit steifen Schritten stieg sie in die Dachkammer hoch, zog sich warm an und verstaute den Rest ihrer Habe in ihrem Koffer. Dabei spürte sie, wie die Starre, in die ihr Geist nach dem tödlichen Geschehen verfallen war, von ihr abfiel. Nun aber hallte das Donnern der Schüsse in ihr wie ein Echo wider, und sie glaubte, überall Blut zu sehen. Es quoll aus den Wänden, als sei das Gutshaus selbst ein zu Tode verwundetes Lebewesen, das sie mit in seinen Untergang hineinziehen wollte. Entsetzt stopfte Lore die letzten Sachen in den Koffer, ohne sie vorher zusammenzulegen, schloss

ihn, warf den Mantel über und verließ das Haus, so schnell sie konnte.

Draußen begann sie zu rennen, bis ihre Lunge in der Kälte stach, und als sie sich umblickte, lag der Herrensitz von Trettin weit hinter ihr. Kurz darauf sah sie die ersten Katen des Dorfes vor sich auftauchen, und als sie die Dorfstraße entlangstolperte, wusste sie kaum noch, woher sie die Kraft nahm, einen Fuß vor den anderen zu setzen. Sie nahm neugierige Gesichter an den Fenstern und Türen der Häuser wahr, aber niemand kam auf sie zu. Ihr schien es, als seien die Leute, die ja vom Gut lebten, so eingeschüchtert worden, dass sie sich nicht einmal zu fragen trauten. Die Mienen der Dörfler aber und ihre aufgeregten Stimmen verrieten ihr, dass man die Schüsse des großkalibrigen Jagdgewehrs bis ins Dorf gehört haben musste. Da sie auch einige Dienstboten des Gutshofes bei den Katen stehen sah, wurde ihr klar, dass die Nachricht von dem Mord an Ottokar von Trettin das Dorf bereits erreicht hatte.

Kurz darauf nahm sie wahr, wie die Frau des Pastors aus dem Haus schoss und mit begieriger Miene auf sie zukam. Um nicht von dieser unangenehmen Person ausgequetscht und vielleicht wieder geohrfeigt zu werden, beschleunigte Lore ihren Schritt und betrat fluchtartig den Kirchhof. An dem schlichten Stein, der das Grab ihrer Eltern und Geschwister kennzeichnete, blieb sie stehen und versuchte, ihr hart klopfendes Herz zu beruhigen.

In dem Moment überfiel sie das ganze Elend, das sie seit dem Brand ihres Elternhauses mit sich trug. Ottokar von Trettin hat sie alle umgebracht!, hämmerte es in ihrem Kopf, und ihr wurde zum ersten Mal wirklich bewusst, wie knapp sie damals dem Feuertod entgangen war. Ihr Verwandter musste das Haus in dem Glauben angezündet haben, sie läge ebenfalls in ihrem Bett. Nun begann sie den Mann mit einer Inbrunst zu hassen, die sie selbst erschreckte, denn im Gegensatz zu ihren Lieben, die unter ihr in

einem gemeinsamen Grab lagen, hatte Ottokar von Trettin nicht gelitten, sondern ein schnelles Ende gefunden.
Lore versuchte ein Gebet zu sprechen, doch ihre Gedanken wirbelten so stark, dass sie den Text nicht zusammenbrachte. Zitternd und immer wieder vor Schwäche taumelnd, wanderte sie ohne ihren Koffer über den Friedhof, bis sie den düsteren, ungepflegten Teil erreichte, in dem die Armesündergräber lagen. An einer Stelle kündete ein einfaches Holzkreuz, das Kord gefertigt und mit ungelenker Hand beschriftet hatte, dass hier Wolfhard Nikolaus von Trettin, der ehemalige Majoratsherr von Trettin, begraben lag. Auch er war Ottokars ungezügelter Gier zum Opfer gefallen. Ohne dessen Griff nach dem Gut und die hasserfüllten Attacken, mit denen er und Malwine ihren Großvater bis zuletzt verfolgt hatten, hätte der alte Herr noch lange zufrieden und glücklich leben können. Schließlich hatte Ottokar auch das Leben des Kutschers Florin zerstört und damit sein eigenes Ende herbeigeführt.
Der Gedanke an das Elend und die Schmerzen, die Ottokars Opfer erlitten hatten, machte es ihr unmöglich, den Tod ihres Verwandten zu bedauern. Die christliche Lehre forderte zwar, auch den Sündern zu verzeihen, doch das brachte Lore nicht fertig. Dafür war zu viel geschehen.
Die Frau Pastor hatte ihr Schultertuch aus dem Pfarrhaus geholt, um sich gegen den scharfen Wind zu schützen, und war Lore auf den Kirchhof gefolgt. »Was ist oben im Gutshaus geschehen, Mädchen? Es soll Mord und Totschlag gegeben haben. Mein Mann ist doch hoffentlich wohlauf?«
Lore drehte sich um und sah die Frau an, als müsse sie sich erst erinnern, wen sie vor sich hatte. Ihre Lippen zuckten, als sie daran dachte, wie harsch die Frau des Pfarrers sie früher behandelt hatte. Doch ihre anerzogene Höflichkeit zwang sie, zu antworten.
»Der Gutsherr ist tot. Sein ehemaliger Kutscher hat ihn erschos-

sen!« Mit diesem knappen Bericht ließ Lore die Frau stehen und kehrte zum Grab ihrer Eltern zurück. Dort hob sie ihren Koffer auf, verließ den Friedhof und schritt die Straße entlang.
Erst als sie das Dorf schon geraume Zeit hinter sich gelassen hatte, wurde ihr klar, dass sie am Pfarrhaus vorbeigegangen war, ohne es wahrzunehmen. Doch umkehren wollte sie nicht. Ehe sie die Unterkunft annahm, die der Pastor ihr angeboten hatte, würde sie trotz der Nässe und der matschigen Straße den gesamten Weg nach Heiligenbeil zu Fuß gehen. Von Menschen, die einen Mörder unterstützt und den Rest ihrer Familie verachtet hatten, wollte sie nicht einmal ein trockenes Stück Brot annehmen. Auch war die Heimat, die sie so sehr geliebt und vor einem Vierteljahr nur unter Tränen verlassen hatte, für sie eine Stätte des Todes geworden.
Hufschläge rissen sie aus ihren düsteren Gedanken. Da der Wagen ihr entgegenkam, blickte sie nicht einmal auf, als das Gespann kurz vor ihr langsamer wurde und anhielt. Erst als ein Mann herabsprang und sie bei den Schultern fasste, wurde sie sich ihrer Umgebung wieder bewusst.
»Lore! Wie schön, dich gleich hier zu treffen. Das erspart uns viel Zeit. Komm, steig auf! Wir werden bei der nächsten Gelegenheit wenden, und dann geht es in die Freiheit.«
»Frido!« Lore ließ ihren Koffer fallen, klammerte sich an ihren Onkel und ließ den Tränen freien Lauf. »Es war so entsetzlich!«
»Was?«
Da Lore nicht gleich antwortete, schüttelte Fridolin sie.
Konrad packte ihn bei den Schultern. »Lassen Sie sie in Ruhe, Herr von Trettin! Wenn Lore so außer sich ist, muss einiges passiert sein. Wir haben sie ja beide auf der *Strathclyde* erlebt, und von Nati wissen wir, wie tapfer sie auf der *Deutschland* war. Ihr muss etwas Schreckliches zugestoßen sein. Daher sollten wir warten, bis sie sich beruhigt hat.«
Lore hob den Kopf und sah zuerst Fridolin und dann Konrad an.

»Ottokar von Trettin ist tot. Sein Kutscher hat zuerst ihn und dann sich selbst erschossen!«
»Florin? Der arme Kerl hat es also nicht mehr ertragen können.« Fridolin nahm seinen Hut ab und sprach ein kurzes Gebet für den Knecht.
Dann fasste er Lore um die Taille und hob sie auf den Wagen, den Konrad und er sich in Heiligenbeil gemietet hatten. Konrad griff nach dem Koffer und stellte ihn auf die Ladefläche, schlang eine Decke um das Mädchen und nahm wieder die Zügel in die Hand.
Fridolin setzte sich neben Lore und hielt sie fest. »Beruhige dich, Kleines! Jetzt wird alles gut!«

VII.

Mehr als ein Monat war seit jenen Tagen in Ostpreußen verstrichen. Lore saß in einem Sessel im Stadthaus der Familie Retzmann in Bremen über eine Näharbeit gebeugt, während Nati am Tisch ihre Schularbeiten machte. Es fiel der Kleinen nicht leicht, so lange still zu sitzen, doch sie kniff die Lippen zusammen und machte weiter, um ihre Freundin nicht zu enttäuschen.
Als sie endlich fertig war, sah sie auf und stupste Lore vorsichtig an. »Hier! Willst du dir ansehen, ob ich Fehler gemacht habe?«
»Natürlich.« Lore nahm das Blatt und las es durch. »Sehr gut! Jetzt musst du nur noch in Mathematik und Geschichte besser werden, dann ist Dorothea mit dir zufrieden.«
»Sie ist auch so zufrieden«, erklärte Nati mit Nachdruck.
Um Lores Lippen zuckte ein Lächeln. Im Großen und Ganzen stimmte das auch. Die Kleine hatte einige frühere Unarten abge-

legt und lernte fleißig, ohne sogleich Wutanfälle zu bekommen, wenn ihr etwas nicht passte.
»Jetzt müssten wir nur noch den Drachen Ermingarde und ihre Nebendrachen loswerden, dann wird das Leben richtig schön«, fuhr Nati fort.
»Das könnte es wirklich sein!« Lore seufzte, denn Ermingarde Klampt war tatsächlich die Schlange in ihrem Paradies.
Die Dame wohnte noch immer mit ihrer Nachkommenschaft im Westflügel des Palais und dachte gar nicht daran, sich daraus vertreiben zu lassen. So als wäre nichts geschehen, spielte sie die Dame des Hauses, empfing Besucher und sprach bereits von den Festen, die sie ausrichten wollte, sobald die engere Trauerzeit um den toten Grafen verstrichen war. Außerdem sei sie, so verkündete sie überall, für die Erziehung ihrer kleinen Verwandten verantwortlich, und nicht die völlig ungeeignete Person, die Thomas Simmern eingestellt habe.
»Sie sucht immer noch nach einem Mittel, Onkel Thomas zu vertreiben und ihren Gerhard an seine Stelle zu setzen. Außerdem gibt sie zu viel Geld für sich aus!« Nati wiederholte erneut sämtliche Fehler, die Ermingarde Klampt in Dorothea Simmerns Augen haben sollte, und setzte noch ein paar weitere hinzu. »Die Frau ist einfach ekelhaft! Als du aus Ostpreußen zurückgekommen bist, wollte sie dich nicht mehr ins Haus lassen, und sie hat versucht, mich in ein Schweizer Internat abzuschieben! Konrad sagt, das will sie nur tun, um das Haus hier ganz für sich zu haben und große Feste feiern zu können.«
»Onkel Thomas und Tante Dorothea werden nicht zulassen, dass Ermingarde dich wegschickt«, versuchte Lore die Kleine zu beruhigen. »Ansonsten werden wir sie ertragen müssen. Das Haus Retzmann braucht nun einmal eine Dame, die es repräsentiert.«
»Dann repräsentiere du es doch!«, rief Nati zornig aus.
»Aber, aber, Nathalia! Du sollst dich doch nicht so echauffieren!«

Unbemerkt von den beiden, war Dorothea Simmern eingetreten und drohte Nati mit dem Zeigefinger. Ihre Augen blitzten jedoch fröhlich, und sie wirkte wie jemand, der es nicht erwarten kann, mit einer frohen Nachricht herauszuplatzen. Dennoch blieb Dorothea Simmern auch in dieser Situation ganz die große Dame. Sie wartete, bis ein Dienstmädchen ihr eine Tasse Tee und etwas Gebäck hingestellt hatte, aß eines der Plätzchen und musterte amüsiert Lore und Nati, die sie beide fragend ansahen.
»Mein Mann und Herr von Trettin sind heute Mittag aus Ostpreußen zurückgekehrt«, begann sie mit sanfter Stimme.
»Wirklich? Warum sind sie denn nicht mitgekommen?« Lore sah unwillkürlich zur Tür und reizte damit Dorothea zum Lachen.
»Natürlich sind sie mitgekommen. Sie sitzen jetzt im Rauchsalon und trinken ein Glas Wein. Das wirst du ihnen nach dieser langen Fahrt doch wohl vergönnen.«
Lore fühlte sich fast wie Nati, wenn diese von Dorothea im gleichen sanften Ton zurechtgewiesen wurde, und hob beschwichtigend die Rechte. »Die Herren haben selbstverständlich das Recht, ein Glas Wein zu trinken. Es ist nur …«
»… so, dass wir neugierig sind, was sie zu erzählen haben«, fiel Nati ihr ins Wort.
Dorothea zog die linke Augenbraue hoch. »An dir werden wir noch einiges zu erziehen haben. Vielleicht sollten wir dich wirklich in die Schweiz schicken.«
»Nein!«, fauchte Nati und stemmte die Fäuste in die Seiten. »In die Schweiz fahre ich nicht, es sei denn, Lore kommt mit!«
»Zur Sommerfrische werdet ihr sicher dort hinfahren. Aber vorerst sehe ich noch keinen Anlass, dich in ein Internat zu geben. Später, wenn du etwas älter und wohlerzogener bist, wirst du allerdings eine Schule für höhere Töchter besuchen müssen. Aber das hat noch Zeit!« Der letzte Satz kam rechtzeitig genug, um Nati davon abzuhalten, einen ihrer alten Wutanfälle zu be-

kommen. Für sie zählte nur, dass sie mit Lore zusammenbleiben konnte.
Dorothea blickte Lore forschend an. »Wie behandelt die Gnädige dich jetzt?«
Diese zuckte mit den Achseln. »Ermingarde beliebt, mich nicht wahrzunehmen.«
»Sie ist aufdringlich, dumm und gierig«, erklärte Dorothea und hob sofort den Finger. »Das hast du nicht gehört, Nati, verstanden?«
Die Kleine nickte grinsend, sagte aber nichts, weil draußen auf dem Flur Schritte zu vernehmen waren. Gleich darauf klopfte es, und Thomas Simmern trat zusammen mit Fridolin ein.
»Einen schönen guten Tag, die Damen«, grüßte er lächelnd, während Fridolin einen prüfenden Blick auf Lore warf.
»Geht es dir denn wieder besser? Als ich nach Ostpreußen fahren musste, warst du noch ganz krank vor Aufregung und Erschöpfung.«
»Lore geht es bereits viel besser. Sie hat ja mich!«, erklärte Nati resolut.
»Ich glaube, ich habe es überstanden. Ich träume zwar in den Nächten noch von den schrecklichen Stunden auf der sinkenden *Deutschland*, von Ruppert und auch von all den Dingen, die in Trettin geschehen sind. Aber es wird langsam besser, und es bedrückt mich auch nicht mehr so stark.«
Dorothea zog Nati an sich, um sie zu streicheln, und nickte Lore aufmunternd zu. »Es wird sich geben, sobald es Sommer wird. Dann werde ich mit dir und Nati eine Reise in die Schweiz unternehmen. Mein Arzt rät mir dazu, und ich glaube, auch euch beiden wird die Erholung guttun.«
»Das ist eine famose Idee!«, befand Thomas Simmern. »Ich werde euch gerne für ein paar Tage begleiten.« Er wirkte einen Moment verträumt, als sehe er sich bereits über saftige Almwiesen wandern

und in urigen Gasthäusern einkehren. Vorerst aber galt es, Lore über das zu informieren, was er und Fridolin in Ostpreußen erreicht hatten.
»Erzählen Sie, wie es gelaufen ist, Herr von Trettin, oder soll ich berichten?«, fragte er.
Fridolin legte die Spitzen seiner Finger aneinander und überlegte. »Ich kann mich nicht immer hinter Ihnen verstecken. Außerdem wird Lore mir sicher nicht den Hals umdrehen, wie es Malwine am liebsten getan hätte.« Er legte eine kurze Pause ein und sah dann Lore lächelnd an. »Weißt du, dass ich nach Recht und Gesetz dein neuer Vormund bin?«
»Wie bitte?«, stieß Lore verblüfft aus.
»Da ich – von dir übrigens völlig unbemerkt – mein einundzwanzigstes Lebensjahr vollendet habe und damit volljährig geworden bin, ist mir nach Ottokars Tod automatisch die Vormundschaft über dich zugefallen. Darüber hinaus bin ich auch der Vormund von Malwines Sprösslingen und damit auch für Gut Trettin verantwortlich, bis der ältere volljährig ist. Mein Gott, hat die Frau getobt, als sie es erfuhr! Sie hätte am liebsten den Notar, der ihr diese Nachricht überbracht hat, von den Dienern aus dem Haus werfen lassen. Doch schließlich musste sie es zähneknirschend akzeptieren. Zum Glück habe ich nicht viel mit dieser Bagage zu tun. Ich werde einmal im Jahr nach Trettin fahren, das Rechnungsbuch des Gutes kontrollieren und mir die Zeugnisse der Jungen ansehen. Mehr nicht. Den älteren werde ich in Königsberg Agrarökonomie studieren lassen und den jüngeren in eine Kadettenanstalt stecken, wenn sie das entsprechende Alter erreicht haben. Das Gut soll Malwine mit Hilfe eines Verwalters führen, bis ihr Ältester es übernehmen kann.«
Fridolin trank einen Schluck Kaffee und sah Lore feixend an. »Als dein Vormund erlaube ich dir, bei Komtess Nathalia zu bleiben, solange du willst.«

»Danke!« Lore wusste selbst nicht, weshalb sie eine eigenartige Enttäuschung überkam.
»Es gibt also niemanden mehr, der mir Lore wegnehmen kann?«, fragte Nati und juchzte auf, als Fridolin nickte.
»Nein, niemanden!«
»Dann ist es gut!« Die Kleine wollte auf Lores Schoß klettern, doch Dorothea fing sie ab und nahm sie zu sich.
Sie lächelte dabei so freundlich, wie sie es meist tat, wenn sie etwas erreichen wollte.
»Damit haben wir zwei von drei Problemen gelöst, nämlich das mit Ruppert und seinen mörderischen Plänen sowie das mit Lores unangenehmem und, wie ich jetzt auch sagen muss, verbrecherischem Vormund. Doch bevor ich zu unserem letzten Problem komme, will ich Sie etwas fragen, Herr von Trettin.«
»Gerne«, antwortete Fridolin.
»Als wir uns vor mehreren Wochen über Lores mögliche Flucht ins Ausland unterhalten haben, erklärten Sie sich bereit, sie zu heiraten und unter Ihren Schutz zu stellen. Stehen Sie noch zu diesem Wort?«
»Er braucht Lore aber gar nicht mehr zu heiraten. Sie kann auch so bei mir bleiben«, rief Nati dazwischen.
Anstatt sie zurechtzuweisen, lachte Dorothea auf. »Du solltest daran denken, meine Liebe, dass eine verheiratete Freifrau von Trettin eine würdige Repräsentantin dieses Hauses wäre und die weitere Anwesenheit Ermingarde Klampts dadurch überflüssig würde.«
»So gern ich die Dame auch dorthin schicken würde, wo der Pfeffer wächst, so muss Lore deswegen nicht gleich heiraten. Sie ist doch noch so jung«, wandte Onkel Thomas ein.
»Sie ist in wenigen Tagen sechzehn, und das ist, wenn du dich erinnerst, das Alter, in dem Frauen in unserem Land heiraten dürfen, falls die Eltern oder in diesem Fall der Vormund zustimmt«,

erklärte seine Frau und erhielt von Nati Unterstützung, die als Erste begriffen hatte, was Dorothea im Schilde führte.
»Lore, du musst Fridolin heiraten, damit wir Tante Ermingarde loswerden. Du musst, du musst, du musst!«
»Lore muss gar nichts«, wies Onkel Thomas sie verärgert zurecht.
»Ich glaube, das sollten wir den beiden überlassen. Ihr könnt auf den Balkon gehen.« Die letzten Worte galten Lore, die aussah, als würde sie am liebsten auf der Stelle davonlaufen, sowie Fridolin, dessen Lächeln nun eingefroren wirkte.
Er fasste sich jedoch rasch und bot Lore die Hand. »Dieses Angebot sollten wir nicht ausschlagen.«
»Welches Angebot?«, fragte Lore verwirrt.
»Na, auf den Balkon zu gehen!«
Das war wieder der Fridolin, den sie kannte. Lore folgte ihm nach draußen, sah, wie er umständlich die Türen hinter ihnen zuzog, und blickte dann auf den Garten hinaus, in dem die ersten Blumen den beginnenden Frühling ankündigten.
»Dem alten Herrn hätte es gefallen«, sagte Fridolin nachdenklich.
»Was denn, bitte?«
»Wenn wir heiraten würden! Es war seine große Hoffnung, lange genug leben zu können, um uns zusammenzubringen. Erst als er begriffen hat, dass ihm diese Zeit nicht mehr bleibt, hat er deine Flucht nach Amerika ins Auge gefasst. Ich muss sagen, ich bin ihm ein wenig böse, dass er mich nicht eingeweiht hat. Sonst wäre ich mit dir gefahren.«
Lore sah ihn an und begriff, dass er die Wahrheit sagte. Außerdem mochte sie ihn, und das war etwas, das nicht alle Bräute von sich behaupten konnten. Natürlich war er nicht mit Thomas Simmern zu vergleichen, oder vielleicht doch?
Fridolin dauerte ihr Sinnieren zu lange. »Du brauchst keine Angst zu haben, ich wäre auf dein Geld aus! Herr Simmern hat mir ver-

sprochen, mir eine Stellung zu verschaffen, die ich auch als Adeliger unbesorgt antreten kann.«

»Das ist lieb von ihm! Übrigens hat es mir sehr imponiert, wie du Rupperts Spießgesellen mit der Pistole in der Hand aufgehalten und jetzt auch Malwine in die Schranken verwiesen hast. Ich will diese Frau nie wiedersehen.«

»Das musst du auch nicht. Vielleicht freut es dich, zu erfahren, dass ich deinen Großvater in die Familiengruft derer von Trettin überführen lasse. Er wird aber nicht direkt neben Ottokar liegen.«

»Das sollte er auch nicht. Ich danke dir, dass du daran gedacht hast«, antwortete Lore und senkte den Kopf auf Fridolins Brust, um die Tränen zu verbergen, die die Erinnerung in ihr aufsteigen ließ. »Vielleicht sollten wir wirklich heiraten, aber nicht, weil mein Großvater es gerne gesehen hätte oder Dorothea es so möchte, sondern …«

»… weil Nati auf diese Weise diese aufgeblasene Ermingarde und ihren noch aufgeblaseneren Sohn loswerden könnte. Ich glaube, diesen Wunsch sollten wir ihr erfüllen.« Fridolin lachte und zeigte dabei seine weißen, makellosen Zähne.

Er war ein gutaussehender Mann, fand Lore, und einer, mit dem sie auskommen konnte. Außerdem war er der Einzige, bei dem sie die Vorstellung nicht erschreckte, gewisse Dinge tun zu müssen, die zu einer Ehe gehörten.

»Eines möchte ich vorher klarstellen«, sagte sie. »Du wirst mir erlauben, meine Freundin Mary aus England zu holen und mit ihr einen Modesalon zu eröffnen. Keine Angst, ich werde als stille Teilhaberin im Hintergrund bleiben. Aber sie mag Konrad und er sie. Ich möchte, dass die beiden ihr Glück finden. Vielleicht sollten wir auch Marys Schwester Prudence mitkommen lassen. Sie ist ausgezeichnet mit Nati zurechtgekommen und wäre sicher die richtige Zofe für sie. Die Frau, die Thomas Simmern für sie eingestellt hat, hat sich Ermingarde Klampt angeschlossen und arbeitet mehr als deren Zofe denn als Natis Betreuerin.«

»Wie es aussieht, werde ich dich wohl mit diesem kleinen Biest teilen müssen. Keine Angst, ich mag Nathalia, und ich will nicht, dass ihr euch trennt. Aber ich wünsche mir halt doch auch mal ein wenig Zeit für uns zwei. Aber jetzt zu etwas anderem. Meinst du, es wäre schicklich, wenn ich dich küsse, auch wenn du erst übernächste Woche sechzehn wirst?«

Lore dachte kurz nach und fand, dass es schicklich war. Außerdem würden Nati und Dorothea es von ihnen erwarten.

Nachwort

Der Untergang des NDL-Schnelldampfers *Deutschland* im Dezember 1875 hat sich so abgespielt, wie es im Buch beschrieben ist. Auch hat es die fünf Nonnen gegeben, die dabei ertrunken sind. Dieses Unglück hat großes Aufsehen erregt und in Deutschland sogar den Reichstag beschäftigt. Eine der Konsequenzen war schließlich die Gründung der Deutschen Gesellschaft zur Rettung Schiffbrüchiger.
Auch das zweite Schiffsunglück, der Zusammenstoß des englischen Dampfers *Strathclyde* mit dem HAPAG-Schiff *Franconia* vor Dover, ist ein Teil der Seefahrtsgeschichte, ebenso wie die im Text erwähnte Bombe an Bord des NDL-Schnelldampfers *Mosel,* die im Hafen explodierte.

Im Zeitalter der immer größer und schneller werdenden Dampfschiffe und eines immer noch hohen Verkehrsaufkommens durch Segelschiffe hinkte die Sicherheit weit hinterher. Es gab noch keine drahtlose Telegraphie, keinen Funk oder Vergleichbares. Man fuhr auf Sicht und berechnete den Standort nach den überlieferten Methoden aus der Segelschiffszeit und der mit einem primitiven Log errechneten Geschwindigkeit, wobei die Abdrift nach Windgeschwindigkeit und Meeresströmung als Schätzwert aus Erfahrung genommen wurde. Hilfe erbat man mit dem Knall der Bordkanone – wenn das Pulver trocken geblieben war.

Die Personen

In Ostpreußen

von Elchberg: Nachbar der Herren von Trettin
Elsie: Dienstmädchen Wolfhard von Trettins
Florin: Kutscher Ottokar von Trettins
Gustav: Angestellter bei Wagner
Huppach, Leonore, geb. von Trettin: Lores Mutter
Huppach, Lore: Enkelin Wolfhard von Trettins
Huppach, Wolfi, Willi und *Ännchen:* Lores Geschwister
Kord: ehemaliger Vorarbeiter auf Trettin
de Lepin: Schneiderin in Heiligenbeil
Luise: Angestellte Madame de Lepins
Miene: frühere Magd auf Trettin
Doktor Mütze: Freund Wolfhard von Trettins
Senta: Hausmädchen bei Mützes
Starzig: katholischer Priester
von Trettin, Fridolin: Neffe Wolfhard von Trettins
von Trettin, Malwine: Ehefrau Ottokar von Trettins
von Trettin, Ottokar: Neffe Wolfhard von Trettins
von Trettin, Wolfhard Nikolaus: Lores Großvater
Wagner: Fuhrunternehmer

Auf der »Deutschland«

Brickenstein: Kapitän der *Deutschland* (historische Person)
von Retzmann, Graf: Reisender auf der *Deutschland*
von Retzmann, Nathalia, genannt Nati: Enkelin Graf Retzmanns
von Retzmann, Ruppert: Nathalias Cousin

In England

Edwin: Komplize Rupperts
Emma: Bettlerin in Harwich
Konrad: Thomas Simmerns Kammerdiener
Penn, Freddy: Joe Penns zweitältester Sohn
Penn, Joe: Hafenarbeiter in Dover
Penn, Jonny: Joe Penns ältester Sohn
Penn, Mary: Joe Penns älteste Tochter
Penn, Mrs.: Joe Penns Ehefrau
Penn, Prudence: Joe Penns zweitälteste Tochter
Simmern, Thomas: Nathalia von Retzmanns Vormund
Smithson: Hafenbeamter in Harwich
Weates: englischer Lakai in Simmerns Diensten
William: Komplize Rupperts

In Berlin

Anton: Pförtner in Hede Pfefferkorns Bordell
Gerda: Mädchen in Hede Pfefferkorns Bordell
Pfefferkorn, Hede: Besitzerin eines Berliner Bordells
Reinalde: Mädchen in Hede Pfefferkorns Bordell
Rendlinger: Industrieller

In Bremen

Busz, Inge: Wirtschafterin im Haus Retzmann
Klampt, Armgard: Tochter Ermingarde Klampts
Klampt, Ermingarde: Großtante Nathalias von Retzmann
Klampt, Gerhard: Sohn Ermingarde Klampts
Simmern, Dorothea: Ehefrau Thomas Simmerns